U0115796

# 浮光掠影

## 人生八十才開始，五十金婚方起步

2021年高崇雲總院長全家福照片，一排右起次孫高敬傑、長孫高聖竣、高總院長伉儷、外孫吳定陽、外孫女吳佳諭，後排右起媳婦吳佳靜、長子高鵬翔、女兒高欣、女婿吳旭哲

# 宣揚中山精神，承襲傳統文化，奮發有為，全力以赴

1978年3月高崇雲教授獲頒韓國慶熙大學政治學博士學位，校長趙永植博士時任世界大學校長會議主席於慶大校園大廣場親頒證書

1991年國父紀念館管理委員會謝東閔主任委員（左二）率高崇雲館長（右），接受著名畫家范曾（左）贈送國父畫像，民生報王效蘭社長（右二）促成並陪同

1992年高館長在國父紀念館大門迎接世界級領袖英國前首相柴契爾夫人蒞館發表專題演講

1993年高館長與蒞館專題演講的世界級領袖蘇聯前總統戈巴契夫握手歡談

1992年高館長在新加坡國家文物館佈置國父　孫中山書畫展覽與時任國防部長而現任總理的李顯龍先生合影

1991年總統經國先生繼承者登輝先生（中）偕同夫人曾文惠女士蒞臨中山畫廊參觀吳炫三（左）畫展，高館長（右）陪同合影

1994年高館長致詞歡迎尼日總統蒞館參觀

1994年高館長與時任法務部長的馬英九先生在國父紀念館握手寒暄

1995年高館長與時任臺北市長的陳水扁先生合影

1992年高館長贈送孫運璿院長紀念品

1992年高館長贈送李煥院長紀念品

1992年再興中學朱秀榮校長（左二）畫展，高館長（右）陪同東閔先生（中）郝柏
村院長（右二）、馬紀壯秘書長（左）

1993年高館長與連戰院長在中山樓
合影

1995年高館長與時任南投縣的吳敦義縣長在國父紀念館合影

1991年俞國華院長（左二）、郭婉蓉部長（中）、李國鼎資政（右二）來館參觀六年
國建展覽由高館長（左三）陪同

1992年高館長與王金平院長在貴賓室合影

1993年高館長偕同夫人王海倫與錢復院長歡談

1994年高館長陪同吳伯雄秘書長觀賞畫展，右為王能章副委員長

日本大阪孫中山紀念館開館十周年紀念，高館長（左三）偕同夫人王海倫（左二）
出席，並與國父長孫孫治平先生（中）、次孫孫治強先生（中右一）在儀式中合影，
左為名書法家張炳煌

高館長伉儷（左）在檀香山拜會國父孫女孫穗芳女士（右）

高館長伉儷（中左一）由新加坡代表陳毓駒伉儷（中右一）陪同參觀晚晴園

高館長與名影星劉德華同為妙蓮大師的愛徒

星雲大師在國父紀念館開講弘法，高館長與母親陳蘅君女士、妹妹高崇雯女士等陪同合影

妙蓮大師在國館開講弘法，高館長及母親陳蘅君女士、妹妹高崇雯女士陪同

高館長伉儷（中）與臺灣書畫泰斗李奇茂大師（左二）合影，右一為陳丹誠名畫家、
左一為倪占靈名畫家

1995年高館長伉儷（中）與臺灣書畫泰斗歐豪年大師（右二）合影於中山畫廊

1992年高館長陪同教育部郭為藩部長（右）觀賞畫展

1997年高館長陪同教育部吳京部長（右二）、文建會林澄枝主委（左二）觀賞
表演

1992年行政院郝柏村院長（前排中）與高館長（前排中右一）及陪同行政院官員和
國父紀念館員工合影

1995年高館長主辦第一屆中南美五國在臺畫展於開幕典禮致詞，左右均為中美洲五
國駐臺代表

1996年監察院陳履安院長與高館長

1995年臺灣省宋楚瑜省長與高館長

行政院退輔會主委許歷農上將與高館長合影

聖嚴大師與高館長（左）合影，右
為著名演員陳麗麗（小王爺）

1993年高館長與臺北市黃大洲市長（左）及陳健治議長（右）合影

前排左起陳燕南參事，高館長夫人王海倫、日本井上參議員、高館長。後排左為品
川惠保理事長，右為張炳煌理事長

高館長伉儷（左一、二）偕高鵬翔教授參訪世界博物館與戴勝益館長伉儷（右一、
二）合影

高館長坑儷（中）率團前往英國倫敦辦理中山史蹟書畫展與我駐英代表簡又新博士、劉家聲主任（右）、方仲強參事（左）合影

高館長坑儷（中）參訪金山國父紀念館，左為該館莫鏗館長

高館長陪同母親陳蘅君女士參
訪陽明書屋留影

高崇雲館長（右）、李瞻教授夫人（右二）、李瞻教授（左）、高館長夫人王海倫（左
三）的合影

金山國父紀念館莫鏗館長（左）歡宴，高館長伉儷（中）、右為莫夫人

國父史蹟書畫展在紐約展出，中左為紐約處長吳子丹、中為高館長伉儷

高館長在中山樓接待韓國慶熙大學趙永植校長

高館長應日本書道協會邀請，在東京大飯店發表演講

高館長（中）在澳門中山堂舉辦國父史蹟展覽，澳門葡國總督、官員（左二、三）、右二為但保羅秘書，右三為韓廷一編審均出席致詞

高館長（中）在新加坡文物館展出國父史蹟書畫時致詞，左二為謝瑞智教授，右一為陳毓駒代表

高館長优儷（中）偕李奇茂大師优儷（右二）參訪東京都美術館，張炳煌理事長（左）
同行

總統府王科長（右）奉命將英國康德黎所贈送的國父親筆信件交給高館長（左）由
國父紀念館收藏

1991年高崇雲時任國父紀念館館長

高館長參訪美國舊金山並舉行國父史
蹟巡迴展，拜會羅致遠處長贈送國父
畫紀作為留念

高館長伉儷（中）拜會美國洛杉磯中華會館與僑領合影

# 輔導海外僑校，照顧在臺僑生，善盡職責、勇於任事

1998年高主委與蕭萬長院長在行政院合影

1998年高主委與夫人王海倫拜會馬來西亞國會副議長翁詩杰（中）

1999年馬來西亞檳城首席部長許子根（右）設宴款待高主委伉儷

教育部黃榮村部長（一排中左）偕僑教會主委高崇雲教授（二排中）及海外臺北學
校董事長、校長一行24人拜會臺灣領導人呂秀蓮女士（一排中）

高主任委員於2004年8月提前退休,行政院僑委會委員長張富美率同該會副委員長
及一級主管舉辦歡送會全體合影。前排左二為高主委,右二為張富美委員長,右為
廖勝雄副委員長

2003年高崇雲擔任僑教會主委時與各大學校長合影,左三是李建興校長、左二是熊
慎幹校長、左一為王俊權專門委員、右三為李寧遠校長、右二為何福田校長

2004年僑委會張富美
委員長贈送高主委「功
在僑教」金質獎牌，並
致詞大加讚揚高主委
的貢獻

1999年高主委與教育部楊朝祥部長合影

1999年高主委與教育部吳清基政務次長合影

高崇雲主委伉儷（中左二）與考試院許水德院長（左三）、陳華清馬來西亞留臺校友會總會長（左二）、右為簡明勇僑聯監事、左為僑大先修班陳金雄主任

高主任委員（中）率團參訪韓國仁川華僑學校與李奇茂大師伉儷（左五、六）初福
成校長（中右），暨全體藝術家合影於校園

為僑大先修班班主任監交，左為陳金雄校長，右為王新華校長

僑教會高主任委員（右二）出席臺大春節僑生聯歡會，中為台大陳維昭校長，左二
為僑委會洪冬桂副委員長

高主任委員（中）率團參訪檳城台北學校受到溫世仁董事長（右）、呂宥萱校長（後
排中）熱烈歡迎。陳德華司長（右一）、後排右二為李彥儀副司長

高主任委員伉儷（前排右）與謝孟雄校長伉儷（前排中）及宋文軍訓處長（左）合影

高主任委員接受德州達拉斯榮譽市民證書

高主任委員（中）辦理海外教師回國研習班與相關單位代表合影，右起僑委會林美芳科長，僑教會王明源專員、李淑範主任、許志賢副處長，左五為曾坤地副司長，左四黃秀芳主任

高主任委員伉儷（中）出席頒獎典禮致詞，中左為僑聯總會吳振波秘書長

教育部僑教會高主委（中）陪同馬來西亞教育部韓春錦副部長（左二）到國父紀念
館致敬，左為陳華清總會長、狄德蔭副館長（右二）

我駐教庭大使戴瑞明（右）歡迎高主委（左）率團參訪

暨南大學校長袁頌西伉儷（右三、四）偕高主委伉儷（右五、六）率團參訪南非共和國僑校

高主委接待印尼教育部司長伉儷來華訪問

高主委（中）主持八十九學年度僑生輔導人員工作研討會，中左為文化大學校長林彩梅、中右為僑委會廖勝雄副委員長

高主委參訪淡江大學世界各國僑居地文化展，右四為張紘炬校長、右三為張家宜副校長、中左為高主委、其左為僑委會劉連華主任

高主委率團親訪緬甸視察當地僑校，在曼德勒受到段必堯董事長熱烈歡迎

高主委接受吉隆坡台北學校杜書堯董事長感謝狀，後排左三為馬來西亞國會副議長
翁詩杰、左四教育部范巽綠次長、右四為拿督陳坤煌、右三留台校友會陳華清總會

高主委出席泰國僑界歡迎晚會，中為孫震前臺大校長、左二為泰國臺校周幼蘭董事長、左三為高主委伉儷

僑教會高主委伉儷（左四，五）偕同內弟妹王海福夫人及當時當選為舊金山華埠小姐的王海福之女王曉琳（左三）出席臺北扶輪社歡迎會

馬來西亞州長拉賓尼致送高主委紀念品

高主委（左五）陪同呂木琳教育部次長（右四）訪馬來西亞與僑委會張富美委員長
（右二）、沈慕羽僑界大老（右三）、陳志成留臺校友總會會長（左四）合影

高主委出席第二屆海外臺北學校董事長、校長聯席會議致詞

高主委伉儷（中）應馬來西亞拿督李芳信（左二）邀請參加晚宴

高主委伉儷（中右）出席泰國華僑崇聖大學歡迎會發表講話，中左為聖大副校長

高主委（中左）率團參訪東京中華學校，左二起李淑範主任、郭東榮校長、右為羅
國隆專員、中右為卓英豪參事

高崇雲僑教會主委（右）陪同黃榮村教育部長（中）接見馬來西亞留臺校友總會陳華清總會長（左）

高主委（中）率陳金雄僑大校長出席輔仁大學僑生聯歡會，受到李寧遠校長（左四）等校方師生熱烈歡迎

高主委拜會銘傳大學與李銓校長合影

高主委（中）偕軍訓處長宋文（中左）一行七人前往海外臺校參訪，受到印尼泗水
臺校董事長黃順良（中右）等校方人士熱烈歡迎

2023年7月高崇雲董事長（左）拜會考試院黃榮村院長（右）

高崇雲擔任教育部僑教會主委率團訪問
韓國僑校，贈送補助款及獎學金，由漢城
僑中孫樹義校長代表接受

左二為泰國華僑大學許鎮倫校長，中為高
主委伉儷，右為僑委會許振榮副委員長，
右二為周幼蘭泰國台校董事長

## 熱心推動公益，闡揚文化藝術，殫精竭慮，提昇品質

中國國民黨黨主席朱立倫與高總院長合影

為臺灣領航，點亮龍睛。左起中華學術文教基金會王海倫執行長、中華文化藝術總院高崇雲總院長、全球商業網公司林暉總裁、中華文化藝術總院楊旭堂書法院長

左起為華協總會林齊國理事長與夫人符
玉鶯理事長，右為高總院長與夫人王海
倫執行長

中華僑聯總會鄭致毅理事長與高董事長
合影

僑聯總會大會合影，左四為僑委會童振源委員長、左三為高崇雲董事
長，左起泰國僑領黃安美、加拿大僑領朱國燕、右起為泰國僑領韓銅
準、加拿大僑領朱國琴、緬甸僑領蘭斯邦、黎順發、楊惠珍

左起為前國防部長伍世文上將、高棉歸僑協會理事長吳鴻發、前僑委會委員長陳士魁、前國父紀念館館長高崇雲、前國民黨海工會郭主任

高教授伉儷（右二、三）與許又聲僑辦主任（左三），
左為夏誠華教授，左二為湯熙勇教授，右為王處長

2019年粵臺滬紀念孫中山學術研討會全體合影，前排中為湯炳權理事長、前排中右一為高前館長（中右）及來自各方學者

2021年第十一屆全體董事合影，前排中為高崇雲董事長，左起為董事程南洲、黃金文、陳光憲副董事長、王正典、陳德禹、黃慶源。後排左起為李威侃、高駿華、張啟明、張文齊、江惜美、孟昭光、高鵬翔、王高樑、查重傳、陳偉之

2021年多位藝術家及學者參訪合影，左起為李威侃董事、賴佩珍名畫家、高駿華董事、黃旭清理事長、喻文芳院長、高總院長伉儷、王正典秘書長、秦來春名畫家、謝玉花名畫家、李克定理事長

臺灣藝術名家博覽會剪綵，中為高董事長、中右起為警政署前蔡副署長，王新力主席，中左起為前監察院長陳進利

第41屆全國書法比賽頒獎典禮貴賓合影，中為高總院長，右四為邱英浩校長，左四為袁天明理事長，左五為鄧家基前臺北市副市長，左六為楊旭堂院長，右八為國教署前署長吳清山

高董事長代表中華學術文教基金會與寧波市揚帆美術館在杭州簽訂合作意向書，左起為陳副董事長夫人、名記者王輝丹、高董事長夫人、查重傳董事、謝可珊研究委員、黃慶源董事、張啟明董事、高駿華董事、邵文虎名畫家、何劍峰處長、藺斯邦理事、劉瓊玩理事長、李威侃董事

高崇雲董事長（左二）與蔣萬安委員，現任臺北市長（右
二）出席退休將領聯誼會合影

左起王海倫執行長、臺北市林奕華副市長、高崇雲總院
長、高鵬翔教授

高董事長伉儷（右）偕藝術家拜會臺北市陳錦祥議長（右
三）合影，陳議長令堂陳曾悅子理事長（中），左起為中
華茶聯張會長、東方茶文化藝術學會王淑娟理事長、陳陽
春大師

高崇雲總院長與王南雄大師合影於淡水「王南雄美術館」

高總院長（右二）出席長遠畫藝學會新春聚會與長遠畫
會理事長黃慶源（右一）、王正典秘書長（左一）、蘇峯
男教授（左二）合影

前臺北市副市長鄧家基（左三）參訪中華文化藝術總
院，與高總院長（右三）、王正典副總院長（左一）、楊
旭堂書法院長（左二）、王海倫執行長（右二）、高鵬翔
董事（右）合影

高總院長（中）、王海倫執行長出席藝炁闔歡聯展，右起為曾悅子理事
長、王淑娟理事長、王大師夫人、王秀杞大師（左三）

高董事長、王正典秘書長（左）、陳逢顯大師（右）合影

高總院長偕同基金會執行長王海倫（右一）、西畫名家黃明櫻（左一）、留美牡丹畫后李燕晞（左二）參訪位於新店的千鶴美術館蘇奕榮館長（中）

黃明櫻教授絹布油畫師生展與高總院長（中）、黃明櫻教授（右一）、李燕晞畫家（右二）、演藝明星畫家韓湘琴（左二）、邢萬齡畫家（左一）合影

兩岸和平文化藝術聯盟年會合影，中為陳鎮湘上將、中左為高崇雲總
院長、中右為李沃源理事長、中左二為名書畫家沈禎、中右二為名攝
影家蔡登輝

孟昭光水墨畫展合影，右起王淑娟理事長、購物中心協會馬文炳理事
長、高崇雲董事長伉儷、孟昭光名書畫家、許芳智藝術中心總監、阿
默企業公司周正訓董事長

王太田大師專訪藝術總院，高總院長（中）、王副總院長（右一）、王海倫執行長（左一）與名藝術家王太田（右二）歡談

臺北內江兩市文化交流晚宴，高董事長致詞，左為高艷秋區黨部主委、右為張林團長、最右為好友劉志旋理事長

海外華人研究學會新舊任理事長交接儀式，左為新任理事長江柏
煒教授，中為監事長高崇雲教授、右為卸任理事長李盈慧教授

高理事長於2011年在臺北舉辦海內外華人學術研討會，時任浙
江大學副校長的龐學詮教授率大陸學者代表團出席，在晚宴中
龐副校長（右）將特聘研究員證書頒發給高鵬翔副教授（中），
左為高理事長主持餐會，右後坐者為古亭扶輪會社社友林慶助
董事長

高教授优儷（右）訪泰國曼谷，與泰國僑領余聲清（左二）、陳鴻璋主任（左）等人合影

前臺北市長郝龍斌與高崇雲董事長合影

2019年出席丁守中感恩餐會，左起為李治安將軍、高董事長、丁守中前立委、陳築藩主委、陸軍中將、古偉明董事長、葉慧珊教授（右二）、李淑敏會計師（右）

高董事長伉儷（左二、三）歡宴浙江民革何劍峰處長，中右為葉匡時前高雄市副市長、左二為舒立彥教授

參訪臺灣藝術教育館，中為高崇雲董事長伉儷，其左為吳津津館長、王淑娟理事長、高麗華助教。中右為展出者黃美賢教授、承辦人李長恩先生

高董事長伉儷（中）出席畫展與林裕淳大師（右三）、王淑娟理事長（右二）、名書法家葉傑生（右）、甘美華名畫家合影

國際藝術收藏家協會頒發榮譽證書予高董事長（右三），中為代理理事長黃東祥、中左為施珍瑛秘書長、右二為王海倫執行長

2019年高董事長出席東莞台商子弟學校歡迎廣東孫中山基金會參訪團晚宴，中為葉宏燈董事長，中左為李萍副理事長，左三為劉容生講座教授，左四為明新科大林啓端校長，中右為高董事長，中右二為龍華科技大學葛自祥校長，右三為葉宏燈董事長夫人，右四為王春源院長

2019年高董事長伉儷（中）頒發副主委聘書予方怡文（左二），左為王高樑董事、左三為陳光憲副董事長伉儷、右為李威侃董事、高駿華董事、王正典秘書長

2020年出席兩岸藝術家大展（第一排中左高崇雲董事長、李乾龍秘書長、王如玄前主委、王新力主席、包容理事長、張理事長，中右為王正典理事長、高仲源將軍、王詣典將軍、孫宜成將軍、連勝彥大師、林永瑞理事長）

2022年出席緬甸果邦學校臺灣校友會，左起為陳興國將軍、高董事長伉儷、陳以信立法委員、楊惠珍理事長

2022年高崇雲董事長伉儷（左）參訪陳持平名醫師畫家展覽會合影

高崇雲董事長（中）主持辛亥革命學術研討會第四場會議，拜會王蘭生館長（右）、左為倪仲俊主任

2022年高總院長（中右）拜會臺北市立大學邱英浩校長（中左），右為張曉生主任、左為毛金素助理教授

2022年高總院長伉儷（中）出席「墨潮新象——兩岸台閩青藝交流展」，中左為臺北市記者公會理事長郭慶璋、秦慧珠議員、中右為臺藝大陳炳宏主任

2022年出席「逆象畫展」致開幕詞，左起為名主持人趙樹海、畫家曹茵茵、高總院長、王海倫執行長

2022年高總院長（中）拜會臺灣藝術教育館李泊言館長（右）、左為楊旭堂書法院院長

中國科技大學唐彥博校長與高崇雲董事長合影於校長辦公室

出席2019年中華九九書畫會畫展，中為
高董事長、其左為劉瓊玩理事長、左起
吳富麗女士、余真賢副理事長、王錦鴻
監事、右為王秀蘭理事、黃素珠主任、
高駿華董事

高董事長專程前往中正紀念堂觀賞畫
展與包容名畫家（左）合影，右為名畫
家趙松筠

雲南同鄉會會長黎順發率團參訪中華文化藝術總院／全體合影於老子空間中為高
總院長、中左為黎理事長、張前理事長、楊秘書長、中右為謝常務理事、何總會長、
王秘書長

# 親朋好友相知，服務奉獻社會，出錢出力，淨化人心

2019年高董事長（中右）參訪愛爾蘭三一學院適逢畢業典禮與院長（中左）合影，王海倫執行長（右）同行

偕同王淑娟理事長一行參訪三峽茶文化園區，前排左起中華東方茶文化藝術學會幹部鳳友、思蓉、文鳳、簡貴玲，後排右起素貞、高董事長伉儷、王淑娟理事長、郝爾繪、曾悅子理事長、玉津等專家

高董事長伉儷（中）偕同王淑娟理事長（中左）一行參訪土耳其國父紀念館合影

臺濟學研聯盟於王朝酒店，左起高欣助理教授、魏特助、黃一修總院長、
高崇雲總院長、許秀影教授、高鵬翔副教授

後排右起為嘉義市陳淑慧副市長、鄭致毅理事長伉儷、前排左起高崇雲總
院長伉儷、孫國華前立委伉儷、右為巴西代表廖世秉名畫家

世界廣東同鄉總會29周年慶，左起為世廣名譽會長李冠白、高董事長仉儷、僑委會呂元榮副委員長、世廣秘書長黃信麗、華協總會陳美淑女士、華協總會溫淑芬監事

美國紐約州前眾議員楊愛倫參訪本會（全體合影於老子空間展覽廳、中為高董事長仉儷、中左為楊議員、左為陳副董事長仉儷、右為王正典秘書長、右二為李威侃董事）

高董事長贈送「天下為公」墨寶予金山國父紀念館館長陳夏儀（中右），
右起為僑領徐楚南、唐煥清、孫文青、于愛珍、張人睿、左起為僑領楊
子超、高董事長夫人王海倫、僑領楊昆山、陳伯豪、趙川三

臺中市令狐榮達副市長接待僑聯總會參訪團座談會全體合影，第一排右
起龔維君處長、黃五東秘書長、鄭致毅理事長、令狐榮達副市長、童惠
珍前立委、孫國華前立委、高崇雲董事長、兩位臺中市政府局處長

贈送陳炎棣董事長伉儷（左一、二）「鵬程萬里」國畫乙幅，右為好友唐煥清會長

拜會東興振業公司嚴文聰董事長，右起為嚴文聰董事長、高崇雲董事長、高鵬翔執行長在大辦公室留影

高董事長伉儷（右）拜會MOMA公司，左起為郭新跨董事長伉儷、林文進董事長

拜會寶昌公司董事長鄭書鎮，左起為鄭書鎮董事長、高崇雲董事長伉儷、高鵬翔執行長

高董事長伉儷（中左）在中華學術文教基金會辦公室接待好友張秋旺董事長（右二）及黃欲彬代書（右）

高理事長在舉辦海內外華人學術研討會後設慶功宴接待各界代表，左起為高理事長夫人王海倫、好友陳志章伉儷、陳建宏董事長、林政誠醫師

高講座教授主持辛亥革命學術研討會第四場會議，其左為夏誠華前玄奘大學校長、鍾文博研究員、其右為國史館許瑞浩處長、政治大學劉維開教授

高董事長伉儷（左二）與蔡淑玲院長（中）、張光正校長伉儷（右）合影，後立者高鵬翔及高欣兩位學者

出席華岡文教基金會年會，中坐者為高董事長、中立者為候淵棠董事長，全體董
事出席

高董事長率團拜會浙江民革於杭州市，中坐者為浙江省民革吳晶主委，其左為高董
事長伉儷，左為李淑敏會計師，右為舒立彥教授，周健教授。後排左起何劍峰處長、
王素珍上校、方洪英中校、張綺蓮中校、張育蘭上校、李威侃助理教授

高董事長伉儷（中）拜會美國中英驕陽學校校長楊坤山（左二），
右為孫文青會長，左為唐渙清會長

高講座教授伉儷（左一、二）為名畫家蔡雪貞教授（中）畫展
開幕致詞，右為劉維琪校長伉儷，林財源博士（左三）

高董夫人王海倫（前排右二）與政大新聞系同學合影

高董夫人王海倫（前排右四）與高中同學合影

右為康寧大學新任董事長吳慶堂，中為監交人高崇雲總院長，左為前董事長童中儀。

高總院長伉儷與出席貴賓合影，右二為李義男婦產科泰斗名醫

高總院長出席陳秋玉油畫展，左起許坤成教授伉儷、
馬西屏副校長、高崇雲總院長伉儷

中為林裕淳大師，中左為王淑娟理事長，中右為高崇雲
總院長，右為林晉大師

與日月潭原住民舞者共舞。左起原住民舞者、茶道花藝研究員吳黎娟、金添、簡貴玲、王淑娟理事長、高崇雲總院長、王海倫執行長、茶道花藝研究員林芳姿及林仙玉

高總院長出席聊城臺北兩岸名家聯展。右起為于茂生中將、沈禎理事長、陳築藩中將、郭年昆中將、高崇雲總院長、沈方枰中將、唐健風理事長、黃明櫻主委

海外僑界領袖聯袂參訪中華學術文教基金會。左起為黎順發理事長伉儷、張學海常
務理事、舒立彥監事、高崇雲總院長伉儷、楊昆山校長伉儷、鍾順昌董事長伉儷

高總院長出席全國書法比賽頒獎典禮。前排右起基金會執行長顏金蘭、基金會執行
長張麗華、楊旭堂理事長、高崇雲總院長、李永騰教授、許耿銘教務長、張連興總
會長

高崇雲董事長在雲南同鄉會會員大會致詞，旁立者為黎順發理事長。

中華學術文教基金會董事長、中華文化藝術總院總院長高崇雲講座教授
代表出席所有董事發表國是建言。

# 正心修身齊家，推動國學孝道，行善積德，廣種福田

父親高維嶽主任
（攝於1984年）

母親陳蘅君女士
（攝於1968年）

父親高維嶽黎明中學訓導主任（中）與學生合影

1973年高崇雲、王海倫新婚合影（中），第一排最右邊是父親高維嶽先生、右二為母親陳蘅君女士及全體親戚合影

2001年母親陳蘅君女士80歲壽宴全家福，高主委和王海倫（左三），右為大嫂高敏、右二兄長高崇蔚、左為小妹高崇雯

前排中坐為岳父王連貴、岳母周素琴全家福合影，後排左三高崇
雲、左四王海倫

1971年高崇雲與王海倫在韓國慶熙大學就讀研究所時合影

1967年高崇雲大學
畢業照

1955年高崇雲12
歲就讀國一

1977年高崇雲教授攜子高鵬翔與岳父王連貴董事長、岳
母周素琴合影留念

浙江大學龐學詮副校長（左二）率團參訪中國文化文學，
左三為中國文化大學張鏡湖董事長，高崇雲講座教授
（中）、高鵬翔副教授（右）、高欣助理教授（右二）

1983年張其昀部長與文大青少年兒童學系師生合影，前排中間者
即為高崇雲教授之女高欣，當時在幼兒園上學

高崇雲講座教授伉儷拜會美國天主教聖文教會大學贈送校長國畫
乙幅

高崇雲獲慶熙大學政治學博士學位（右二）與指導教授李命植（右）博士等
學者合影

高崇雲總院長家族與二位親家全家福合影，前排右起媳婦吳佳靜（中）令
尊堂吳仁榮伉儷，左為女婿吳旭哲（後左二）令尊堂吳靜黎伉儷

2018年高董事長全家福與內兄王海旭醫師
伉儷（中）偕其長女女婿一家4人參訪臺北
設宴款待全體合影

高董事長內弟王海福全家福

高崇雲院長伉儷合影於四川張大千紀念館

實踐大學謝孟雄校長頒發榮譽博士學
位予高崇雲教授

1998年高崇雲教授全家福

高崇雲總院長全家合影於松山金山客家小館大門口。

1980年攝於亞太影城

攝於1974年，高崇雲時任中國
文化大學副教授兼主任

高崇雲與王海倫1973年於我國駐韓國
大使館合影

2021年攝於武界

中華學術文教基金會叢刊

# 龍行天下　臺灣領航

高崇雲　著

# 目次

# 壹
# 前言

　　全球華人的圖騰象徵是「龍」，在《三國演義》一書中，對「龍」的形容非常生動，「龍能大能小，能升能隱；大則興雲吐霧，小則隱介藏形；升則飛騰於宇宙之間，隱則潛伏於波濤之內。方今春深，龍乘時變化，猶人得志而縱橫四海。龍之為物，可比世之英雄。」事實上，華人都非常崇敬「龍」，並以其為族群的代表，現階段龍的傳人放諸四海，其中有一大族群來到臺灣，所有專家都指出：臺灣戰略地位非常重要，北連日韓、東望太平洋、南鄰菲律賓、西接中國大陸，是西太平洋島鏈的中心，不但是大陸勢力南下的門戶，也是「永不沉沒的航空母艦」，更是東北亞海上生命線的要衝，自古以來號稱「蓬萊寶島」。由此看來，居住在這個島上的華人，當然有其特質與非凡的成就。《龍行天下‧臺灣領航》的靈感，就來自這樣的不凡環境下，居住於臺灣華人族群的優異表現。

　　我出生於貴陽，在一九四九年來到臺灣，居留時間已超過一甲子，如果扣除留學美國舊金山以及韓國首爾的六年生涯，算算也有七十年以上的時間呼吸了這一塊土地的芬芳，在成長與茁壯的過程中，可以說無時無刻不在關心它的發展，我也常常思考一些問題，到底臺灣的族群應該在全球華人中扮演怎麼樣的角色？究竟屬於何種地位？而未來又該何去何從？尤其適逢對岸大國崛起，而且日漸強盛繁榮更以復興傳統文化為號召，因此，孤懸於海中這個寶島應該走向何處？以上等等問題都隨著國際局勢的變遷，以及本身年齡的增長，而不斷浮現在腦海中。

　　從地理環境來看，臺灣就像一艘精緻的引水船，牽領著中國大陸那一艘大輪船出港，航向波濤洶湧，一望無際的大洋，當然有它特別的意義。而從人文化成的觀點來看，臺灣是華人文化圈中唯一沒有中斷傳統思想的地域，有它特殊的價值。再從科技文明的發展分析，臺灣擁有多元創新的優點，更有它不凡的特性。如果能夠奮發有為，全力以赴，臺灣成為全球華人心靈的故鄉，以及宜居幸福的城市應該不是癡人說夢，關鍵的所在乃是臺灣的文明與理念是否能到達最高的層級，以及臺灣能否樹立堅定正確的中心思想，還有臺灣是否能與中國大陸及全球合作，邁向富而好禮的大同世界，從而成為華人的啟航團隊，才是令人關注的焦點。

　　事實上，臺灣有許多全球頂尖的特色與優點，不管是人、地、物各方面，一些出類拔萃的傳奇、多元妙麗的生態以及美好婆娑的環境，都獲得全球的讚賞，當然臺灣也有許多明顯的缺點，包括人口老化、土地狹小、競爭力降低等等，因此不僅應該自立自強、創新發展而必須尋求兩岸融合、共存共榮的方案，大家團結一致，共同宣揚傳統中華文化，來完成民族復興的偉業，相信這樣才是臺灣走向光明坦途的不二法門，才能使臺灣擁有光明的大未來。

# 貳
# 人文匯聚臺灣優質

## 一　華人心靈故鄉

### （一）文化源流簡說

　　全球華人具有五千年悠久歷史，孕育出光輝燦爛的文化，此乃全體炎黃子孫長期努力的成果，不但是寶貴資產，亦為全人類共有共用的文明；而文化的可大可久及延續與弘揚，應有賴於教育的傳播，遠古的傳統文化隨著赫赫武功威震各藩，廣被四夷，今天則經由教育的延伸來影響全球各地。

　　自從國民政府播遷臺北，從而匯集整個大陸將近一半的菁英在臺灣，歷經七十餘年的勵精圖治，將臺澎金馬地區從歷史上的政治局外文化邊陲地帶，蛻變為傳統文化新而多采多姿的中心，由於一方面將傳統的文化小心翼翼地加以維護，另一方面則將古老的文化，注入民主法治現代化及高科技化的活水，此外又不斷與世界各地主流文化交往，使得新文化自成體系，更由於臺灣處於地球重心的亞洲太平洋地區，故亦成為此地區文化活動的樞紐自不待言。

　　惟傳統文化之淬鍊寧非易事，面對若干逆流惡質文化正摧毀正統優良文化之際，海外華人均受到異質文化的影響，有逐漸淡忘正宗文化的傾向，因而成為全民教育及文化行政最重要的榮基工作。時值今日，臺灣既已成為亞太新文化的重心，又與西方文明競爭及觀摩，亟盼傳統文化能成為東方文明的代名詞，方能肩負人類文明東西交流的

重任，故此不應自我設限獨善其身，而須大行教化於東半球各地域，尤其要使東南亞延伸到東北亞的環狀地帶能延伸傳統文化，再進而擴展至全球。

　　尤其值得重視的是現階段中國大陸崛起，並以其逐漸增強的國力，全面的向世界各地推廣固有中華文化。從華文托福（HSK）、孔子學院，以致美國、歐洲、日、韓等國所興起的華文學習熱潮來看，中國大陸以商機來推動華文學習的策略，已經收到一定成效。

　　孔子學院是類似西班牙塞萬提斯學院、德國歌德學院、法國法語聯盟、英國英國文化委員會之類的機構。此種機構可稱之為對外漢語教學單位。孔子學院總部設在北京，境外的孔子學院則為其分支機構，採用中外合作的形式開辦。

　　全球華語教學市場，本來是以臺灣為主，教材、教法、教師、教學內容等均為主導。不論對華僑、華人移民社會或世界各個國家，臺灣在固有文化上的解釋權，以及臺灣對固有文化的保存與發揚之地位及貢獻，都是受到公認的。八十年代中葉以後，大陸移民漸多，海外才逐漸有教簡體字和華語拼音的中文小學。可是近二十年以還，彼長我消，中國大陸藉對外華語推展國際文化交流，爭取認同，越來越積極，成效也越來越大，臺灣則是日漸萎縮，逐步退卻。

　　面對此一現象，臺灣在華文及文化傳統風潮中，不但未曾分享到較大的商機，甚至連原有的傳統文化，似乎都漸漸的有泡沫化的趨向。雖然就現階段傳統文化的層面來看，中國本土所代表的大陸文化，與臺灣結合海外華人所代表的海洋文化，雖不完全相同，但仍可以交融又可以合作，更可以互相觀摩競爭。此項事實從過去數十年來，雙方在僑務及僑教各項工作的比較中，可以獲得清楚的答案。

　　就此一觀點加以延伸，目前臺灣與中國大陸在對世界各國的經貿、外交及文教三方面加以分析，可以發現臺灣在外交方面處於相當

不利的地位；在經貿方面也是位居劣勢；而文教方面臺灣仍似尚可與中國大陸平分秋色。

綜觀世界局勢的發展，可以瞭解到全球化及地球村已成為主流思潮，因此促進各國和諧相處，從而達到共存共榮、世界和平的目標，乃成為大多數人類的共識。從南北越及東西德的合而為一，同時南北韓也從事談談打打等事實觀察，和諧與和平將是多數人的抉擇，因此海峽兩岸的發展實在值得省思與檢討。

基於上述的觀點，許多學者包括有政治理想的人士，乃提出文化融合優於武力解決理論，更提供具體的政策與主張。西方學者裴魯洵（L. W. Pye）在亞洲價值論文中曾指出，儒家的人文主義對於統治者都有一致的看法，那就是由政府來領導市場經濟。東亞各國的經濟文化、家庭倫理觀以及經商管理大都以儒家思想表現。儒家文化的特色常影響到日本、中國、越南、北韓以及韓國、香港、新加坡、臺灣等四小龍的政經發展。

西方學者雖有上述看法，但以東亞本土學者的角色來看，儒、釋、道才是東方文化的精髓。尤其是全球華人圈均以此為主軸，強調「天下為公、富而好禮、慈悲為懷、清淨自在」是華人文化的重要特點，華人文化也可分為大陸文化及海洋文化兩類。當然最後的結果是兩類文化必將融合為中華新文化。

事實上，臺灣學者大多認為海洋中華文化中雖有大部分延續自中國大陸而來，但其實也有其他多元文化的影響，如今已逐步發展出更進一步冒險犯難、向外拓展的文化創意，並與傳統大陸文化有了些許的差異。為使這兩項本質相同的文化融合，去蕪存菁，邁向嶄新而光明的途徑，兩岸必須摒棄仇視對立，並加強兩岸交流的開放以及文化的溝通，才是正確的坦途。

## （二）心靈故鄉臺灣

　　華裔留美作家沈寧多年前來臺訪問，留下了深刻的印象，他認為綜合了許多朋友的看法，臺灣應該是全球華人心靈的故鄉，他說「臺灣人親切和善，搭車文明有序，書店充滿文化氣息」。對臺北捷運以及臺灣高鐵都讚不絕口，「不但設備新、車廂乾淨、服務好，而且乘客都很守秩序，上下車排隊，無人喧譁」。在他的瞭解中，只有北歐和日本才有這樣的水準，連美國都比不上。

　　他的結論是「生活在臺灣的人，整天被政客的語言污染，被電視疲勞轟炸，總覺得臺灣一無是處，沒有希望。事實上，臺灣不但已建立起華人地區代表性的民主體制，也是華人社會最文明的地方。就像余英時教授說的：臺灣雖然很小，影響卻是巨大的。讓我們珍惜臺灣、愛護臺灣。」

　　沈寧對臺灣的觀察非常深入、我在最近幾年遍訪各地觀察社會現象，覺得許多事項和他的說法相去不遠，惟政府績效的確不彰，比不上新加坡、日本，再加上藍綠的惡鬥，使得許多民生計畫停滯不前。但是講到素質文明，臺灣人民已經到達全球華人的最高程度，臺北市是幸福的，小吃是豐富的，而臺北的人們，不管是飯店或是機場的服務人員，還是店員或者小販，對待客人都相當親切而且不做作，社會的層面不管是百貨公司、商店、車站、大賣場都充滿了一片繁榮和諧的景象，即使人潮洶湧也不會有高聲的喧嘩，即使行人如織也沒有橫衝直撞，文明的表現絕不輸於歐美先進國家。

　　其他海外或國際人士也對於臺北的捷運和高鐵有相當的好評，為了能夠進行親身體驗，我在最近幾年放棄開車，足足坐了幾百趟的上述兩項交通工具，感覺非常良好，捷運的博愛座的確很少有青年人敢坐，人人依序上車沒有爭先恐後的現象，車廂保持得非常乾淨，讓位

給老人家或懷孕婦女的年輕人亦時時可見；而在高鐵中，服務員的態度自然純真，高鐵舒適、快速，和當年在法國或日本所坐的子彈列車比較絕無遜色。

事實上我服務公職多年，因為擔任主管的關係，一向都有座車，很少坐公車或捷運，這段期間能邁入參與基層人民的生活，感覺非常愉快，臺灣人民守法守紀又不大聲喧鬧、不吐痰、不亂丟紙屑、說話有禮已成為臺灣社會的共同現象，我認為住在臺灣或臺北的華人，在經過多年的努力奮進後，終於在精神文明上晉級到一個高層次的階段，尤其在大臺北，可以說人人安居樂業，自在從容。而從每一個人臉上洋溢著笑容與生命力就可以獲得正確的答案，無怪乎經濟學專家馬凱曾經強調說：「臺北是一個全球華人最適宜居住的城市。」我同意這句話，也肯定他的看法，相信很多人都有同樣的感覺。

可是瀏覽電子文集時也看到了一篇「丹麥 vs 臺灣」的一篇文章，作者把兩個國家做了一番比較，結論是丹麥比臺灣富裕、先進、快樂，文中敘述說，天寒地凍欠缺資源的小國，居然被「國家地理雜誌」讚譽為「世界近乎完美的國家」，是全球其他國家的夢想，文中表示，臺灣只贏在氣候，其他都不如丹麥，當然，我不否認丹麥在許多方面勝過臺灣，尤其是福利社會制度的徹底實施，丹麥似乎可以成為全球的典範，而丹麥人天性樂觀，自在從容，也是因素之一，根據專家統計調查，丹麥人是世界上最快樂的一群，文中並且指出臺灣有許多缺點，我對以上的看法沒有太大異議，這表示它仍然有進步的空間，然而，由於華人擁有五千年悠久的歷史，許多價值觀和思想不容易離脫本身的範圍。

因此，如何截長補短，充分發揮臺灣的文化優勢來領袖群倫，甚而在兩岸關係上獲得突破，讓臺灣成為領航大陸的引水船，應該是最佳的抉擇，期望臺灣能成為全球華人真正心靈的故鄉，更期望臺灣能

到達丹麥的層次，從而成為全球華人最適宜居住的地方，為了達到上述的效果，文化境界的提升是臺灣第一要務。

　　臺灣發展文化創意產業具有相當大的優勢。臺灣是多元文化及民主開放的社會，加上教育普及，人才及文化水準在亞洲國家中的表現相當突出，投入文化創意產業的潛力無限。尤其在全球華人市場也漸漸成形。臺灣近年來已成為精緻、創新及當代華人文化的孕育地，影視和流行音樂產業更是引領風潮，因此兩岸和亞洲華人所形成的新的大華語市場，對臺灣來說是一個難得的新契機。而臺灣在小企業、資訊軟硬體產業發展過程中，所累積的資金、人才、創新技術、靈活應變能力，以及在全球產業價值鏈上的操作經驗和專業，恰恰可以移轉至文化產業。

　　臺灣位於世界地圖的中心，擁有樞紐地緣優勢，大三通暢通國際旅客來臺及轉出的管道。透過放寬簽證規定，簡化入出境手續，增加航點、航班，拓展國際航線，延伸航點及包機架次，鼓勵國際郵輪彎靠等措施，已可大幅增加國際旅客來臺的管道。為掌握大三通航線增班及未來延遠權拓展之新契機，臺灣一直以來都推動「觀光方案」，積極打造臺灣成為「東亞觀光交流轉運中心」及「國際觀光重要旅遊目的地」。創造遊客「乘興而來、盡興而歸」一來再來的口碑效應。

　　臺灣民眾具有善良、正直、勤奮、誠信、包容、進取等傳統的核心本質。是全球唯一在中華文化土壤中，以選票順利完成了幾次歷史性的政黨輪替，不只為亞洲和世界的民主經驗樹立了新典範，也成為全球華人寄以厚望的政治實驗。這個政治實驗的成功，將使臺灣成為全球華人的民主發展史上絕無僅有的標竿，作為華人的心靈故鄉的臺灣應該可以當之無愧。

## 二　宜居幸福城市

### （一）全球華人宜居城市重點區域

　　著名學者理查‧佛羅里達（Richard Florida）在他的著作《尋找你的幸福城市》一書中強調了選擇居住地點非常重要的觀點，從「國富論」發展到「城富論」，進一步說明了世界各大城市獨特的風貌。

　　佛羅里達在書中也指出了有三個華人居住的尖峰世界，包括中國大陸‧臺灣以及新加坡等三大地域，茲分述如下：

　　以中國大陸為例，中國整體經濟幾乎由東岸的三個超級區域主導。其中「上海－南京－杭州金三角」的區域最大，有六千六百萬居民，發展出一千三百億的 LRP 產值；往北的大北京區域則為四千三百萬人，生產一千一百億的 LRP；上海以南的「香港－深圳」走廊有四千五百萬人，LRP 約二千二百億。

　　臺灣則是另一個超級區域的核心，人口超過二千萬，LRP 達一千三百億，生產的產品與鄰近區域類似，全球最著名的半導體廠即坐落於此。

　　大新加坡也是超級區域核心之一，更是典型的城市國家，人口數僅六百萬，但 LRP 高達一千億。

　　以上三大華人宜居的超級尖峰世界，正加速構築起各自的城市特色。

　　事實上，綜觀全球各大都市的狀況，合乎宜居幸福城市條件者並不多，通常只有北美、歐洲、東亞等一些城市而已，再從華人族群而論，華人擁有世界上最多的人口，有其自有的文化，如果根據理查的觀點，講究住居環境的華人當然要尋找自己嚮往的幸福城市前往居住，因此華人群居城市如何強化本身的內涵，已成為是否形成宜居城市的重點。

在臺灣幸福城市評比方面，臺灣很早就進行了對各城市幸福感的評比，其所公佈的「幸福縣市調查」，是結合個體數字和總體數據，依五大面向，三十七個評量參考指標，計算出全臺廿三縣市的「幸福城市」排名。該調查完成一萬零二百二十五個有效樣本來加以評比。

《天下雜誌》以「幸福縣市調查」，主張新時代的縣市競爭，應該是「把幸福還給人民」。分成等比重的五大面向：經濟力、環境力、廉能力、教育力、社福力，共約四十個指標進行評比。其中臺北市曾多次奪魁。

事實上，我認為臺北市不夠大，「北北基」如果能合併成功，「大臺北」則更有望成為先進城市的空間。根據都市計畫，許多專家皆指出，大臺北都會未來將納入臺北市、新北市及基隆市，人口將高達八百萬人，其文化觀光的重點包括：龍山寺、故宮博物院、中正紀念堂與國父紀念館等。

前三者並列為外國觀光客來臺灣旅遊的三大勝地。臺北市為多元化的建築景觀，比較值得一提的建築特色有接受傳統的宮殿式建築和接受美援的美式建築，以及歐美引進的現代建築。像是一○一大樓，宮殿式建築有科學館、陽明山中山樓及國父紀念館，又有圓山大飯店等成為都市的地標。

龍山寺是臺北市文化觀光的重鎮，不僅是一個歷史的遺跡，也訴說了傳統藝術的生活方式，具有相當的吸引力。外國與各地遊客可以說是絡繹不絕，其中以日本人最多。

在眾多博物館中，故宮博物院一直扮演著典藏華人歷代文物瑰寶的角色，同時肩負著發揚傳統文化的重責大任，在華人心中占有重要的地位。其典藏精緻之文物，為世所公認的世界級博物館。這些超過六五五○○○件珍貴文物的藏品以傳統文物為主，是世界最大的東方藝術品收藏，故有文化寶庫之譽。

　　一九七五年，興建中正紀念堂、戲劇院及音樂廳等三項大型建築。戲劇院及音樂廳之建築為傳統的中華宮殿式樣，屋面為黃色琉璃瓦，廊柱為朱紅色，其外貌與中正紀念堂配合，連成一氣。內部則採用各項先進設備及精良材質，具有世界一流的水準。惟其中所展出的近代史實更具有吸引力。

　　至於臺北大都會吸引觀光人潮最多的景點分別說明如次：

　　北投因擁有豐富的溫泉資源，而享有「溫泉鄉」的盛名。由於歷史之使然，日人視之為第二故鄉。

　　由於士林紙廠土地使用變更案成功使士林紙廠將成為大型商場，士林夜市就有機會與該商場一氣呵成。每一百名來臺旅客就有四十一名旅客逛過臺灣的夜市，「士林」夜市曾連續四年高居外籍旅客來臺的主要旅遊景點，不過士林夜市最近改為地下化，加上近三年來新冠肺炎疫情嚴重，未來發展的趨勢仍有待觀察。

　　淡水是臺北較早開發的地區之一，且經歷過不同的殖民文化，又曾為清代的國際港口，文化多元且豐富，淡水傳統的風土民情、紅毛城的殖民建築、藍色公路的水上休閒、紅樹林的自然生態、漁人碼頭與夕陽景色等，都是許多外國遊客在大臺北經常往訪的景點。

## （二）大臺北幸福城

　　一個城市的重要性與價值不在於它的大小或是人口多少，而取決於當地的人民生活是否幸福、是否快樂。提到幸福這兩個字，據瞭解，前十幾年哈佛大學最受歡迎以及最夯的選修課是「幸福課」，聽課人數超過了以往的王牌課《經濟學導論》。而教這門課的是一位名不見經傳的年輕講師，名叫泰勒‧本－沙哈爾。

　　泰勒‧本－沙哈爾自稱是一個害羞、內向的人，以下是他的描述：

在哈佛，我第一次教授積極心理學課時，只有八個學生報名。第二次，我有近四百名學生。到了第三次，當學生數目達到八百五十人時，上課更多的是讓我感到緊張和不安。

他認為；人類來到這個世上，追求幸福才是最重要的，而幸福感是衡量人生的唯一標準，是所有目標的最終目標，人們衡量商業成就時，標準是錢，用錢去評估資產和債務、利潤和虧損，所有與錢無關的都不會被考慮進去，金錢是最高的財富，他強調，「人生與商業一樣，也有盈利和虧損」。

他看待自己的生命時，可以把負面情緒當作支出，把正面情緒當作收入。他說：「當正面情緒多於負面情緒時，在幸福這一『至高財富』上就有盈利。」所以幸福，應該是快樂與意義的結合！

一個幸福的人，必須有一個明確的、可以帶來快樂和意義的目標，然後努力地去追求。真正快樂的人，會在自己覺得有意義的生活方式裡，享受它的點點滴滴。本－沙哈爾希望他的學生，學會接受自己，不要忽略自己所擁有的獨特性；要擺脫「完美主義」，要「學會失敗」。本－沙哈爾還為學生簡化出幸福小貼紙：

十條幸福小守則包括：遵從你內心的熱情、多和朋友們在一起、學會失敗、接受自己全然為人、簡化生活、有規律地鍛鍊、睡眠、慷慨、勇敢、表達感激等等。

真正要瞭解大臺北都會下具有幸福感的生活品質，則可以在大臺北的清晨，到圓山飯店的後山、中正紀念堂、國父紀念館，體察臺北都會人如何迎接新的一天。再到鼎泰豐、馥園以及食養山房等代表性的餐廳用餐，這兩家餐廳的美食非常精緻。許多品茶大會加入傳統的音樂、舞蹈、文學，那不但可以沉澱人心，還可以創造一種優雅內斂的新文化。

　　大臺北都會也具有許多感動人的元素，例如，汐止慈航堂有臺灣第一位肉身菩薩。演藝方面則有表演工作坊及優劇場。表演工作坊以即興創作的方式，為臺灣舞臺劇開創了一個全新的詮釋。優劇場以靜坐、太極導引為訓練課程，呈現出來的鼓聲、體韻、強烈觸動人心。臺灣茶產業和其他產茶國家比起來，發展得相當成熟，從產茶、製茶、賣茶到泡茶，每一個階段都極端講究。

　　金山朱銘美術館是觀光客常訪之地，可以認識國際大師級的東方哲學和創作。淡水有琉璃工房、八里有雲門排練場、陽明山上有林語堂紀念館、王秀杞雕塑公園，領略一代華人作家的風采，這一切所描述的狀況，相信是許多臺北市民幸福的泉源。

　　二〇二一年到二〇二二年，在世界經濟論壇的國家競爭力排名中，臺灣於一百餘個國家與地區中名列前矛。臺北市大專學歷人口占全市百分之五十以上，應該是一個驚人的指數。這些高教育水準的人民，也開啟了華人世界的新文化。尤其是二十四小時開放的誠品書店，幾乎吸引了全球華人的知識分子，而雲門舞集還有鄧麗君、席慕容、白先勇、蔡琴等等藝文界名人所創造的華人新論點，充分闡明大臺北的幸福內涵，如果再加上李安電影導演的全球成就，王建民、陳偉殷在美國職棒的表現，都可以說是海洋華人文化塑造的菁英，而佛教界有星雲、聖嚴、證嚴、妙蓮、地皎、惟覺等大師都能以善念促使佛光普照，也是世界獨一無二的現象，而一貫道道親所強調的忠孝節義也頗具影響，因此以海外華人精緻文化來顯示大臺北的幸福感，應為最佳的事實。

　　談到大臺北幸福城市的基本願景，我有下列的心得：

　　現代人類通常以物質條件來衡量人類社會的進步程度。古代哲人亞里斯多德卻認為，人們追求的幸福感遠超過上述的物質財富。目前愈來愈多的心理學家對幸福感到好奇，心理學者馬丁・塞里曼（Martin

Seligman）在二〇〇五年《時代》（*Times*）雜誌某期的封面故事中，認定幸福是「能實現某種情境，讓人們感到欣欣向榮」的能力。

　　許多華人代表也對「幸福」發表了看法發言如次：「一個城市的幸福感，主要由城市大環境、個人主觀體驗、人與社會的關係三個方面環環相扣，形成一個完整的幸福測量指標。」「幸福的城市，就是不管你遇到什麼急事、難事，都會有一個人，或是一群人、一個集體向你伸出無私援助之手。」「幸福，就是廣大市民生活在這座城市的感受，看安居樂業，看和諧相處，看生活品質的提高。追求人民幸福，應當成為一座城市發展的主旋律，也是政府工作的永恆主題。」臺北有故宮博物院、中正紀念堂及中山樓等傳統建築，又有龍山寺、恩主公廟等傳統文化之代表宗祠。以固有文化作為主流無可置疑，惟其間又雜夾著臺灣銀行總行的日式古蹟、淡水紅毛城的荷蘭舊居，再加上原住民主題公園等，則充分顯示出臺北為多元文化的城市。

　　臺北市政府也注意到這項特點，所以在歷屆臺北市文化局政策說明中提到，每十位工作者中有一位是從事文創產業的工作，在全臺文創產業的營業額中，臺北市占了百分之四十。「文化創意產業」不僅是臺北市的主力產業，更具備了發展文創產業最好的環境和條件。

　　美國《時代雜誌》也報導了一個很特別的封面專題——「紐倫港——城市的力量」，是指「紐約」、「倫敦」和「香港」三個城市，強調這三個城市近年的表現之所以常讓世人眼睛一亮，立基在優於其他城市豐沛的文化與創意。「城市」所展現出來的創意活力形象和其所散發的影響力極為深遠，未來世界的潮流，勢必是由各地一流的城市在彼此競爭。在中國大陸崛起、華人文化即將成為世界主流之際。深度將是臺北創意經濟的優勢條件。因此，如何精緻化已成為城市大力追求的目標。

　　由於歷屆臺北市長都重視文化觀光產業，在陸續推出各項文化觀

光城市策略下，也催生了一些重要文化基礎建設。但是我認為這些措施仍然不夠，還需要擬定一些大膽的前瞻性規劃，於是特提出一些補充意見如下：臺灣當務之急就是打造成一個「宗教勝地」，促進地方經濟繁榮可以長長久久！以臺灣目前擁有宗教尤其是佛教盛行的優勢，臺灣未來將會成為中華民族的「佛教聖地」，也會是「海洋中華文化的勝地」，結合這些「特點」，臺灣要成為民主、文化、儒家、宗教與流行娛樂的勝地。

　　從上所述來看，在這些幸福守則中，生活在臺灣或臺北的人還真是相當符合水準的。

## 三　出類拔萃傳奇

　　號稱蓬萊寶島的臺灣得天獨厚，多年以來，在大家團結一致，全力經營之下，達到世界頂尖的事項如次：

　　臺灣摩托車密度為世界第一，二千三百萬人中，摩托車數量竟超過了一千四百萬輛，而自行車製造也稱霸全球。巨大自行車產值躍居全球頂尖，全年有四百八十萬輛銷貨實力，全球自行車產業景氣回升，美國太平洋（PACIFIC）集團併購 GT 及 SCHWINN 兩款自行車品牌後，開始下單的結果，就是造就了巨大機械集團所屬臺灣、大陸捷安特中國、巨鳳及荷蘭四地工廠上半年產銷三百萬輛，成為全球產值最大的自行車集團。

　　臺灣便利商店密度亦為世界第一，全臺已有一萬多家便利商店。臺灣臺北一〇一曾為世界最高的建築物，電梯從五樓至八十九樓僅花費三十七秒，更是創下世界最快電梯記錄。現在雖然已經讓位給杜拜大樓，但仍然是全球第一高的綠建築。

　　臺灣是世界上手機持有率最高的地區。根據國際電信聯盟統計，

行動電話持有率世界第一，平均每個人有兩支手機，手機持有率的指標背後，代表的是資訊化的程度和通訊發展上，成績亮眼，而且潛力無窮，行動電話持有率首次在二○○○年拿下冠軍，至今仍高居世界第一，有超過二千五百萬的用戶，平均每人有兩支門號，因為臺灣手機的普及率高達百分之一百以上。短短幾年，行動電話用戶不但成長迅速，在開放新業者後，兩相交鋒之下，仍然拔得頭籌。

臺灣的大專院校密度世界稱冠，全臺共有超過一百五十所大專院校。臺北的秀朗國小曾是全世界最大的小學。新北市的永和區是全世界人口密度最高的區域。

臺灣人民平均工作時數為世界最多。寬頻網路技術為世界最好。還有世界唯一且是第一的軍公教福利制度。

臺灣約有數十項世界第一的產品，分別是主機板、監視器、晶圓代工、掃瞄器、數據機、散熱片、繪圖卡、網路卡、集線器、機殼、鍵盤、光碟片、滑鼠、SPS、ABS 樹脂、PU、PUC、PPE、人造纖維絲織布、人造纖維加工絲、運動鞋、味精、太陽眼鏡、西洋鼓、聖誕燈串、自行車、自行車鏈條、帽子、雨傘、用餐桌椅、雨衣、電動小馬達、縫紉機、蝴蝶蘭、卡通動畫、煎烤器、吉他與義肢等。其中台積電的表現更令人激賞，時迄今日台積電已經是全球第一的晶圓企業，號稱「護國神山」。

臺灣影像顯示業雄霸世界，高科技產業顯影像顯示產業，在臺灣不到五年的時間內就迅速爬到頂峰，現在全世界每四台薄膜液晶體顯示器（技術來自日本，面板還未賣出就必須先被抽走三分之一的利潤）就有一台是由臺灣生產。全球最有權威的平面顯示器研究機構 Display Research 的報告指出，臺灣在大尺寸薄膜電晶體液晶顯示器（TFT-LCD）面板出貨量，已成為全球最大的供應商。

臺灣有全世界第一家二十四時不打烊書店──臺北誠品書店。位

於敦化南路上的誠品書店，融合臺灣的人文、藝術、創意與生活，除了有主張的選書以外，還有獨特的精品、開放的展覽場，以及香噴噴的咖啡。誠品書店好像一扇窗，臺灣人透過它，隨時補充生活與心靈上的能源；外國人透過它，窺見臺灣豐沛的生命力。

此外，漢平電子正是一擁有 DJ 專業播放機世界第一占有率、音樂生命之製造者。這家企業的成功絕非僥倖，而是不斷的創新與突破，成功展現「臺灣精品之創新價值與生命力」。

臺灣位於頂端的事項還包括，進口武器金額、白金卡普及率、綠島活體珊瑚的年齡。全世界最大的紅樹林保護區是臺灣臺北的竹圍面積約七十六公頃的紅樹林保護區。臺南市曾文溪口為現今全世界最大之黑面琵鷺的棲息處。北關生態農場的螃蟹博物館是全臺與世界第一座以螃蟹為主題的博物館。

冷杉、黑熊、冠羽畫眉、櫻花鉤吻鮭及莫氏樹蛙分別是世界上最特有的植物、哺乳類、鳥類、魚類及兩棲類。而螢光基因魚轉殖技術研究，是近年全球熱門的議題之一。在基因魚方面的研究，已登上全球領先的地位。臺南縣鹽水蜂砲以長達十三公里的「火龍傳奇」，創下不間斷鞭砲的世界記錄。臺北市立動物園亞洲象林旺病逝，享年八十六歲，創世界上圈養狀況最長壽大象記錄。而蝴蝶密度及臺灣的高山密度、國中生的化學程度、臺中大坑的麒麟峰溫泉碳酸泉採均傲視全球。石斑魚產值高居世界第一、產量居世界第二。檜木、臺灣電子化政府、臺北市的無線網域服務也都獨步全球。

臺灣紡織業生產多項細目產品。在臺北市過馬路，一定對紅綠燈上會走會跑的行動小綠人不陌生，臺北市所有十字路口紅綠燈都已改成這種方式，可以說是臺灣研發的特色，夜市數量與密度、地震測報速度、六座國家公園的密度、養殖草蝦的產量輸出量上都是世界第一，還有櫻花鉤吻鮭及冰河時期的活化石等。

上述的舉例說明不過是一項統計資料，其實並不代表全面的事實。

## 四　烙痕深世界情

　　臺灣自然、人文資源不但豐富多樣，而且社經發展可以引領華人
社會向前行，發展觀光之優勢不辯自明。臺灣位於歐亞大陸東南，北
回歸線上的海島，受海洋氣候影響，溫暖潮濕，終年長青，有「福爾
摩沙」美譽。因歐亞大陸板塊與菲律賓海洋板塊擠壓碰撞，形成高山
島嶼，三千公尺以上的高山有二六四座，其中玉山海拔高三九五二公
尺為東北亞最高峰。全島地形富變化，有高山、丘陵、臺地、平原、
縱谷、岩岸及沙岸，還有火山地形及溫泉資源，為地質學的寶庫。地
質上優勢很清楚。以下分別說明：

### （一）生態優勢

　　臺灣陸地占全球陸地面積不到千分之三，卻擁有十五萬種生物資
源，是世界上物種密度最高的地區之一；其中蝶類密度高居世界第
一，植物密度為世界第二；臺灣五百多種的鳥類中，有三分之二是候
鳥，據調查，曾文溪口為現今全世界最大的黑面琵鷺棲息處。六百多
種的蕨類是北美洲與南美洲的總和。

### （二）景觀優勢

　　臺灣有七處國家公園、十三處國家風景區、二十二處森林遊樂
區、還有百餘處風景區，國際來臺旅客可體驗由海洋到高山地理景
觀，熱帶、亞熱帶、溫帶、寒帶等不同氣候帶之變化及動植物景觀，
為世界最精緻且多樣化的旅遊勝地。

### （三）文化優勢

　　臺北故宮博物院向與法國羅浮宮、美國紐約大都會藝術博物館及

英國大英博物館齊列為世界四大博物館，為國際來台旅客最熱門的旅遊參訪據點。臺灣有十四族原住民，為南島文化發祥地之一，是民族人類學研究的重鎮。

## （四）人文優勢

臺灣融合了閩南、客家、原住民及大陸各省不同的族群，呈現在宗教信仰、文物、建築、語言、生活習慣及飲食上，造就了臺灣多元的人文色彩。在臺灣，世界美食齊聚，中華料理、臺灣小吃、水果、素食聞名國際；宗教信仰自由，佛教、道教、天主教、基督教、回教各有發展空間，尤以佛教徒普至各地救災的入世作為，最為世人肯定，如法鼓山、中台禪寺、佛光山、慈濟精舍均成為宗教旅遊重地；全年分布各地均有熱鬧的民俗節慶活動舉辦，如元宵燈會、媽祖文化節、原住民豐年祭等，是臺灣獨有的人文特色。

## （五）社經優勢

臺灣社會的自由民主與多元是全球華人社會所欽羨，優質的公民素養與濃郁的人情味，是臺灣足以吸引國際旅客來臺體驗的一環；近年成為觀光資源的二十四小時書店及購物環境，就是社會長期穩定發展下的產物。

## （六）豐沛的臺灣觀光餐旅資源

旅遊資源包羅萬象、多采多姿、美不勝收，從島內到離島，從城市到鄉村，從海域休閒到高山生態，從農林漁牧休閒農場到主題樂園度假村，從創意生活風尚到創意文化產業，從國際觀光旅館到山林田園民宿，從中華美食到庶民小吃，從食住購娛行遊到文化藝術展演，從養生養心養身到觀光醫療健診，從運動休閒到寧靜禪修，從宗教活

動到節慶賽會，從懷舊到時尚，從平價到奢華，從居家旅遊到逛街購物，幾乎涵蓋了「從吃喝玩樂到風花雪月」，滿足「大眾化、分眾化、小眾化、個眾化、個性化、個人化」的多元需求。

臺灣雖有極多的優點及強項，但是也有多項缺點，在理想的社會中出現極大的烙痕，值得重視。例如下面幾項實令人憂心，包括剖腹生產率、違規駕駛罰單是世界第一、近視率高達百分之四十二、河川中的重金屬濃度、鐵窗鐵架在全世界住宅中裝設最多、健保藥費支出最高、對政治的狂熱、國民工作時數、民眾用閒錢炒股比例居高、消費行為對地球環境造成的壓力是全球人平均的三點四二倍、臺灣孩童熱愛電玩（占休閒活動的百分之四十五）、偽造信用卡技術更是世界居冠、新生兒由外國籍母親所生的比例為世界第一（約百分之二十）、腎臟病發生率、濫用抗生素、去年度出生的嬰兒，比往生的人還少，出生率創歷史新低，臺灣已躍上全球冠軍。當然還有其他特殊的現象，例如：「威而鋼」的使用率、世界最貴的捷運系統（臺北市）、健康檢查人數最多的健診中心都位居世界前茅。

值得重視的是，臺灣人口結構的改變令人擔憂，秀朗國小，這所以前臺灣創記錄的萬人國小，現在只剩下約一千多人，以二○二一年度來說，大學缺額就再創歷年新高。繼教育界後，產業界將是第二批受災戶。隨著人口大縮水，連帶導致消費市場逐漸萎縮，尤其兒童相關產業最先受到衝擊。以私立幼稚園為例，據統計，二○○三年曾達到一九四八家的高峰，但隨後就急速縮少，到了二○二二年只剩下一千餘家。

接著衝擊的是醫療產業，以婦產科為例，根據二○○○年衛生署統計，全臺原有一千八百家，到二○二○年已關閉一千餘家，或轉型為其他類別之醫院。至於其他兒童相關產業，災情也逐步擴大，以國尿紙尿布大廠康那香為例，近年幾乎要關廠。而從事兒童教育製造的

同心圓實業，早年進口國外教具在臺銷售，極盛時期，一年曾經有兩億多元的營業額，到了現在卻完全不見。

少子化造成消費力減少，據推估，若其他外在因素不變，二十年後臺灣平均 GDP（國內生產毛額）年成長率將只有百分之三點二七，到了二〇五一年恐怕只剩下百分之一點五二。

值得一提的是，二〇二一臺灣的扶養比是百分之三十，兩年後將達到百分之二十，亦即二點〇個勞動人口扶養一個非勞動人口，此後勞動人口要養越來越多的非勞動人口，直至二〇二七年，臺灣扶養比就超過五成，意味著每個勞動人口要養超過一個非勞動人口，人口負債年代就來臨了。

這樣看來急速少子化的臺灣，正以想像不到的速度沉淪，例如一九六三年戰後嬰兒潮最高峰四十二點七二人。一九六八年政府實施臺灣地區家庭計畫獎勵節育，三十九點四萬人，一九七六年第二波生育高峰，此後臺灣出生人口開始下降，四十二點三萬人。一九八四年生育率跌破二點一，到現在臺灣已陷入少子化危機。

一九九三年老人超過百分之七，成為高齡化社會即三十二點五萬人。二〇〇九起年生育率跌到一以下，成為全球最低。二〇二一年出生和死亡數相當，當出現死亡交叉，三年後總人口數開始下滑，臺灣人將快速消失。二〇二五年老人比率超過百分之二十，成為超高齡社會，屆時滿街都是老人。二〇二九年戰後嬰兒潮大退休，計有三、四萬人一起退休，年輕人擔子瞬間加重。導致臺灣之子急速萎縮，有下列幾個原因：一是：不婚，結婚率日漸下降。二是：晚婚，初婚年齡越來越大。三是：晚產，女性越來越晚生育。四是：少胎，人們越生越少。

雖然如此，臺灣仍然是可愛的，值得我們大力的去擁抱與珍惜。當我們用心去發掘臺灣的歷史脈絡與淵源時，也應該慎重思考「臺灣

究竟要走向何方」的議題，下面這些觀點也許可以參考，那就是臺灣心兩岸情中華夢。

臺灣社會本身具有豐富在地的多元特質，可以從不同領域觀察，以音樂產業為例，許多流行音樂就曾嘗試融入傳統戲曲與客家文化等元素。此外，臺灣原住民音樂更多次在國際樂壇上發聲，廣泛受到國際的迴響。由此可知，臺灣文化具有多元特質，有效發揮在地精神，結合創新力，建立文創產業的獨特品牌魅力，更是文創產業亟需努力達成的目標，這是臺灣心的表現。

兩岸共同擁有豐富的傳統文化之背景，讓彼此在華人世界的文創產業上具有明顯的文化優勢，臺灣近年來在文創產業上創造了許多具有地方多元特色的成果，而大陸則是挹注了許多資金與活力興建了許多文化創意園區。共同的華人文化背景，一起向全世界進行開拓。

臺灣文創產業擁有豐富的傳統文化為文化底蘊，應該運用文化優勢讓臺灣成功站上文創產業的國際舞臺。此外，海洋文化的多元特質與寬廣的世界觀，更讓文創產業充滿追求創新的能力。而文創產業的自由創作環境，得以保有持續不懈生命力之來源。因此，融合在地特色的文創產業，在有效結合具有臺灣精神的中華文化與創新能力，以及多元寬廣的世界觀，才能讓臺灣的文創產業真正成為活絡經濟的新動力，並且提升國際競爭力與影響力。透過亞洲國家的文創產業發展經驗，可以瞭解到如何結合政府與民間力量來適當扮演與發揮自己的角色與功能，而對於文創產業之成功與否更是重要的關鍵。

事實上，生活在臺灣的人對自己的評價難免不客觀，因此特別整理各國媒體對臺灣的評價如下：

一、韓國媒體：二〇二一年，臺灣逐漸擺脫中國經濟的影響，成長率達百分之二點三八，名列世界前茅，與全球其他國家相比，臺灣彷彿生活在另一個星球。

二、英國經濟學人稱：二○二一年臺灣經濟逆勢成長，臺商回流，成長速度首度超越中國大陸，防疫也取得一定程度的成功，臺灣電子業恢復昔日的榮光，成為一項奇蹟應付世界各國的需要。

三、澳州媒體：二○二一年臺灣經濟成長好，以平均收入 GDP 成長率、就業率、通貨膨漲率，政府金融與國際資本自由來臺，臺灣表現優異。

四、美國媒體：臺灣半導體、封測、PC、NB 市占率均世界第一，兩岸關係差，臺灣經濟漲；兩岸關係好，臺灣經濟差。臺商人才回流，投資東南亞，臺資返臺已達一點一五兆新臺幣。美中貿易戰役，雙方都需要臺灣。

五、日本媒體：臺灣令人印象深刻，美好記憶，臺灣人與人間充滿溫馨，人情味濃，會講日語的人很多，值得信任的鄰居。

六、法國媒體：臺灣的垃圾分類做得很好，定時定點收集，垃圾不落地，臺灣人很善良、很友善，民主化的過程自由，生活輕鬆方便自在。

七、瑞典媒體：臺灣人打拚精神夠，熱情、友善、有禮貌、夜市、夜生活有意思有活力，臺灣人理念很受到各國歡迎，臺灣人喜歡當老闆，臺灣捷運最乾淨安全。

八、對岸陸客來臺後的印象：舉凡臺灣便利店、醫療制度、幸福感生活方式、個人安全、社會氛圍、人文關懷、殘障福利、技術競爭力、旅遊品質、廁所清潔、書香文化、捷運交通、義工熱忱、人情濃厚、教育水準、相互尊重、電子產品等等，都值得稱道，值得參考。

　　總結而言，臺灣是一個好地方，四百年前葡萄牙人初來臺灣，發現風景極為優美，取名「福爾摩沙」，就是美麗島的意思！

事實上，臺灣是世界性的重要島嶼。在軍事上，臺灣位居戰略要地。在交通上，臺灣是黃金生命線。在政治上，臺灣位於太平洋島鏈的中央，擁有臺灣即擁有亞太。臺灣有的是小確幸、人情味、好風景、高品質。有許多潛在的世界自然及文化遺產。有豐富的宗教廟宇、多元族群。有傳統中華文化的優良勤儉美德，代表著中華海洋文化圈的核心。因此大家都應該胸懷兩岸，放眼世界，才能走出光明的坦途。

## 五　臺灣領袖群像

國民政府於一九四九年轉進臺灣是傳統中國領導人蔣介石先生的決定，蔣先生在中國近代史上是一位傳奇人物，他領導北伐、統一中國，率領人民堅決抗日獲得最後勝利，並使中國成為創始聯合國的永久常任理事國，對中華民族而言實有非常大的功勞！當然後來在國共內戰中他不幸失敗退守臺灣，關於他的功過，我在本書第肆章、中山精神深植臺灣最後一段有詳細的描述。那是在一場〈蔣中正與中華夢〉的專題演講中，我對他進行的深入探討！一九九一年我曾經出版過一本專書名為《蔣中正先生對太平洋戰爭的貢獻》頗獲各界好評！

一九七二年經國先生出任行政院長，他推動十項重要工程建設。這些建設包括，南北縱貫高速公路、西部鐵路幹線電氣化、北迴鐵路、蘇澳港、臺中港、中正國際機場、中國造船廠、中國大煉鋼廠、石油化學工業及核能發電廠。事實證明，臺灣之所以能創造經濟奇蹟，而且有「臺灣錢淹腳目」這樣的卓越績效實在應該歸功於經國先生。

一九七八年五月，經國先生剛剛負起臺灣的重責大任，美國總統卡特卻宣布臺美斷交，舉世譁然，各種謠言甚囂塵上。記得當時我在革命實踐研究院，也就是國民黨中央黨校中也深深的感覺到整個社會

瀰漫著一股肅然壯烈的氛圍，好在經國先生提出「莊敬自強、處變不驚、慎謀能斷」的口號，經濟穩定了政局。

由於他對民主的過程深信不移，因此在社會富裕安定之後，立刻解除戒嚴令，推動臺灣向已開發國家的行列前進。更推出一連串文化和藝術的建設，並大力提倡休閒活動。這些精心佳作，豐富了人們的心靈，而開放出國觀光也拓展了視野，使得臺灣能以自信面對全世界。

經國先生掌政期間，臺灣工商業繁榮，締造了舉世聞名的經濟發展。經國先生的貢獻有目共睹，海內外均予以肯定，他是上一代在艱苦中的奮鬥典型，也是「過程雖然艱辛，結局卻是圓滿」臺灣政治人物的代表。我曾經在革命實踐圖書館負責館務，那段期間，經國先生兼任革研院院長，經常在結訓典禮時來到研習班和學員們聚餐，我因緣際會擔任輔導員與經國先生也有數次會晤的緣分。事實上以我的瞭解，他的成功也有部分來自本土人物的支持，其中臺裔政治家東閔先生最具代表性。

東閔先生是最受歡迎的臺灣本土政治人物，我在一九九一年出任國父紀念館館長六年期間，東閔先生是管理委員會主任委員，是我的直屬長官，所以經常有機會前往他的官邸請益，也經常邀請謝主委出席國父紀念館重要活動，他是一位寬厚仁慈的長者，講究仁民愛物，提倡文化興國，希望臺灣能進入禮運大同的境界，他曾經指示我前往挪威，考察人間百態雕塑公園，因此使我產生了「公園雕塑化、雕塑公園化」的構想，也因此使現在的中山公園建構了許多人物雕塑以及中山碑林，而獲得了相當的好評，東閔先生對我的影響非常之大，他的一生其實也是臺灣近代史的縮影。

東閔先生是在日據時代赴中國大陸求學的臺籍菁英，直到臺灣光復後他返臺主持接收受到重用。一九四五年十一月返臺接收高雄州，歷任省教育廳副廳長、省民政廳長、省議會副議長與議長及省主席。

　　他主持省政六年期間，發揮了施政長才，也讓臺灣省政邁入新里程碑。一九七八年五月二十日他進一步出任經國先生的副手，這也是他從政生涯的高峰。也因為和經國先生結識甚早，國民政府遷臺後，經國先生住在長安東路的宿舍，就常邀他到官邸聊天。有一天，他告訴經國先生說「外面很多人都把你當神秘人物看」，經國先生很訝異並要求他帶他出去巡行，就這樣從農村到漁村，他們的蹤跡遍布全臺，更巡行村里，體驗民情。以上種種為民服務的史實，在東閔先生多次接見我而且經常提示之下，也給了我極為震撼而深刻的印象，更堅定了我為民服務「身在公門好修行」的信念，記得我曾經在他逝世後寫過一篇文章弔念他。

　　東閔先生的公子謝孟雄曾任監委，也是實踐大學的董事長，媳婦林澄枝是國民黨第一位女性副主席。東閔先生雖然曾經接近權力的最高峰，但是待人存厚率真、雍容大度、平易近人且不失赤子心，也為臺灣政壇留下一個不一樣的從政故事。

　　在一個傑出的政治團隊中，只有卓越的領導人是不夠的，還必須有最優秀的執行者，我認為經國先生左右最具宰相之才的就是孫運璿。運璿先生是一位非常好，但是也很令人惋惜的政治人物，他在擔任行政院長的第六年中風，大大震撼了臺灣的政壇，事實上，孫院長對臺灣經濟的貢獻是極為巨大的，我雖然在革命實踐研究院服務的期間，多次面聆他的訓示，但是沒有機會和他單獨會晤，一直到一九八五年，我擔任外交部亞太司專門委員，數度陪同韓國政要代表團前往孫院長官邸拜會，並且作為雙方的翻譯，才有親炙的緣分，我深深感覺到他是一位憂國憂民、時時刻刻為臺灣打拚的經濟舵手。後來我擔任國父紀念館長期間，也曾在館內接待過孫院長。

　　一九四五年十月，他奉命擔任臺灣電力公司的機電處長，負責修復臺灣電力系統。一九六七年底，以技術官僚身分受高層重視的孫運

璿在嚴家淦內閣中，擔任交通部長一職。一九六九年，因經濟部長陶聲洋突罹癌過世，運璿先生轉任經濟部長。一九七〇年，臺灣對外貿易第一次出現盈餘。不過隨後發生了一九七三年的第一次能源危機，嚴重打擊了民眾對臺灣經濟的信心。他因此率團訪問沙烏地阿拉伯，以經濟合作計畫換取穩定的中東油源。

猶記一九八四年初，時任行政院長的他因罹患腦溢血而一度病危，不久因身體狀況不理想而辭職。經過漫長的復建，孫運璿中風後的病情不甚理想，且以輪椅代步。不過即使失去部分語言及行動能力，並已淡出政治圈，他仍然受到臺灣政壇內的景仰，號稱「永遠的行政院長」。

前已言及蔣公、蔣經國、謝東閔、孫運璿各位先生等臺灣早期領導人物群像。還有好些位值得大書特筆的政壇人物，包括李登輝、陳水扁、馬英九、郝伯村、連戰、宋楚瑜、吳伯雄、吳敦義、蕭萬長、王金平、江丙坤、蔡英文、呂秀蓮、王永慶、張忠謀、郭台銘等等許多位對臺灣具有影響關鍵性的領導人！他們在臺灣發展成長過程中，均有相當顯著的政績及表現，足以讓社會大眾給予公平的論析。我在後面幾章將會一一詳細說明。

李登輝是臺灣日據時期出生於淡水的客家人，是第一位在臺灣成長的也是公民直接選舉的領導人，他活到九十八歲高壽。他對兩岸及亞洲局勢有獨特的看法，而且常有變動，事實上，我對他的某些觀點並不認同，我是兩岸一家親的支持者，但是如果不以意識形態來評論的話，他也算是一位富有謀略，自主思想，愛好文化藝術的康奈爾大學農學博士。由於職務的關係，登輝先生與我有經常見面的機會，彼此之間互動也相當頻繁，他平易近人，對我也很親切，其實我和登輝先生一樣重視養生，所以我也常常去登輝先生專任整復師的住所按摩整脊，也因此登輝先生對我的健康狀況相當瞭解，有一次在展覽會

上，登輝先生就私下拍拍我的肚子問我說：最近身體有好一點嗎？因為他是用臺語問的，所以我也用臺語回答說：有好一點。從這一點來觀察，登輝先生其實還是一位蠻有人情味的領導人物！

陳水扁先生是臺灣貧民之子，他出生於臺南縣官田，曾任臺北市議員、立法委員、個性獨特、長於謀略、口才便捷、律師出身。他是首位以在野人士當選的臺灣最高領導人，執政八年後因貪腐入獄，後生病交保在家休養中。水扁先生與我沒有太多接觸，但是他在立委任期間與我也有一些互動。

記得有一次，我曾經以國父紀念館館長身分受邀到王朝大酒店出席由敦化扶輪社主辦的一次例會做專題演講，當時我看到陳水扁立委在座。為了提高現場的氣氛，我也開了他一次玩笑，我說：陳立委你要不要來掀我的桌子呢？當時他曾經在立法院掀桌，而引起全國民眾的熱議，他的回答也很幽默，他用臺語說：「免啦！」後來他擔任臺北市長期間也曾經到國父紀念館參訪，我也很盡職地接待過他！

馬英九先生祖籍湖南湘潭，出生於香港，紐約大學法學碩士、哈佛大學法學博士，曾任法務部長、臺北市長、二〇〇八年出任臺灣領導人。他是一位以清廉聞名於世的政壇領袖，他在二〇一五年十月七日於新加坡與中國大陸領導人習近平主席會晤，這是兩岸最高領袖的首次見面。英九先生與我相識甚早，惟緣分不深，沒有深入的交往。不過以我個人的體會而言，英九先生應該對我有非常深刻的印象！因為我和他見面了不下數十次，而每一次他都很熱情地和我寒暄，這項禮遇讓我相當有感觸！

連戰先生出生於西安，祖父是臺灣著名的史學家連橫。他曾經獲得芝加哥大學政治學博士，曾任交通部長、外交部長、行政院長！他福蔭深厚，擔任政府首長期間可謂平安順遂。而對他對中華民族的最大的貢獻是於二〇一五年到中國大陸參訪，是兩岸隔絕五十餘年後，

首次重返大陸的中國國民黨主席，這一次和平之旅極有意義，他並且與中國共產黨胡錦濤主席會面！連戰先生一九七一年在國民黨青工會主任任內曾經訪問韓國，我當時擔任留韓同學會會長，首次與他相識。

事實上，連戰先生是一位溫和穩健的領導人物，也有識人的遠大眼光。我記得有一位對我相當友好的長官私下告訴我說：連先生曾經說：「高館長一直傻傻地在做事。」我想，連先生一定知道我是一個實際做事的人！

郝柏村先生江蘇鹽城人，曾任參謀總長、陸軍一級上將、國防部長、行政院長。他是一位有福報的將軍，壽命超過一百歲，他不僅是名將，也是出將入相的代表性人物，他具有強大的魄力、幹勁十足、在他任內積極推動六年國建計畫，績效優異！而在行政院院長任內政績非凡，卸任之後他仍參與政治，參訪國際及大陸，聲名遠播，尤其他對八年抗戰歷史研究甚深！他更堅持中華統一、反對臺獨。他堅強正直的軍人形象已成為典範領導人。他是我的鄉長，與我有相當的情誼。我們之間也有頻繁的互動，偶爾會交換意見，他對我常有些指示與期許。

宋楚瑜先生湖南湘潭人，在臺灣也算是風雲政壇領導人物。他是臺灣唯一的直接民選的省長，精明幹練智謀深遠，有獨特的見解！他所創建的親民黨曾經在臺灣具有舉足輕重的影響力，楚瑜先生和我沒有太多的接觸，但是也有一些典故值得一談。他的親信幕僚，例如秦金生秘書長與我是知交，而他的好友金神保教授曾多次與我會晤，商討楚瑜先生訪韓事宜。

吳伯雄先生曾任中國國民黨主席，桃園縣長、臺北市長、總統秘書長等重要職務。是臺灣客家首席大老。他為人熱誠，樂於提攜後進，性格爽朗，常常成人之美，在民間擁有極高的聲望。伯雄先生和我相當熟悉，對我也很關照，多次表達對我的關心，而我覺得「他對黨國的忠誠與熱愛值得肯定！」

　　吳敦義先生無疑地是一位認真負責、精明幹練，又極富有領導才能的首長，他擔任過行政院長要職，我在國父紀念館館長任內與他結識迄今，我非常讚佩他的品德與能力，更支持他出任國民黨主席，我認為不論在任何崗位上，他都會做得很好，他與我相當熟識，彼此也算是相知，有時也會熱情地握手或擁抱。

　　有人說王金平院長沒有敵人，只有朋友，他擔任立法院長很久，是另一位深受歡迎的臺裔政治人物，王院長和我都是佛教徒，經常有機會在佛教重要活動中晤面，我深深被他的虔誠感動，也因而時時有來往，他還是我的兒女結婚儀式上的證婚人。他為人熱誠，對任何求見他的人都非常親切，而且對所有請託的事物都能劍及履及地執行，民眾對他的評價相當之高。

　　金平先生一九九〇年起踏入國民黨決策核心，起初擔任中央政策會副主委，一九九一年起則同時擔任立法院工作會主任及黨團書記長，成為國民黨在立法院主要代表性人物，一九九二年他順利當選中央常務委員，而二〇〇〇年國民黨敗選後，他被選為國民黨副主席。國民黨成為在野黨後，金平先生曾為立法院院長的身分使他在政府中具有非常重要的發言地位。

　　金平先生是國民黨黨內臺灣本土派的代表人物，在南部地區和基層有無可取代的號召力。二〇〇八年國民黨重新執政，他調和鼎鼐的功能發揮極致，稱為「國之大老」應不過分。事實上，我曾經在國民黨基層問過很多黨員，他們對金平先生為人處事都非常肯定。他在民間社會中的聲望，是無人可以取代的。

　　臺灣經濟有那麼好的發展除了上述孫運璿院長外，也必須歸功於好幾位專家領導者的接班，蕭萬長和江丙坤就是其中的代表人物。

　　萬長先生對臺灣經濟的發展有良好的績效與巨大的貢獻，他深受基層歡迎，他也對有才能的部屬不遺餘力地提攜，舉例來說，曾任教

育部長及考選部長的楊朝祥能夠出人頭地就是一個例證，我和楊部長結緣甚深，早期是師大同事，不管是在國父紀念館館長或教育部僑教會主委任內都受到楊部長的關照，也因此有機會和楊部長一起陪同海外臺北學校董事長及校長拜望當時行政院蕭萬長院長，親自聆聽他對臺商以及僑教會的期許。

二〇〇八年四月十二日萬長先生以「兩岸共同市場基金會董事長」之名義參與博鰲論壇，與中國大陸主席胡錦濤會面，此項海南博鰲行被稱為兩岸融冰之旅，而能與他並駕齊驅的就是江丙坤董事長。

丙坤先生對臺灣經濟與兩岸關係著墨甚深，績效良好，貢獻卓著，他富有實務經驗，對產官學界的影響很大，我在擔任淡江大學東南亞研究所所長期間，經常和他談及東南亞臺商事務，也曾經邀請他做過一次專題演講，他的講題及內容深受淡大研究生的歡迎，後來出任海基會董事長，可以說深慶得人。他曾代表國、親兩黨角逐第五屆立法院副院長，經過兩輪投票，最後勝出當選。二〇〇三年三月他當選國民黨副主席，從事兩岸交流工作有極佳的表現。

蔡英文女士為現任的臺灣領導人、民主進步黨主席及中華文化總會會長，亦為法律學者與律師，曾擔任教授、大陸委員會主任委員、國家安全會議諮詢委員等職務。

她有兩位副手，其一是賴清德先生、其二是陳建仁先生。賴清德先生出生於新北市，美國哈佛大學碩士，曾任成功大學醫院主治醫師、立法委員、臺南市長、行政院長，民意基礎雄厚，具有問鼎臺灣領導人之實力！陳建仁先生出生於高雄，美國霍普金斯大學博士，曾任臺大教授、所長，中央研究院副院長，現任行政院院長。

二〇一六年一月十六日，蔡英文女士代表民主進步黨參加臺灣領導人大選，獲得勝選；同時，該黨在立法院取得過半席次，首度完全執政，為臺灣第三次政黨輪替。二〇二〇年一月十一日，她又以高票當選連任。

　　呂秀蓮女士是臺灣大學法律系高材生，美國哈佛大學法學碩士。民主進步黨代理主席、桃園縣縣長、立法委員等職。她是臺灣民主運動和婦女運動關鍵倡議者之一，據我瞭解，她為人相當有正義感而且敢作敢為，我在擔任教育部僑民教育委員會主任委員的時候，曾經陪同教育部黃榮村部長率海外臺北學校十餘位董事長及校長和她會晤，她很熱情地接待大家，當時她對海外臺商的深度瞭解，讓我刮目相看！黃部長對僑教非常重視，對我也相當禮遇。

　　而現任中國國民黨主席朱立倫、新北市長侯友宜、臺中市長盧秀燕、臺北市長蔣萬安等等均為該黨有希望可以問鼎大位的領導人。朱立倫先生出生於桃園，美國紐約大學博士，曾任臺大教授、立法委員、桃園縣長、新北市長、行政院副院長、是一位資歷完整的領導人！侯友宜先生出生於嘉義，中央警察大學博士，曾任警政署刑警局局長，警政署長、中央警察大學校長、新北市副市長、現任新北市市長、是一位腳踏實地為民服務的首長。盧秀燕女士、出生於基隆市，政治大學畢業、淡江大學碩士，曾任華視主播、臺灣省議會議員、立法委員、臺中市長，是一位傑出的女性首長。蔣萬安先生出生於臺北市、美國賓夕法尼亞大學博士，曾任加州律師、立法委員、臺北市長，是中國國民黨新一代的領導人！

　　至於在臺灣經濟發展方面，下列三位企業家占有舉足輕重的地位。政府方面雖已有了重量級經建巨擎，但是民間企業泰斗們的貢獻也是不能忽視的，臺灣「經營之神」王永慶就是其中佼佼者。

　　一九四五年，永慶先生二十九歲，臺灣脫離日本統治，重回祖國懷抱，百廢待舉，需要大量木材，他也趁此由小商人蛻變為大商人。當時他決定接受當時經濟部長尹仲容的建議，投資了 PVC 塑膠業，雖是相當大的冒險，卻從此改變了王永慶的一生。

　　一九五七年三月台塑建廠完成，憑藉王永慶過人的智慧，終於過

難關，且逐漸步入坦途，接著為了刺激社會大眾的需求，而成立南亞塑膠公司，更為了塑膠品需要各種化學原料而成立了台灣化纖公司，以後台塑企業持續以前瞻性的眼光投資成長，王永慶號稱經營之神擁有四萬名員工，十萬股東，超過一萬的加工客戶企業，每年營業額高達一千六百五十億元。永慶先生成功的故事被稱為臺灣經營之神，是企業人的楷模，也是清寒出身功成名就的典範，永慶先生傳奇的一生也因此傳頌一時，不過，讓人重視的是永慶先生的繼承者現在都面臨了相當大的困境。

其次，最值得讚揚的企業家還有張忠謀和郭台銘二位。

在各國爭相投入半導體事業之際，白髮、沈靜的張忠謀，在臺灣開始建構半導體王國，採掘此一世紀金礦。而極少公開露面的張忠謀，以長程思考，宏觀策略，以及細密的執行力見長。更在國際、國內科技產業皆擁有舉足輕重，領導四家高科技公司——台積、世界先進、慧智、美國晶圓科技。

忠謀先生多年在美國管理國際大企業，他歸國後，更為家族企業盛行的國內，樹立專業經理人典範。十年前，台積電成立時，他決定以專業代工策略取勝，幾乎每個人都不相信會成功。十年後，台積電模式，國內外爭相模仿。台積電把臺灣的製造業名聲推至頂峰，號稱「護國神山」，忠謀先生的貢獻有目共睹。

郭台銘先生雖然出身平凡的公務員家庭，不過三十年來，他與家人攜手打拚，成就了鴻海集團的霸業，在郭台銘的帶領下，鴻海集團營運規模突破百億美元的規模。

台銘先生的毅力，不只在研發，更在「跑業務」上，他不但自己能學，也樂於把學到的知識和幹部分享，而且常常一講就是兩、三個小時，在他強勢的個性下，未來鴻海的挑戰，還是在人才的選拔和培育。「我每年過年放假都會生病。」他自稱是那種一閒下來就生病的

人。台銘先生曾一度成為臺灣的首富，而且樂善好施，回饋社會做得很徹底，在臺灣業界中顯露一股霸氣與豪氣，值得讚揚，稱為「企業家的典範人物」。鴻海也是臺灣企業的重鎮，台銘先生在公益事業方面也有突出的表現，近期為購疫苗捐贈民眾的義舉已成為膾炙人口的事蹟！

## 六　文藝代表人物

　　臺灣文化藝術興盛，人才輩出，尤其在佛學、教育及藝術方面有特殊的展現，我本身是「學者從政」標竿人物之一，生命的旅途中有一半的時間在政府工作，另一半時間則教學相長在大學執教，值得一提的是，我的下半生所有的作為都受到佛教大師的影響，其中的一位就是星雲法師。拜識大師，是在國父紀念館館長任內，記憶最深的一句話是：「在佛家來看，高館長正是國父廟的住持，要廣結善緣，普渡眾生」，我在經過大師開示並賜法名普緣後，就經常禮佛並以「慈悲為懷，深種福田」為座右銘。

　　星雲大師，一九四九年春來臺。一九六七年創建佛光山，以人間佛教為宗風，樹立「以教育培養人才，以文化弘揚佛法，以慈善福利社會，以共修淨化人心」四大宗旨，致力推動佛教教育、文化、慈善、弘法事業。先後在世界各地創建二百餘所道場，如西來寺、南天寺、南華寺等。又創辦多所美術館、圖書館、及大學。

　　星雲大師撰有《釋迦牟尼佛傳》等，並翻譯成英、日、德、法、西、韓、泰、斯里蘭卡等十餘種語言，流通世界各地。大師教化宏廣，門下有來自世界各地之僧眾弟子千餘人及信眾百萬；一生弘揚「人間佛教」，倡導「地球人」的思想，於一九九一年成立「國際佛光會」，被推舉為世界總會長。

　　星雲大師不僅在佛教界擁有舉足輕重的影響，在海峽兩岸甚至全球也有崇高的地位。我有幸皈依，並且承蒙大師好幾次的開示與指導，實在受益良多，也因此修心養性，成為虔誠的佛教徒。

　　臺灣佛教界還有一位全球知名的法師，那就是「證嚴法師」，我在教育部僑教會主委任內曾經擔任慈濟小學與印尼雅加達臺北學校結緣的見證人，也曾蒙證嚴法師的特別開示。更親眼目睹法師所領導的慈濟功德會的善舉，實衷心感動。

　　一九六六年，證嚴法師前往花蓮鳳林鎮某私人醫院探望弟子德融的父親，見地上一攤血跡，聽人告知，為豐濱一名原住民婦女小產，卻因缺少開刀所需保證金新臺幣八千元而無法開刀，只得又帶回部落。此即「一攤血」事件。當年，法師決定在花蓮開展社會救濟工作。

　　功德會初期，法師在當地會員的協助規劃下，發行「慈濟月刊」，開始建立「慈濟委員」、「慈誠」制度，成為慈濟發展最大動力，會員逐漸擴增。一九七九年，法師舉辦多次義診，也因十多年來的慈善志業，發現「貧病相依」、「因病而貧」，又感於臺灣東部（花東）地區長期缺乏醫療資源，決定在慈濟委員聯誼月會上，發起建立「佛教慈濟綜合醫院」。

　　法師聘請前故臺大醫院副院長杜詩綿、原臺大醫院復健科主任曾文賓負責籌劃工作，並相繼出任花蓮慈濟醫院院長。慈濟功德會在全球為各國人民做出許多功德，廣受好評。其親弟王端正曾為中央日報總編輯，與我也有數面之緣，曾代表慈濟來教育部和我面晤，洽談有關要在泰國清萊設置學校之事，我當然予以大力的支持，也因此受到佛教界人士的一致好評。

　　許多對佛教界極為熟悉的人士認為「星雲大師是佛教界中的政治領導者，證嚴法師則是社會領導者，而聖嚴大師則應該是學術思想的領導者」，我曾詢問過學界人士均認為，「聖嚴大師的確在學術界擁有

極高的聲望」。拜識聖嚴大師也是在國父紀念館館長任內，大師來館
宣揚佛法，從此我經常獲得開示，對人生、佛教、學術方面都有啟
發，大師曾經希望我去他的道場坐禪，惟我均因事忙一直沒有前往，
而引為平生的一大憾事。

釋聖嚴是臺灣佛教宗派法鼓山之創辦人，也是禪宗曹洞宗的五十
代傳人，臨濟宗的五十七代傳人，是一位教育家及佛教弘法大師。他
畢業於日本立正大學博獲士學位，是臺灣第一位得到博士學位的比
丘。聖嚴法師除了從東初老人得到兩系的傳承之外，在一九七八年十
二月五日承臨濟宗法脈的靈源和尚將法脈賜給聖嚴法師。

他於一九八九年以其理念「提升人的品質，建設人間淨土」創立
漢傳佛教「法鼓宗」。

聖嚴法師於二〇〇九年二月三日下午四時坐化，身後並留下一
偈：「無事忙中老，空裡有哭笑；本來沒有我，生死皆可拋。」聖嚴
大師經常在國父紀念館舉辦弘法大會，也經常邀請有緣人前往法鼓山
修行，我雖然常常有機會和他會晤，但是沒有太多時間面聆教義，深
感可惜。

當然，佛教界大師除了以上三位之外，還有微覺、妙蓮、地皎等
大師，微覺老和尚也曾經給我相當重要的開示，使我受益良多，我也
曾經去參訪過他所創辦的南投中台禪寺，至於妙蓮老和尚則對我相當
青睞，曾經有一次當面要求我剃度成為他的傳人，但是我自忖德行不
足不敢受任而作罷，妙蓮大師數度來到國父紀念館弘法，我也經常予
以護持，而且都發表感言，其中有一篇重要內容如次：

妙蓮大師，諸山長老，各位大德：大家晚安！阿彌陀佛！

妙蓮大師這一次是第四度蒞臨本館，由於大師在靈巖山寺
主辦三壇大戒，禁足一年七個月之久，首度開堂說法就蒞臨國

父紀念館，這是本館的光榮，也是各位大德的福報！讓我們以最熱烈的掌聲，感謝我們大師及諸山長老的蒞臨。

大師仁民愛物的胸懷，值得我們讚歎，他的德行不但為佛教界所推崇，也是海內外人士所共同景仰。我相信各位剛才都看到螢幕影片簡介中，出現我們的青春偶像——劉德華先生，劉德華先生就是皈依在我們大師的座前。我跟他曾經共同參加靈巖山寺大雄寶殿的落成開光典禮，希望劉德華先生將來也能來唱一唱我們這首〈靈巖山寺之歌〉。本館非常有福報，經常舉辦佛學講座，有很多諸山長老、大師：像星雲大師、聖嚴大師都來講過。每位大師都各有妙法、各有特色。我個人覺得我們妙蓮大師說法甚有特別之處；他時而循循善誘、溫柔勸解，時而又作獅子吼、霹靂一聲，讓大家的心都能立刻振奮。

我本人聽過妙蓮大師好多次講座，深深有所體會。剛開始的時候，偶爾會聽不懂，最近我是聽得很親切。我常常記得他的名言，就是：「佛在心中」、「良心就是佛」、「老實念佛拜佛，自然往生西方」、「孝敬、佛心、仁慈」、「吃素是禮佛的根本，吃素不殺天下太平。」我想這些都深印在我們心中。盼望大師以及諸山長老，經常蒞臨本館說法，讓臺灣寶島未來成為人間淨土，人間佛國。唯有人間淨土佛國境界，天下才真能永久太平。

我受大師的薰陶很深，我和我的妹妹高崇雯都是靈巖山寺的終身義工，這要感謝我的老媽媽——老菩薩。她今天在座，是不是站起來給大家瞻仰一下？（陳蕙君老菩薩起立，全場鼓掌。）我深受母親的教導，也深受老和尚的薰陶；老和尚教我們要盡忠、盡孝、報效國家、敬孝父母，我覺得這是非常了不起的。

　　最後，謹以至誠，敬祝我們妙蓮大師、諸山長老、法體安
康、住世久遠；各位大德，廣種福田，法喜無限。謝謝各位！
阿彌陀佛！

　　妙蓮大師信眾極多，其中最有名的一位是影歌兩棲的大明星劉德
華，他的法名是慧果，我的法名是慧福，我們是師兄弟。而地皎法師
也是我的皈依大師之一，當年我在國父紀念館遭遇困難時，惠蒙地皎
法師不斷勉勵，並且加持，她慈悲為懷普渡眾生的精神令人感動，據
瞭解，很多海外華人均對法師讚揚與推崇，其中尤以馬來西亞華人為
最，我曾經擔任教育部僑教會主委八年，任內訪問馬來西亞二十餘
次，每次都聽到當地許多僑胞讚頌地皎法師的功德。

　　總而言之，臺灣是宗教聖地，不但到處是佛國淨土，同時也有很
多的基督教徒、天主教徒，甚至於回教徒，其中天主教對我的影響相
當巨大，我幼年時曾隨母親受洗，接受過許多德行良好神父的教誨。
甚至我的婚禮是採用天主教儀式的，當時為我與內子王海倫女士證婚
的是天主教羅光總主教，而高思謙副主教也是證婚人之一。我覺得好
的宗教都是勸人為善的，我常常想，其實佛教的觀世音菩薩和天主教
的聖母瑪麗亞都是滿懷仁愛的神佛，我們對於各種宗教都應該予以
尊重。

　　在臺灣宗教信仰的廣大值得大書特筆，但是臺灣人之所以思想高
超也應歸功於教育的盛行，私人興學蔚為風氣，其中最值得推崇的教
育泰斗是張其昀先生。

　　張其昀先生是浙江鄞縣人，著名的大史學家、地學家及教育家。
南京高等師範學校畢業。亦為中國文化大學、臺北市私立華岡藝術學
校之創辦人。

　　張其昀先生一九二七年起在中央大學地理學系任教，曾主講中國

地理，為中國人文地理學之開山大師。一九三五年，當選為第一屆中央研究院中央評議會聘任評議員，是從未出國留學的當選評議員中最年輕的一位。一九三六年，受聘為浙江大學史地系教授兼主任、史地研究所所長，後又兼任文學院院長。一九四一年，當選為中華民國教育部首批部聘教授。一九四三年，受美國國務院之邀聘，在哈佛大學研究講學一年。

一九四九年，隨國民政府到臺灣，曾任中國國民黨總裁辦公室秘書組主任、中國國民黨中央委員會宣傳部部長、秘書長、中國國民黨中央評議委員會主席、教育部部長、國防研究院主任等要職，又創辦了中國新聞出版公司、中華文化出版事業委員會，發起創辦《學術季刊》等多種學術期刊以及中國歷史學會等組織，對臺灣的文化教育事業貢獻非常鉅大。應該是文教學術界的第一人，尤其他創辦了中國文化大學又主持了國防研究院，這兩個單位都是培養臺灣頂尖人才的基地，我很榮幸作為張創辦人的嫡傳弟子，受到他的關愛垂顧極其深厚，而追隨張創辦人學習研修將近二十年，除了感謝就是感恩，我認為張創辦人是我人生中最大的貴人，也是我一輩子的恩師！他的公子張鏡湖教授由美返國接任文大董事長，在張董卓越經營及勤奮努力之下，文大校務欣欣向榮，蓬勃發展，已成為國際知名學府。

其次當然是淡江大學的張建邦創辦人，企業界都一致認為淡江大學是臺灣最好的私立大學。張創辦人與我結緣甚早，曾蒙他的關懷照顧，我在二〇〇四年卸下公職後受聘為淡大的教授兼所長，也曾是該校熊貓級教授群中的一員。

建邦先生一九六九年當選臺北市改制後首屆議員，並獲選為副議長。兼任國民黨臺北市黨部副主任達九年之久。一九八一年任臺北市議會議長。一九八四年進入中常會，參與黨政中樞決策。一九八九年入閣任交通部長。二〇〇〇年五月被聘為資政。

　　一九七〇年，臺灣未來學萌芽，建邦先生認為臺灣在很短的時間內也將面臨相同的情境，於是未雨綢繆，從淡江大學發展起未來學。淡江大學開設第一班的《未來學》課程，邀集社會各界菁英到校演講，不僅讓青年學子藉此獲得前瞻的眼界與資訊，更讓未來學經由社會菁英而深植。

　　他的夫人姜文軲女士大家閨秀、秀外慧中、賢淑溫良，協助校務發展不遺餘力，他的女公子張家宜擔任校長，認真負責，開拓全球化及國際化的校務，頗負盛名。另外一位女公子張室宜擔任董事長，可以說是一門菁英。我對張創辦人伉儷極為敬重，不管多忙，始終不會忘記在重要的時刻向他們致敬。

　　私立大學除了文化到淡江之外當然也有輔仁、中原、東吳等著名大學，不過因為我曾在淡江及文化服務的關係，瞭解較多因而予以評論，不過中原大學校長張光正是我多年的好友，在他的努力經營之下，中原大學已成為臺灣私立大學的頂尖，張校長為人光明磊落，有強烈的基督宗教情懷與高度的正義感，是臺灣學界的泰斗之一。

　　至於科技大學部分必須提及的教育耆宿就是王廣亞、孫永勤、吳慶堂、陳兩傳、紐廷莊等人。

　　王廣亞創辦人與我可以說是忘年之交，經常一起吃早餐，他是一位古道熱腸的教育家，給人的印象就是全力協助他人，提攜青年，廣交豪傑，類似武訓興學的教育家。他曾經邀請我前往他所創辦的河南升達大學考察，他對鄉土的關懷，對青年的照顧都是教育人士的典範。

　　廣亞先生畢業於日本亞細亞大學經濟系，美國聯合大學榮譽教育學博士、韓國清州大學名譽經營學博士。他曾任中學校長、主任、兼任教授，並一手創辦育達文化事業機構。廣亞先生對發展私立教育事業，貫徹國家教育政策，不遺餘力，更於二〇〇一年當選第一屆十大傑出教育事業家。

　　自一九八七年政府開放大陸探親後，他飲水思源，亟謀回饋故里，先後在鄭州創辦「昇達大學」、「昇達藝術館」，在內蒙古創辦「內蒙古經貿外語學院」，及在北京創立「北京育達高級職業學校」。又在故鄉鞏義市創辦成功學院，於二○○四年九月正式招生。他畢生獻身教育，致力於文化事業，除深獲中外教育界所推崇，他非常念舊，經常召集好友聚會，我常常在星期天早上八點鐘接到他親自打來的電話邀請餐敘，他的平民作風及慷慨好義在教育界也是數一數二的，和他一起辦學的吳慶堂董事長是另一個私人興學的典範。

　　我和吳董事長一見如故，相知相惜，深深瞭解到他是一位熱心助人，全力推動文化事業的教育家，他辦學的口碑極佳，而所主持的啟英高中可以說已經創造了無數個「臺灣第一」。現在又榮任康寧大學董事長，未來必有一番大作為。事實上，我曾經擔任董事長交接典禮的監交人，這是我光榮的事蹟之一。

　　孫永勤董事長是中華科技大學創辦人，一位富有理想力行實踐的教育家，在他慧眼識英雄的眼光下，我的兒子高鵬翔副教授曾經擔任過中華科大的系主任、學務長等等重要職務，而我的女兒高欣助理教授也受到了他的賞識，有著相當傑出的表現。

　　此外，康寧董事長鈕廷莊不僅是我的同鄉，而且和我相知甚深，經常一起探討如何振興臺灣的教育改革大業，我曾經在康寧擔任董監事達十數年迄今。在大專校長群中，和我關係最密切，我視之為兄長的就是警察大學校長謝瑞智，謝校長是臺南麻豆人，我曾在麻豆居住過一段期間，所以雙方也算有鄉土之誼，也因此一機緣，我在他擔任臺灣師範大學公訓系主任之時，得到他的推薦進入師大教書。而更重要的是，我和謝校長理念相近，志同道合，所以一起擔任「中華論政學社」的發起人，謝教授擔任過社長，我則是副社長兼發言人，後來謝校長擔任「中華學術文教基金會」董事長，任職長達二十年之久，

我現在則接班出任董事長迄今已有四年以上。

　　最後當然要述及迄今為止我所服務的德明財經科技大學董事長陳兩傳及其女公子陳韻如，他們兩位對臺灣科技大學的蓬勃發展具有重大的貢獻。

　　陳兩傳先生出身大臺北本土派商幫，三重幫陳家班是臺灣知名企業家，創辦幸福建設與幸福水泥，形成幸福集團。曾任首都客運、永盛紙業公司董事長。女兒陳韻如接棒掌管幸福集團事業，與三重幫其他成員、臺北市陳家班都有深交。

　　陳董事長於一九七一年創辦幸德磚廠與欣榮鋼鐵廠。一九七四年創辦幸福水泥。一九八七年任德明商業專科學校董事長，於二〇一七年獲得私立學校第五屆十大傑出教育事業家。他為人熱誠親切，尊師重道，而且提倡孝經教學不遺餘力，值得稱道！而且他的女公子陳韻如副董事長全力為學校服務，績效優異，值得肯定！

　　在藝術方面我因職務關係，識人較多，從最早的黃君璧大師開始，幾乎與臺灣的藝術頂尖人物均有來往，黃大師原名允瑄，本名韞之，號君璧、君翁，晚號米壽老人，廣東南海祿舟人，當代國畫大師。與張大千、溥心畬以「渡海三家」齊名。他從學國畫之日起就兼學西畫，是一位兼通西畫的國畫家，西方藝術界稱其為「中國新古典派」，並屢獲國內外之邀講學及展覽達數十次，載譽國際，足跡遍及亞、歐、美、非四大洲，對文化藝術宣揚貢獻卓著；曾榮獲臺灣教育部第一屆「中華文藝獎美術部首獎」，及藝術界致贈的「畫壇宗師」匾額等殊榮。

　　黃大師曾經在田曼詩名書畫家的陪同下，在韓國漢城辦理過盛大的畫展，我當時正在慶熙大學攻讀學位，所以有緣在展場協助，拜識大師，獲得了黃大師的讚賞！我回國後拜見大師時，他還送了我一副親筆畫作為留念，他的學生告訴我，這是一項難得的機遇。

　　李奇茂先生，是國際知名的大師級水墨畫家。一九四九年隨國軍撤退來臺，畢業於政工幹部學校美術組（今國防大學復興崗校區應用美術學系）。早年因應政府政策下的中華文化復興運動，多創作具戰鬥文藝特色的作品，後陸續投入臺灣民間風土與人物的采風，以及實驗性的新水墨畫創作，晚年雲遊四海舉辦畫展，獲獎無數，是臺灣水墨畫界的戰後第一代代表性畫家。李奇茂具有創作熱忱與文化使命感，經常舉辦畫展、從事藝術教育、獲獎無數，涉及的領域已從純藝術的創作擴散到整體文化面向。

　　臺灣藝術界公認他是臺灣書畫泰斗，奇茂先生和我相知甚深，我在國父紀念館館長任內除了聘請他擔任審查首席顧問外、並常常贊助主辦他所有的公益展覽！他對於國民外交及兩岸交流的貢獻有目共睹！

　　歐豪年先生，是全球知名嶺南畫派大師級畫家，創作題材與形式豐富多樣。一九七〇年任教於中國文化大學美術系專任教授，也曾受邀擔任省展評審委員、省立美術館諮詢委員、中山文藝獎、國家文藝獎評審委員，和第七至十四屆全國美展籌備、評審委員等等。一九九三年獲法國巴黎大皇宮特別獎譽，為第一個獲此獎的中國畫家。二〇一六年六月獲東華大學榮譽文學博士學位，同年十一月獲香港中文大學榮譽文學博士學位。二〇〇二年，「歐豪年文化基金會」贈與中央研究院百餘幅畫作，建立「嶺南美術館」。

　　歐大師聲名遠播，不僅是臺灣泰斗級畫家，而且是全球知名的頂尖書畫家！而豪年先生和我極為親近，我們不但是鄰居經常在公園散步，還同時在游泳池一起游泳，關係密切，相知極深，我認為他的確是當代臺灣最頂尖的書畫大師！

　　江明賢先生，畢業於臺灣師範大學美術系，畢業後返校擔任美術系教授、系主任、美術研究所所長。江明賢教授從早年在臺北師範藝術科、臺師大美術系等基本功扎根時期，到留學西班牙接受西方教育

深造時期，後又經歷返臺立足本土及赴日發展等創作觀養成時期，以
及遊訪中國、推動兩岸藝術交流時期，直到近年記錄在地名勝古蹟的
文化資產巡禮時期，他的繪畫風格也隨著各階段創作背景而有所不同。

在中西合璧下，江明賢教授的水墨畫的表現和技法形式，呈現多
元化發展，揉合西方素描的筆觸、層次描繪和繁複的拖拉線條等表
現，為傳統水墨開啟新的一頁。以更宏觀的視野，將水墨推向國際性
的藝術殿堂。

江教授和我相當熟悉，因為我們是臺師大同事，年齡相當，平常
非常談得來，我當館長期間就常常借重他的長才來推廣藝術活動，我
認為他是一位承先啟後書畫界泰斗領導人！

蘇峯男先生，臺灣藝術大學畢業，美國舊金山藝術學院碩士，曾
經擔任臺藝大美術系系主任，中國文化大學、日本筑波大學客座教
授，是海內外極知名藝術家，舉辦過個展十餘次，聯展百餘次，應臺
灣各大美術館評審委員數十次，獲得國家文藝特別獎，中國文藝獎
章，中山文藝創作獎，及各種各類第一名獎。巨作且在全球，包含日
本、韓國、法國、德國、中南美等各國展出。蘇教授把中國山水畫與
彩瓷相結合，開創了中國陶瓷的新境界，對水墨畫而言，這是一項劃
時代的創舉。蘇教授不僅學術基礎雄厚，而且繪畫實力堅強，可以說
是當代國畫泰斗之一。

涂燦琳先生，中國文化大學美術系畢業，臺灣藝術大學造型藝術
研究所碩士，曾任臺灣藝術大學教授、文化大學兼任教授，是海內外
知名的藝術家。個展及聯展數十次，曾獲中山文藝獎、國家文藝創作
獎、吳三連文藝獎等大獎。創立中華九九書畫會。涂教授造境寫生是
神采之筆，可以說是全方位的畫家。山水、人物、花鳥均可入畫，意
境自然，氛圍深遠，所以作品張張生動精彩。他清晰的筆墨，精緻的
布局，使作品充滿著怡然自得的靈氣。涂教授教學相長、春風化雨，

對於學生的學習他傾全力教導甚至到了苦口婆心的地步，所以極受學生的愛戴。

黃慶源先生，一九五七年生於嘉義縣六腳鄉的小農莊，自幼喜書畫，師事黃磊生教授學習傳統技法，入門水墨畫；再進入寫生到自由創作的轉變歷程，這美麗之島正提供了其取之不盡的創作靈感。湖光山色，飛瀑煙雲，大自然的美景永遠是令人流連忘返，而對一個藝術工作者，其心思較常人敏感和細膩，則更是難以抗拒它的誘惑，去面對山真水，心領神會，這是作為一個山水畫創作者的重要過程。

黃慶源，畢業於臺灣藝術大學書畫藝術學系，臺灣藝術大學藝術碩士、加拿大皇家大學藝術管理碩士。曾獲：第十六屆全球華人文化藝術薪傳獎、全國學生美展第一名、坪林茶鄉水墨畫寫生創作第一名、六美國小九十周年傑出校友、嘉義旅北同鄉會第一屆傑出青年楷模、上海世界名家書畫大展一等獎、亞洲國畫大賽金牌獎，應邀中國第十二屆全國美展等。

黃慶源是我最欣賞的中壯代名書畫家，我和他密切來往了三十餘年。相識相知感情深厚，我親眼目睹他勤奮努力力求上進的過程，他不僅在書畫的技巧上有爐火純青的表現，而且在繪畫理論上有堅實的基礎，我認為他必然是臺灣未來書畫界頂尖大師的泰斗領導人！我以中華文化藝術總院總院長身分聘他為國畫院院長。

王南雄先生，師範大學美術系畢業，後於泰北中學教書。於一九七四年離開教育界，專注於水墨上的山水。現為墨研畫會指導教師。在繪畫上，王南雄以色彩走出屬於自己的現代水墨畫，也成為目前臺灣唯一榮獲中興文藝獎、中國文藝協會國畫文藝獎、中山文藝國畫創作獎，以及國家文藝獎四大獎項肯定的藝術家。

回首來時路，王南雄為自己寫下「從吶喊到細流」的字句，不是說明他的畫風，而是畫家一路走來的體悟。藝術是開放給普羅大眾

的，美感是直覺的，他不再獨舞式地、吶喊式地歌詠大自然，他希望自己的作品能近距離與觀賞者交流，讓人長長久久回味這無窮無盡的美感。畫家更希望自身領悟的美善，能化成涓涓細流，讓更多人分享、體會，讓藝術成為生活中的養分，滋潤賞畫者的人生。基於我與王南雄大師之間的情誼，以及肯定他對文化藝術的貢獻，我已禮聘王大師出任文化院院長一職。

王太田先生，名書畫家王太田與我係交往三十年的老友，我在一九九一年擔任國父紀念館館長時，就曾經邀請王太田在中山畫廊舉辦過國畫特展，我還記得當時展覽會上人潮洶湧的盛況，充分顯示出王太田在國畫精湛的功力。

王太田已經研修「詩、書、畫、印」四絕將近一甲子，現在更成為享譽海內外的畫壇巨擘，渠一生對中華文化藝術傳承不遺餘力，尤其在山水國畫及心經書法方面著力甚深，其作品不僅在二○一六年法國里昂展出，而且在二○一七年香港奧斯丁拍賣會受到多位收藏家青睞，又於二○一九年在美國紐約時代廣場及二○二○年日本東京展出。甚至二○二二年北京冬季奧運藝術大展也大力邀請王太田參與，不僅為兩岸交流作出貢獻，也為臺灣爭光。

連勝彥先生，自一九七三年黃鶯出谷初啼金聲，喚縈書林，得臺北市第五屆美展書法第二名，快劍森嚴，旋又揚芬墨苑，再得臺北市第七屆美展書法第一名，筆墨交輝，頻頻獲得全國各地書展嘉獎。於是書藝界日深器重，各地書展咸能邀其參展為榮。又常邀參與文化交流，享譽國際。

現任中國書法藝術基金會、澹廬文教基金會、清傳高商董事長中國書法學會名譽理事長。我與連大師結識甚早，在我擔任國父紀念館館長任內就互相來往迄今，對他非常肯定。我覺得他應該是當代書法界頂尖領導人。

　　張炳煌教授，字子靖，臺灣毛筆、硬筆書法家，生於基隆，曾任淡江大學中國文學學系教授、淡江大學文錙藝術中心主任、淡江大學書法研究室主任、中華民國書學會會長、國際書法聯盟總會理事長、臺灣 e 筆數位書畫藝術學會理事長、臺灣佛教傳道協會理事長，曾榮獲中華民國教育部社會教育獎章、歷史博物館金質獎章、中華民國資深青商總會全球中華文化薪傳獎、韓國文化產業振興院、中國文藝協會中國文藝獎章美術書法獎等獎項，曾在中華電視公司社教節目〈每日一字〉書寫教育部頒標準字體近二十年，在日本、臺灣及南洋各地舉行個展十餘次，獲選為二〇一〇年中國書法十大年度人物。

　　二〇一四年他在民間全民電視公司文學節目《飛閱文學地景》負責「e 書法」，即將名家白話詩以電子書法謄寫。我和張教授相知甚深，親如兄弟，時相來往。

　　杜忠誥教授，文學博士，號研農、玄泉老人、算沙老人、潤松老人等，一九四八年出生於臺灣彰化縣埔頭鄉，得書畫名家呂佛庭教授啟蒙，學習山水，因自覺落款字醜而發奮練字，後兒專攻書法，曾受學於朱玖瑩、王愷和、謝宗安、王壯為、奚南薰等中原渡臺書家，並曾從南懷瑾先生研習禪道。

　　曾個展於國立歷史博物館國家畫廊、日本東京銀座鳩居堂畫廊、臺北市立美術館、臺灣美術館、澳大利亞雪梨華僑文教會館、國父紀念館中山國家畫廊等處。歷任中華書道學會創會理事長、歷史博物館美術文物鑒定委員、臺北故宮博物院藏品審查委員、唐氏症基金會榮譽董事、全球讀經基金會董事、十方禪林文教基金會董事。曾獲中山文藝獎、吳三連文藝獎及國家文藝獎。

　　李可梅教授，字希，號逍遙山人。國立臺灣大學中文系畢業，自創復興畫院傳道授徒近四十餘年。雅好詩文書畫，研究創作七十餘載，桃李遍及中外。

　　一九九三年臺北市府頒書畫教育貢獻卓越獎

二○○一年奧運盃臺灣十二大藝壇前輩典範獎

二○○六年文化總會頒第一屆當代藝術傳承貢獻大獎

二○一六年臺北市總公會頒臺灣藝術國寶獎及榮譽終身藝術博士獎

經歷：國家美術大展評審、中國美術協會顧問、中國畫學會顧問、中國書法學會顧問、臺北市美術工會永久榮譽理事長、中華國際藝術推廣交流協會名譽理事長、臺北市八閩美術會名譽理事長

著作：《李可梅書畫集》三輯行世

李德珍女士，就讀實踐大學及師大美術研究所

父親李可梅為當代詩、書、畫名家。自幼受父母良好的身教，個性樂觀進取及深受薰陶。對琴棋書畫、歌舞等有濃厚的興趣，故求學期間壁報、漫畫、國畫曾獲各項第一名。繪畫是一生中最重要的事。平常除在畫苑創作教學外，更致力研讀有關書畫籍。舉凡詩詞、藝理、篆刻版本、盆栽造景乃至琴韻、戲曲等都是涉獵的範圍。至於顏料裱工及鑑賞皆在努力研究中。曾應中國、泰國、菲律賓等世界各地現場揮毫及講座。一九九一年榮獲十大傑出青年美術獎。一九九三年應中正紀念堂之邀和父親舉辦一百幅國畫聯展。

沈禎先生，政戰學校藝術系畢業；水墨人物畫受李奇茂大師啟蒙與教導；作品在學生時代，即榮獲臺北市北區國畫比賽第一名、全國大專寫生比賽優選；其後又榮獲國軍新文藝金像獎、銀像獎、埔光文藝金像獎、中國文藝協會文藝獎章等。擔任過淡江大學駐校藝術家，並曾於臺灣藝術大學、淡江大學及政戰學校任教。現為中國孔學會、中華倫理教育學會秘書長，並擔任李奇茂美術館館長。

一九九七年，沈禎先生赴美深造，獲藝術碩士後返國；二○○三年七月前往澳洲伯斯市（Perth）Edith Cowan University 獲得視覺藝術博士學位，現任教於元智大學。我與沈教授相識甚早，實務上與我來往密切，感情自然較為深入，我認為沈教授不僅國畫藝術功力深厚，品

德才能也足以成為青年的典範。

　　而與沈禎齊名的臺東之光，還有唐健風理事長，唐健風先生，國防大學藝術系畢業，是一位全方位的藝術家。人物畫、漫畫、設計、寫作等方面均有相當精彩的表現，現任中國孔學會理事長，漫畫學會榮譽理事長，曾獲得文藝獎章、中興文藝獎章、新文藝金像獎等大獎。

　　孟昭光女士，是一位勤奮有創意而不落俗套且具有獨特風格的畫家，這位臺灣藝術大學畢業的名藝術家是孟子七十一代的後裔，她不僅具有全方位的藝術才華與家學淵源而且又勤奮努力向當代大師學習，更值得肯定的是她擁有虛懷若谷的心態以及不斷創新的理念，因次更能發揮正能量，產生感動人心的精彩畫作。時至今日，她已成為當代臺灣最具代表性的女性畫家，正因為如此，我會在二〇二一年中華學術文教基金會董事會改組時，力邀她擔任我們的董事和學術界重鎮們一起，更可使她成為中華文化藝術總院的核心藝術家之一。

　　陳炳宏先生，為臺灣藝術大學書畫藝術學博士，現任臺灣藝術大學教授兼系主任，曾獲中國文藝獎、吳三連藝術獎國畫第一名金龍獎等大獎。舉辦過數十次個展、發表過數十篇專業論文，是臺灣中壯代少有的理論技巧兼具的著名藝術家。為人誠懇樸實，做事認真負責，深受學界讚揚，近期以來，參與臺灣藝文推廣及兩岸文化交流不遺餘力廣獲好評。

　　趙松筠女士，中國文化大學藝術研究所碩士，出生於書香世家，父親趙萬才是位書畫鑑賞家，其母韓雲卿則精於刺繡及剪紙藝術，故從童蒙時代就深受父母影響，喜好繪事並研習國畫，自幼即立志成為畫家。為進一步提升國畫藝術修養，趙松筠五十歲時考入中國文化大學藝術研究所，成為臺灣嶺南派畫家歐豪年的研究生，在歐豪年教授的親炙下，研究歷代名家所長，精研嶺南畫派技法，逐漸成為臺灣當代實力派畫家。曾於國父紀念館、中正紀念堂、高雄、約旦安曼、波

蘭烏茲市、沙烏地阿拉伯及澳洲雪梨、舊金山、洛杉磯、巴黎等華僑
文教中心及東南亞等地舉辦展覽。她是張大千大師的嫡傳弟子，在海
內外早已享有盛名，我在國父紀念館館長任內特別邀請她出任展品委
員會委員，迄今為止，趙大師與我互動頻繁，我出席她所有的畫展並
致詞！

　　包容女士，號雍之，浙江海寧縣人，華北神學院道學碩士。創立
儂儂劇團，製作老歌演唱會數百場，創立中華梅花文化藝術交流協
會，現任榮譽理事長及儂儂劇團總策畫。個人個展達上百次，除臺灣
外，足跡遠達美、日、新、菲、澳，中國大陸展出片及京、滬、穗、
粵、閩、豫、川、遼、魯、贛、新疆以及香港等地，二〇一二年獲邀
代表臺灣，參加倫敦奧林匹克美術大會展覽，並獲得金牌乙面，為臺
灣唯一受邀參加之畫家，二〇一三年七月受邀前往蒙古包頭市展出歸
來，二〇一四年參與中國深圳第十屆國際文化產業博覽交易會暨名家
書畫展，獲頒白金獎，並於二〇一四年受全球華人羅浮宮藝術特展暨
中法文化論壇邀請前往法國羅浮宮參展，二〇一五年獲邀前往日本京
都博物館及上海龍華美術館展覽。包容女士是傑出的女性畫家，我在
近期經常出席她的畫展，對她的成就大加讚揚。

　　巫登益先生，臺灣藝術大學書畫系、臺灣師範大學美術系研究
所，二〇〇九年榮獲「當代最具影響力華人藝術家」。現任中國文物
協會當代彩墨畫院院長、中華大學榮譽教授。他用近一甲子的年華投
入繪畫研究與創作，他就是被譽為當代最具影響力的彩墨大師。巫登
益於青年時代就展現過人的創作實力與才華，早在一九七三年便獲得
中華民國當代名家畫展——陸光美展第一名佳績。而後一九八四年榮
獲日本東京亞西亞美術大展銀賞，一九八七年登錄日本美術年鑑。

　　他的畫風清秀靈動，雲霧繚繞，可居可游，作品構思巧妙，山水
間蘊涵著願景與能量，感受疏朗的心情及美好的未來。

　　我最近應王新力理事長之邀，為巫登益先生站臺好幾次，每次都提到了巫先生創新臺灣彩墨藝術的貢獻。

　　李登勝先生，號勇候，采風堂門人，勇候齋主人，知名水墨畫家，啟蒙於本慧法師，後拜入李奇茂采風堂，行古禮拜師大典為入室關門弟子。曾任國父紀念館國家畫廊之審查委員，獲日本特許大學博士學位，並擔任日本愛知縣教委會特聘中國畫講師、泰國曼谷中國畫院副院長、中華國際書畫研究院永久榮譽院長等職，新近並獲聘為法國羅浮宮國際美術展之臺灣選區主席，為臺灣當代備受肯定推崇，享譽國際之水墨名家。我與李登勝先生相知相識三十餘年，其間還一起到日本他的美術館參訪，深深肯定他國畫的功力，也讚嘆他對臺灣水墨畫的貢獻。多年來在古典人物題材，用現代手法，以成中西法在水墨表現方式上獲各界讚賞。我與登勝結緣三十年以上，相識相知，有密切的交往，對他十分肯定。

　　李沃源先生，九歲始習中國畫，大學時代則專研油畫、素描和速寫，三十歲後特別強化於水、墨的運用。師事臺灣水墨畫大師李奇茂、北京師範大學書法研究所博士生導師倪文東教授。李沃源用自己的才情、激情抒發胸中丘壑，創作下筆落墨處雄渾、大氣，色彩厚實、濃烈、清新，光影色墨結合巧妙、濃淡乾濕展現得宜、千年林木蒼鬱高聳天籟、遠眺山巒群峯氣勢雄偉壯闊、極具現代感，表現出傳統山水的特色。

　　李沃源先生現任兩岸和平文化藝術聯盟創會理事長兼總會秘書長、金馬臺澎兩岸交流協會理事長、臺北市山巘畫會理事長、珠海市政協書畫院特聘副院長、北京人文大學藝術學院客座教授。

　　我與沃源理事長可以說是一見如故，我對他極為讚賞，他可以說繼承了李奇茂大師兩岸交流的事業，加上他對社團高度的領導力，相信他必然有更上一層樓的機會。

　　王秀杞先生，是臺灣名雕塑家，曾任淡江大學副教授、明道大學時尚造形學系教授。其作品有位於臺灣北部「觀音山風景旅遊服務中心」石雕公園的「龍的傳人」，由觀音石切割雕刻而成，是全臺灣最大的石雕作品。另外還有位於淡江大學與亞洲大學的校園中的「海豚吉祥物里程碑」、「五虎碑雕塑」、「牧童 Shepherd」等著名作品。一九九○年獲臺灣中山文藝獎個展於臺灣各地文化中心，作品「孕」為臺灣省立美術館典藏。

　　其中，王秀杞先生於二○○九年二月新春之日所發表的代表性作品「正統五路財神廟招財進寶聚寶盆」，被認為是能特別表現出臺灣與中國大陸各地之鄉土宗教文化氣息的藝術作品。我與王秀杞大師相知甚深，深深讚嘆他的藝術功力，更特別禮聘他擔任雕塑院院長，我認為他是雕塑界的泰斗領導人。

　　陳逢顯先生，從小便熱衷藝術創作，在小學戶外教學時參觀國立故宮博物院，看到清朝雕刻家陳祖章的作品雕橄欖核舟後深受啟發，尤其專精素描和油畫。進入中央印製廠任職，負責雕刻印製鈔票的鋼板，陳逢顯對這項藝術感到震驚，並在工作期間練就雕刻工藝，一九八一年開始鑽研毫芒藝術。

　　陳逢顯先生在一九九七年成立毫芒雕刻博物館，其作品除了收藏在此博物館中，也收藏於故宮博物院和中央圖書館。陳逢顯在三十年前曾經隨同我前往世界各國首都展出其與　國父孫中山相關的微雕作品，迄今與我頻繁交往，關係密切。我已禮聘他出任技藝院院長。

　　王淑娟女士，美國花藝藝術學院鑑認講師、日本花道池坊鑑認教授、中華花藝文教基金會鑑認教授。中華東方茶文化藝術學會理事長、中國豐藝術會館首席顧問、國父紀念館茶道、花藝講師、佛光山「臺北道場・新莊擇善寺」花道講師。曾榮獲二○○七中華花藝師鐸獎。

　　王淑娟女士認為，茶，是生活藝術。古代茶人必須具備琴棋書畫，喝茶也喝素養，如今，茶道儼然式微，打油詩云「琴棋書畫詩茶花，當年件件不離它，如今七事都變更，柴米油鹽醬醋茶。」王淑娟表示，在僧人喝茶，參禪悟道中，仍保留著茶道的心靈境界。

　　王淑娟女士與內子王海倫及我密切來往，極為熟悉，相知甚深，我非常肯定她在花藝及茶道方面的貢獻，禮聘她出任四藝院院長之職。

　　楊旭堂先生，字恆齋、亮軒，目前擔任中華民國書法教育學會理事長、國防大學管理學院書法社指導老師、臺北市政府教育局《書法小學堂》主編、《書法教育》月刊發行人，推廣書法教育、弘揚書法藝術不遺餘力，二○一九獲頒臺北市立大學傑出校友。

　　楊旭堂先生專注推廣與堅定傳承書法教育文化，在業界受到極大肯定，他帶著滿腔熱血執意從書體扎根做起，帶頭改造書法傳承推廣的教育與實務課程，為社會的文化啟發與藝術啟迪起了極大的作用。我相當肯定他在書法教育方面的貢獻，我已藉由出席全國書法教育大會上致詞之機當場禮聘他出任書法院院長。

　　蘇奕榮先生，臺灣臺南人，擅長人物肖像及油畫創作，素有「臺灣畢卡索」之美譽。現任：臺灣茶書畫藝術聯誼會顧問、臺灣茶書畫藝術協會顧問。當代藝術家的幻變表現手法，放棄對空間，人物形象的描繪，轉為以多彩、線條、和人物整體造型互為一體的表現，過人的創造力與相像力，實為當代藝術開闢另一畫風。他非常重視藝術家的價值，認為作品要有故事性，延伸性，及歷史性。

　　二○一三年至二○一六年間蘇奕榮先生於東京、米蘭、上海、臺灣等地舉辦世界巡迴展，榮獲美、法、日各國際性獎項。二○一五年中法兩國美術協會特邀蘇奕榮先生於法國「羅浮宮」舉辦個展，二○一七年香港保利國際拍賣獲收藏家典藏。我與蘇奕榮先生最近相識，一見如故，為肯定他對臺灣西畫界的貢獻，我禮聘他出任西畫院院長。

　　黃明櫻先生，生於高雄縣湖內鄉，十二歲便離鄉背井，拜師學畫。之後隨嚴竹雄老師學習絹布油畫，開啟他人生嶄新的一頁。黃明櫻表示，曾在畫室替人畫像的他，沒有淪為畫匠，是因為他將「理念」注入作品中，使其富有生命力。黃明櫻的作品屢屢在國際展覽中贏得大獎，曾獲日本美術院「國際大賞」、國際公募藝術未來展「特選賞」第一名、法國沙龍春季展入選等多項殊榮。

　　黃明櫻與我相知相識有一段時間，我們的共同好友就是葉培棟先生，葉先生和我時相來往情誼深厚。我認為黃明櫻大師是臺灣絹布油畫創作的頂尖畫家，從而禮聘他出任中華學術文教基金會美學教育委員會主委一職。

　　呂仁清是當代書法家與書法教育家的泰斗之一，臨池磨練五十年以上，曾前往菲律賓等國講學。曾獲得教育部多項大獎。他的書法陽剛拙樸兼具雄健之美，尤其在線條的表現方面已經達到了爐火純青的境界。特別值得肯定是他作為一代宗師謝宗安大書法家的接班人，已逐步顯現了他在書法教育上的重大影響力。

　　高駿華是西畫界的後起之秀，文化大學藝術研究所碩士，臺灣藝術大學博士班，專長是油畫、篆刻、書法而最令人肯定的是他多才多藝，而且勤奮努力，因此近年來進行臺灣各縣市舉辦個展及聯展數十次，經常獲得各種競賽大獎，是一位極具潛力的中壯代全方位藝術家，我對他十分青睞，因此禮聘他擔任中華文化藝術總院西畫院副院長。

　　值得大書特筆的是：我於二〇二三年二月十二日出席中國書法學會會員大會作為主要的致詞貴賓時，剛好與全球商業網公司總裁林暉講座教授鄰坐，坦承而言，我與林總裁互相仰慕已久，我常常聽到中華文化藝術總院楊旭堂書法院長對林總裁的感佩嘉言，所以當天見面後與林總裁相談甚歡，實在有相見恨晚的感覺，雙方於是約定在二月十七號進行正式會晤，於兩小時以上時間的思想交流腦力激盪後雙方

形成諸多共識，而且理念極為相似，尤其我對林總裁的詩文及藝術才華更為驚豔，他事實上是一位多才多藝而又有抱負理想的成功企業家，他領導文創企業的成就與創意還有風格及魄力均高人一等，我深深慶幸沒有錯失大賢，而於最關鍵的時刻有此緣分與這一位與眾不同、具有愛心、積極推動社會公益的文創大師相識。林總裁是企管學博士，現任超樂全球影音集團總裁、主持全球商業網公司及領飛無限文創出版有限公司，並且兼任臺灣戲曲學院及亞東技術學院的講座教授，他還是「藝文星桂冠」、「必紅國際」的創辦人，更曾經在二〇二二年獲得臺灣出版產業特殊卓越貢獻獎，綜合而論，他是一位非常成功的企業家，同時也是一位深具才華的藝術家，他擅長創作詩詞歌賦有高深的文學基礎，同時又精研書法、繪畫、及泥塑。我對他推動臺灣藝文發展及創新理念方面的傑出領導力及重大貢獻極為肯定！這位劃時代的文創藝術家也是「為臺灣領航畫龍點睛」的佳句創作人！

# 參
# 風雲際會臺灣與我

## 一　臺灣青年成長茁壯

　　我於一九四三年出生於軍人之家。父親高維嶽，江蘇崑山人，歷任軍職，參加過許多著名的戰役，算得上是沙場將士，退伍之後，又從事春風化雨的工作，我的母親陳蕙君是典型的賢妻良母，她不僅知書達禮，而且文筆非凡，是一位誨人不倦的老師以及作家，她相夫教子，為整個家庭犧牲了一輩子。

　　父親弱冠從戎，隨軍轉戰各地。常對我說：「在槍林彈雨下可以留下劫後餘生，二十五載戎馬生活，所以出生入死常在一髮之間，但尚能稍慰於內心者，即抱仁愛之心從未妄傷無辜，以貽後患。故此仰不愧天，俯不愧地，實因有頂天立地的偉大志願」等語。

　　父親生於一九一九年，從小經歷了無數次兵災內戰，故常有生不逢辰之感！當時內戰延伸，北伐軍興，加上日本西侵，九一八事變後又有七七事變，所幸蔣介石委員長開始領導中樞，不僅抗日而且推行新生活運動。父親在一九三七年於縣立一中畢業後立即投筆從戎，考上了中央軍校河南分校，接受了軍事基礎教育，在開封受訓半年後又晉升到通信專科學校進行專業教育。終於在一年後被任命為豫皖總隊少尉電務員，分發至河南陝州的國軍部隊。軍長是畢業於黃埔軍校第一期的李仙洲將軍，部隊以山東人居多。

　　一九三八年他又奉派到軍部駐陝辦事處負責電臺工作，再轉駐湘辦事處擔任臺長在長沙建置電臺，因父親工作勤勞，卓有功績，很受

上級重視，於是在一九三九年更奉派為軍通信營無線電排上尉排長，統一領導包括警衛排、輸送排等三個排大約一一○位官兵。由於處事幹練、年輕有為，頗受長官青睞。抗戰期間更參加過遠征軍在滇緬戰爭中雲南寶山附近遭遇日機轟炸。同時在昌寧、楚雄等地與日軍發生遭遇戰，險遭不測，幸未受傷而安全撤退。不久後調到第九戰區任上尉通信連長，一直到抗戰勝利為止。

　　父親原本預定復員，在南昌軍官隊準備退伍。當時因國共發生內戰，遂於一九四六年奉命參與淮海戰役，父親置身炮火中數十日，身歷戰場，屍橫遍野加上氣候不佳可以說是人間地獄。國共兩軍相互包圍，戰爭慘烈非常，國軍最後全面失敗，父親雖然得以轉進到安全地區，然而對此一戰傷痛至深，很少談及。我想可能是「敗軍之將不可言勇」之故吧！

　　據悉父親曾經是黃百韜將軍的通訊官，在那一場戰役中父親右耳也受了輕傷，留下戰爭疤痕，國共內戰的陰影即使在父親來臺後，仍然在腦海中縈繞不去。加上父親只會做事不善於逢迎，所以一直無法升遷，從軍二十五年最後終於在中校通信營長卸任後，於一九六三年申請退伍，改行從事教育工作！

　　事實上，父親是一位傲骨天生、富有志節的知識分子，寫得一手好書法，不僅國學基礎甚佳，而且英文也好，因此他期盼後半生加入教育這項神聖行業良心工作來拼盡全力，他春風化雨，誨人不倦，自由自在，教育英才是他的快樂之源。他在臺南麻豆天主教黎明中學擔任訓導主任的四年之後，於一九六七年經教會的推薦來到臺北市內湖天主教方濟中學及文德女中工作，並繼續擔任訓導主任的行政職務，八年後剛好碰到以前的老同事在馬祖擔任縣長力邀他前往中正國中執教，一直到一九七九年當時黎明中學高世英及馬效賢兩位神父急需父親幫忙來擔任訓導工作，所以又回到該校服務五年。到一九八四年滿六十五歲後正式退休。

　　父親在軍中生活了二十五年，最津津樂道的一件事情，就是他曾在外語學校學習英文成績優異，考上留美專業訓練班而前往美國各地參訪，從此大開眼界，這對於他未來從事教育工作有極大的幫助。

　　一九六三年起他又在教育工作崗位上度過了二十五年，他一生勤奮努力，春風化雨，算是善盡了國民一份子的責任。但是我認為他的貢獻乃是培養了他的兒女都能夠成材，也都會力求上進而成為社會的楷模。我本人正是繼承父親志業的代表人選！我雖然以父親為榮，但是事實上我更敬佩我的母親陳蘅君女士，她是一位非常了不起的女中豪傑，事實上我在抗戰末期出生於貴陽，當時母親隨軍隊移動，懷胎十一個月才生下我，為了我吃了很多苦，她是湖南湘潭人，外祖父陳伯言先生服務於商業界，一直在工商銀行擔任主管，外祖父溫文爾雅學問淵博，國學基礎極佳，因此母親幼承家學，文筆揮灑自如，她畢業於師範學校，而從事國小教育，嫁給父親後一路隨軍行動，因此也經常身歷險境，據母親告知，有一次隨軍中電臺轉赴戰區，藏身於崇山峻嶺之中，剛好遭遇到日本軍隊，所幸躲藏得當未被發現，不然後果不堪設想，她說：戰爭的日子非常辛苦，身為軍眷又不能時常隨軍中行動，往往會與民眾一起逃難，過者晝伏夜出的日子來與敵人周旋！

　　這種辛苦是不能為外人道的。所以我是真正生於憂患的人，從出生開始到抗戰勝利一直在日軍軍機炸彈及日本軍隊伏擊中躲藏著逃難。母親帶著我們兩個小孩餐風露宿可以說是家常便飯！她為了自衛也有手槍一把，不過都沒有機會使用。一九四九年八月父親攜帶我們全家由上海搭軍艦來臺，父親奉派到潮州擔任傘兵總部通信連上尉連長，母親和我們就住在日本人留下的糖廠宿舍，母親個性豪爽，但是她的見解非凡，加上眼光遠大，所以在任何場合她都有極大的發言權，在眷村是如此，在街坊鄰居中她更是一位有知識的領導人物。

　　此外，父親的同事都稱讚她是非常值得尊敬的大嫂，很多人都說

她是巾幗英豪，母親國學基礎很好，寫作小品文及散文常被發表各大
報章雜誌之中，因此又被封為湘中才女，據瞭解母親的母親是滿州人，
更具王爺所生的公主格格的身分，當年外祖父正在北京工商銀行擔任
主管，剛好原配因病過世，乃經人介紹，娶得外祖母作為繼室，因此
母親擁有東北人高大的身材，渾身自帶英氣及貴氣，很具有貴夫人的
氣質！

　　一九四五年，我也隨著父母回到家鄉──江蘇崑山，現在唯一能
憶及的是，我曾經在南京上過幼兒園而且還與同學打過架，據母親
說，小時候力氣很大，結果把對方打哭了，她必須向對方家長道歉，
才獲得解決。不幸的是國共又發生內戰，於是隨軍轉進臺灣，時值一
九四九年。父親當時擔任傘兵營通信連上尉連長駐紮在潮州鎮，潮州
民風淳樸，山峰翠綠溪水常藍，空氣清新，頗有「桃花源記」中所描
述的韻味，潮州小學鄰近小溪，操場空闊，校舍完整，我在那裡讀到
四年級，常常跳到溪中去游泳，也常呼朋引伴四處探險，日子過得無
憂無慮。

　　一九五四年，父親調升到衛武營區擔任中校通信營長，同時又獲
配到臺南明德新村的宿舍一戶，我的家人隨父親遷往臺南市，這是另
一個階段的開始，那裡的生活就和名製作人王偉忠所編的《竹籬芭的
春天舞臺劇》一樣，許多外省第二代群集在那樣的眷村之中，由於性
向的不同，發展也就不同，用功的人都成為專業人士，包括醫師、教
師、工程師、公務員等等，而少部分沒有專業又有義氣的人，就變成
太保或是竹聯幫，相信那是外省子弟心中的不得已和痛。

　　我一向樂觀，喜讀偉人傳記及英雄烈士的故事。因此，儘管生活
在不寬裕的環境中，卻還是進取奮發，生氣蓬勃，這也是為什麼在高
中時代參加許多課外活動的原因。我喜歡打藍球，身高又達一八〇公
分，因此獲選為臺南二中校隊，南二中藍球隊奪得南部七縣市的冠

軍，因此我又隨隊參加全省高中聯賽，獲得第三名，打籃球使我的成績一直好不起來。我的資質算是中上，讀書對我而言並沒有形成太大的阻礙，我從未參加任何補習班，也沒有任何的家教，只有在師範畢業的慈母不斷親自薰陶之下，我才有遠大的志向和勇氣，來完成正規教育並且以自修來力爭上游。

其實在眷村大家的生活都差不多，每一個家庭通常都有三、四個以上的小孩，以軍人待遇而言算是食指浩繁，所以幾乎每個家庭都有一些打工的現象出現，我和哥哥高崇蔚從小就在課餘時幫忙眷村一些退伍軍人所開設的小店賺取一些學雜費用，我記得我曾經在一位上校退伍軍官謝伯伯處打工，他當時開了一家租書店，我一方面可以看書，另外一方面協助顧店，後來我的兩位妹妹高崇霞、高崇雯也都接替了我的工作，對於收入微薄的家庭而言，半工半讀算是很正常的一件事，我們一家六口在很小的眷舍中雖然擁擠，但是也享受了天倫之樂，可以順利地成長茁壯。其實，這段期間也有幾位好朋友，包括陳南山（後成為名記者）、左汝忠（後任海軍上校）、左耀輝（後任陸軍中將）。

從一九四九年到一九六二年是臺灣生存遭遇最大挑戰的時期，臺灣可以說是風雨中的孤舟在大海中漂浮，所幸戰火的洗禮反而激發了人們蓬勃發展的勇氣，記憶所及，當時的青年奮發有為，在非常的時代可以做到非凡的作為，而我具有多方面的興趣，擔任校刊主編及籃球校隊以及各種自治幹部，因此沒有好好唸書的結果，使我在一九六三年只能考入中國文化學院東方語文系韓文組就讀，同組同學只有陳伯豪、于陵江、陳寧寧、林博暉、金華傑等五人，在這所新學府裡，我受益良多，於是開始了一連串的追求。

文化大學的所在地號稱「美哉中華、鳳鳴高岡」，也就是華岡創辦人張其昀（曉峰）的名言，他曾經擔任過教育部長，時任國防研究

**中國文化大學**

院主任，曉峰先生是一位具有前瞻性眼光以及實踐教育的國際著名的大學者，在他的指示下，文化大學曾給予第一屆研究生全額公費，更成為大專院校的首創，華岡海拔三百五十公尺，從臺北市向北遙望就可以看到一座座美輪美奐的中國古代式建築，莊嚴巍峨充分展現中華建築之美，那時的師資來源廣博，不但請到了臺大、政大的資深教授，甚至也請到了高階的政府官員，使得教育績效出人頭地，華岡所培養的人才都能在社會上占有舉足輕重的影響力。

因為我是文化大學第一個報到的大學生，最早入學，所以受到葉霞翟訓導長的青睞，受命出任第一屆學生代聯會主席，又由於服務熱忱和堅忍毅力，頗獲同學們的支持和愛戴，亦因而連任兩屆又膺選全國優秀青年，同時我又發起了「愛校建校運動」，號召大家改善讀書風氣全力推廣校譽等等，一時風起雲湧，整個文化大學掀起愛校的高潮。事實上文化創校「從無到有，由內而外」，是張創辦人書生興學的典範，募款是重要金費來源，文化前期十年經常舉債度日，其中甘苦實無法盡言。

這段期間我很幸運，承蒙許多師長關愛垂顧，尤其是張創辦人屢次召見，面聆教益。常沐春風的結果，使我心胸更豁達，氣概更恢弘，常抱仁民愛物之志。其中值得大書特寫的是，一九六五年文大成立韓國研究所時，邀請了韓國前教育部長李瑄根來訪，張創辦人見我隨行在側，特別推薦我這二十一歲的年輕人給李部長，表示我畢業後將是首位交換學生到慶熙大學，當時我歡欣鼓舞，感動至極。大學四

年的生活可以說是多彩多姿，三年級暑假前往成功嶺及步兵學校受訓，共四個月，一直到畢業忙錄的學習生活才告一段落。

一九六七年六月我大學一畢業，七月就前往空軍虎尾新兵訓練中心報到，擔任少尉分隊長，軍旅生活是緊張而忙碌的，好在我是軍人子弟，對軍中文化比較能夠適應，很快就和軍中夥伴們打成一片，我的運氣也很不錯，前半年負責新兵訓練，當時接到的都是高中畢業的新兵，資質相當良好，帶起來也得心應手，各項競賽都能夠名列前茅，也因此我獲得了指揮官的嘉許，後半年則奉命帶領該中心籃球隊的督導及比賽任務，和那些具有相當水準的籃球選手共聚一堂。是一件相當愉快的事情，其樂融融，我的當兵生涯相當愉快，訓練新兵也是一段值得懷念的日子，新兵也分好幾類，高中畢業的最好了，所以每次比賽都能拿獎，但是一旦分配到了高中以下的新兵就太累了，資質不同，成就也就相異，預備軍官的生涯，在一年磨練之後我光榮退伍。

一九六八年八月我應聘到天主教臺北市方濟中學正式展開我的教學生涯，事實上我的父親在臺南麻豆黎明中學執教時，受到教會神父精神的感召而受洗，我們全家也因此信奉天主教，記得當時黎明中學的校長是高世英神父，副校長是馬效賢神父，均為陝西人，留學美國多年，都獲有博士學位，更曾經在古巴及紐約創建了華僑公教學校。後因其他原因奉教廷之命到達臺灣興學，兩位神父開始在臺南縣麻豆鎮籌建黎明中學，他們兩位精明幹練、任勞任怨、所有事物都躬親處理，而對於同仁及學生則愛護備至，充分發揚了教會敬天愛人的精神來辦理校務。

父親當時得到兩位神父一致的讚賞，擔任訓導主任之職，從一九六三年起三年有成，首屆黎明中學的畢業生參加臺南市高一新生聯考，錄取率達到百分之一百，因此該校在臺南縣市擁有極高的知名

度，父親常說：學校教育是國家百年大計，學校更是培養知識最佳的場所，領導者極為重要，特別是在私校方面，校長的品德及才能更能帶動風氣。高、馬兩位神父以滿懷的愛心與耐心，在校務推動及教誨學生方面盡心竭力，全力以赴，績效優異！

黎明中學已成為臺灣私校興學的典範。在因緣際會下，我也常有機會聆聽高、馬兩位神父的指導，受益良多，對天主教的教義及救世愛人的宗教精神也有許多的感悟！

父親於一九六七年在兩位神父推薦之下，借調到臺北市內湖方濟中學擔任訓導主任，再度在文德女中創辦人張懷遠修女的關懷及校長李默先修女的邀請下，轉到方濟中學對面的文德女中擔任教職，張修女與李修女都是富有極大愛心的天主教會菁英，兩位修女平易近人、知識廣博，而且行政效率極高，品格才能都能為人典範。值得敬佩！

一九六八年八月我在方濟中學訓導主任樊融生先生推薦下出任教師兼管理組組長，當時內湖有三所學校都在三軍總醫院附近。包括方濟中學、文德女中、內湖國中等等。同時哥哥高崇蔚也從軍中退伍來到內湖國中執教。父親、哥哥和我三個人在三所相鄰的學校分別教書，一時之間也在內湖傳為佳話，大家都認為我們是書香門第，三位高老師都是春風化雨的好教師。那一段時間可以說是我們家最愉快的日子，我的大妹高崇霞開始工作，而小妹高崇雯也進入文德女中就讀，我記得當時母親每天都笑得很燦爛，相信是她一生之中最愉快的事情！

一九六八年八月，我應聘到天主教臺北市方濟中學正式展開我的教學生涯。現在回想起來，每個人的人生旅途職場生活似乎都有定數，我一直在教學與研究這一個領域中打轉，姑且不論在大學時期所擔任的家教，就一生所從事的職場實務而言，我一直與教育、訓練、研究有關！

　　服兵役期間我擔任新兵訓練官的工作，返回社會後第一份相關職業就是中學教師兼任管理組長，我在方濟中學擔任教職不到一個學年，同時母校評議會通過以我為第一名到韓國慶熙大學深造的公費交換學生，這是一種榮譽，也是一種責任，身為中華民族的青年，負笈異邦除須新學習之外，應有不尋常的表現。

## 二　留學北國韓流興起

　　抱著這種決心，我堅定地踏上征途，飛向寒冷的北方白衣國家——韓國，兼負更重要的使命，那是一九六九年的春天。因為有公費支持，所以留學的日子並不太艱苦，求學過程順利，當時沒有韓流，留韓學生不多，因此可以不必歷經太大的競爭就可以出人頭地。

　　留學生的生活是多采多姿的，也有許多辛酸，功課的負擔、生活的壓力、個人的榮譽，無時無刻都在鞭策著我，真所謂「生年不滿百，而懷千歲憂」。

　　韓國是一個新興國家，與我們同文同種，環境相似，稍微不同的是，韓國研究漢學人數很多，探討中國問題的書籍也浩如煙海，而反顧國人則對韓國缺乏深入瞭解，而且以古老的觀念總視韓國為屬國，殊不知韓國發展一日千里，已隱隱起飛的雄心壯志，我在這一時期以文大首位交換學生的身分，前往慶熙大學攻讀研究所，五年期間深深體驗到這個民族的豪邁、堅強與愛國，我除了撰寫論文之外，也陸續發表不少時論和散文，其中大都以政治、經濟、社會、民俗為主。

　　我也曾經以韓國慶熙大學兼任講師身分發表論文，包括韓國傳統政治思想與現階段政治制度、北韓社會結構分析、儒學與近代韓國社會等等。

　　一九七一年我重組留韓同學會，擔任會長並創辦了「留韓學人」

雜誌，發行全世界，受到我駐韓大使唐縱及後任羅英德將軍和國民黨
秘書夏慎之的支持，完成一本韓國留學生可以發表的園地，透過駐韓
大使館發行全球僑界，與世界各國留學生建立溝通的橋樑，這本刊物
當時頗受注目，因為在海外能夠以華文出版的刊物非常稀少，加上我
常常將韓國政治社會狀況發表在中國時報海外版，使留韓學人同時受
到海外僑界的熱烈歡迎。

　　「留韓學人」編輯內容重點是對於韓國政局、南北韓關係、北韓
現況以及韓國風土人情加以介紹，讓全球華人瞭解到這個朝鮮半島崛
起的過程，其中有幾篇代表性的文章極其受到海內外的重視，包括
「從二三事看韓國」、「首爾夜生活的形形色色」等等相當程度激起國
人的迴響，呼籲共同合作，又尋訪於全韓各地及日本、香港等處，聯
合青年共創未來。

　　我與日本、韓國兩國青年深入交往，再加上在大使館獲得工讀的
機會，增長了許多社會經驗，更因此得到了慶熙大學校長趙永植的拔
擢，擔任慶熙專科學校的講師，同時拜在曾任韓國教育部長李瑄根博
士門下，李博士與恩師張曉峰創辦人親如兄弟，也因此對我特別照
顧，他很重視我這個外國弟子，我在他家吃飯時受到了優於韓籍弟子
的待遇，每餐都加了二個荷包蛋，羨煞了許多韓籍同學。他又為我引
見而得識韓國重量級權威，包括前總理丁一權等人，受到他們的薰陶
受益良多，見識大開，胸襟更為開闊。

　　一九七三年春，政府舉辦第一屆留學生國家建設會，三十位留學
生代表齊聚一堂，共展抱負及國事意見，我被推為副領隊，領隊是留
美的鍾榮詮，代表向有關單位建言。當時的救國團主任是兼中央黨部
組工會主任的李煥，他親自陪同我們搭乘專機前往金門，我和留學西
班牙的王能章先生陪侍左右，他對青年的關懷令人印象深刻。

　　記得一九六九年五月我搭機到達漢城，獲得了我在文大的韓籍老

師許世旭教授、權德周教授以及早先留學韓國的理教教宗之子趙雲中先生等他們好幾位的接機與照顧，內心特別感謝，許教授及權教授特別安排了一位外國語大學中文系的張幸福同學及華語相當好的金得殊先生來協助我，而趙雲中算是我慶熙大學的學長，他不太會韓文，主要以英語溝通，他英文流利，是師範大學英語系畢業的高材生，他代表理教來到韓國與當地理教交流，又在漢城華僑中學中學兼任教職，各方人脈廣大對我協助良多。

因此我到韓國算是非常順遂，而後來的文化同學們包括陳伯豪、鐘品凱、吳慶弟、林明德等人來到韓國大多是由我來接機及安排學弟妹們住宿各方面的問題，我同時被選為留韓同學會會長，在韓國也有了一些聲望！和當時漢城韓華青年會長譚永發等人時相來往。

留學生國家建設會成為小國建，其中大部分都是有高學歷的學者，從一九七三年起陸續培養了很多人才，一九六九年到一九七四年我在韓國攻讀學位有五年之久，這段期間也同時做了不少的事情，我擔任留韓同學會的會長多年，又兼韓國慶熙大學講師，並創辦留韓雜誌社當社長及主編，同時更利用閒暇在大使館兼任研究員及韓華日報記者，更主要忙於研究所的課程以及各項考試報告等等，可以說是非常繁忙，幸好當時年輕力壯，加上內子王海倫和我一起攻讀研究所，對我協助良多，她在使館兼差又在韓國中央政府學校擔任中文講師。當時覺得日子快樂而忙碌，人生極為充實且有意義。

由於我經常和大使館人員有密切的聯繫，因此對使館各項業務也有充分的瞭解，我國駐韓大使館占地不但相當大，而且位於漢城最精華的地區，就是所謂明洞，明洞相當於我們現在的信義計畫區，土地的價值不菲，算是漢城的頂尖地段，以致出現一些不名譽的事情傳聞，例如某大使企圖賣館產的謠言等等。據瞭解，使館旁邊還有漢城華僑小學等公用土地，韓國華僑非常愛國且極為關心館產及土地的使

用權益問題，傳言一度造成僑界與使館之間的關係緊張！

　　後來又在各方合作監督之下使館把最靠近明洞一塊土地賣掉，然後重新翻蓋大使館，完成一座嶄新而美輪美奐的使館大樓，莊嚴巍偉的建築出現在明洞附近，成為僑胞與留學生最佳的保護場所及去處。我本人對於駐韓使館相當有研究，該處原為清朝代表袁世凱的行營，他也曾經在花園之中蓋了水牢作為囚禁韓國政要的地方，有人還說他當時是朝鮮的太上皇！

　　歷史也有記載，事實上由於使館土地價值龐大，我在一九八二年到外交部擔任專門委員的時候，就曾經建議政府應該妥善處理，以因應未來的變化！因為一旦中共與韓國建交那麼這個使館就會歸入他人的名下，結果此項建議並沒有受到重視，而未達成預期的效果。

　　據瞭解，駐韓大使館一直是臺灣在全球最大使館之一，工作人員相當多，除了大使以外還有公使、總領事、政治參事、文化參事、安全參事、經濟參事、軍事武官等八大處所，甚至還有心戰總隊、調查局人員進駐。我經常進出使館和館方人員相處融洽，也因此學習良多。

　　韓國各大學與臺灣的交流也相當頻繁，除慶熙大學與中國文化大學是姐妹校之外，政治大學和成均舘大學也有合作關係，而韓國的各大學中文系迄今為止，幾乎所有的系主任都是臺灣各大學的博士，當然最近期間大陸與韓國的來往比我們更多，但早期的各大學幾乎都是留臺校友！

　　我和韓國人士交往頗為密切，其中不乏傳統文化的支持者！但是隨著國際局勢的變化與時光旋轉，關懷臺灣發展的韓國人是越來越少，相反地他們與大陸交流更多，最重要的就是韓國僑社的變化，早期韓國僑社全部支持國民政府，也堅定擁護臺灣我在韓國留學時期可以說是感同身受。覺得中韓乃是一家這句話實在不虛！

　　然而韓流的興起打破了此一現象，韓國人主張他們是東方文化代

表的意識逐漸凌駕日本和中國，韓國文化、時尚甚至歌舞劇也逐漸受
到各國的重視而且興起了一股巨大浪潮，所以在一九七四年我離開韓
國的時候，他們已非昔日的吳下阿蒙。

　　我一生最大的成就是與王海倫成為終身伴侶，海倫秀外慧中，聰
明賢淑，出身名門，畢業於國立政治大學新聞系，我們於一九七三年
二月在救國團主任宋時選，陸工會主任徐晴嵐的見證，以及天主教羅
光總主教福證，李瞻教授擔任介紹人，在臺北天主教聖家堂與我完
婚，從此我開始了一項生機盎然蓬勃發展的生活，海倫恰恰也隨同我
在韓國慶熙大學攻讀碩士，夫唱婦隨其樂融融。

　　宋時選主任跟隨經國先生甚久，深獲層峰信任、幹練精敏、見識
深遠、求才若渴，曾經訪韓與慶熙大學趙永植校長相談甚歡，宋主任
對我相當賞識，曾邀我到救國團服務，但我以「新恩雖厚、舊義難
忘」回答，終於仍然返校報答恩師張曉峰創辦人的栽培。

　　韓國其實有很多知華派通華語的學者，例如慶熙大學女子初級學
院的尹永春院長、中文系系主任黃炳坤教授以及外國語大學的許世旭
教授、慶南大學權德周教授、建國大學金忠烈教授等等，他們基本上
對臺灣極為友好，當時我與韓國外交關係頗為融洽，歷任駐韓大使唐
縱、羅英德等等都受到韓國政府的重視與歡迎，留學生在韓國也受到
了相當的禮遇。我剛剛到達韓國的時候言語有些不通，生活也不方
便，當然我在慶熙大學是特別公費生除不繳學雜費之外，還有學校提
供生活費。但這當時的物價經常飛漲，因此難免也有緊張時刻，所幸
我在大使館及韓華日報都有兼職的機會，因此生活不虞匱乏！

## 三　美哉中華鳳鳴高岡

　　一九七四年，我已修完博士學分，一則急於回國參與建設，一則

應母校徵召出任公共關係室主任。

　　當地五屆世界和平教授會議在漢城召開時，我被舉為代表團之一員，發表一篇〈中共外交政策與世界和平〉論文。同時間，我陪同趙自齊秘書長訪問慶大，趙秘書長也曾經訪問韓國獲得慶熙大學榮譽教授的禮遇，他眼光精準、氣度恢弘、格局遠大，是我岳父王連貴先生的好友，我的岳父是一位股實的企業家，名聲良佳。

　　一九七七年，我在李命植教授指導下完成學位論文〈中共東南亞政策〉，正式向韓國慶熙大學提出獲得通過並出版，我成為留韓學生第二位獲得博士學位者，基於一事實，韓國學術界對一名青年外國學者在漢城的如此優異表現，稱之為該年度不可多得的盛事，除由韓國國際政治學會聘我為會員之外，並邀請在該會出版的政治大辭典中擔任執筆人之一。

　　一九七八年二月，我的第一本著作以華僑問題探討為主題的中共東南亞政策正式發行，這本著作是個人所提出的慶熙大學博士學位論文，再加上重新整理後經韓國政治學會審查通過出版，交由韓國最大的出版公司教文社隆重發行，事實上，當時的確曾經引起韓國學界的重視，並用之為韓國各大學政治系作為教科書，這本書主要內容重點如次：

一、中國大陸外交政策與內政政策相同，主要取決於政權特質。

二、中國大陸外交行為是統一戰線的運用，最高指導原則是利用矛盾，爭取多數，反對少數，各個擊破。

三、中國大陸強調和東南亞各國的密切關係，加強對東南亞的合作措施，極力爭取在各國居住華僑的支持。

四、東南亞各國華僑在經濟上擁有舉足輕重的地位，中國大陸視東南亞為最好的前進基地，而華僑正可成為最佳的力量。

五、本文以華僑問題為中心，在國際環境不斷流動狀況中，研析華
　　僑、中國大陸、東南亞各國之間的連鎖關係及其發展，還有可
　　以產生的影響等等。從而研判中國大陸對東南亞各國的外交方
　　向，展望華僑的前途，並提出解決的方案！

　　事實上，本書發行後深受各方重視，韓國、美國、日本、中國大
陸相關機構，均加以採購並作為重要參考資料，我的第一本處女作能
有此成就，更啟發了我大量寫作的原動力，也形成了我作為一名青年
學者的基本核心理念。

　　我出生於非常的大時代裡，目睹民生維艱，時思報國獻身，再加
上求學成長的過程中，遍歷附近各國，深查在舉世滔滔如果要宏揚中
山理念，首先必須受到執政黨的洗禮，於是在得到博士學位、晉升教
授後接受考選部長唐振楚的推薦，進入中國國民黨革命實踐研究院，
擔任專門委員兼圖書組組長之職，負責實踐圖書館的業務，當時院長
就是蔣經國先生，在教育長崔德禮的指導之下，從此展開在國民黨中
央黨校服務的生涯。在多位長輩的愛護推薦下，我來到了這所學府，
深深覺得我充滿了工作的熱情。

　　革命實踐研究院在國防研究院裁
撤後遷回陽明山，我同時兼任輔導
員，當時經國先生非常重視人才培育
的工作，開訓或結訓時均蒞臨致詞頒
發結業證書並與學員會餐，在黨校的
日子雖然相當嚴肅，但是精神上是非
常快樂的，常常可以擔任「伴讀」的
工作，聆聽第一流大師的講課，包括
當時最有名的講座如李鍾桂博士以及
蔣緯國將軍等人，又可以和學員們一

中山樓與革命實踐研究院

起泡溫泉，坦誠相見、肝膽相照，我在此一時期見聞迅速廣博，眼界自然大開。

　　記憶所及，當時的教務處長為盧立人。他是崔德禮教育長的高徒，為人謙和有禮，愛才若渴，行政能力高，表現優異，而當時革研院三民主義研究部主任是喬寶泰教授，他和我淵源深厚、關係良好，他曾經擔任兩屆國大代表，是具有榮民身分的退伍軍人，我曾經擔任過他競選國大代表時的幹部，也與貴州省籍的李志鵬立法委員相識，他們二位一起搭檔競選，李委員連任數屆，表現傑出，他有一位賢淑的夫人，即擔任復興高中董事長的尹緒瑛女士，因為我出生在貴陽，所以對李委員一家也頗感親切，迄今為止，我與李委員公子現任立委的李德維頗有交往，他也是我兒高鵬翔教授的好友！

　　因為喬寶泰教授他是苦讀出身，表現優異，所以極受張其昀創辦人的青睞，出任過中國文化大學的校長，我在一九七四年回國時就擔任公關室主任，與他有密切的接觸，他是一位腳踏實地、勤奮樸實、忠黨愛國的典範人物。

　　我在革研院也認識了不少後來擔任政府中重要職位的人士，例如受訓不久後就出任臺灣省議會議長的高育仁先生，他曾經擔任臺南縣長、內政部長、不僅勤奮熱誠，能力非凡而且平易近人，對我相當友好，且常以同宗來稱呼！迄今為止，我對育仁先生的印象極為深刻，可惜育仁先生在政壇上實屬懷才不遇的傑出領導人，沒有受到政府重用！我想應該是國家的損失！我在擔任輔導員期間也培養了不少幹才，例如現在是一貫道點傳師兼臺北社區大學校長的張明致，又如曾經任職臺灣電力公司工程師的張明生等等人才！

　　以上種種，都成為了我參加甲等特種考試獲得優先錄取的基本條件，一九八一年我以《中共與東南亞》一書獲得典試委員的嘉許，高分進入複試，在五位典試委員進行兩個半小時的口試後，一致通過使

我名列外交領事人員優等及格，當時的典試委員會主任委員是擔任過外交部長，時任國家安全會秘書長的沈昌煥先生。委員包括政大教授楊逢泰等四位名學者。

當年我考試合格後，屢次向人事行政局申請擬進入外交部工作，唯得到的回覆均以「現階段沒有空缺」遭受婉拒，於是在政治大學國關中心張京育主任的介紹之下，我接到了美國柏克萊加州大學東亞研究所的邀請，前往擔任訪問學者到該校進行博士後研究，更獲得中國國民黨中央黨部秘書長蔣彥士的大力支持，我得以赴美進修半年，柏克萊加州大學是美國著名的學府，我的指導教授是史卡拉‧賓諾博士，柏克萊的學風與自由的氣息卻使得我如沐春風，常在校園和圖書館大量吸收西方學術文化，並深入研究東亞問題，留美進修六個月以後返回革命實踐研究院，那時院方增設一位副主任，由中央黨部副秘書長吳俊才兼任執行院務，黨校業務因而更加精進展開。

一九七四到一九八六年我在華岡雙溪新村生活十二年期間，耳濡目染下，不是學術研究就是教學相長，接觸較多的也是教授專家、文教名人。作為一名初露頭角的青年學者，我曾經讚嘆學海無涯以及知識的廣播。在春光明媚的陽明山、在紗帽山的兩岸，我相當投入這個與世外桃源相似的好山好景，享受了清淨自在的空間，事實上，中國文化大學有其優厚的條件，不論是校園所在地以及人文大老的匯聚都是史無前例的，張創辦人之所以在華岡興學與他深厚的地理學養有非常密切的關係，據傳當年蔣公中正將國民政府播遷來臺，就是出於張創辦人的建議，而華岡學府與革命實踐研究院在陽明山相輔相成，更為臺灣建置了最佳的人才庫，時迄今日，在華岡學府以及革命實踐研究院修業畢業的社會中堅不計其數，他們仍然活躍於當前的社會之中！

那一段期間也是我生命中最重要最美好的時刻，想想看，三十一歲到四十三歲正是中壯年年華鼎盛生機盎然的階段，我自然會全力衝

刺，在許多方面進行補強本身的實力，終於奠定了堅實的基礎，套句江湖話說，「經過千錘百煉，功夫已屆上乘，可以行走江湖了」，當時華岡流行了一句話，「在華岡歷練一年足以在社會上橫行一世」等語，當然此係玩笑之言，不過也算是中肯的評論。

另外則是因為教學日久與青年學子們的互動頻繁，也已經感受到了長江後浪推前浪的壓力，在在使我必須奮發有為，專注研究，因此發表了不少論述，我在一九七九年出版了《韓國與韓國人》的一本著作，其中包括三篇學術論文：一、韓國傳統政治思想與現階段政治制度，二、北韓社會結構分析，三、儒學與近代韓國現況等，加上韓國永久中立化學術的批判等十篇時論，又附上韓國語韓國人等散文六篇，這些曾經在學術期刊及新聞媒體所發表的文章匯集成冊出版之後，成為我的第一本中文著作，對我而言實有重大的意義與價值！

事實上，我在一九七四年八月留韓返國後就進入職場，前已述及在張創辦人的照顧之下，擔任中國文化大學副教授，當時文大校長為喬寶泰教授，我則接替黃貴美教授出任公關主任乙職，我認為可以有機會再度親沐一代教育大家的春風教誨，實為萬幸，我負責學校的校刊──華夏導報的編輯、公關業務的推動以及新聞的發布等等事項，那是一個不到十人組成的小單位，就有三個組，一是新聞組，二是接待組，三是攝影組，等同是學校發言人的地位，辦公地點在藝術館一樓。

張創辦人日理萬機，他又勤於寫作，撰述中華五千年史鉅著，每天工作十二小時以上，因為職務關係，我常常會在他的辦公室逗留，親眼目睹他以校為家的奉獻精神，他自奉甚儉，每餐一魚一菜一湯而已，他的運動也簡單，吃完晚餐後在大義館八樓樓頂散步一小時。我覺得這就是當年大學者的古大臣風範，他淡泊明志，鑽研古籍，間或提出政策建言，隱然是當代政府的國師，一九七五年起我不再擔任行

政職務，而專心於教學及博士論文的撰寫，而當年蔣公中正不幸崩逝，此事對張創辦人打擊甚大，他的身體狀況變得大不如前，因此我與張創辦人之間會晤較少，也不敢太打擾他，一九七八年我正式獲得博士學位奉他召見嘉勉，並改聘我為華岡教授，一九七九年當我獲得革命實踐研究院任命為專門委員，並綜理實踐圖書館業務前，也曾請示張創辦人獲得允准。

## 四 圖書館長歷練生涯

一九七九年四月一日我到革命實踐研究院報到，被聘為專門委員，分發至教務處擔任圖書組組長，並綜理實踐圖書館館務，從此開始研究、教學及培訓的行政生涯。和中國文化大學不同的是，這是一所相等於國家及國防研究院的黨務機關，當時的執政黨是中國國民黨，而革命實踐研究院就是中央黨校的實質，院長為蔣經國先生，教育長是崔德禮先生，一九八一年經國先生加派中央黨部副秘書長吳俊才先生來院作為全權負責人，在蔣經國院長、吳俊才主任、崔德禮教育長諸位先生的領導下，我在院內從事研究教育及訓練工作，有了相當不錯的績效，而最值得高興的是，工作性質特殊以及教育環境的優越，讓我對學問的研討、人脈的建立、資訊的收集以及文章的寫作方面，都有極大的收穫。

革命實踐研究院三年半當中，院長經國先生在一九七九年、一九八〇年來院次數較多，政務如此繁忙之際他能過來，足以想見他對黨政界人才培訓的重視。我記得經國先生這段期間，常到陽明山莊出席重要班次的結訓典禮，一定和學員們聚餐，聽取意見，他察納雅言、廣收眾議的親民作風，獲得了大家一致的景仰，以後經國先生因公務繁忙，所以革命實踐研究實質上的業務，就由吳俊才與崔德禮兩位領

導來擔負，兩位都是文教界的泰斗，對院務的推動自然順暢，可是經國先生與學員之間閒話家常的場景就再也看不到了，在我記憶中最深刻的一次，是講習班第一期開班及結訓典禮，經國先生都蒞臨指導，當時的學員長是海外僑領程國強教授，程教授也兼任文化大學學務長，他最有機會深深感受到經國先生對學員們的關懷與期盼，我的好友陳光憲教授也在該班受訓。

院裡各班期視狀況召訓各期幹部，大致分為三大部分，研究班即高階幹部的人才培訓，講習班即社會士農工商中高階主管的培訓，我也曾參加受訓，記得同學中表現最佳的是文化大學低我三班的校友洪秀柱，她非常優秀，能力非凡，而且機敏幹練，由於表現良佳，最終在講習班中名列第一，年紀輕輕已露頭角，前幾年還當選過中國國民黨黨主席，是女性主席的第一人。同班同學還有做過立法委員的王天競，當時我倒是出人意料地奪得歌唱比賽第一名，從此王委員經常以「高學長只會唱一首歌都拿了第一，我會唱一百首歌卻屈居第二」等語來自嘲。

基本班即中央黨部基層幹部的培訓。研究院組織有教務處、輔導處、總務處、秘書室、三民主義研究部以及在臺北的研發中心等等，我當時擔任教務處專門委員兼圖書組組長，實際負責實踐圖書館的業務，並且常常兼任輔導員，故此有機會與學員一起聽課，並評估各學員的表現，來觀察其未來發展的潛能予以評分。

事實上，能陪同學員研習所有講座的論點是一大幸事，當時我不僅坐擁書城寶庫，而且有緣聆聽學界大老的言論與實務，眼界大開，知識廣進，同時我還利用課餘收集資料加研判分析，分別在文字媒體發表，尤其是時報集團的中國時報及時報週刊、時報雜誌等等，我顯然已經成為常見的撰稿人，那一段期間我前後公開發表了約二十篇以上時論，又撰寫了約十萬字的學術論文：題目是「美國對韓政策」，

我之所以選擇此一題目，主要是因為我在研究院任職期間，因緣際會受到時任政大國關中心主任，後來成為政大校長的張京育教授推薦，有機會到美國加州柏克萊分校做博士後的進修，有緣可以請益東亞所所長美國著名學者史卡拉·賓諾教授，在他指點之下以及許多韓籍同學協助下，完成此次專論。

值得一提的是，當時擔任中國國民黨秘書長的蔣彥士先生，他曾任原能會主委、外交部長、總統府秘書長等等要職，算是國家大老，他對我相當禮遇，不僅准了我的半年長假，讓我可以安心前往柏克萊加州大學進修而且薪水照發，他為人仁慈寬厚，據說當時李登輝先生能出任重要職務就是他力保的，而他擔任主管時非常重視下屬的福利，因此受到很多人的讚賞，尤其是外交部的官員，蔣先生古大臣的風範可以獲得公論，我之所以一再提到此事，是因為講他對我撰寫的《美國對韓政策》一書非常肯定，因此我很瞭解他對後輩的提攜之心！

返國後承蒙黎明文化事業公司的支持與出版，書名為《美國對韓政策與韓國政情》，當時在學術界可以說是卓然有成，在這一專書美國的韓政策之研究中，其研究目的重點如下：

美國學者與政府人員咸認韓國是一個成長潛力強大、經濟活動寬廣的國家，特別值得注意的是，美國許多專家認為日本應為美國遠東政策的支柱，而韓國則為日本的屏障，因而韓國的安危實足以改變遠東的整個形勢。

況且韓國與我國一樣，同處於反共的前哨，美國對韓政策有其特定理念與方式，例如其與美國遠東政策的關係、韓國對美因應的措施、美國對韓政策決定的因素等等皆值得吾人關心。本文研究的目的，即為觀察美國對韓政策的演變及策略的運用，分析美國三十年來對韓採取的措施，作成綜合的結論，提供我國今後設定對美策略的參考。

本文的研究方法，主要以國際政治學傳統的分析方法——歷史方法論為中心來擴展理論。

　　庶利（J. R. Seeley）主張「政治學是歷史學的結果」、「歷史學是政治學的基礎」，因此歷史性的接近方法可以說是非常重要的研究方法，本文擬以文獻與資料的蒐集與分析、閱讀與整理，再採用敘述法（Descriptive Study）、文獻分析法（Relational Study），並利用歸納（Induction）、演繹（Deduction）、比較（Comparison）等方式，作綜合性探討。

　　本文的研究範圍，本文共分六章十二節，約十萬餘字。

　　一般而言，美國遠東政策的遂行，完全視美國本身的需要，其演變的過程皆有其促成的因素，本文擬以反覆的論究分析其緣由，尋求未來之趨向，並提示其背景及影響。

　　本人於一九八二年初赴美國柏克萊加州大學進修與研究，在該校東亞研究所擔任客座研究員，本文資料之收集、章節之整理，均於進修期間完成。

　　本專稿以四點結論作為總結如下：

　　其一，美國一直希望在太平洋西岸，有一個值得信賴的盟邦與其合作，來對付潛在的敵人，日本就是美國認為應該負擔此一任務的國家。

　　其二，在經過多年的權力政治外交後，雷根政府終於表現了堅持原則及維持強大的外交政策。

　　其三，截至目前為止，美國仍為我國對外關係中最重要的國家，美國的亞洲政策更為吾人所不可忽視，而韓國則為我有邦交國家中極為密切的友邦，美國對韓政策與對華政策，極具關鍵性當然不言可喻。

　　其四，由各種跡象判斷，目前雷根政府的亞洲政策正在改變之中，由於當時美國認為以中共能力，尚不足以形成世界性的強權，而僅為亞洲地區的重要力量而已，因而美國不論在意識型態上，在行動作為上，已逐漸將「聯中共制蘇俄」的政策降低到最低層次，而進行多方播種及多方與亞洲各國建立等國的關係。

　　綜合而言，美國的亞洲政策必須堅持原則與立場，支持自由友邦對抗共產政權方為善策。

　　其他時論部分約二十篇題目如次：

一、韓國政局風雲激盪

二、韓國政局之解析

三、全斗煥開創韓國新時代

四、韓國新內閣評析

五、北韓新動向與朝鮮半島情勢

六、韓國動亂對國家的損害

七、全斗煥訪美與美國對韓政策

八、全斗煥當選總統與韓國內外形勢

九、中韓兩國現代化問題的評析

十、韓國政黨政治素描

十一、中韓兩國經濟發展的比較

十二、韓國精神與花郎道

十三、剖析韓國的傳統社會

十四、韓國政局與東北亞形勢

十五、韓國亂局與南北韓政治體系的比較

十六、韓國學生運動與光州暴亂

十七、韓國局勢的回顧與前瞻

十八、簡析北韓政治體系

十九、韓國政局的回顧與前瞻

二十、韓國內閣大幅改組

　　這段時間，張創辦人指示我要多研究並表述，在他的鼓勵下，一九八一年我通過甲等特考外交領事人員優等及格，且獲頒華岡獎狀及傑出校友榮銜，一九八二年我就任外交部亞太司專門委員，也曾獲得

張創辦人的嘉許，坦誠而言，張創辦人春風化雨栽培弟子的愛心有目共睹，作為學生的我們一直永銘心中，我們也曾尊稱張創辦人為張老夫子，以示崇敬之意。

尤其特別值得肯定的是，張創辦人經常要求學生向外發展，並拓展校譽，這也是促成我積極努力奮發有為的新動力，我任職外交部後仍住在雙溪新村一一一號教授宿舍，剛好與當時的潘維和校長、鄭嘉武副校長、吳勇猛副校長、譚光豫教務長、王綱領教授等校友前輩為鄰，直到一九八五年張創辦人逝世，我才搬離宿舍遷居臺北市區。細數我在華岡讀書、就業、結婚、生子生活總計十六年，加上留學海外五年半，大約有二十餘年的光陰與華岡有關，深深感受到美哉中華、鳳鳴高岡的幸福。

在華岡教書也受到一位前輩的鼓勵，他就是中國文化大學民族與華僑問題研究所所長丘正歐博士，他是留法的名學者，住在雙溪新村的鄰居，所以我們可以時常來往，他知道我對華僑問題有很深入的研究，因此特別在該所安排了一些我可以擔任的相關課程請我教學，我以副教授身分兼任所上教職，和該所畢業的碩士研究生也有密切的接觸，其中包括前玄奘大學校長夏誠華教授，以及在南部職校教學的唐潤洲教授等等，都是該所畢業的高材生。夏教授和我具有親密的關係，當時他在我負責的實踐圖書館擔任館員，我認為他是可造之材，鼓勵他去考文大民華所，到今日事實證明，夏教授不僅是我最得意的門生，更青出於藍，現已成為僑教頂尖學者。

我的鄰居中也有許多好友，例如住在華岡新村的前康寧大學校長周談輝教授，他的兒子小龍和我兒子高鵬翔教授就是幼兒班同學，我與周教授相知甚深，他當選校長時也受到我極力的推薦，我當時擔任康寧董事會校長遴選委員會的主席，後來我數度率團前往大陸參訪，皆與周教授伉儷同行，來往頗為親密，他是一位國際知名的學者，教

育部很多重要官員都是他的門生。

我在一九七四年返國後一直住在雙溪新村一一一號,那一間宿舍與韓文系有密切的關係,我是接下了與我交換學生韓籍教授朴斗福的居所,他後來成為韓國中央情報部主任秘書,是韓國當代最知名中國通之一,然後我在一九八六年搬遷到臺北龍華園後,將宿舍轉讓給韓文系系主任林明德教授,林教授韓文造詣頗高,是韓國漢城大學博士,為人相當熱忱,當時韓文系師資陣容相當堅強,例如曾任監察委員的林秋山教授,以及韓國文學專家陳寧寧教授等等知名學者。雙溪新村後排還有一位與我相當友好的日文系學長王友仁教授,我常到他家擺龍門陣,也因此與李登輝先生之子李憲文及其同學蘇志誠相識,他們都是文化大學的研究生。

## 五　世局動盪學者從政

一九八二年十月,我在一場聚會中,偶遇我的甲等特考座師沈昌煥秘書長,他是一位非常傑出的外交家,深受蔣公中正及經國先生的器重,被尊為「外交教父」。他對後輩非常提攜,我記得當時他笑著垂詢我說:「外交官的生涯如何啊?」我回答說:「向老師報告,我還沒有機會到外交部服務」,他當時未置可否,但是三天後我突然接到外交部主管人事次長關鏞的電話,要我下星期一向他報到,並發佈我為外交部亞太司專門委員,我想一定是沈秘書長的交代,我終於可以到外交部任職,從那時起我就正式成為一名外交部的官員。

當時外交部長是朱撫松後由丁懋時接任,兩位都是能力極強的資深外交家,再加上一位外交奇才錢復擔任政務次長,陣容無比堅強,能夠進入這樣的機構實屬幸運。

外交官的生涯是豐富而辛苦的,當時我國外交處境不佳,一九七

八年與美國斷交後邦交國僅剩二十二個國家，不過韓國及南非等較大國家仍在其中，一九八二年我在亞太司所負責的國家就是韓國和日本。外交部是一個具有相當歷史及傳統的政府重要機構，民國以後出了不少的外交奇才，我之所以嚮往外交工作，一方面是因為專業科目為語文及政治學，二方面也是因為我母親這一系列的親戚曾經在外交部任職，我的叔外祖陳介曾任我國駐德國大使及外交部次長的要職，我的外祖父陳伯言雖在工商銀行任高階主管，但與國際友人也會有來往，因此童年兒時常聽母親敘述過往，有了一些世界觀及華僑觀，加上讀中學時期母親閨密孫媽媽是印尼華僑，經常來家說些華僑在外經歷。

　　我的外交部職位來之不易，因此我在此期間全力學習，我不是科班出身而年齡已將近四十歲，所以比較傾向研究發展方面，一九八二年十二月到一九八六年七月我在外交部服務大約三年八個月，這段期間對於外交官的基本條件素養以及公文歷練等等方面，算是打下了基礎，其中值得特別提出的有下列幾項：

　　第一，對外交的交涉及實務的處理有深入的瞭解，我所承辦的業務頗多，其中值得興味的也是影響我最深刻的事，就是六義士投奔自由的事件，當時擔任我國駐韓大使的是薛毓麒先生，薛大使在事件發生時，向韓方聲明劫持民航機的是反共義士投奔自由事件，經過他一年多的努力，終於成功地將六義士接來臺灣，我記得當時整個外交部的重點都在此一事件。薛大使和我們承辦單位以及承辦人的辛苦是無與倫比的，從此一事件中，我真正體驗了外交官的辛勞及艱苦。

　　第二，對來訪外賓的接待及我國政要的才能有比較深刻的體認。接待外賓來訪是外交部重要工作項目之一，舉凡行程安排、前後的聯繫、突發事件之處理等等，事無巨細大小均需審慎。例如有一次我奉命接待韓國國會議員訪問團，短短的一週就已獲得了不少的外交心得，在團長拜會前行政院長孫運璿的時候，我因為擔任翻譯的關係，

親自體驗了孫院長的大度雍容以及親民愛民，他雖坐輪椅會客，但從他的談吐見識來看，誠如坊間所傳，孫院長真是一位勤奮樸實的長者，一位愛國愛民的行政首長！

第三，對韓國局勢及政情的研究有突出的表現，這一段期間由於各項資料的收集完整以及實務的經驗相結合，我撰述了許多研究報告，並彙整出版中共與南北韓關係及美國對韓政策及韓國政情兩本著作，更因此獲得了行政院所頒發的外交僑務著作獎，在外交部三年多的時間，我本有機會派往韓國首爾擔仟總領事的職務，然而我卻在此時做了一個重大的生涯規劃，由於以下兩項原因我從公務員又轉回教職。其一是母親心臟病相當嚴重，此時外放不能就近孝養，值得重新考慮，其二從各種跡象判斷中共與韓國建交在即，此一階段外派韓國相當不宜！

經過再三省思之後，我在好友謝瑞智教授的邀請之下，返回學界出任國立臺灣師範大學公訓系教授之職！謝教授是警界基層出身的法律專家，留學日本及奧地利，精通日文及德文，他學識淵博，見解出眾，是一位非常了不起的學界領袖，對我有許多幫助，我受益良多。他是一位值得尊敬的知交好友。好友加上好的環境常常可以影響人的一生，我說的好環境就是革研院。

所以我在此強調的一點是，我在革命實踐研究院的進修，不僅在實力方面有長足的進步，而且所撰寫的時論，也獲得了臺灣媒體的青睞，紛紛向我約稿，尤其是在韓國問題研析方面，我已成為此一項目的專家，當然最重要的原因是我在韓國留學五年中，曾經深入注意到韓國人在政治方面的特質，並且真正體會到他們政治人的內心，所以在一九八〇年五月二十日我發表在中國時報的一篇韓國政局風雲激盪專論中，我主張了下面幾點：

第一點，韓國的政治文化獨具風格，就觀念和認知來看，韓國人

認為「三一運動」是傳統政治思想，他的緣由應該是韓國民族獨創修正的易學原理，配合歐美政治的要素，也就是民主主義的韓國化，就韓國人的個性來看，他們本來就帶有悲劇的英雄色彩，衝動豪爽，派系林立，很難產生強而有力的領袖，而且就信仰跟價值來觀察，韓國人相信政府對日常生活有積極的影響，而熱衷參與政治，超越時代。

第二點，在政治發展的契機方面，過去韓國文人政府的腐敗無能，未能有效地阻止政治社會的混亂，是軍人執政最重要的原因。韓國軍事之所以突出，是因為他們在分崩離析的社會中，是一個唯一的有效組織，可以充分掌握政治權力及確定國家政策，尤其是在當時的政治文化，沒有發展到成熟的階段。

第三點，北韓對南韓一直虎視眈眈，北韓的領袖金日成一向主張，統一全韓是韓國的神聖使命，所以無時無刻不強化軍力，一九七五年前就完成了總體戰的準備，全國軍事化、全民部隊化、全土要塞化，北韓軍力空前膨脹，當時的正規軍有七十二萬人，還有三百萬人的勞農跟赤衛隊的後備部隊，結論是韓國軍人政府的崛起，我在這篇專論解釋了韓國政治文化以後，與同年六月三日在自立晚報發表專欄重點如下：關於韓國政治之解析，我提到的關鍵處是韓國傳統政治思想的和諍理論，及花郎道復國思想及尚武精神，成為軍人政權成立的要素，再加上學生示威與軍事政權的對立，更促使了人民支持軍人政權的主因！

從政治理論發展而言，軍事政權往往在開發中國家極端困難的環境中可以脫穎而出，尤其是國家內部的政治腐化，與外在國際共黨的危險，常是促成開發中國家軍人執政的必要條件，美國莫里斯教授曾經說，由於技術改變，創造了新的戰爭型態，戰爭技術也日益複雜，軍事與非軍事組織差異日漸狹窄，更多的軍官對於政治經濟具備管理的技巧。可以證明軍事政權，為何可以在開發中國家占有主要的地位！

　　韓國軍人不僅擁有精良的武器，而且徹底反對政治派系和地區利益，所以在這段期間，少壯派軍事領袖，如全斗煥的人所掌握的軍中力量，不失為一個堅強有效的組織，可以掌握政治權力，確定國家政策。我在結論中說韓國軍事強人全斗煥在幕後掌握政權，對文人崔圭夏總統形成相對的威脅，如果能進行政治改革，那麼這項文武合作的方式，也許可以再創韓國的新局，緊接著我在一九八○年九月一日，於中央日報發表了一篇〈全斗煥開創韓國新時代有時論〉，相當引起海內外各界的重視，我提出的重點說明如下：

　　第一，全斗煥出任國家非常對策委員會委員長之後三個月來，大刀闊斧進行改革重新樹立了新的國家形象，也引起了學生示威，及光州暴動，因此全斗煥發動政變，由韓國統一主體國民會議中被選為總統，軍方再度執政，繼朴正熙總統之後，軍人政權乃再度產生，原因有主政者個人政治權力過於膨脹，派系林立，反而形成領導中心無法確立。

　　第二，在新興國家中，軍人往往出力建功取得重要的政經地位。

　　第三，學生示威運動迫使社會混亂，軍人以鐵與血來掌握權力及決定國家政策，全斗煥上臺後，在經濟上穩定中求發展，政治上獨斷獨行，使得韓國政府有了堅強有力的海內外對策，也獲得了全民的支持。我發表了這篇時論以後，有幸獲得了臺灣電視公司的邀請，前往該臺的國際評論發表我對於新總統全斗煥的看法，在評論韓國政局方面，我已經是一個具有權威的名評論家。

　　一九八○年六月三日，我在「中國時報」又發表一篇題為「韓國新內閣研析的時論」，特別提到的一點是，全斗煥組成了一個強而有力的財經內閣，以南悳佑總理為首，終於有了再創漢江奇蹟的機會，韓國能夠起死回生的這樣一個論點又被大家宣揚，而南北韓局勢的發展，更引起了國人的關注，此時我不僅經常為文字媒體撰寫文章，而

且常常應邀當時的三家公設電視臺國際論壇上發表一些看法，包括韓國政情、北韓問題、南北韓關係、韓國現代化的過程、中韓兩國現代化的比較等等，我對韓國的論點終於引起學界的特別關注，甚至於也受到了政府相關單位的重視，邀請我出席一些內部會議，換句話說。由於我的介紹，韓國現代化的不斷發展，已經引起海內外華人產生了巨大的迴響！

　　一九八〇年九月十一日我又在「中國時報」發表專論，對韓國新內閣進行分析，我強調由文人政府所組成有南悳佑總理領導的內閣，將可以在經濟方面得到有強力的發揮，這樣的財經內閣，不僅順應了世界潮流，也可以使韓國人民對於全斗煥有了好評與肯定，韓國政局也相對可以達到穩健發展的目標，同年十月三日我在「臺灣日報」的邀請下，特別針對了北韓的新動向，及朝鮮半島的情勢進行分析，特別提及北韓的和平共存的新策略，十月中旬「青年日報」希望我就韓國光州暴動事件發表專文，我直接表示，那是因為學生示威所形成的亂局，對韓國政經發展大為不利。

　　一九八二年全斗煥總統訪美，我為「聯合報」撰寫了一篇專論，分析全斗煥訪美對美韓關係的影響，重點說明了雷根當選美國總統後，首次邀請的外國元首就是全斗煥，政治意識非比尋常，這一次訪問不僅提高了全斗煥的聲望，也使美韓關係建立了紮實的基礎，所以我當時預測全斗煥在二月中旬將可連選連任新總統，果不其然，在二月二十五日，韓國大選全斗煥順利當選，於是我又在「中國時報」發表一篇「全斗煥當選韓國總統與內外形勢」，我強調韓國政局當可穩健發展，北韓動向轉趨積極，南北韓和戰問題將扶持金正日和全斗煥各自形成了南北韓的核心組織，當時我除了在「中央日報」、「中國時報」、「聯合報」等三大文字媒體經常發表專欄之外，也同時在「時報週刊‧海外版」，也就是後來的時報雜誌、幼獅時事以及韓國研究等

著名刊物，撰寫專門對韓國問題進行深層的探討，所以名氣日漸提升
的結果，使我對於韓國問題的見解，廣受各界人士的肯定！

　　一九八二年十一月到一九八六年七月我在外交部服務期間，因為
具有公務員的身分，不能對外發表公開言論，因此所有的看法以及對
國際局勢的分析，都列為外交部部內參考文件，我擔任亞太司的專門
委員，主要負責韓國與日本政治的分析，加上行政業務及雙邊實質關
係活動，作為主要的責任，所以我大部分時間都撰寫專題報告，提供
外交部及行政院參考，我呈上的專題報告大致分為三個方向：一就是
南北韓關係，例如現階段南北和談過程與展望。二為韓國政治外交，
例如韓國總理在聯大演說的簡析。三為東北亞各國相關情勢，例如南
北韓關係對周遭各國的影響，其實在各部會的中高階官員因各有各的
固定業務，從而也受到相當限制，而且機密資料不能外洩，因此此一
階段的我非常謹言慎行，已然成為一名相當標準的外交官。

　　當時我撰寫的專題報告頗多，也相當獲得上級的信任，例如一九
八三年十月九日在緬甸仰光發生爆炸事件，我特別寫了一篇對韓國政
局的影響，又如一九八五年一月十二日美國總統雷根訪韓與美韓關
係，再如南北韓高峰會會談之醞釀等等，我把所有中共與南北韓關係
的專題報告加以整理並編輯，最後形成一系列專題報告方式呈送，獲
得行政院正式嘉獎並頒發獎狀！

　　在外交部工作三年多的時間也算是不虛此行，收穫良多。不可諱
言，公務人員生活，除了工作忙碌之外，也算是平靜無波，因為外交
官對工作情況是極為保密的，一有狀況就會影響到國家安全，因此做
了外交官後會比較保守，也就可想而知了。

　　我因為是學者出身與外交部官員淵源不深，再加上將近四十歲才
到外交部行走，人脈方面就比較薄弱，只有三五友好比較有密切的來
往，例如我在亞太司的時候與北美司蔣孝嚴副司長、人事處饒清正專

門委員來往較多，我和蔣副司長的認識是因賈二慶先生的介紹，他的
父親是政戰學校資深教授和王昇上將關係良好，二慶和我是在幫喬寶
泰競選國大代表時相識結緣，我們互通聲息，常相往來，他曾經在私
宅邀請蔣副司長夫婦和我夫婦餐敘，那時蔣副司長對我算是相當照
顧。不過後來他榮升外交部次長之後，我們就沒有太多的接觸。孝嚴
先生後來擔任駐美代表、僑委會委員長、國民黨黨部秘書長等要職。
此外，我也和學長林享能簡任秘書有交集，他後來歷任大使及農委會
主委，是華岡的典範，八十年代中旬，我在外交部並非科班出身且具
有學者身分，在外交行動方面的角色也有些難處。等等因素在多方考
慮之下，我決心返回學術界！

## 六　學界菁英百家爭鳴

　　一九八六年八月，我在革研院教育長崔德禮的推薦，以及師大名
學者謝瑞智博士的介紹下，承蒙梁尚勇校長的提攜得以進入公訓系擔
任教授之職。重返學界並可以在名校執教是我的宿願，我必須好好把
握機會一展抱負！

　　坦誠而言，我是一名工作狂，我的一貫信念是把工作當成娛樂，
樂在工作之中，使得每天的日子都可以發揮得淋漓盡致！

　　除了在國立臺灣師範大學任教，我也應邀在「中華日報」、「臺灣
日報」、「青年日報」、「黃河雜誌」等新聞媒體擔任社論委員或主筆。
一九八六年到一九八九年主筆期間，我的教學相長及研究論述，皆獲
得極大的空間盡展個人新銳而現代化的意識。當時賢妻海倫在中華
航空公司獲得一項好的工作職位，而且她又有新穎的理財觀，於是我
可以脫離學校宿舍生活，而搬遷至南京東路的自宅，進入大臺北核心
城市的圓心生活圈。我想這真是另一個上昇階段的開始，我又開始春
風化雨的生活。

　　值得一提的是，我教出好幾位優良校長，包括楊明發（再興中學校長）及桂紹貞（上海臺商子弟學校校長）等，事實上，校園生活是最幸福的，我的師大同事們都對我很好，記憶中包括曹世昌、林有土、陳光輝、沈六、張秀雄、廖添富、黃玉、吳務貞、張樹倫、鄧毓浩等多位教授。我同時與政大前輩華力進、馬起華等資深教授，及臺大楊崇森、北市大陳光憲、蔡秋來、李復甸、查重傳等學者時相來往，我更在此時和臺視名記者陳偉之交往甚密。

　　由於我出身軍人世家，算是榮民子弟，也經歷過一段期間眷村的生活，得以有機會體驗竹籬笆的日子，所以基本上，我的心態受到軍方的影響很大，也願意擔任軍方的喉舌。時任總政戰部主任楊亭雲上將非常看重我，常常找我議事。

　　事實上，從抗日到國共內戰，我的幼年生活一直是顛沛流離的，我的母親陳蕭君女士是一位了不起的女中英豪，她的魄力與決斷絕不會比我的父親高維嶽營長遜色。我記得在屏東潮州讀小學三年級的時候，我們住在糖廠職員的日式宿舍裡，房間相當大，父親在軍中常年不在家，有一天晚上家中潛入一名小偷，我的母親被驚醒後喚起二個小孩子，立即拿出防身小手槍對空鳴槍示警，此項舉動嚇得小偷倉皇逃跑，足見我的母親膽識過人。我受到母親的影響很大，父親當然也對我關懷備至，軍人家庭的溫馨與團結力，也是社會的另一種景象！

　　因為上述原因，一九八六年到一九八九年我以榮民子弟在大學任教的身分，持續在各大平面媒體發表了百餘篇支持軍人的文章，我覺得軍人雖然是保國衛民的支柱，卻囿於紀律及管制等因素，反而成了一個在媒體上真正的弱勢團體，軍人要吃很多別人吃不了的苦，也要受很多別人受不了的氣，他們的心聲很少人知道，而我就挺身為他們發聲及為他們代言，在社會上盡一份心力，也因此受到了相關人士的重視。

　　我回到學術界之後，把軍人子弟滿腔報國熱血和劍及履及的精神充分顯現。我除了擔任平面媒體的撰稿者之外，也在電子媒體獲得了表現的空間，尤其是我在韓流薰陶下，個人的東北亞專業研究有了發展的園地，當時臺灣只有臺視、華視、中視三家，我則有機會在三家媒體輪流出現，表達了我對國際局勢及當前社會型態的看法，由於發言中肯，也有學術價值，因此也受到各界關注，一躍成為學界菁英。

　　一九八八年一月經國先生逝世對臺灣政局的衝擊可謂無比巨大，時局動盪達到最高點，當時執政的國民黨分為主流及非主流二派，為競爭總統職位各顯其能，首先是在美國的蔣夫人有返國的風聲，而司法院長林洋港也有所行動，他與蔣緯國將軍的結盟令人震撼。

　　事實上，當時經國先生對臺灣的貢獻，是無庸置疑的，他的具體績效有六大項：

一、將兩岸定位為制度之爭，主張以三民主義統一中國，開啟老兵返鄉探親。

二、推動十大建設，奠定臺灣經建基礎。

三、拔擢人才，包括孫運璿、李國鼎等人。

四、邁向本土化，實施催台青政策（又稱吹台青或本土化政策），謝東閔、李登輝、林洋港等人獲重用。

五、開明政治，逐步放寬政治控制。

六、開放黨禁、報禁、革新，民主化改革。

　　李登輝繼任後提名李煥組閣，李院長在短短不到一年任期內對各項建設均能盡最大的努力，而獲得良佳的效果，他一貫以其踐履篤實的精神，開明務實的作風頗得民心，且在許多民意調查中深受肯定。

　　惟在當時多元化發展趨勢中，他未能全力發揮其長才，復以大規模街頭活動層出不窮，且有少數別有用心人士的精心策劃，利用群眾作為其挑戰公權力的工具，例如學生運動及群眾示威等等，留下了滿

目瘡痍的市容及紊亂無比的交通，造成社會氣氛不佳、股票及房地產大幅起落、總統競選時政潮紛起、立委及國代爭權奪利，在在令人痛心疾首。

一九八八年元月至一九九〇年大約二年，李登輝繼承蔣經國接掌政局，由於紛爭不斷，朝野看法不一，社會人心不穩，值此局勢動盪不安之際，學術界有了巨大的變動，終於出現了百家爭鳴的狀況，一九八九年四月十八日臺大教授楊國樞等自由主義學者仿照英國知識份子團體「邊沁社」組成「澄社」，取澄清觀念之意，希望實現知識份子對社會的發展表示立場，「澄社」公開表示對執政的國民黨不滿，而提出多項批判。

參與的學者有胡佛、楊國樞、文崇一、李鴻禧、韋政通、何懷碩和張忠棟等七人為發起人，邀集李永熾、林正弘、徐正光、張清溪、張存武、張曉春、張春興、陳師孟、黃光國、黃武雄、黃榮村、葉啟政、蔡墩銘、蕭新煌、瞿海源共十六位學者共同加入，楊國樞當選首任社長。他們並在中國時報發表創社聲明，成為臺灣第一個有影響力的政論社團。

同一時間旅居海外的二十四位知名學者，為穩定時局並善導未來政治革新，聯合發表五點聲明，呼籲黨政界人士及各政黨領袖，在新舊權力轉化過程當中，應以國家利益為優先，全民福祉為上，切勿因一己之私及一時之誤，陷全體子孫於悲劇，此項聲明以田弘茂、許倬方、張旭成領銜，包括黃世鑫、文文朗、黃越欽、呂亞力、陳慶、沈清松、陳其南、朱雲漢、張瑞猛、李金銓、林全、張旭成、張茂松、高英茂、齊錫生、柴松林、鄭竹園、翁松燃、蔡墩銘、許倬方、蔡政文、許介麟、蕭新煌等人。

一九九〇年一月十四日，由謝瑞智、高崇雲、柴松林、李瞻、陳長文等名教授共同發起的「中華論政學社」也正式成立。

包括臺灣大學丁一倪、包宗和、陳志奇、陳春生、陳德禹、張志銘、傅崑成、詹火生、劉必榮、歐茵西、邊裕淵、張麟徵等教授及臺灣師範大學蕭行易、李大偉、馮丹白、張秀雄、曹世昌、趙玲玲、穆閩珠等教授，再加上國立政治大學葉伯堂、葉陽明、胡志強等五十四位各大學著名學者所組成。

中華論政學社是繼澄社後，第二個有影響力的學者社團，成立之後由於議題新穎，立論公正，頗為各界重視，學界論壇因此更為蓬勃發展，朝野輿論百花齊放，百家爭鳴，論述也大為興起，一時蔚為風氣，中華論政學社亮麗登場，好評如潮，也深受民間各界人士認同，在核心人士商議後，為開創對社會更廣闊的參與決定改組「中華論政學社」為「中華學術文教基金會」，而在一九九一年十二月二十日向教育部登記備案正式成立。

中華論政學社第一任社長，由交通大學柴松林教授出任，副社長謝瑞智教授，我擔任秘書長兼發言人，我和謝副社長均為國立臺灣師範大學教授。中華學術文教基金會首屆董事長則由國立政治大學李瞻教授出任。

平心而言，澄社之成立有澄清天下觀念的抱負，而對統獨立場則不談及，而直接擁抱民主政治，表達對現況的不滿，就理念而論也無可厚非，只是國民黨擔任執政黨太久，澄社成員認為應該換黨執政看看，嚴格來說，澄社參與者以自由派學者較多。可以中間偏左視之。

而論及中華論政學社，則大多數是保守派學者，以維持現狀，溫和漸進，逐步改革作為主要訴求。

事實上也普受大多數人認同，「中社」的成員較多，代表性也較廣，所發表的理念確實以民眾的福祉為依歸，且以人性本善為基礎，因此由「中社」轉型為「中華學術文教基金會」，成立迄今已超過三十年，因為基礎雄厚紮實，立論公正無私，現已成為宣揚臺灣理念的核心社團。

　　我不但是中華論政學社五位發起人之一，而且從創立開始就擔任秘書長、發言人、副社長甚至社長可以說一直是「中社」的中堅支柱。

　　我的基本理念很清楚，重點如下：

一、堅決支持軍方所提出的建軍方案，包括軍人可以從政、退除役特考不宜廢除優待軍人方案、合法解決戰士授田憑證問題、維護國軍的尊嚴與形象、禮遇退伍軍人、榮民榮眷等。

二、民主憲政應無私無我，民意代表政府官員，應為民典範，遵法守法不應以特權自居，民意代表政府官員應存政治家風度，以理性、冷靜和諧來管理公務，遏止金錢暴力提升選舉品質。

三、社團媒體領袖應崇尚道德與善心，社團負責人及媒體意見領袖，應正直善良，不誣滅他人，要是就事論事，良心擺當中，利益放兩旁，論斷是非皆以公平正義為主。

　　我時常在午夜夢迴之際就本身行為進行探討，作為一名稱職的學者，文教工作者及社論撰稿人，和是否有為利益侵害他人之處？我必須坦白地說，在我擔任中華論政學社發言人、副社長、社長甚至近期出任中華學術文教基金會董事長之職，都能做到「仰不愧於天，俯不怍於人」的層次，我常常以「人在做天在看」，以及「舉頭三尺有神明」，自我勉勵，而「為人不做虧心事，夜半敲門人不驚」，也是最好的寫照。

　　以下我就以當時比較公正客觀的幾篇媒體報導，來作一個事實的敘述。包括青年日報、自立晚報、聯合報、新生報、自由時報、公論報導等記者的看法來說明中社、澄社及臺灣教授協會的立場！

　　　　多位學者昨（18）日一致指出，有關當前選風敗壞的問題，短
　　　期內並無治標的法寶，但在長程規劃上，則可自教育著手，使
　　　改變當前功利取向的價值觀，提升選民品質，進一步提升選舉
　　　品質。

　　公共秩序研究會暨師大三民主義思想教育中心，昨日下午在師大綜合大樓舉辦「如何提升選舉品質座談會」，由政大教授也是公序研究會理事長馬起華主持，多位學者與會討論並作前述建言。

　　馬起華引言時指出，選舉品質的日益敗壞，恰和經濟的蓬勃發展成反比，雖然有關方面大力呼籲候選人守法守紀，但每辦一次選舉，法律尊嚴就受到一次摧殘。

　　師大三民主義思想教育中心主任高崇雲認為，唯有政府與民眾一起守法，並和諧運用個體利益和群體利益，才能透過選舉選賢與能，同時創造解嚴後新的政治奇蹟。

　　——陶令瑜／臺北報導：〈學者提出端正選風藥方長程
　　　　規劃從教育著手・改變功利取向價值觀〉，《臺灣新
　　　　生報》，1989年11月19日


　　選舉進入倒數計時的階段，候選人無不使出渾身解數，以贏得更多的選票，面對五花八門的政見內容，多位教授昨（28）日一致呼籲選民擦亮雙眼，冷靜圓熟的投下神聖一票，不要被偏頗、謾罵的政見所迷惑。

　　臺大教授聯誼會鑑於此次公職人員選舉，為解嚴後首次舉行，也是我國邁向政黨政治的首次選舉，對於我國今後民主政治的走向與發展影響深遠，基於知識份子對國家、民族與臺灣前途的強烈關懷，乃於昨天下午二時在臺大校友會館，邀請多所大學教授十餘人參加「大選前夕體檢政見」座談會，由教聯會會長丁一倪主持。

　　彭錦鵬教授並希望候選人能絕對守法，不要利用政見發表機會誤導選民，影響選情。

　　師大教授高崇雲認為，這次政見中仍以「維護治安」一項受到最大的重視，也就是防制暴力介入選舉經常被提到，候選人在競選過程中多少受到「暴力」的威脅，因此這項政見的提出實為當務之急，應該受到重視。

　　高崇雲並說，「遏止房價飆漲」的主張也值得國人同意與支持，有積極的功能與意義，惟提出標新立異且妨害國家發展的言論，選民則應站出予以駁斥。

　　　　──夏敏華／臺北報導：〈聽政見不可盡信候選人，教
　　　　　　授企盼選民擦亮眼睛〉，《青年日報》，1989年11月
　　　　　　29日


　　解嚴後首次政黨競爭模式的三項公職人員選舉已告一段落，這次選舉對我國政黨政治發展影響也引起學界關注。政大教授邵宗海指出，兩黨對峙態勢已在這一次大選中形成，「政黨取向」將是今後候選人勝負關鍵。

　　師大三民主義思想教育中心昨天舉辦「三民主義與國家建設研討會」，分別就今年公職人員選舉與政黨趨向發展，民生主義在臺實踐對大陸示範作用等議題，邀請學者評析選舉及國家當前情勢。

　　師大三民主義思想教育中心主任高崇雲表示，分析今年選舉結果，顯示選民以投票表達對「兩黨政治」的支持及對朝野兩的肯定，以往選舉反映的候選人或政見取向，也轉變為偏重政黨取向。對於民進黨新當選的縣市長將成立連線與政府對話，升高兩黨對峙局面，高崇雲認為朝野雙方應和諧共進、共體時艱。

　　　　──謝蕙蓮／臺北報導，《自由時報》，1989年12月17日

當金權政治的現實經過全民政治理想，當 Republic of Casino（賭國）形將等值於 Republic of China 之際，證交稅率制訂過程的波折起伏、黨政機關的居中運作、「號子立委」的失職敗德，再度引起國人對該決策過程公開化、透明化的省思與要求。

民主政治的可貴之處，在於它是一種「責任政治」與「專家政治」。政府行事一旦與國家利益、社會公義背道而馳時，主政者便應負起相對的行政責任。

師大教授高崇雲指出，立法委員康寧祥近日建議當局仿照採行日本國會的公開決策過程，以建立責任政治，此一看法確有值得參考之處。

高崇雲並表示，決策過程透明化倘能有效落實，則臺灣有望繼經濟奇蹟之後，再創「政府奇蹟」！

他指出，政府在決策開始，便當舉辦公開聽證會，主動引導民眾明了決策過程中，種種考量因素與利弊得失，而不是在決策出了漏子，全民交相指責之後，才來推諉塞責。

以內閣制國家為例，當政府施政嚴重違反民意，而該措施又非單單一個部會決定時，整個內閣便要負起總辭之連帶責任。就此次證交稅連番風波而言，當局如果有誠意對全民負責，首先便應對數月以來稅率漲落無常的巨大轉折作一清楚交代，然後總辭以謝國人；就我國人口比例來看。四百萬的股市人口全然在此一封閉決策過程下受到嚴重衝擊，內閣當然應該負責。

不過，以當前憲政結構，總統制內閣制含混不清，總統大權在握，卻不負實際行政責任的情況下，行政院與政務官應有的職司風範便難判定。

然而除了前述行政體系權責不分的缺失以外，官僚系統長期與財團掛勾，運作遲滯缺乏效率，執政黨黨國不分，利益相

通等事實，也對目前的決策過程帶來嚴重負面影響。

因此，與其談決策過程能否公開、責任政治能否落實？不如先理清長期以來疊床架屋、職司不清的憲政結構與行政系統等難題，才是正本清源之策。

——白重華／臺北特稿：〈上下交征利，特權走天涯！
疊床架屋、職司不清的憲政結構亟待診治〉，《公論
報》，1989年12月19日

黃光國（臺大心理系教授、澄社成員）：民意調查結果的客觀性，只能從研究方法來作檢視。世界上從來不見有精確之民意調查，先進國家如英、美亦不例外。

社會是一種動態、一種流質，一時的調查結果並不能持續有效，例如，選前調查結果，執政黨聲勢浩蕩，但是「利多長紅」廣告見報後，執政黨就節節滑落。

其次，調查結果誤差本來就大，訪問方式、問話語氣、上下文如何誘導、取樣對象是否周延而不偏頗等等細節，都會造成變數與令人意外的結果。

現今社會有一種錯誤觀念——「只看結果，不看過程」，如日前澄社遭受圍剿便是一例，人人只知趙少康評比何以低於小白菜，卻不問澄社評鑑的內容、用心與聲明，那一份報告本來只是十九個人的主觀評鑑，只能說彼等品味和群眾之間尚有差距。所以，公佈檢查方法，交代調查程序，才不會失之偏頗。

賀德芬（臺大法律系教授）：我曾接受該基金會委託，從事人權問題民意調查。當時抽樣方式頗為粗糙，他們利用白天打電話訪問對於人權較少關心的家庭主婦，問題如「電話是否遭竊聽？」等，所得到的回答通常是「沒有」，所問非人，又

如何求其精確？

　　技術方面，像如何取樣、問題是否客觀、有否暗示性等等，在民意調查引進臺灣為時尚短的今天，都必須盡快改善。

　　另外，基金會選在目前關鍵時刻發表問卷結果，予人一種想要「引導社會」的想法。萬一真是如此，便是無恥，不道德了。

　　高崇雲（師大公訓系教授、中社社員）：該基金會成立甚晚，成績自然不如美國蓋洛普民意測驗。不過，他們已作了不少事，他們是否公正，具公信力，則還有待時間考驗。不妨多鼓勵幾個具有公信力的團體來作民意調查，透過良性競爭，淘汰假民意，讓真正能反映民意的機構生存下來，為社會多作貢獻。

　　調查對象要廣泛，方式要妥當且具備公信力三項，是調查結果能否客觀的關鍵。二十一日國大代表洪英花委託學者所作民意調查，其公信力便令人存疑。

　　　　──白重華／臺北專訪：〈學者的話──精確民意很難
　　　　　　做到〉，《公論報》，1989年12月22日


　　師大教授高崇雲昨天在一項座談會上指出，目前世界上共產、民主國家消長的變局情勢對我有利，臺灣能否整合、團結、發展，事關本身的生死存亡。他引用美國中央情報局的研判資料指出，中央專制政體至少可維持五年，而臺灣則可能因內部政情持續動亂，在二年之內崩潰。

　　　　──范植明／臺北報導，《聯合報》，1990年10月11日


　　臺灣教授協會即將在本月九日成立，其與先前已成立的澄社、中社（中華論政學社），此三個學術論政團體，在統獨立場與國家認同問題上，明顯呈現迥然不同的政治態度。

　　澄社是去年四月十八日由臺大教授楊國樞等自由主義學者所組成，仿英國知識份子團體「邊沁社」，取其「澄清觀念」的澄社，希望實踐知識份子對社會的發展。澄社成員在政治態度上統獨立場皆有，但澄社本身不談統獨或企圖跨越統獨問題，直接「擁抱民主政治」。由於澄社的成立，乃起於對臺灣專權政治體制的不滿，執政的國民黨也就成為澄社主要批判對象。

　　過去一年來多，澄社曾有多次對政局深具影響或令人印象深刻的建言批判，去年大選，澄社對候選人進行評鑑，結果國民黨普遍低分，選後國民黨內部檢討失利原因，其中澄社評鑑也成為他們指責的對象，今年二月間，國大演出「中山樓傳奇」，面對「擁蔣派」的頻頻舉動，澄社適時發出反對第三位蔣總統的聲明；今年三月聲援中正堂學運；五月發起學術界反軍人組閣行動。澄社在過去確謹守不論統獨的立場，發揮知識份子論政風格。

　　而中華論政學社，則是今年一月十四日由柴松林、高崇雲、馮滬祥等教授組成，當初取名「中華」即意指代表一個國家、代表地球上一片土地、代表占世界四分之一人口的民族。過去中社呈現的鮮明立場主要是，主張統一、支持政府、擁護導中心，它的成立自始即被學界視為是衝著澄社而來的「平衡團體」。於是，當澄社聲援學運，中社就呼籲學生趕快回家，不要為人利用；當澄社發起反軍人組閣，中社就發動數千位教授聯署，支持郝柏村出任行政院長。

　　至於即將成立的臺灣教授協會，它當然迥異於中社的性格，而與澄社性質較為相近，且多位成員重疊。然而，在統獨立場上，台教會認為值此國家認同危機之際，知識份子不可迴避統獨問題，應認真思考臺灣前途的未來，這些關切臺灣本土

發展的教授，今日雖標舉較「緩和」的認同臺灣主權獨立，但其獨派色彩鮮明，至於統一，他們認為是以後條件成熟後再談論的問題。由目前他們所揭示的政治立場及過去他們慣有的風格，未來臺教會勢必對執政當局形成強大火力批判。

　　基本上，澄社、中社、台教會三個學術論政團體的統獨立場，正反映當前臺灣政治生態實況——「不談統獨」、「主張統一」、「主張獨立」的三股政治認知，未來這三個團體的發展、互動與消長，或可作為理解臺灣統獨問題的一個面向。

　　　　——彭琳淞：〈臺灣教授協會與澄社中社別苗頭認同臺灣主權獨立並批判當局〉，《自立晚報》，1990年12月4日

　　兩岸統一雖是所有中國人的願望，但兩岸現況的差異必須仔細考慮總統府決定在九月底成立「國家統一委員會」，行政院也將在十月底設立「大陸事務委員會」，一時之間，「兩岸統一」與「大陸政策」似乎又將成為檯面上的熱烈話題，但是，關於兩岸現實條件的差異，談統一是大方向，不過卻絕不能過於不切實際。

　　甫自歐洲七國訪問歸來的亞盟秘書長胡志強，在談到與德國議員及其民間人士會談時，他們都以東西德統一的好處為例，鼓吹我國應儘快完成統一，胡志強說，他們都以三個最好的「Three better」來勸說統一的好處，即統一實在很好，愈快統一愈好，為因應統一最好要改變現在政策，胡志強表示，德國人因正在統一的喜悅中，所以特別強調統一的好處，但是，如果冷靜思考，將會發現，統一固然是我們大家的最愛，但在擁抱最愛之前，也必須評估雙方的現實條件。

師大教授高崇雲也指出，世界上三個分裂國家德國、韓國與中國，前兩者是因外力而分裂，我國土分裂卻是緣於內亂，而分裂之後的狀況更是不盡相同，東西德之間是西德國力遠勝於東德，因此在統一過程中，只要西德願意採取主動，相形之下，困難也就減少很多，而南、北韓的實力則相去不遠，因此在展開長久對話以來，統一的輪廓仍然未現，而以我國與中共的實力比較，不可諱言的是，大陸地大物博，中共所擁有的資源，實非彈丸之地的臺灣所能相較，而在不願被共產主義統治和前提下，我們的統一工作又比東西德、南北韓的統一工作要困難得多了。

統一是所有中國人的願望，政府也正準備以更詳實的態度來規劃統一大業，只是，任何統一的計畫，都必須考慮現實條件，這其中包括了國際上對中國統一的態度，以及海峽兩岸現實狀況的差異。如此，不管任何主管單位所制訂出來的政策，才不致空幻，不切實際，乃至貽笑大方。

　　──張美慧／特稿：〈擁抱統一不可盲目空幻〉，《自由時報》，年11月19日

以上的報導幾乎包含了所有立場不同的媒體，應該可以充分顯示出當時輿論的公正性。

一九八六年一直到一九九一年我被教育部長毛高文青睞徵召擔任國父紀念館館長前，我都在學術界扮演了一名保衛國家大門的守門員，「為天地盡心，為生民盡力」而努力奮鬥！

我在一九九一年九月出任國父紀念館館長，在這以前，我曾在中國國民黨革命實踐研究院擔任專門委員兼實踐圖書館負責人之職三年有餘，又曾經在外交部出任亞太司專門委員，主管日韓事務三年有

餘，算是略有黨政公務員的歷練，那些時日我的確存與許多政府要員有接觸的機會，但大多是介紹或招呼的程度，沒有太多的私誼。

我之所以能任國父紀念館館長也是機緣湊巧，而擔任師大教授時期，我對於時局的探討及對政府領導的看法。也都只是參考各項資料而已，但是基於對軍人的尊重，我在各項專欄及社論中堅持了一些主張，例如我在郝柏村上將出任行政院院長前後之際，曾經分別在中央日報、臺灣日報、青年日報及中華日報等平面媒體，發表贊同與肯定的建言。

當時我認為登輝先生選擇郝柏村上將出任行政院長是適才適所，安定政局之舉，而郝院長擔任行政院長推動六年國建的成功，也證實了這項「將相和」的最高績效！

我對郝院長的軍人武德，護國忠誠及勇於任事的強大魄力，大加讚揚，我同時也對登輝先生的知人之明深表肯定。作為一名評論時局的學者，我覺得我已善盡言責，我當時的原意絕對沒有任何私心，而僅僅為了政局順利發展與國家領導的承先啟後，那是一個不平凡的時代，寶島臺灣上演著民主政體轉型前的動盪，而學術界百花齊放，百家爭鳴的幕幕精彩大戲則不斷湧現！

當時榮民子弟擔任大專院校教授的著名學者相當多，我和胡志強教授就是其中佼佼者，時任總政戰部主任及退輔會主委的許歷農上將，曾經辦理過相當多梯次的「榮民子女大專院校前往金門參訪團」的活動，胡教授是第一團團長、我是第二團團長，胡教授風趣幽默，英文流利，能力出眾，所以在許上將極力推薦、郝上將正式重用，又獲得登輝先生的青睞，出任新聞局長、外交部長、臺中市長等等要職，他可以說是榮民子弟的楷模。

我也曾接受許上將及楊亭雲上將的推薦參加了正源專案及軍中莒光講座等等，更應聘到政戰學校擔任政治系特聘教授，擔任過將軍進

修班學員的講座，我記得當時的學員長是王翰國將軍、他是留美博士、表現極為優異，而學員中表現成績較好的還有林明德上校，他對我相當忠誠。

我成立很多社團擔任理事長的時候都邀請林明德出任秘書長，他都能夠充分發揚許歷農上將所教導他的政戰幹部精神，能吃人不能吃的苦，受人不能受的罪，忍人不能忍的氣。他勤奮努力不怕苦、不怕難的長處已充分發揮，不愧是經國先生及歷農先生最好的子弟兵，許上將是一位了不起的將才，他追隨郝柏村上將，堅持反對臺獨、主張中國統一的原則！

他已走過百歲，但是仍然堅持初衷，是值得尊敬的將軍，也是我心儀的具有武德的軍人，他對部屬的愛護及對後輩的提攜都值得稱道，新黨的領導郁慕明、趙少康都是他一手栽培的。我們覺得他非常能代表軍人的忠誠，遺憾的是過去曾經大團結的榮民子弟大專院校參訪團，在軍中理念不斷改變，革命意志不斷下降的現階段，我實在有一些壯志未酬的遺憾，也算是體會到宋朝岳飛等將領的生平遺憾。

在學者生涯中，我最愉快的一件事就是完成了一本專書《蔣中正先生對太平洋戰爭的貢獻》，於一九九一年出版，由蔣緯國將軍主編，前已述及，蔣將軍是最佳演說口才的軍人，他能在演說中唱「哥哥爸爸真偉大」一曲，極力提倡梅花運動，他是一有特立獨行的武人色彩，也曾一度與林洋港連袂選任總統的想法。我認為他是一位灑脫的軍人，是有浪漫的情懷以及武人的節操，在諸多將領中是一位特殊的人物。此一期間，我完成了上述專書，總結重點如次：

一九四五年八月十五日，日本終於投降，世界史上最大戰禍的第二次大戰至此結束。雖然此戰爭是因美國的參戰而結束，但此項戰爭實由於蔣先生的高瞻遠矚，在艱苦情勢下動員我全國軍民，堅持八年之苦戰，才能獲得最後勝利，這些都是因蔣先生睿智而對於人類的造福。

　　蔣先生繼承中山先生的志業，參加國民革命，領導積弱的中國奮發圖強，掃蕩全國統一障礙。在此過程中，既乏盟邦之支持，又面臨日本發動武力侵華的強大威脅。他以洞悉日本的缺點，以卓越的戰略指導，高超的作為，進行全面的總體戰，終於粉碎了日本帝國主義稱霸世界的野心。而在太平洋戰爭期間，我們不但要對日繼續抗戰到底，還須支援盟軍作戰，提供最大的貢獻。同時為了亞洲弱小民族，蔣先生以實際行動聲援印度獨立，支持韓國獨立，廢除不平等條約，並在開羅會議中積極為重建亞洲秩序全力以赴。

　　所以，我們要說當日本帝國主義企圖使中國成為其東亞新秩序的一環時，如果沒有蔣先生凝聚維繫抗日力量的話，中國未必能獲得勝利，世界未必能和平。當日本帝國主義企圖控制全世界時，如果沒有蔣先生與盟軍並肩作戰，沒有中國牽制日本的話，我們可以說，第二次世界大戰的歷史可能就要因而改寫。事實上，這本書的出版也引起坊間議論的話題。

　　我在師大教學期間出版專書頗多有下列幾種：

　　一、一九八八年九月由臺灣省訓練團出版《中韓兩個國家發展與現代化問題》，共二〇五頁，主要論及中韓兩個現代化，民主與法治，街頭運動等等問題。

我在本書中就中韓兩國現代化問題，提出解決方案如下：

　　（一）尋求適合本國傳統思想及現代化方式。

　　（二）三民主義的基本理念值得兩國領導參考。

　　（三）易經與花郎精神的相關性值得探討。

　　（四）重視東方王道精神來克服西方精神文明的缺陷。

　　（五）中韓兩國發展策略不同。

　　（六）共同發揚東方文化。

　　二、一九八九年三月由正中書局出版《中共與南北韓關係的研

究》一書，共三二八頁，本書的出版引起國際學界的重視，紛紛將其列為國際政治學中，東北亞相關局勢的參考書籍，並已由本國學界大學聯合出版委員會列為研究所教科書。

我在本書序文中特別提到重點如下：

在朝鮮半島上中共正展開兩手策略，一方面與南韓接近一方面又鼓動南北韓進行開放政策，間接影響到美國所提出的「交叉承認方案」，值得關注。

本文總結近期所撰之專題報告，圍繞中共與南北韓關係予以探討。

本書共分為三大部分，第一部分為「專題研究」篇，以「中共與南北韓關係」為主題，敘述中共對朝鮮半島的政策，研析北韓對中共與蘇聯的等距外交，並論及韓國外交的演變，再探就南北韓和談對中共的影響，最後就東北亞情勢的發展作一評估，全文分四章八節，為使本研究得以持續進行至現階段，著者又於（1989）十一月在「問題與研究」月刊發表「中共與南北韓關係的演變與發展」專論乙篇作為補充內容，分別述及現階段中共與北韓，中共與韓國關係的演變與展望。第二部分為學術論文三篇，彙收著者為中華戰略學會所撰寫的「國家情勢研究」論文，第三部分為時論十二篇，內容或為內部報告，或為學術研討會論文，或為在報章雜誌所發表的文章。三大部分合計約為二十萬字。著者出版此書的目的，主要是想將一己的看法，提供予關心東北亞局勢與國家前途的國人參考。

三、一九八九年六月由新中國出版社出版《國家情勢與努力方向》一書，共三七四頁，主要論及守法與美國國家安全，國際局勢，非常時期的認知與共識，及中共問題。

本書第一部分，在政治發展方面，強調街頭運動對國家的損害，民主法治的重要性，自由與法紀的相關性，憲政危機與議會倫理，司法獨立精神。第二部分則強調，維護國家形象確保安全，崇法守紀，

重建社會秩序，國家的尊嚴與形象，軍人的轉業。第三部分剖析韓國政局，北韓軍力，泰國政局，緬甸情勢，美國的亞洲戰略。第四部分則論及現行憲政體制存續對重大問題的看法。第五部分，則以專論研析中國大陸僑務政策以及中共與北韓關係，美韓關係的研究與東北亞局勢的發展。

四、一九九〇年九月由黎明文化公司出版《國家前途與教育問題》一書，共三七〇頁，內容論及總統選舉，法治精神，國家安全，國際局勢等相關專論。

五、一九九一年二月由新中國出版社出版《憲政革新與兩岸關係》一書，共二五八頁，內容論及國家機運憲政革新，兩岸關係等重大議題。

上述著作主要是對選賢與能，學界對候選人評鑑的公正問題，以及政黨競爭，地方首長的權限與角色，臺灣經驗，軍令與軍人，大陸政策等等加上李登輝、郝柏村、二位領導人的風格加以評析。

在那段百家爭鳴的歲月中，我深信我與諸多學者不同思路的論辯，應該已在國家建設的歷史進程中，寫下了光輝不朽的記錄！

# 肆
# 中山思想深植臺灣

## 一　國父紀念館與臺灣

　　我這一生遇到的貴人相當多，到國父紀念館任職，是受教育部長毛高文的提攜，事實上，我與毛部長毫無淵源，我想可能是因為我在師大擔任三民主義思想教育中心主任的背景，以及發表了很多篇文化復興的文章，毛部長覺得我還有一些見地。所以予以關懷照顧吧！

　　我是修習政治學的學者，有自己的一套理想與觀念，學界原本多元，有所謂的自由派、保守派，當時我是屬於溫和的保守派，所謂溫和保守派，就是支持現況，做漸進式的改革。當時也有從政者、

**國父紀念館**

學者和我想法相似，如吳水雲縣長、又如邵宗海、高孔廉、李永然、高哲翰、周家華等知名學者，我一向贊成改革，但是希望不要用激烈的手段，所以結合一批理念相同的朋友，就組織一個「中華論政學社」，希望發揮力量推動漸進的改革，當時所發表的都是充滿滿腔熱血的正義呼聲，其實這是我一貫的主張。

　　記得小時候也常常喊出「保衛大臺灣」的口號，在這種環境的影響下，自幼內心中充滿了熱忱，以救國第一，心中一直想假如能夠做

「三二九烈士」我也願意，當年年輕就有這麼大的抱負，這也成為後來關心政局的一個心境成長的過程。

在師大執教的階段，我覺得社會動盪得太快，當然我對自由派學者並沒有太多意見，但是我認為政府所作所為，如果有值得肯定之處還是應該讚揚，也因此我被貼上標籤，但是我始終認為漸進的改革比激烈的革命好，尤其我們要顧慮人民的安危，雖然有人批評蔣公，但是我覺得他還是有貢獻，起碼他維持了安定，促進臺灣的成長，我想我這個觀念任何人都能夠接受，當然他也許有一些做法或許不能夠被人諒解。

到國父紀念館後，心情確實昇華到另一個層次，每天看美好的事物，文化也好，藝術也好，心情自然有很大的轉變，結交朋友範圍擴大許多，包括報社社長詹天性、郝龍斌教授、賴國洲教授、王應傑國代、陳癸淼立委、紀俊臣教授、李千萬董事長、書法家嚴榮貴、史元欽、典藏家林春金、莫東枝、翁惠敏、孫安迪醫師、陳廷寵上將、吳瑜董事長都成為好友，眼界因而大開，過去年輕時代比較熾熱的愛國心，現在已將其轉化為細水長流來形容，我認為人的一生不必爭什麼，也不要爭一時，要爭千秋，要爭千秋的話，怎麼樣在民眾及青年朋友心裡面扎根，讓他們瞭解什麼是真、什麼是善、什麼是美，才是最重要及根本之道。

國父紀念館過去是一座巍峨莊嚴的大會堂及公園，兼具展演特色，通常以國父史跡與政績展覽為主，演藝功能也不十分的強，因為那時候的燈光、音效等設備老舊，不符合演藝界的需要。

我於一九九一年九月上任後勵精圖治至一九九四年三年期間，國父紀念館已形成一個多功能的文化社教中心，我爭取行政院補助一筆經費，將大會堂予以整修，增添了世界一流的燈光、音樂、道具設備，大會堂的功能已不在國家戲劇院跟國家演藝廳之下，大會堂的環

繞音響是一點三，非常符合標準，這一點演藝團體最清楚，此項變化
對文化藝術推動者如許博允先生、周敦仁先生、耿繼光先生、李南生
先生等文化演藝界領袖，他們都瞭解大會堂實際上就是一個國家演藝
廳，功能非常符合現代化，世界一流的芭蕾舞團、歌唱家都在此演出
過；多年來大會堂的風光不亞於兩廳院，這是一般演藝團體所公認
的，換句話說，大會堂已經與國家戲劇院與國家演藝廳並駕齊驅。

　　此外，我也曾跟幾個相當有名的團體與基金會推動一項計畫，準
備將名歌劇「歌劇魅影」搬到國父紀念館演出，希望把全世界最有名
的、最好的、最高水準的表演搬上舞臺，但是跟中正文化中心不同，
國父紀念館沒有自製節目的經費，完全得靠出租場地來贊助一些演藝
團體，因此盡量以檔期來配合推動文化藝術工作，大會堂可以說是供
不應求，檔期已經排到第二年，除了一些高水準節目外，也有綜藝節
目及社會公益節目，每年大約演出兩百餘場，包括金鐘獎、金馬獎
等，幾乎政府所辦的或是工會所辦的節目，都在這裡演出。

　　在這裡，我特別要讚揚機電組的同仁，包括李金海主任、陸擎國
主任、王新棠技士等人，他們都是認真負責的專業人員。李金海主任
曾隨同我前往歐洲考察歌劇院設施，對我相當忠誠。陸擎國主任則是
一位很熱忱、很有血性的核心同仁，他排行第四，大哥就是名演員陸
一龍，三哥就是後來擔任國父紀念館總務主任的陸擎柱，兄弟幾人感
情深厚，陸家兩位主任盡忠職守，都是我得力的幹部。至於王新棠也
是一位傳奇人物，他對音響的專業技術可以說是業界頂尖。

　　事實上，國父紀念館也非常重視本土文化，像閩南語歌曲表演、
歌仔戲大展等，都深深獲得好口碑。除此之外，館中增加了許多收
藏，都是靠捐贈的方式，因為這方面並沒有編列太多的預算。我的做
法是先幫助一些年輕有特殊才能的藝術家展覽，像有名的微雕大師陳
逢顯先生、雕刻家袁宗榮先生，請他們雕刻國父相關系列作品，一方

面可以減少公帑的開支，一方面可以永久陳列館，作為收藏。

　　當然，也讓他們瞭解，館方是以文化藝術的立場來推動這項工作，而我覺得宣揚國父思想，不要以僵化的意識形態來作為基礎，希望以軟性的訴求，使得中山先生「天下為公，平等博愛」的思想散播出去，這可以說是國父紀念館一個很大的蛻變。

　　國父紀念館原本就是一個開放性的場所，為了廣結善緣，一定要以有容乃大的態度為大家服務，尤其這裡經常有高僧講經，充滿和平、溫柔、敦厚之氣，所以我的心情已不像年輕時代那麼尖銳，過去因心直口快，常常得罪人，經過這些年的歷練以及充滿莊嚴肅穆、充滿文化氣息的薰陶下，在為人處世上也趨於和平多了。

　　我的工作原則是「堅持原則，彈性運用」，因為應付所有的人、事、物，不能太強調意識形態，否則動輒得咎，有人來借場地，要以平常心對待，而且一切依規定辦理，就沒有什麼問題。雖然我是國民黨黨員，但是在行政上我必須中立，先來先到，無論誰先申請，只要審查合格，我照樣提供，舉例說，我到任後，民進黨主席許信良與施明德的辯論會，就是在這裡召開的，陳水扁先生來這裡借用過好幾次，葉菊蘭女士、謝長廷先生都曾在此辦過活動。名歌星凌峰甚至曾在本館絕食示威，我一樣提供人道協助，此項舉措獲得凌峰親弟臺北市議員王正德的感謝。

　　新黨也常來，我們並沒有拒絕，雖然新黨有一度對我有誤會，說我大小眼，事實上並不是我有差別待遇，因為那一次他們要借用的時間正好有演出，後來他們也瞭解我並不是那樣的人。只要來借用場地，不管哪一黨派，合乎法定程序我都借，連共產黨（中央芭蕾舞團）來都借了，為了國歌的問題，我還與他們的團長也是中共的中央委員談判了五十分鐘，國歌的問題是慣例必須遵守，不能隨隨便便廢除，因此我堅持進場之前播放國歌，到最後大陸舞團代表表示要退

場，「我說退場可以，國歌照放」，最後妥協達成協議，即為大陸代表先退出場外，等國歌播完後進場，結果算是圓滿。同時我也樹立了一個非常良好的模式，此後所有大陸來的演藝團體都採取這種措施。

我個人認為，隨著時代的進步、社會的變遷，是應該將大會堂做各種不同多元化的用途，尤其我的觀念是，必須經常工作提倡文化建設，才能使人民的精神生活昇華，而擔負這項重責大任的，首在社會教育工作，因此主動安排一些高水準的演藝團體來演出，也希望將來能夠和一些文教基金會或公益團體合作，引進世界一流的歌劇，這是文化界的一個期望。

國父紀念館還擁有藏書三十萬冊的專業圖書館、數千坪典雅美觀的展覽場，多媒體電影院、視聽中心、中山樓集會廳、演講廳、咖啡廳、餐廳，均具一流水準，過去展覽場多座國家政績展覽，像六年國建、行政革新等展出，當然國家政績展覽有其必要，政府是要對他所做的事情做一個昭告，但是我覺得是不是也應該重視文化藝術的宣揚，這是衷心的想法，因此情商行政院政績展覽小組及國民黨黨史會使用的書庫，讓他們另尋場地挪出改建為逸仙藝廊與翠亨藝廊等展覽場地，加上中山畫廊等。一共闢建了十幾個文化藝術展覽場，我均以國父有關的人名或地名來作為各個展場的名稱。

中山畫廊原本即為國家級畫廊，經常展出高品質的書畫展，並且經常予以整修，可以以二十四小時不間斷的空調達到恆溫恆濕，吸引世界級的展品來此展出，一九九四年的「夏卡爾」畫展及「畢卡索」畫展均相當轟動，參觀人數達十萬人以上，一九九六年展出「孔子文物」大展，也因此得以申請獲准改為「國家畫廊」。

另一些藝廊是以書法展為主，書法是中華文化的精髓，但是現在提倡的人太少了，日本、韓國、對書法的重視遠在我們之上，據瞭解，日本學習書法的人居然多達三百多萬人，令我相當的吃驚，因此

我覺得有提倡書法的必要，故經常舉辦書法展。

　　翠亨藝廊則是以雕塑、攝影以及學生作品為主，長年性質必要時也可以排出來作為殘障朋友的公益展覽，國父紀念館一共有十幾個展覽場，都已經充分利用。

　　當時的國父紀念館計畫吸取法國巴黎羅浮宮及奧賽兩博物館與巴帝斯國家劇院級龐畢度中心等功能特色，期盼擴展成為我國文藝復興的新基地。

　　為了這個目標，當時身為國父紀念館館長的我也訂定了近、中、長期推廣業務的計畫，近程計畫一九九四年度已經完成，中程計畫預計至一九九六年完成，包括增加圖書館藝術方面之藏書，使其由中山學術之專業圖書館轉變思想哲學及美學藝術雙議廳之功能。

　　為使國父紀念館達到世界級大博物館的等級，擴充典藏列為計畫之最優先，每年派員分赴各地尋求國父文物，並號召國內外藝術家舉辦現代文物展覽，並以各種方式蒐集典藏。

　　為了發揮更大的藝術功能，國父紀念館曾經計畫闢建「現代文化廣場」，靈感來自法國羅浮宮前的金字塔，在寸土寸金的臺北市東區，國父紀念館廣場地下應該設置國家展覽場，在管理指導委員會及教育部的支援關愛下，曾編列四百萬元預算予以規劃。可以讓中山園區成為首屈一指的文化藝術及社教重鎮，也使文化建設可以為民眾提供更多的服務，從而奠定提升生活品質的基礎，更可為國家形象樹立最好的精神標竿，似此「一石數鳥」的公共政策方案理應列為國家建設的優先。長程計畫預計一九九六年開始，即將公園中五千坪作為國家展覽廳，四千坪作為紀念品店、會議廳及其他用途，完工期限為五年。

　　其次，在館後北面廣場進行世界首創地下國家音樂廳及實驗劇場的規劃，預定一年徵圖設計，三年完工，將可使國家合唱團及交響樂團得到練習及演出之場所。地下國家音樂廳的這個計畫，日本人很有

興趣，初步的構想是由他們來蓋，但是，由於我的調職，此項大計畫並沒有實現。

不過，國父紀念館的好幾位同仁，包括陳篤正副館長、曾一士副館長、劉家聲副館長、狄德蔭副館長、當時的文教主任後來晉升館長的林國章博士，對我都有相當多的協助與建議，而我的秘書任棟、但保羅、呂淑芳等人也幫忙甚多，所以當時館內氣氛熱列，和樂融融，形成一片興旺的景象。因此，即使計畫未能達成，但也算是掀起了一股蓬勃發展的熱潮。

## 二 文化深耕中山碑林

一九九四年六月二十七日的「國父紀念館」外圍場地有新裝扮了。幾座藍、白、紅三色的鋼筋雕塑吸引不少孩童遊玩，穿梭其間，以為是新的遊戲空間。其實這是旅義雕塑家屠國威的最新作品展，同時這也是「國父紀念館」中山公園首次有戶外雕塑展。

當時我曾經決定將館內的公園打造成雕刻公園，恰逢「法國在臺協會」推薦屠國威作品，也等於也提供了未來國父紀念館開闢雕塑公園的一個參考指標。

「既藝術，又科學」是名建築家漢寶德對屠國威的作品看法，從現場作品精密的設計方位，以及鋼筋幾何線條、大面色塊來看，確是一種隱含「科學」成分的創作。不過對絕大多數的市民來說，對於作品製造的「遊戲空間」感興趣，可能大過於安靜地解讀作品意涵。畢竟這個展覽對市民及館方都是一個新鮮嘗試的第一步。然而最重要的中山公園雕塑化的理念，仍然來自謝東閔先生的想法。

謝東閔先生是當代最有文化素養的政治家，也是最具有「禮運大同」傳統思想的教育家，他仁民愛物的胸懷、慈悲喜捨的精神、小康

計畫的績效、天下為公的理念，在在令國人永懷。

在親炙東閔先生的教誨以前，我只知道他是一位仁慈的長者，國家的棟樑，與經國先生攜手創建繁榮富強安全幸福的臺灣社會與經濟奇蹟，他從師範學院校長，教育廳副廳長，出任臺灣省議會議長，再被任命為省政府主席，最後成為經國先生的副手，一路走來，受人敬重始終如一，他的儒家君子氣度以及溫馨長者風範，使整個社會充滿祥和與安定，他主持省議會期間，和睦與和樂的氣氛環繞，他處理省政府政務期間，家家戶戶安和樂利，而他又專注文化大國與「禮運大同」的倡導，因此，在晚輩如我當時的心目中，他是一位被人景仰，深受崇敬的長官與導師。

一九九一年，我奉命出任國立國父紀念館館長，東閔先生正是該館管理委員會的主任委員，我在九月第一次前往官邸拜會東閔先生，他給我的印象是「溫、良、恭、儉、讓」，極具現代大儒的氣象，而他對國父紀念館今後的營運方針指示是「應可朝向規劃成為文藝復興的基地」目標而努力，他闡釋了禮運大同篇的精義，並且談及天下為公、選賢與能、講信修睦的為政之道，我聆聽教誨一小時，深感榮幸。

一九九一年到一九九七年，在我擔任館長六年期間，每年均於東閔先生誕辰及年節前往官邸表達所有員工對他的敬意，並在館內各項重要典禮時恭請東閔先生主持，前後共計有數十次相處機會，而我均能以學生的身分屢次請益，可以說是啟發深遠，受教良多，現階段我試圖彙整東閔先生思想的精義，而將其分為幾大部分來予以說明：

第一，東閔先生文化建設的思想。東閔先生常常說為政者最高指導方針，乃在「禮運大同」，他曾經向經國先生提出「文化大國」的構想，也曾經要求有關單位將陽明山國家公園，為「禮運大同」雕塑公園。

第二，東閔先生人本教育的思想。東閔先生教育思想的重心應為

人本教育，他重視家庭，期望每個家庭的主婦都是優質的人，所以他創辦實踐大學，就是要從家庭教育做起，而他最關注的是倫理與道德。

第三，東閔先生道統政治的思想。東閔先生一貫強調「天下為公、選賢與能、講信修睦」的政治思想，他從政秉持「天下為公」之精神，而認為「人才是中興之本」。

第四，東閔先生均富的經濟思想。東閔先生對國父　孫中山先生所提出的「人盡其才、地盡其利、物盡其用、貨暢其流」的四句話極為服膺，而他全力執行的小康計畫及增加財富是具體的措施。

第五，東閔先生關懷社會的思想。東閔先生強調〈禮運・大同篇〉中「使老有所終、壯有所用、幼有所長、矜、寡、孤、獨，廢疾者皆有所養，男有分，女有歸」，故此他創辦「長壽俱樂部」、「仁愛之家」、「安養堂」、「育幼院」等等社會福利機構。

事實上，在我追隨東閔先生學習的十年期間，的確也對「禮運大同」文化園區的理想稍盡棉薄，東閔先生說「公園應雕塑化，雕塑應公園化」，他並提及挪威的雕塑公園有可參考之處，我立即千里迢迢前往挪威奧斯陸見習後，將中山公園予以美化，現階段國父紀念館內有各種各類之雕塑，相信已成為公園雕塑化的代表性建築。

東閔先生並曾指示「宣揚中山革命精神及我國傳統書法」為當前文化建設之優先，於是我邀請日本企業家品川惠保捐資在中山公園東面廣場樹立各種石碑，並刻出革命先烈之書法遺跡，再配合中山先生塑像，與建完成中山碑林，充分點出了傳統文化及建國歷史的特色。

為完成國父紀念館文藝復興基地之理想，我於館內新建了德明、翠亨、載之軒、逸仙、翠溪、日新等六大藝廊，再將中山畫廊改為中山國家畫廊，使海內外藝文人士能有一流的展場可以使用，俾利陶冶人心，對於建立祥和社會有拋磚引玉的效果。

為創建文化大國的藝文基地，我還特別研擬了「現代文化廣場」

計畫，靈感來自法國羅浮宮前貝聿銘設計的金字塔，國父紀念館前面廣場地下應該設置國家展覽廳，其上加以橢圓形玻璃帷幕，地下二、三層為停車場及展場辦公室，後面廣場則規劃為地下國家音樂廳，此項「地下化」重大政策曾獲東閔先生大力支持，惟因我任期屆滿而遭擱置而頗有遺憾。以上這段過程在國父紀念館大轉型中也已提及。

東閔先生既有「雕塑化公園、公園化雕塑」的先進現代化觀念，他更非常欣賞居住於陽明山的一位雕塑大師王秀杞先生。因此他特別指示我，要我和王大師聯繫，也因此促成了我與王秀杞大師及陳逢顯大師之間的結緣。

在書法名家張炳煌及謝宗安二位大師的協助之下，中山碑林第一期完工，而王秀杞及陳逢顯名雕塑家，則分別提供了他們的作品陳設在中山公園及館內永久展出，使中山公園雕塑化的成果大為提升，再加上「根」塑像的建置，使得國父紀念館充滿了中華藝文復興的氣息。

「中山碑林」的闢建，不僅是國父紀念館館史上的盛事，也是我國博物館園區景觀上大規模而有系統的一大創舉。

國父紀念館西邊廣場是一排黑色花崗岩的碑牆，上面刻有十位先賢和十位先烈的墨蹟。秋瑾、吳祿貞、林文、林覺民、陳其美、朱執信、廖仲愷、宋教仁、邵元沖、羅福星等，以及黃興、林森、戴傳賢、于右任、陳少白、吳敬恆、蔡元培、張繼等的字碑，在晨昏中散發著肅穆莊重的氣氛，讓人緬懷先烈先賢的愛國情操，油然生敬。

一九九四年，正逢國父創建興中會百年暨中山先生一二〇歲誕辰，也是國民黨建黨一百週年紀念，我首度倡議籌建中山碑林。

我的好友名書法家張炳煌先生，更邀請上述日本書道協會品川惠保先生，捐贈二百萬元當贊助經費，請王秀杞先生設計刻製曹容先生、謝宗安先生、朱玖瑩先生書法作品三座立碑，和王秀杞先生的雕塑作品同列，放在中山碑林旁綠地，讓這一園區書法、雕塑和碑林連成一氣。

一九九四年我在中山碑林第一期工程誌中描述道：「中山碑林的
闢建承許水德委員、簡漢生委員之鼎力推動，黃石城委員、瞿紹華委
員、李雲漢委員協助審定碑文內容及建築設計。陳奇祿、陳重光先生
擔任副主任委員。本計畫獲得王又曾、高清愿委員各捐二百萬元，陳
重光、辜濂松、黃政旺等委員及林純精、林富田先生各捐一百萬元為
第一期工程款，並成立籌建工程小組，由高崇雲擔任召集人，張炳煌
先生任總幹事，在教育部郭為藩部長、文建會申學庸主委時賜指導及
各位委員、先生的熱心推動下，方能順利完成第一階段任務，實深感
激。」等語。享譽海內外的中山碑林雕塑園區終於建置成功。

## 三　天下為公藝文振興

國父紀念館大會堂是臺灣最佳集會場所，一九九二年九月一日，
前英國首相「鐵娘子」柴契爾勛爵訪華，在大會堂發表專題演講。一
九九四年三月十一日，蘇聯前總統戈巴契夫訪華發表重要演講，也在
大會堂舉行。因此，國父紀念館大會堂，應該是臺灣、是世界級領袖
名人最重要發聲舞臺。國內外現任元首，也經常到訪國父紀念館。從
一九七二年五月建成之後，歷任元首陸續蒞臨。

一九七四年三月，蔣夫人觀賞陳必先鋼琴獨奏。一九七五年四
月，蔣公中正移靈大會堂供國人瞻仰。一九七六年三月，嚴家淦先生
及蔣經國先生蒞館至中山公園植樹。

一九七九年一月，經國先生親臨主持開國紀念大會。一九九〇年
五月，一九九〇年十月，登輝先生蒞臨紀念館參觀畫展。

包括甘比亞總統賈梅、尼日總統等外國元首，也曾來訪國父紀念
館。中美洲五國大使版畫展，也在紀念館舉辦。

在我任內，國父紀念館蓬勃發展，國內外名人政要陸續來此，而

「敦陸艦隊回國國家要驗收」一事，也曾借我們的場地來執行，由我擔任大閱官驗收官兵的成就。

　　柴契爾首相與戈巴契夫總統在我任內曾以國父紀念館為發聲舞臺，主要有兩大條件配合。

　　國父紀念館的大會堂是國內最重要的典禮場地，可以容納二千六百多人同時集會。但曾因結構問題，大會堂曾封館一年以上。我上任時，大會堂大樑屋頂才剛修好，但那時大會堂的音響不如其他國家級的場所。

　　於是我爭取了一筆預算，完成更換大會堂的音響，改善燈光照明跟道具設備，把大會堂的演藝場地功能，提升到與國家劇院等級，本館的音響燈光非常符合標準，當時許多的文藝活動推廣者，以及企業家老闆，他們來試用之後發現，大會堂的演藝的功能並不亞於兩廳院，而且座位都比兩廳院還要多，擁有二千六百多席，已經是等於國家級的劇院規格。

　　大會堂都整理好之後，剛好另一個重要館所臺北市社教館要整修，改善後的國父紀念館，解決了很多藝文界對場地的需要，金馬獎、金鐘獎等國家級的演出或典禮，都在國父紀念館舉行。

　　場地條件好了，符合國際級集會和展演活動需求。一九九二年起，聯合報系接連主辦了揚威國際政治旋風的兩大巨頭來臺訪問，都選在大會堂發表演說，引起轟動。

　　柴契爾夫人來臺演講以「柴契爾主義的基本原則」為題，提出對開發中國家民主政治的建言。戈巴契夫發表的演說，則談論他對東亞局勢的看法。

　　前英國首相柴契爾訪臺時期，正值臺灣在國際關係上變動期，雖然當時持續與多國建交，但是重要邦交國沙烏地阿拉伯於一九九○年與我斷交，韓國於一九九二年與我斷交，臺灣當時在亞洲已無任何

邦交國。在國際政壇上更缺乏正式的舞臺，外交部表示，以柴契爾首相在當時國際舞臺的聲望，邀請來臺有助增進兩國關係及我國國際地位。

　　戈巴契夫總統提倡「開放」與「重建」，造成蘇共體質改變。他打破共黨極權統治，使蘇聯帝國解體，結束了長達四十餘年東西方冷戰。他曾於一九八九年「六四」天安門事件前訪問中國大陸，震撼廣場上的學生與知識份子，來訪前，也被美國《時代周刊》選為「年度風雲人物」和「八十年代年代風雲人物」。在這裡我特別要讚揚聯合報社及民生報社王惕吾發行人及王效蘭社長、王必成社長，是他們幾位媒體領導人不斷地努力，才促成了這一段不朽的史實。

　　國父紀念館的中山國家畫廊等展廳，也是國內最重要的藝文展場。登輝先生經常來國父紀念館，就是為看畫展而來。楊三郎大師一辦畫展，登輝先生也一定來，而黃磊生大師的畫展而來，登輝先生更不會錯過。

　　國父紀念館有時也成了臺灣領導人會見部屬的地方，登輝先生任內來看展演，以及郝柏村任行政院長在國父紀念館舉辦六年國建計畫特展時，兩位領導人經常在大會堂表演廳的貴賓室和部屬照相合影。

　　國父紀念館人員也因此跟政府的侍衛保持著密切來往，我記得館內還有服務員同仁修麗芬嫁給府中的侍衛，一時傳為佳話。國父紀念館服務員的陣容非常堅強，一共有四十至五十位服飾時尚、整齊劃一的服務員，一字排開，不管是導覽還是接待，甚至是外語翻譯、攝影、採訪等等工作，她們都能圓滿完成，不愧是國家殿堂的門面，其中表現極為突出的有文教組的邱啟媛、彭婷婷，展覽組的曾麗華以及館長室的衷梓娟、梁培君等等還有其他多位的優秀員工，她們的服務精神以及優異的績效令人激賞。

　　前已提及，我還要補充說明的是建館大綱，國父紀念館在成立二

二年之後，在我的規劃下也有了初步的「建館大綱」，一九九四年十一月十一日我在為第一屆「中山藝文季」開幕記者會上宣布，國父紀念館以法國羅浮宮及奧賽美術館為標竿，以「文化藝術宣揚國父思想」為手段，用近乎土法煉鋼的方式，要將該館塑造成「國際級」文化園區。

「建館大綱」的近中長程計畫裡，以目前已經「有譜」的「現代文化廣場」最引人注目。當年度國父紀念館預算中已編列了四百萬元，作為此廣場闢建規劃之經費，整個企業已由本館指導委員會通過，主任委員謝東閔指定俞國華擔任指導小組召集人，文化廣場全部經費預計高達十至十五億元新臺幣。

規劃中的「現代文化廣場」預計位於目前國父紀念館南側、近仁愛路的大型花圃及噴水池處。為不影響市民休憩的空間，現代文化廣場將採地下化的方式。文化廣場就位於花圃正下方，中央以玻璃纖維的天窗方式採光，形成花海中的玻璃「巨蛋」。同時為不影響民眾遊憩，將把噴水池移走，讓整個廣場更開闊，除了民眾遊憩的空間更開放，遊行、集會、表演、辦活動都很合適，管他哪黨哪派，國父紀念館歡迎各界「各抒己見」，故將紀念館前方廣場稱之為「民權廣場」。

除了這館前「巨蛋」，目前另有一家日本工程公司，提出館後設置地下音樂廳與小劇場的構想，並免費願意作先期規劃，使得館前館後的新建地下設施得以銜接。我有意在當年「南海學園」構想暫緩之後，取而代之，在臺北東區建立起完整自足的文化休憩區。

這份「建館大綱」包括了近、中、遠程計畫，如：以國父家鄉菜為特色的「翠亨村餐廳」即將開幕，那可是國際級水準；我與書法大家張炳煌為了籌備紀念館側「中山碑林」，兩人卯足了勁，向企業界募款九百萬元，第一期工程的日晷碑景觀及二十三座先烈先賢墨寶花崗石碑刻，將於明日正式完工；中山公園景觀包括翠湖「蘇州小庭園」

區、茶藝咖啡屋，西側中山碑林完工後，還有「曲水流觴」景觀。

　　在我主持館務任內，已經將國父紀念館營造成一個多功能的文化社教中心，我們請行政院支持幫忙，動用七千萬經費，對大會堂整修了一番，增添了世界一流的燈光、音樂、道具設備。

　　在藝文復興方面，尤其值得重視的是展覽廳的擴建，事實上，我在這裡特別多加補充論述的是，有二位部長級的官員對本館展覽廳的建置有重大的貢獻，話說當年國父紀念館的三樓通常是行政院新聞局使用，一九九二年郝伯村行政院長所指示交辦的「六年國建展覽」即在本館三樓開展，進行了半年，當時郝院長每個星期都來到展覽廳與相關人員會商，展覽結束後我就和新聞局長胡志強協商，希望他同意將新聞發布展場歸還給本館，以為展覽廳之用，胡局長欣然首肯，此次舉措被媒體讚賞有加。

　　此外，我也特別拜會當時擔任故宮博物院院長的秦孝儀先生，懇請由他主持的中國國民黨黨史會資料庫，從本館地下室遷出，惠蒙秦院長允准改交本館展覽組使用。我立即向教育部申請了一筆預算，於一九九三年把國父紀念館三樓改建為逸仙及德明二大藝廊。地下室則闢建翠亨、翠溪、日新、載之軒四個藝廊，以上六大藝廊從一九九三年起被藝文界，尤其是書法教育及水墨畫教育方面績效優異。

　　不僅如此，民生報王效蘭社長更曾在中山國家畫廊展出過畢卡索、夏卡爾等世界級名家大展，加上孔子文物大展，中南美及美國名家大展等世界級展覽，均在國父紀念館展出，從而成為臺灣首屈一指的展覽場所。國父紀念館的展館組是非常重要的單位，原來的展覽組主任劉家聲，後來榮升副館長，接替他的是梁竹生主任。劉副館長、梁主任、陳瑞甫專員以及尹德月專員等等核心幹部做了很多事情，不管是籌辦國內展覽還是海外展覽，他們都全力以赴與我共同打拚，那一段美好的歲月，誠如一位同仁說：「那幾年的展覽，幾乎是百分百

滿檔，海內外馬不停蹄的，最是累壞了展覽組所有的同仁，我覺得他們的工作精神特別值得讚嘆！」當然其他各組室表現也令人肯定。

例如，警衛組的楊增政主任以及狄德蔭主任，狄主任後來榮升為副館長，他們二位所領導了將近四十位本館及中山樓駐衛警表現良好，甚獲佳評，而文教組的孫錦文主任、韓廷一博士、劉碧蓉碩士以及劉悅姒主編，在學術研討會文教館刊及書籍編纂方面，所付出的心力極大，他們的努力，使得國父紀念館在海內外聲望崇隆，實在功不可沒，當然，人事室吳清福主任及總務組陸擎柱主任、李康成專員，還有會計室、圜藝組康毅成等所有同仁的辛勞都值得讚賞與肯定。

我深深覺得，能有機會與這些優秀同仁共同打拚，是我這一生不能忘記的美好時光。由於我今年將八十歲，所以能在記憶所及來提及上述各位，事實上，也應該還有許多館內同仁共同參與，實在值得讚揚。我同時要感謝教育部郭為藩部長的支持與愛護，尤其郭部長同意我的建議，就是兩位副館長的任命，不再全由教育部決定，新制是其中一位館內內升，其二則由教育部挑選後推薦給館長任用，此一賢明決策使我可以全權任用副手，更使得國父紀念館人事大大暢通，當年一共升遷將近十幾個職位，全體館員無不頌揚德政。

在這裡特別要說明早期國父紀念館的與眾不同，國父紀念館中正堂等與故宮博物院是等級的博物館，三者都擁有一個共同的管理委員會，主任委員原來是蔣公夫人宋美齡，後改由謝東閔先生出任管委會主任委員，委員大都是部會首長，權力很大，所以早期國父紀念館的重要性在教育部其他館所之上，不僅有二所大建築物，包括國父紀念館及中山樓，而且具有多元化及各項最重要的活動預算及編製，甚至管區都是數一數二的。當時國父紀念館管理委員會名單如次：

主任委員謝東閔、指導委員王世憲、王昭明、毛高文、宋楚瑜、俞國華、馬紀壯、馬樹禮、秦孝儀、吳伯雄、許歷農、郭為藩、張劍

寒、連戰、黃大洲、蔣彥士、羅光，國父紀念館館長兼執行秘書高崇雲，中正紀念堂管理處處長兼執行秘書謝毅。

## 四　尋根之旅學習中山

為宣揚中山思想及精神，在我的計畫與推動之下，國父紀念館於一九九二年開始，進行一項追思國父　孫中山先生的「尋根之旅」，由本人組團攜帶國父相關墨寶及文物，前往孫中山先生生前所經過的世界各大城市進行巡迴展覽，我在行前先召開記者會說明如下：

國父紀念館自一九七二年五月開館迄今，已堂堂進入第二十年。二十年來承各級長官的指導與各方殷切期望，肩負起接待服務、史料展示、演出活動之外，更著重於文教活動的推廣與中山思想學術的提升。

本人認為「中山精神」與「傳統文化」，乃是各個華人團體合作溝通最好的橋樑，透過對中山先生思想與學術的研究、討論與交流，獲得共識和瞭解，進而促成中國的統一，進入「二十一世紀乃是中國人的世紀」。

此次「國父史蹟書畫展」，除了在澳門盧廉若公園春草堂、新加坡國家文物館、檳城韓江中學大禮堂、曼谷中華會館中山紀念堂、馬尼拉華商聯合總會大禮堂，各做五場三到四天的展覽外，另在新加坡舉辦一場「中山學術研討會」，分別由國立臺灣師範大學教授高崇雲博士以「孫中山先生與星馬」及國立臺灣師範大學教授謝瑞智博士以「五權憲法與憲政改革」發表兩篇論文。

「華僑為革命之母，南洋為革命之根」，尤其南洋華僑響

應革命，乃以新加坡晚晴園成立同盟分會為肇始，至於革命指揮中心則以庇能為重點。基於上述理念，吾人今日回顧中山先生與星馬史，必當產生下列省思：

一、中山先生重視華僑、關愛華人，因而激發華僑愛國精神、革命行動。中華民國政府必須繼承此一事實，關注南洋華人。

二、中山思想不僅成為中國政治的指導理念，亦可普遍適應於太平洋沿岸各民主國家，例如韓國即有三均學會。

三、現代化的中山思想對東南亞國家的建國過程，尤有參考價值，自有其歷史淵源與深厚感情。

四、中山先生不僅為全球華人所推崇，也是海峽兩岸共同尊敬的偉人，以中山精神作為中國統一的橋樑，將是不二法門。

際此國際風雲波動、瞬息萬變，即將進入「三民主義世紀」之時，本館除在國內推廣三民主義巡迴教育活動外，更為國父革命在南洋地區的尋根運動，掀起高潮。

其次，我還準備了一份通稿內容如次：

今天本人能有機會在此代表國父紀念館主持「孫中山先生史蹟書畫展」的揭幕儀式，除深感榮幸之外，並向各位表示熱烈歡迎與感激之忱。

眾所周知，孫中山先生在西元一九一一年推動國民革命成功，創建東亞第一個民主共和國，使中國邁向現代化的第一步，無可置疑，孫中山先生對中華民族的貢獻是無人可及的，相信不管是大陸、臺灣、海外甚至全球各地的華人，均對他表

示敬重與推崇。因此，本館展出「孫中山先生史蹟書畫」，深具重大的意義與價值。

個人以為，從歷史的經驗與過程觀察，孫中山先生的思想已在亞洲各個地區分別實施，且均已有相當的成效，故而不僅可以作為整個中國現代化的依據，也可以作為亞洲中華文化圈中有關各國發展的參考。同時由於孫中山先生是海峽兩岸中國人共同尊敬的偉人，以他的精神作為雙方統一的標竿，應該是一項正確而嚴肅的課題。

際此國際風雲波動、瞬息萬變的今日，二十一世紀能否成為華人的世紀，實而賴全球華人的團結與努力，本人懇切希望能透過對孫中山先生思想與學術的研究、討論與交流，從而獲得共識與瞭解，來達到兩岸統一的目標，唯有「中山精神」與「傳統文化」才是各個華人團體合作溝通最好的橋樑。

最後容我再次重申感謝，謝謝各位的蒞臨與相關單位的協助。為使國際巡迴展圓滿，我更於一九九二年三月二十九日召開行前紀者會，發表書面補充資料如下：

今天是國父紀念館第四梯次「國父史蹟書畫國際（東南亞地區）巡迴展暨中山學術研討會」訪問團，出發前夕記者招待會，承各位在百忙中出席與會，本人在此表示十二萬分歡迎與感謝之熱誠。

本館於一九七二年五月落成，開館以來已屆二十年，在歷任館長的經營下，已成為國內最具代表性、多功能、綜合性的社教機構；其中景觀優美的中山公園、規模宏大的演藝大會堂、藏書豐富的孫逸仙博士圖書館、介紹國情宣揚政令的多媒體電影、設備新穎的視聽中心、傳播新知的文化講座……莫不膾炙人口，名聞中外。

　　本人於一九九一年九月接任館務以來，除在原有基礎上繼續推展館務成果外，更以學術化、國際化、專業化與生活化作為當前本館營運的最高目標。為謀達成上述四大目標與任務，擬自四月十日起至五月九日止前往澳門、新加坡、馬來西亞、泰國、菲律賓等四國五地區進行「為國民革命尋根；為宣揚中山思想」運動，將本館珍藏之《國父畫紀》書畫各乙百幅（總共二百幅）及有關國民革命史蹟圖片，分別在上述地點作巡迴展出。

　　有關「中山學術研討會」，本館特別在國內邀請了臺灣師範大學教授謝瑞智博士參加，屆時將由謝博士與本人分別以「五權憲法與憲政改革」及「中山先生與星馬」為題，提出專題報告，並與當地學界進行研討，以達「宣揚國父豐功偉績，弘揚國父革命精神」之效。謝謝各位！

　　國際巡迴展在國父紀念館承辦同仁但保羅秘書、劉家聲展覽組主任、陳端甫專員及文教組韓廷一編審等人不辭辛苦，全力以赴的情況下，均能順利完成任務。展覽得以順利進行，而且獲得許多媒體報導，我特別摘錄一些重要資訊說明如次：

　　《澳門華僑報》報導內容如下：

　　　　由澳門中山學會和香港梅園會聯合舉辦的《國父畫紀》展覽會，昨日假盧廉若公園春草堂揭幕，並作三天的展覽。

　　　　一九九二年四月十二日上午十時，澳門政府行政教育暨青年事務政務司的代表薛尼路，澳門市政廳執行委員會主席馬斯華，臺北國父紀念館館長高崇雲博士，為展覽主持揭幕剪綵儀式。

　　　　而參加該儀式的還有澳門中山學會負責人魏美昌、徐新、

蔡傳興、徐煥華、吳志良、凌良青，香港梅園會主席陳冠華以
及本澳各界人士馬英時、黃漢強、陳樹榮、鄭煒明、何頌恆、
姚汝祥，還有專程由臺北來澳的韓廷一教授等。

　　《國父畫紀》由臺灣著名的書畫家和歷史學家合作，共有
一百幅國畫、一百幅書法。系統的介紹了孫中山先生光輝的革
命史蹟。而高崇雲亦在致開幕詞中表示，孫中山先生的思想已
在亞洲各個地區分別實施，且均已有相當的成效，故而不僅可
以作為整個中國現代化的依據，也可以做亞洲中華文化圈中，
有關各國發展的參考。

　　昨日雨後初晴，到盧廉若公園春草堂參觀畫展的市民絡繹
不絕。據不完全的統計，首日的觀眾人數達千餘人次。故此，
主辦單位決定，該展覽會將於下月初再次在盧廉若公園展出。
　　　　——〈在盧園春草堂展出三天，《國父畫紀》展開幕首
　　　　　　　日千多人往參觀〉，《澳門華僑報》

　　巡迴展成員在訪問澳門之後，於一九九二年四月十八日抵達新加
坡參訪，當地重要媒體報導重點如下：

　　　　由臺灣國父紀念館贊助，新加坡同德書報社及留臺大專校
友會聯合主辦的中山先生生平事蹟書畫展，將於四月十八日下
午二時假皇后坊新加坡文物館展覽廳舉行，敦請駐新加坡臺北
代表處代表陳毓駒主持開幕儀式。陳代表是一位資深外交官，
學識淵博，品德端方，對臺灣外交有相當的貢獻。

　　　　展品包括孫中山事蹟書畫八十一幅（部分），孫中山史跡
圖片一百二十張及文件三十份，內容豐富精彩，深具藝術及歷史
價值。

　　主辦當局也決定在四月十八日下午四時，在該文館舉行一項「孫中山先生學術思想交流會」，主講者包括臺灣國父紀念館館長高崇雲教授、謝瑞智教授及本地學術界人士。

　　展出日期四月十八日及十九日。時間：上午九時至下午六時，歡迎參觀。

　　當時有一項令人值得重視的歷史是，我在新加坡文物館布展的時候，巧遇當時擔任國防部長現任新加坡總理李顯龍先生，雙方晤談甚歡，並合影留念，我認為他是一位具有遠見、高瞻遠慮，行政能力極強的國際級卓越領袖。他的發言睿智中肯，擲地有聲，迄今為止，他仍然是世界級的國際領導者之一，聲望崇隆是全球華人的表率。

　　由於我在率團於澳門及新加坡辦完展覽會之後，突然奉令要出席立法院院會做專題報告，於是下一站檳城巡迴展，只好委由但保羅主任秘書代表我主持巡迴展，但主任秘書及工作同仁如韓廷一編審都能不負所託，盡心竭力，值得嘉獎。

　　一九九二年四月二十二日，在馬來西亞巡迴展開幕式上，檳州首席部長許子根的代表州行政議員江真誠博士說，孫中山先生一生的貢獻是中國及臺灣海峽兩岸共同讚賞的，而他的思想與精神應是第三世界國家的借鏡。

　　他讚揚孫中山是本世紀最偉大的人物之一，他十一次武裝起義，最後通過武昌起義而推翻滿清專制的政權，結束中國二千多年的封建政治體制，解放五億人口，使世界四分之一的人口開始走向民主的道路。一般認為，馬來西亞的展出相當成功。

　　一九九二年四月二十九日巡迴展在泰國，本京拍喃四路雙橋巷中華會館揭幕展出，展期三天。我本人由泰華文藝作家協會主席饒迪華、副主席許飄萍、黎任己暨該會理事及駐泰臺北經濟貿易辦事處僑務專員林宴文等，陪同前往會場。

　　九時卅分，駐泰臺北經濟貿易辦事處代表劉瑛暨該處主管官員：張紹民顧問、張佐為顧問、錢剛鐔顧問、蔣傳富組長、丘久炎組長、游金榮組長、李金塔秘書、鄭蔡雄秘書、「華航」楊經理辰、世界報社社長趙玉明、總編輯黃根和、總經理袁守盈、泰國法政大學前校長陳貞煜博士、國府前立法委員余鶴史、泰國潮州會館周主席鑑梅、海南會館永遠名譽主席潘子明、泰國中華會館及各僑團、文教界首長以及各界人士饒培中、余聲清等數百位嘉賓出席。

　　十時正，揭幕程序開始，首由泰華文藝作家協會主席饒迪華致詞報告。

　　然後，劉代表瑛致詞說：今天一早，首先映入眼簾的事，是報紙上刊載一幀國父　孫中山先生的巨幅遺像，高掛在天安門上的新聞照片。

　　劉代表指出：經得起歷史考驗的人，才是歷史的偉大人物，經得起考驗的主義，才是真正的主義，例如：天安門已經沒有馬克思和列寧的照片了，這就足以證明這些人已是經不起歷史考驗的人物，和他所手創的三民主義，同樣是經得起時代考驗的主義。

　　因此，國父　孫中山先生事蹟的書畫展，今天在此舉行展出，實具莫大的意義。

　　我當時在會上致詞的重點如次：

　　　　個人以為，從歷史的經驗與過程觀察，孫中山先生的思想已在亞洲各地區分別實施，且均已有相當的成效，故而不僅可以作為整個中國現代化的依據，也可以作為亞洲中華文化圈中有關各國發展的參考。同時由於孫中山先生是海峽兩岸中國人共同尊敬的偉人，以他的精神作為雙方統一的標竿，應該是一項正確而嚴肅的課題。

　　際此國際風雲波動，瞬息萬變的今日，二十一世紀能否成為中國人的世紀，實而賴全球華人的團結與努力……。

　　泰國巡迴展曾經造成了僑社極大的轟動。

　　據菲華日報報導：菲律賓巡迴展則是由菲律賓中山學會，配合臺北國立國父紀念館舉行的「孫中山先生史蹟書畫展」，一九九三年五月六日下午五時在商總大廈七樓大禮堂舉行揭幕典禮。

　　臺北經濟文化辦事處韓知義副代表（劉代表達人的代表），商總高祖儒名譽理事長，本人國父紀念館館長身分和中山學會李治民常務委員共同剪綵。

　　李常委致詞簡述中山學會籌備「孫中山先生史蹟書畫展」經過情形，強調此次展覽是中山學會今年主要的活動之一。

　　李常委推崇國父　孫中山先生是一位偉大的政治思想家和革命家。手著的三民主義，在復興基地推行的成果，已向世人證明是最符合人類理想的主義。

　　我亦強調表示：「唯有『中山精神』與『傳統文化』才是各個華人團體合作溝通最好的橋樑。」等語。

　　國父史蹟書畫國際巡迴展在東南亞圓滿順利成功，獲得國際間一致好評，於是我在一九九二年及一九九四年率團前往歐美各國進行第二階段尋根之旅，行前舉行紀者招待會宣告內容如次：

　　　　國父紀念館自一九七二年五月開館迄今，已堂堂進入第二十年。二十年來承各級長官的指導與各方殷切期望，肩負起接待服務、史料展示、演出活動之外，更著重於文教活動的推廣與中山思想學術的提升。

　　　　本人認為「中山精神」與「傳統文化」，乃是各個華人團

體合作溝通最好的橋樑，透過對中山先生思想與學術的研究、討論與交流，獲得共識和瞭解，進而促成中國的統一，進入「二十一世紀乃是中國人的世紀」。

此次「國父史蹟書畫展」，於一九九三年五月及一九九四年五月分別在英國倫敦及美國舊金山、洛杉磯、紐約等四地舉辦展覽會，展出資料文件約一百多種，內容敘述當年國父領導革命，犧牲奮鬥，以及革命志士先烈響應國父革命號召而從事反清，支援革命行動的史實，均為難得一見的珍貴史料。

書法名家、畫家等則提供了四、五十幅作品參展，在英國舉辦學術研討會，由陳鵬仁教授及李恩國教授提出「孫逸仙與南方熊楠」、「國父革命運動與英國」等論文頗獲好評，而今年在美展出時國內毫芒微雕大師陳逢顯先生，精心製作的國父傳記及生平事蹟微雕作品八件同時展出，更增加了「寓史於藝」的作用，同時在洛城舉辦中山學術研討會，除本人發表「中山先生與美國」一篇論文外，其他三篇論文：「中山思想現代中國」、「孫逸仙與美國」、「民族、民權、民生與民有、民治、民享」，分別由旅美華裔教授梁元生、游芳憫及黃國昌提出。

記者會發布後，在海內外華文華人圈已掀起巨大的懷念中山熱潮。我於一九九三年五月到達英國後，於五月十三日在中央博物館展出，我駐英代表簡又新與我共同剪綵，我在開幕典禮致詞內容如次：

　　首先謹代表國父紀念館同仁，向各位貴賓表示歡迎之忱，這一次本館在倫敦舉辦「國父史蹟書畫展」及「中山學術研討會」，承蒙我駐英簡代表親臨剪綵，深感榮幸，又蒙中山協會黃秘書長、方組長、單博士、羅小姐等人協助良多，特別敬致謝忱。

　　本館舉辦了此次展覽最主要的目的是為國父　孫中山先生在海外尋根而來，中山先生與英國有極為密切的歷史淵源，因為倫敦不但是中山先生蒙難聖地，也是他撰寫三民主義的處所，而美國友人、僑胞及當時外交當局對國民革命的幫助，也是有目共睹的事實。各位都知道，孫中山先生不但是中國的偉人，更是世界的偉人，推翻滿清建立民國，首創三民主義，而三民主義在臺灣的表現，締造了舉世欽羨的經濟奇蹟，使臺灣成為中國歷史以來最富裕繁榮的地區。因此，　國父對中國的貢獻是無人可及的，經過了歷史的考驗，不僅是大陸、臺灣、海外全球的華人都一致推崇他。

　　由於海峽兩岸共同認為國父　孫先生是開創民國的偉大人物，因此以中山思想及精神作為雙方統一的標竿，應該是正確而嚴肅的課題，而中山學術的發揚更是重要，所以這一次本館特別邀請陳鵬仁教授與李恩國先生擔任引言人，大家來共同討論。在今天展覽結束後，我們將在單博士租借的寓所，從十五日起再展出一星期，希望各位貴賓能介紹親友前往參觀。

　　再過三年就是　國父在倫敦蒙難的一百週年紀念，本館計畫與此間著名博物館合作再度訪英，盛大舉辦另一項「國父蒙難紀念展」作為對　國父的追思。在今年到一九九六年期間，本館並且希望加強與英國方面的聯繫，而　國父恩師康德黎先生的曾孫查爾斯・康德黎今天也在座，我除了表示歡迎之外，也希望他能共同參與推動。

　　我必須語重心長地說，中山精神與傳統文化將可使兩岸和平統一，也可使全球華人共同團結，促進世界大同……。

簡又新代表曾任交通部長，是一位重量級的大使，他的風範、學

識及才能均足以令人敬佩。我與簡大使相識甚久，且同為學者出身，彼此均有惺惺相惜之態，他回國後也經常與我聯繫。

一九九四年五月十八日我率團到達美國舊金山，當地媒體報導甚多，在此特摘錄重點如次：

由臺北國父紀念館所主辦的「國父史蹟書畫展」於昨日在金山國父紀念館舉行開幕剪綵儀式，僑學界超過一百位人士出席參加是項盛會。

是項剪綵儀式在金山國父紀念館舉行，由國父紀念館館長高崇雲、北美事務協調會三藩市辦事處處長羅致遠、金山國父紀念館館長莫鏗以及僑社首長等共同主持。

金山國父紀念館館長莫鏗在開幕式上指出，金山國父紀念館建立主要目的是發揚中山先生的自由平等博愛的學術思想，他並表示，是項展覽是首次在三藩市展出。

國父紀念館館長高崇雲則表示，他能代表臺北國父紀念館主持「國父史蹟書畫展」的揭幕儀式，表示榮幸。

他說，中山先生對中華民族的貢獻無人可及，相信不管是臺灣、大陸、海外甚至全球各地的華人均對他表示敬重及推崇，因此該館展出「國父史蹟書畫展」具重大意義及價值。

他認為，從歷史的經驗與過程觀察，中山先生的思想已在亞洲各地區分別實施，且均有相當成效，同時也在歐美各國引起廣大的迴響，故而不僅可以作為整個中國現代化的依據，也可以作為世界各國發展的參考，同時由於中山先生是海峽兩岸中國人共同尊敬的偉人，以他的精神作為雙方統一的標竿，應該是一項正確而嚴肅的課題。

他認為中山先生的思想應該作為兩岸統一的橋樑，而二十一世紀是要靠全球華人的努力，來達到中國統一的目標。

　　北美事務協調處駐三藩市辦事處處長羅致遠表示，他擔任外交官三十多年，曾去過四、五十個國家，所遇見的中西友人皆知道孫中山先生及其偉大。他認為，中山思想不僅締造中華民國，同時亦影響其他各國，他推崇中山先生是位先知。

　　是次在金山國父紀念館展出的除國父史蹟資料、圖片、文件一百餘件之外，尚有珍藏的「國父畫紀」字、畫精選四十幅，以及臺灣毫芒微雕作者陳逢顯製作的國父像及其生平事蹟微雕作品八件。

　　其他各大報均有報導。當時我對於羅致遠處長印象極為深刻，他是典型傳統而具才能的外交官，幾天相處非常愉快。我記得他對養生學有獨到的見解，他的健康狀況極為良好，還曾經當面為我示範，使我受益良多。

　　一九九四年五月二十日我再率團抵達洛杉磯，當地報導如次：

　　臺北國父紀念館館長高崇雲二十二日飛抵洛杉磯，二十三日在僑一中心主任鄧毅雄陪同下，假華埠該中心大禮堂舉行記者招待會。高崇雲博士除了將為「國父史蹟書畫展」主持揭幕外，並將舉辦中山學術研討會。

　　中山先生史蹟書畫展將於二十六日下午一時三十分揭幕。高崇雲館長、北美事務協調會洛杉磯辦事處處長張慶衍二人將聯合主持揭幕式。

　　高崇雲表示，孫中山先生史蹟書畫展為國際性質展覽，已巡迴在日本、香港、英國及東南亞展出過。此次是第二次來美展出，地點包括舊金山、洛杉磯與紐約三地。每個城市展出一星期，舊金山為第一站，洛杉磯為第二站。

　　這次展出的孫氏史蹟圖片、資料文件約一百多件，內容敘述當年中山先生領導革命，犧牲奮鬥，以及革命志士先烈從事反清，支援革命行動的史實，均為難得一見的珍貴史料。

　　他指出，中山先生是最不具「爭議性」的偉人，為海峽兩岸及全球華人一致推崇。將來以中山先生思想作為兩岸統一的橋樑，是嚴肅而正確的選擇。

　　高崇雲也談到了臺北國父紀念館未來的發展構想。他說，國父紀念館將來計畫仿照羅浮宮，在館前方地下廣場開闢一個圓形的五千坪國家展覽廳。目前，管理委員會已通過新臺幣四百萬元的規劃費，將來計畫如能實現，將號召國內文物、書法家等提供作品，給予國父紀念館永久典藏，則國父紀念館可望成為臺北東區，甚至全臺灣最好的文化重鎮。由於舊金山已成立國父紀念館，高崇雲希望洛杉磯有類似的館所出現，他將全力協助。

　　他說宣揚中山精神與思想是全球華人的責任，同時為使國父紀念館邁向學術化，他很重視研討會，因此，在二十六日的中山學術研討會中，高崇雲將發表「孫中山先生與美國」論文，與到會者共同討論。會中另三篇論文是：《中山思想現代中國》、《孫逸仙與美國》、《民族、民權、民生與民有、民治、民享》，分別由旅美華裔教授梁元生、游芳憫及黃國昌提出。

　　此次，臺北國父紀念館組團來訪成員包括館長高崇雲、展覽組主任劉家聲、專員陳端甫、文教組編審韓廷一等人，他們將在會場服務參觀人士。」洛杉磯僑胞對此一展覽反應熱烈。

　　洛杉磯辦事處處長張慶衍溫文爾雅，具有標準外交官的風範，我們相談甚歡，他的熱忱及周到均令人如沐春風。

　　同年六月二日我於展覽前先行抵達紐約，在使館官員劉邦金秘書陪同下，前往大都會博物館參訪，拜會副館長羅素（Jennifer Russell）充分交換意見後由亞洲部主任史文慧（Judith Smith）全程導覽下，以兩小時時間參觀了大都會博物館的所有列展精華。

　　巡迴展在紐約的活動華文媒體均有大幅報導，美國《世界日報》新聞如下：

　　　　由台北國父紀念館主辦的「國父史蹟書畫展」，將於六月二日假法拉盛華僑文教服務中心揭幕，該紀念館館長高崇雲專程前來紐約主持。

　　　　揭幕典禮二日中午十二時正式舉行，將由高崇雲館長及北美協調會紐約辦事處處長吳子丹二人聯合剪綵，畫展為期一週。

　　　　高崇雲館長於二十九日中午假紐約華僑文教中心舉行記者會。他說，國父史蹟書畫展為國際性展覽，已巡迴在日本、香港、英國及東南亞展出過。此次是第二次來美展出，地點包括舊金山、洛杉磯與紐約三地。每個城市展出一個星期，紐約為第三站，也是第一次舉辦。這次展出的國父史蹟圖片，資料文件約一百多種，內容敘述創建民國的報章及國父孫中山的偉大功績。」紐約僑界的反應也極為熱烈。

　　　　事實上，駐紐約吳子丹處長是一位大使級資深外交官，他的學養及才能均受到海內外的佳評，他待人誠懇而且不吝提攜後進的精神令人感動。此次巡迴展極為成功，但由於篇幅所限，資料繁多，我只能摘錄重點，心中實覺遺憾，沒有能暢所欲言。

　　　──紐約訊：〈國父史蹟書畫巡迴展覽　紐約僑教中心二日揭幕
　　　　　　　展期一週，展出圖片資料一百餘種〉，《國際日報》

## 五　中山樓與陽明傳奇

陽明山中山樓是位於臺北市陽明山的多功能會議室，一九六五年十月動工、一九六六年十一月十二日竣工啟用，由修澤蘭設計，占地約一八〇〇〇平方公尺，外型的中式宮殿式建築樣式為主要特色；樓高三層，內部設

中山樓

有可容納一八〇〇〇人的會議廳（中華文化堂）、與可容納二〇〇〇人的餐廳各一座。而中山樓正是國民大會遷臺後的主要開會場所，二〇〇五年國民大會正式被凍結；因此中山樓除歷經多次重要會議，也是憲法歷次增修的會議所在地。中山樓建築亦常為新臺幣鈔券、郵票的主題圖像，為現版新臺幣壹百元紙鈔背面的代表圖像。

中山樓在設立之前，其周邊陸續由「革命實踐研究院」、「國防研究院」進駐，以及之後的「國防部青邨幹訓班」，並興建介壽堂、講堂、宿舍等設施，與中山樓及周邊地形呈現特殊景觀，並具歷史意義，周邊建築群在二〇一三年十一月二十日被臺北市政府公告為「中山樓周邊園區文化景觀」。

國民政府遷臺後的一九四九年，國防研究院將領計畫合贈一棟住宅予兼任國防研究院院長的蔣公中正祝壽，取名為「嵩壽樓」，並邀請修澤蘭建築師設計。蔣中正在看過設計圖後，將其改為能容納八百人開會的建築，並定名「中山樓」。

一九六五年適逢國父　孫中山先生百年誕辰，而蔣公中正為紀念此事，並同時發揚中華文化，期使政府在正式集會、慶典、接待國賓時，有適合之場地，並讓國際人士領略中華文化之精粹，因此再次召

見修澤蘭討論中山樓興建之事，之後在一九六五年十月動工，由榮民
工程處承包，一九六六年十一月完工，在同月十二日（國父誕辰紀念
日）由蔣中正主持落成典禮。

中山樓是全世界迄今唯一一棟蓋於硫磺口的建物，硫磺口是日治
時代的草山溫泉湧泉地，位於大會議廳之講臺西側，早年供應附近溫
泉旅館使用，為減低地熱，則以十數根圓管鑽入講臺下方，使地熱沿
管線噴出。

中山樓正面朝向紗帽山，並與牌樓、同為修澤蘭設計的「圓講
堂」、「國防研究院圖書館」（國建館）連成一線，而兩側分別有百壽
橋、香山橋。中山樓的牌樓北側刻有「天下為公」，南側刻有「大道
之行」，牌樓下方噴水池的古龍浮雕為楊英風設計。

中山樓全樓以中國宮殿建築式樣為本，依山勢而建，以綠色玻璃
瓦覆頂，搭配紅簷、白牆，建築主體之屋頂採單簷歇山頂。

由於中山樓坐落於大屯火山群的硫磺地帶上，故在中山樓舉行餐
會的時候，接待方所準備的銀製餐具容易接觸空氣中的硫產生黑色的
硫化銀斑點，故要平均二十分鐘左右要更換一次。關於中山樓的風水
傳說，則是其位於龍脈之上，位置與士林官邸、圓山行館及總統府連
成一線，左青龍、右白虎，前有紗帽山，左右還有松溪、磺溪環繞，
形成「玉帶圍腰」。

此外，中山樓當前列為禁區的二樓含有「總統套房」的設施，其
中有蔣公中正及第一夫人宋美齡當年的會客廳、寢室、衛生間，還有
模擬臺海戰爭的兵棋室、一個成人身高的巨型特製地球儀。牆上掛了
許多黃君璧、歐豪年的親筆字畫。另一特別的是蔣中正用於指揮作戰
的兵棋室，內有四台完全依照中國大陸沿海地形製作的立體模型圖，
及對共作戰地形圖；且兵棋室的屏風後方，還有一張床，為蔣經國前
總統的辦公室。

　　中山樓完工後先是由行政院中山樓管理處管轄，之後改隸陽明山管理局、國立國父紀念館，二〇一二年五月二十日改隸國立臺灣圖書館管理。由於中山樓曾為前國民大會專屬議場，及歷任元首接待各國貴賓或舉辦國宴之重要場所，至今仍完整保留許多見證憲政發展及其他有關近代史事的重要場景，深具歷史意義，是非常珍貴的國家文化資產。

　　我與中山樓結緣共處的時光歷史悠久，記得第一次到中山樓園區參訪是一九六四年我在中國文化大學就讀東方語系韓文組一年級，我當時因為當選為第一屆學生代表聯席會主席，獲得張曉峰創辦人的青睞，於十月份在國防研究院主任辦公室召見半小時，才有機會前往中山樓園區，當時中山樓正在籌建，預訂於一九六五年十月動工，而國防研究院已在中山樓建地下方蓋了一座介壽堂，也是中國文化大學前身中國文化學院舉辦開學典禮的場所，當時張曉峰創辦人任國防研究院主任，是該院主要負責人，蔣公中正則擔任院長。那時國防研究院是黨政軍最高的人才培訓機關，各部會首長都要來到陽明山接受革命講座的洗禮。

　　此後，我在一九六四到一九六七年的三年期間，由於一直擔任學生社團領袖，常有機會親炙張曉峰創辦人的教誨，前往國防研究院晉見的次數相當頻繁，也因此目睹中山樓的興建過程。事實上，這所全球唯一於璃璜深坑站前的古香古色建築，的確有許多值得稱奇之處。

　　據中山樓工作的資深人員口耳相傳，中山樓是具有風水格局的興龍之地，我想這恐怕也與張創辦人的思路相關，他是一位聞名全球的地理專家，前已言及，蔣公中正對他非常信任，也是聽了他的建議，將國民政府遷到臺灣，據說他曾說過一句話：「東南有王氣」而原名草山改為陽明山，也是因為他對陽明哲學有獨鍾之故！

　　我於一九六七年畢業後服兵役、教書及留學韓國至一九七四年返

校服務五年，至一九七九年四月獲創辦人允准前往陽明山革命實踐研究院負責實踐圖書館館務，從此又有機會來到中山樓園區，當時園區整個景觀雖然依舊，但是主管單位又有所更迭，中山樓下的介壽堂、圓型講堂、舜水樓、黎洲樓由國防研究院改隸於中央黨部革研院，而中山樓則由行政院陽明山管理局轉到臺北市政府。我在實踐圖書館服務三年有餘，與中山樓近在咫尺，走路一分鐘即達，因此常常涉足到中山樓園區，對中山樓各種狀況及工作人員相當熟悉。

一九八二年十一月我受外交部徵召前往亞太司擔任專門委員，負責韓國六義士返國專案，一九八六年我再返學界回到師大任教，從事各項輿論報國活動，到一九九一年奉命到國立國父紀念館就任館長為止，大約十年期間沒有與中山樓互動的狀況。

一九九一年九月我在教育部毛高文部長的任命下，出任國父紀念館館長之職，這段緣分其實又有許多內情，謹說明如次：

我在學界其實已具有相當的知名度，在中社與澄社的論戰中，我成為代表中社發言的核心，我的言論獲得當時執政一些黨國元老深刻的印象，對我也有相當的好評，從而也引起了部會相關首長的重視。

我記得是一九九一年春天，我出席一項學術研討會後接到了教育部國際文教處一位主管文教科長的電話，表示毛高文部長有意徵召我前往韓國擔任大使館文化參事之職，他也說明了理由，據上級長官的指示，此項職務必須擁有韓國博士學位以及正教授資格，而我是惟一的合格者，故此諮詢我的意見，我當時正在師大任教，經考慮之後我欣然同意，並將此項意願答覆了文教科科長，他表示馬上會呈報部長。

但是，經過了將近半年，我一直沒有教育部的任何消息，八月我從新聞媒體報導中瞭解到，韓國文化參事由政大陳祝三副教授出任。

我立即電詢教育部相關人士瞭解真相，隔天馬上接到毛部長約我面談的通知。毛高文部長很親切地告知我，他認為我目前擔任師大三

民主義思想教育中心主任的職務，現階段很適合接掌國立國父紀念館館長之職，並當場徵詢我的意見，我當時的想法是，有任何為民服務的公職，我都願意接受，於是在毛部長的提攜下，我於九月十二日到國父紀念館履新。

接任國父紀念館館長的職位，是一項工作新的里程碑，國父紀念館擁有廣大的空間，濃厚的藝文氣息以及欣欣向榮的思想及生活意識，更是一個能夠實現理想的園地，其中更令人喜出望外的是，中山樓管理所居然是由國父紀念館管理的另一處國家廳堂！

國父紀念館主要單位如次：共有文教組、展覽組、機電組、警衛組、園藝組、中山樓管理所，秘書室、人事室、會計室等九個組室，員工將近四百人。中山樓管理所由所長主持，而所長則由國父紀念館二位副館長之一兼任，並由館長直接督導，我接任館長後第二天就驅車前往中山樓，受到中山樓張鼎華副館長及五十位員工熱烈的歡迎。在教育部所屬各個館所中，只有國父紀念館有二位副館長。

我在中山樓擁有一間很特別的辦公室，我的副館長之一張鼎華相當熱忱，他曾經擔任警備總部的上校軍官，出身軍旅，充分展現了軍人盡忠職守的特質。張副館長在我任內屆退後，和我相關的二位中山樓管理所長，一位是曾一士原為教育部文官，另一位則是退休上校狄德蔭，他們均可稱得上是相當得力的副主管。

由於中山樓是當時國民大會開會的場所，我因此被國民大會聘為顧問，主要職責是負責國大開會場地的管理。

也因為在國大開會期間，我經常必須出席各項重要的場合，而目睹了一些一般人所看不到的開會實況，以及所謂的「國大山中傳奇」故事。

例如，邱創煥院長被掌摑事件，又如郝柏村院長被包圍事件，還有中山樓資深國代被琉璜氣薰昏事件，及來訪國賓在中山樓電梯被斷

電隔離等案。連連發生了許多沒有強大心臟恐怕無法應付的種種事件。作為中山樓管理階層的我負有多麼重大的任務，可想而知，我記得每一次國代上山開會前二小時我必須前往會場勘查，也因此與政府警衛隊建立了良好關係，與歷任侍衛長如曹文生將軍及王詣典將軍都有了深厚的友誼。

中山樓的維護經費短缺，有一次連戰院長來到中山樓即發現文化堂一側的樹木有發黃的現象，而詢問我的看法，我立即把握機會向他據實呈報，後來獲得了行政院撥發了較多的預算。

更因為國民大會在中山樓開會，我與國大議長陳金讓、副議長謝隆盛等重要官員有了許多的接觸。謝隆盛副議長為人海派，豪爽俠義相當受人禮敬，他對我十分熱忱，常在登輝先生面前對我大加誇獎，並戲稱我為「兩館總督」而引起在場許多大員的「會心一笑」，可惜謝副議長過早逝世，不然他在國民黨內應可負起更大的責任。

特別值得一提的是，當時擔任世盟理事長的趙自齊先生，曾經邀請我在韓國慶熙大學的校長，時任世界和平聯盟主席的趙永植博士來華訪問，也在我任內陪同趙永植總裁來到國父紀念館及中山樓參訪。趙總裁是我的恩師，趙理事長則是我岳父王連貴先生的摯友，當時同時來訪，我實在引以為榮，特別花一天的時間親自為二位長輩導覽，一方面促進國民外交，一方面又報答了師長的關愛。

由於我相當關心中山樓的運營，而又與中山樓管理所長期任職的館員建立了長久的友誼，因此，儘管我在一九九七年奉調他職，甚至於二○○四年退休返回學界任教，之後我也經常找機會帶領各界人士前往中山樓尋幽訪勝，而獲得了老部屬親切的接待，其實，當時還有一個小故事，早期黨政是一家，所以有一度由國父紀念館、中山樓派員駐在陽明書屋，即蔣公陽明山官邸服務，透過以前的部屬，所以也經常帶人到書屋參觀。

　　值得特別說明的是，我在二○○七年擔任德明科大講座任內，還曾在中山樓呂淑芳專員協助之下，接待了多梯次的國際來訪賓客，其中最值得重視的一件事就是，我曾經在中山樓會議廳對五十餘位大陸企業家發表了「蔣中正先生與中華夢」專題演講，我把蔣中正先生與毛澤東先生做了一個小小的比較，引起了他們極高的興趣，他們返回大陸後，為我廣為宣傳，還說我是「蔣介石先生」最佳的宣傳者，評論公正而客觀。

　　有關這段專論，我謹摘錄重點如次：

　　　　我本人於一九七四年於外國學成歸國出任中國文化大學教授兼主任，一九七九年擔任革命實踐研究院圖書館館長，一九八二年在外交部任專門委員，一九八六年成為師大教授兼三研中心主任，一九九一年奉命擔任國父紀念館館長，兼管中山樓及陽明書屋，所以對蔣中正先生的事蹟有相當程度的瞭解。

　　　　蔣中正先生是相信風水的，各位可以從中山樓的建築得到一個概念，中山樓前是紗帽山，兩邊出人才，所以才有中央黨校和公務員訓練所、中國文化大學在陽明山的設置。

　　　　我本人曾經見過蔣先生好幾次，但是沒有機會單獨晤面，只覺得他容光煥發，兩眼有神，神態嚴整，我對蔣先生的瞭解主要來自秦孝儀先生及鄧文儀先生，秦先生是故宮博物院的院長，也曾是蔣先生的機要秘書，鄧先生則是藍衣社的首腦，他們倆位告訴了我許多蔣先生的故事。例如秦先生說，蔣先生很威嚴，常常召見高階公務員，尤其是將領升遷時一定要親自晉見蔣先生，據說有許多人上半身不動，下半身都在發抖，吃飯禮儀也很講究的，有一位將軍用筷子在湯碗裡撈一些菜，蔣先生馬上不予升遷；鄧先生則告訴我許多傳說，例如蔣先生主政

中國二十年是因為他姓蔣的關係，即二十年將軍。又說蔣先生
與毛澤東先生是玄天大帝的龜蛇二將，不過毛先生是一個陸
蛇，蔣先生是海龜，所以產生兩岸分治的事實。

很巧的從遠東各國國旗來看也是很有意思的，國民政府用
的是青天白日滿地紅的國旗，剛好與現在的領土相似，大陸一
片紅，隔著海有一個小白日，南韓國旗是一個太極旗，紅藍各
半剛好代表南北韓。中國大陸則是五星旗，紅色大地上有五個
黃色的星星，一大四小，大的可以解釋為中國大陸，小的則是
港澳臺新，表示華人的大團結。

要講蔣先生的事恐怕十個小時都講不完，所以想在二小時
時間內交代清楚，只能講些重點，來解析蔣先生的生平與事
功。蔣先生是歷史人物，全球各界都有不同的論點，有些人認
為他是一位民族救星、世界偉人，有些人則說他是全球公敵，
背叛國家，還有一些外國人說他失去了大陸，更有些人說他維
護主權，堅持民族主義，不過最近有一位哈佛大學研究員（中
文譯名是陶涵），出了一本書，書名是《蔣介石與現代中國的
奮鬥》，我認為這本書論點相當客觀，也比較公正，算是一本
蔣先生的妥當的傳記。

尤其他引用了很多蔣先生的日記，各位都知道日記是可靠
的歷史史料，常常能反映真正的內心世界，所以我的內容與陶
涵先生所說大致相致，當然也引用了許多專家的意見，例如臺
灣的呂芳上以及大陸的楊天石，我今天想討論幾個重點的問
題，第一是蔣先生的日記情況（1918-1975），第二是正確認識
蔣先生的重要性，第三是蔣先生到底是怎麼樣的人，第四是談
蔣先生的親情與愛情，第五是蔣先生與毛先生的比較，第六是
蔣先生對臺灣的建設與貢獻。

　　第一個要講的是蔣先生的日記：全世界有名的領袖只有蔣先生寫了日記，長達五十七年，是一件非常了不起的事，一般政治家公開講話很容易，但是他內心到底想什麼沒人知道，蔣先生的日記清楚地寫下政壇的內幕。

　　相信有人會問蔣的日記可靠嗎？許多學者研究了日記以後，都認為相當實在，因為蔣喜歡罵人，他在日記裡不但罵孫科是阿斗，還罵孔祥熙是無恥之尤，又罵宋子文「飛揚跋扈」，甚至於也婉轉的批評了宋美齡，說了好幾次「唯女子與小人難養也」，相信指的就是宋美齡與孔令愷，那是因為尼克森訪臺期間，宋及孔都反對蔣先生支持給予尼克森競選總統的經費，蔣先生認為尼克森後來之所以對臺灣不滿這是最大的原因。蔣與尼之間的友誼生變，受到宋與孔的影響，蔣先生的日記是研究中國現代史重要文獻，有五十三年的日記文獻在美國已經陸續出版，相信大家都可以看得到。

　　第二要個講的是正確認識蔣先生的重要性：蔣先生是中國國民黨總裁，軍事委員會的委員長，國民政府的主席，在很長的時間裡，他掌握了黨政軍最高的權力，對這樣的一位人物，在社會有多種不同的看法，但是這種看法會隨著階段的不同而有所改變，例如毛澤東先生在一九三八年於中國共產黨中央委員會報告時說：蔣先生是民族救星，最高統帥，中國近代有兩位偉大的領袖，一是孫中山，二是蔣中正，但是在一九四五年毛先生又說，蔣先生是人民的公敵，他的秘書陳伯達更出版了一本人民公敵專書來批判蔣先生。

　　事實上，歷史是要以科學的方法來說明的，所以對蔣先生應該有正確的評價，二〇〇五年抗日戰爭六十週年，中國大陸胡錦濤總書記在人民大會堂公開說：「中國國民黨及中國共產

黨所領導的抗日部隊，分別承擔了正面戰場及敵後戰場的任務，共同構成了對日鬥爭的戰略態勢。」

　　幾天以後，中國國民黨馬英九主席在一個場合中對胡錦濤總書記的話有所回應，他說：「北京也同意了抗日戰爭中國民黨的貢獻」，他並且強調開羅會議中早就宣示了臺灣的地位。基於這項觀點，海峽兩岸現階段都認為抗戰的勝利，蔣先生與國民黨的功勞是不可磨滅的。

　　第三要個講的是蔣先生到底是怎麼樣的人：蔣先生繼承孫中山先生的思想（振興中華，反對帝國主義侵略，維護中國的獨立主權與統一）。

一、蔣先生是堅決反對帝國主義及維護中國主權的人

　　（一）蔣對蘇聯的看法：一九二三年蔣先生代表孫先生前往蘇聯考察，受到蘇聯軍委會主席托洛斯基的接待，蔣先生希望在蒙古庫倫建立軍事基地，托洛斯基則堅持反對在庫倫設校，當時蔣先生就已經看出蘇聯的野心，另外一九六八年蔣先生在日記中表示，美國並不想幫助中國國民黨反攻大陸，而是想讓國民政府成為美國在太平洋防線的一環。

　　同時中共與蘇聯發生了對峙，蘇聯派一位路易斯訪問臺灣會晤蔣經國，工作供武器及經費給臺灣，讓臺灣反攻，後來又到維也納繼續談判，在當年蔣先生的日記記載中「蘇聯援助國民黨，那是因為想侵略中國，我要記住吳三桂，洪承疇的往事，不要被蘇聯利用」。當中共與蘇聯發生衝突時，蔣先生提到，我絕不在此時反攻，那是基於民族主義的立場。

　　（二）蔣先生與美國的關係：美國支持蔣先生成為亞洲戰

場的統帥，一九四四年羅斯福總統受到馬歇爾的影
響，要求蔣先生把指揮權交給史迪威，並壓迫蔣先
生給予最後通牒，蔣馬上做了兩個決定，第一，準
備與美國絕交，第二，以攻為守，請羅斯福召回史
迪威，最後羅斯福讓步請蔣先生挑三個美軍將領，
由羅斯福總統決定其中一位作為蔣先生的參謀長。
最後，魏德邁將軍出線，以上均證明蔣先生為維護
中國主權的民族英雄。

二、蔣先生信奉儒家思想，是宣揚中華文化但也吸取社會主義
　　優點的人

　　（一）在國民黨與共產黨之爭中，主要是領導權之爭及思
　　　　　想主義之爭，蔣先生個人是信仰三民主義，信奉儒
　　　　　家思想中華文化，但是他對於社會主義並不排斥，
　　　　　他雖失去中國大陸，但是在臺灣卻土改成功，經濟
　　　　　建設蓬勃發展，民主政治飛耀進步。不過，他並不
　　　　　激烈批評共產主義及組織，反而認為共產黨中「黨
　　　　　員與群眾」、「上級及下級」可以解決基本問題，稱
　　　　　讚共產黨的進步，所以他是一個吸取資本主義及社
　　　　　會主義優點，而去除缺點的人物。

　　　　　綜合而言，許多學者認為他是「養天地之正氣，法
　　　　　古今之完人」的代表，也是「亂世梟雄，治世能
　　　　　臣、剛柔並濟、能伸能屈、處變不亂臨危不懼」的
　　　　　人物，更是「生不逢時的悲劇英雄」，應該有「兩
　　　　　大功一大過，大功是北伐成功，統一中國，另一大
　　　　　功是抗戰勝利，保住民族生機，一大過是失去大
　　　　　陸」。

　　　　學者說，蔣先生是中國近代史上非常重要的人物，
　　　　也是多重人格的政治人物，蔣先生功高於過應該是
　　　　可以蓋棺論定的。

第四個要講的是蔣先生的親情與愛情：

一、蔣先生的親情：俗語說性格決定命運，領袖的性格更影響
　　國家民族的命運，幼年失父對蔣先生的個性特質與行事風
　　格，有鮮明深遠的影響，母親是他唯一最敬愛的人，蔣對
　　父親的記載不多，只說了「嚴厲」二字，不過嚴父慈母一
　　向是中國的傳統無可厚非，蔣對外祖母也有感情，他在日
　　記中寫下：「中正讀，母親織布，外祖母念佛，機聲梵音
　　與書句唱合」，使他享受到無限的親情，當然對他的個性
　　也有影響，蔣先生受儒家教育，特別喜歡新儒家精神，注
　　重修心養性，重視榮譽及進取，中華文化的海納百川是他
　　不變的信念，他對宋美齡不但敬而且愛，他對其他的夫人
　　也很寬厚，他對長子蔣經國全力教誨，他對次子蔣緯國卻
　　有些溺愛，所以在親情上他和一般人並無不同。

二、蔣先生的愛情：在這一方面，蔣先生表現出人性化與生活
　　化的一面，蔣先生有四位女性伴侶，毛福梅、姚治誠、陳
　　潔如和宋美齡。毛是元配髮妻，姚是青樓出身的如夫人，
　　陳潔如則是天真女學生，宋美齡是出生世家，溫文優雅的
　　明媒正娶的夫人。蔣先生認為姚治誠與陳潔如均非治家之
　　才，生活態度也不是太好，所以相處日久以後就產生一些
　　嫌隙。

　　　　相比之下，宋美齡才是蔣中正的最愛，宋的教養及家
　　世、才華均令蔣傾心，但兩人結婚時並不順利，宋子文反
　　對，蔣一向以宋夫人為唯一之妻，相伴數十年之久，宋善

解人意，體貼備至，關心人群，熱愛國家，其中尤以協助
蔣先生抗戰，發展空軍前往美國國會發表演說等非凡表
現，使她成為世界性的人物。不過蔣先生對於其他夫人也
很厚待。

　　第五個要講的是蔣先生與毛先生的比較：孫中山派蔣
先生去俄國，蔣先生在蘇聯三個月，瞭解蘇聯的野心，對
蘇聯雖不信任但接受了紅軍政治工作人員的制度，以及共
產主義青年團的構想，所以一九二四年蔣先生受命擔任黃
埔軍校校長時，原先派戴季陶為政治部主任，後來由周恩
來升任，一年下來培訓了二千名新式軍官，逐步成為黃埔
系的核心。

　　蔣私下認為國民黨中的中共黨員有紀律、有專業可以
成為政工主流，一九二五年因廖仲愷被暗殺事件，蔣調查
有功，升為兩大領袖之一，汪精衛先生主政，蔣先生主軍，
國民黨二中全會時蔣首次被選為中央執委，當時黨代表有
三分之一是共產黨黨員，黨工幹部百分之七十是共產黨員，
政工占百分之七十五，中山艦事件發生後，蔣先生開始清
黨，陳果夫、陳立夫及張人傑成為國民黨的重要人物。

　　毛先生是中國共產黨創始黨員，於一九二○年加入中
國國民黨當選為中央候補執行委員，一九二五年擔任代理
宣傳部部長，一九二六年擔任中央農民運動會委員至五月
止，蔣先生與毛先生在國民黨各自領域上發展，不過，毛
先生早年在中國共產黨內並不順利，直到一九三五年遵義
會議後才成為軍委主席，獲得中共中央領導權，從此開
始與蔣先生進行了聯合又鬥爭的生涯。

　　其實中共早在一九三○年已在湖北、安徽等地占領許

多土地，也與國軍發生戰爭。國軍的兩面作戰，使得中共坐大，已有三百萬人口，三十個縣，蔣於一九三二年進行追擊，中共張國燾率軍進入四川長達四年，一九三三年蔣先生主張攘外必先安內，再次派軍進剿，中共朱德將軍及周恩來先生率軍逃至江西，只剩二萬五千人進行了兩萬五千里的長征。毛先生因為思想領導的正確，執掌了中共的大權，還率軍到達延安，此時西安事變促成了國共的合作。

　　西安事變是張學良將軍的所為，學良先生在東北擁有重大的影響力，學良先生後來悔過護送蔣先生返回南京，蔣先生重新擔任全國領袖號召全民抗戰，終於獲得勝利，抗戰期間，政府軍將領數百人陣亡，三百萬以上的戰士死亡或失蹤，大小會戰數百次牽制了百萬以上的日本軍隊，使他們陷入中國的泥沼這些事實，在我的著作《蔣先生對太平洋的貢獻》有詳細的說明。

　　令人遺憾的是，國共內戰的爆發，日本投降後，國民政府蔣中正命令共產黨軍隊原地待命，國軍則接受日軍投降，此命令一出，毛先生發電蔣先生，堅決抗拒。毛先生下令林彪羅榮恆進入蘇軍控制下的東北，搶奪地盤。一九四五年八月，毛先生、周恩來先生、王若飛等人在國民黨代表張治中、美國駐華大使赫爾利的陪同下，從延安抵重慶與蔣公談判，十月達成《雙十協定》。談判期間，毛先生將一九三六年所作詞《沁園春‧雪》手書後，贈予柳亞子先生，柳亞子因此而和詞，《沁園春‧雪》一時之間在國統區重慶文壇引起轟動。

　　一九四六年一月，中共與國民政府簽署了政協決議。美國特使馬歇爾調停國共簽署一月停戰令。二月，國民黨

召開六屆二中全會，國共開始爭吵。三月初，馬歇爾三人小組訪問延安，毛先生接見馬歇爾並表示準備搬到淮安辦公。三月下旬，蘇軍撤離東北，國共為爭奪東北開始爆發內戰。四月，國共達成政協憲草。五月，國軍攻破共軍四平防線。六月，國民政府下達停戰令。七月之後，國共談判陷入膠著，馬歇爾、司徒雷登多次調停未果。八月，中共宣布國軍飛機轟炸延安。入秋之後，國民大會召開制定憲法。國共由此徹底破裂。

　　一九四七年三月二十日，國軍胡宗南將軍占領延安，毛先生和中共中央撤離，此後毛先生率周恩來任弼時和江青，以及其他中央警衛人員組成「崑崙縱隊」，堅持留在黃河西岸與胡宗南周旋。入夏之後，陝北戰局逐漸有利於國軍，劉戡部根據無線電定位儀測定了毛先生居住的村莊，緊急搜索。毛先生等冒雨向西，脫離虎口。此後由於陝北戰局變化，毛先生得以轉危為安。

　　一九四八年三月，毛先生、周恩來先生、任弼時等率中共中央領導機關，在陝北吳堡縣川口東渡黃河，經晉綏解放區前往晉察冀解放區。以後於四、五月相繼到達西柏坡。一九四八年九月至一九四九年一月，在毛先生領導下，解放軍在遼瀋戰役、淮海戰役和平津戰役中戰勝國軍，取得內戰決定性勝利。一九四九年四月二十日，國共最後和平談判完全破裂；次日（四月二十一日），中國人民革命軍事委員會主席毛澤東和中國人民解放軍總司令朱德，即聯名發出《向全國進軍的命令》，國民黨軍隊兵敗如山倒最後遷到臺灣。

　　蔣先生與毛先生的性格不同，蔣先生滴酒不沾、沉默

寡言、溫文穩重，毛先生能喝善飲，能言善道，該諧幽默，毛有詩人的情懷，一度高舉茅臺酒高呼蔣委員長萬歲，事實上蔣先生看不起毛先生，認為他是中華文化大敵，也是蘇聯的跟班，毛先生則認為在知識上、在意識形態上，自己超越蔣先生，所以也看不起蔣，不過一九四五年八月，毛先生接受蔣先生到重慶會晤時，內心是有些緊張的，算命的人常常形容蔣先生伏羲貫頂，早年發達，毛先生男身女相，一粒痣宰制天下，晚年當權，又有人說毛先生是蛇，蔣先生是龜，雙方甚至進行風水大作法，又有說「生不離川，死不離灣」等故事。一般而言，華人領袖大多愛好風水之說，新加坡李光耀總理就以八卦錢幣來影響國運，蔣先生住龜穴在圓山山脈下，後圓山大飯店大肆興建壓力沉重，加上隧道的開通，使蔣先生壽命縮短。毛先生也曾經向五臺山老道請教，毛先生喜水，認為滴水穿石，因為蔣先生其介如石，毛先生失子而得天下，蔣先生傳子而失天下等等傳說，毛先生生平最大遺憾是改了國號，蔣先生生平最大的遺憾是沒有完成反攻大陸。

第六個要講的是蔣先生對臺灣的建設：毛先生於一九四九年得到了三大戰爭的勝利，進入北京於十月一日宣布中華人民共和國成立，而蔣先生則在東北兵敗後就決定退守臺灣，因為臺灣有王氣，山川秀麗物產豐富，適合於民生主義的建設，一九四九年蔣先生把海空軍總部遷到臺灣，將近七百架飛機移來，蔣先生並將中央銀行價值三億美元的黃金移至臺北，並將故宮博物院的精緻文物（約占原院的1/4）運到臺北。

在臺灣的建設，第一優先鞏固國民政府在臺灣的權

利，第二優先是加強臺灣的戰備，第三優先穩定新臺幣的幣值與物價，並實施軍事管制及土地改革，蔣同時飛往菲律賓與季里諾總統會晤，又飛往漢城與李承晚總統會面，加強反共外交，十月金門大捷，一九五○年蔣先生重新視事，進行黨務改革，中國國民黨改為革命民主政黨，核心都在陽明山，改造委員會平均年齡四十六歲，最高的不過五十八歲，加強進行建設臺灣，成為法治社會、開放繁榮、良好教育、民主政治的臺灣。韓戰及越戰的爆發，使臺灣得以進行一連串的改革造成經濟奇蹟。

一九五四年發生金門炮戰，後來單打雙不打，金門現在已經成為觀光勝地，美國開始協助臺灣，十年之內支援了十五億美元，得以加強臺灣基礎建設及人力資源，一九六○年代城市經濟起飛，一九五八年十月美國國務杜勒斯訪華詢問美國可否動用核武，蔣先生反對，毛先生也知道金門雖有危機，但是海峽兩岸都主張中國的統一，蔣先生的獨立主權與民主主義使毛先生非常認同。

艾森豪威爾總統於一九六○年六月訪臺，中南半島發生戰爭後，美國務卿魯斯克主張可以動用核子武器來解決中國問題，蔣先生反對轟炸華南及動用核子彈，臺灣在經濟方面已逐步走向現代化，全球競爭力排名第十二，文化創意、精緻農業、生物科技、電子產業都列為世界的前茅，加上所得分配平均，留學美國的人數非常高，蔣經國並且順利接班。臺灣在蔣先生的領導下有飛耀的進展，蔣先生於一九七五年四月逝世，當天風雨大作，閃電頻頻，出現自然的異相。

蔣先生如毛先生一樣，相信要恢復中國的主權及世界

地位，條件就是國家統一、強而有力的中央政府，以及願意犧牲一切保家衛國、有紀律的人民。蔣先生、毛先生也都明白，他們或友或敵所打的軍事大戰，從來都不只是為了領土完整或政治權力，還有對現代中國重回泱泱大國懷有截然不同的憧憬。雖然毛先生有他戰術上務實的一面，馬列主義的教條以及中國古代法家思想，打造出他的嚴苛手段和目標。可是以蔣先生而言，儒家的服從、和諧、穩定和務實的觀念，加上孫中山先生的理念與「訓政」主張，構成這位國民黨領袖的權威手段和對人類進步的期許。

大戰結束後，中國在蔣先生領導下擠身世界五大強國之列，成為聯合國安全理事會五個常任理事國之一。在蔣主政之下，他達成廢除一切不平等條約、終止中國百年之恥；除了外蒙古、香港、澳門和沙皇在東北之權利，他收復了前人失去的領土。難怪蔣在中國又成為全民擁戴的人物。關於中央和蘇聯戰後的意圖，他看得清清楚楚；和他來往的許多美國高級官員卻錯得離譜，可是大家都沒有給予他公平的評價。

當然，蔣先生自己也做了許多引起議論之事。他對多黨制的代議民主制度不僅只有三分鐘熱度，有時候言行舉止還與他信奉的儒家精神、基督教誨，以及對真誠和道德的信念互相矛盾。

在臺灣的二十五年期間，蔣先生主持了一個穩定、和平的微型中國，有機會建設國家；就經濟和社會指標而言，他相當成功，替臺灣的經濟奇蹟奠定基礎，這份成績在他撒手人寰時，可謂功大於過。蔣過世之後三十年，若他地下有知，則必定大為折服今天臺灣有最先進的、低費

用的全民健保制度；已可媲美全球的第一流的教育體系；
以及高科技經濟的亮麗成績。他一定很安慰，一度貧窮的
這個小島於外匯存底居全球第四位，以購買力均價為準，
人均所得為三萬八百美元，一九六○年僅為一二○○美
元，到今天世界競爭力，竟為全球第十二位。

　　二十一世紀初始，若蔣於九泉之下回來略為看一看世
界，他必定也會大吃一驚，中華人民共和國竟然可以變成
受人尊敬的國家、擁有核子武器和洲際飛彈，還有太空船
繞月飛行；以第三世界水準而言家庭農業繁榮，有巨額外
匯存底可支持國家揮霍花錢，甚且整體經濟可望在數年之
內追上美國。事實上能這樣成功，同時源自於中國過往的
創業精神，也有新的資本主義導向，雖然還有國家嚴重干
預、管控的經濟。

　　最重要的是，蔣先生一定欣見北京政權已經非正式、
但清楚的證實他和孫中山先生的信念：共產主義並不是完
全適合中國社會、民情。他也會特別高興，為瞭解後毛時
期缺乏有力的倫理哲學、宗教或意識型態，現階段的中國
共產黨，已經以民族主義和古老的儒家思想，來取代階級
鬥爭和世界革命；兩者皆是以回頭汲取中國豐富的文化和
偉大的歷史，來界定國家的道德與倫理核心。所以蔣先生
肯定會將中國的新領導人，例如鄧小平、江澤民、胡錦
濤、習近平等中共領導人來視為現代儒家，和他一樣致力
於使中國成為治理良善、和諧、穩定和繁榮的社會，在世
界舞臺上扮演強大、和平的角色。

　　蔣先生如果看到現代中國在緊密控制下緩慢擴張、城
市高樓林立，加上其他的現代化成就，他可能認為他長期

規劃、看起來夢幻的「反攻」大業已經成功了，他的繼承人已經光復大陸了。

尤其鄧小平先生的改革開放，改用「有中國特色的社會主義」，在經濟上，採取孫中山先生的民生主義精神，結合市場經濟與社會正義，所以民主很快就欣欣向榮；另外在民族主義上，很多領導人均以孫中山先生的「振興中華」號召，因此雖有各種內憂外患，但有了這項奮鬥目標，所以整體而言仍然充滿幹勁。

這就是為什麼江澤民總書記在一九九七年，於哈佛大學演說時，曾向全世界公開提醒：中國民主的先行者孫中山先生，首先提出「振興中華」的口號！到了二〇〇五年，胡錦濤總書記接待連戰主席時，更明確地指出：在當年中國內憂外患的情況下，中山先生第一個提出了「振興中華」的口號，理應成為我們兩岸中國人共同的追求和責任！

到了二〇一一年，辛亥革命一百周年紀念時，胡總書記更空前的在人民大會堂強調，中國共產黨是孫中山先生「最堅定的支持者、最親密的合作者、最忠實的繼承者」！

尤其當習近平總書記上任後，則旗幟鮮明地提出，要以「中華民族偉大復興」作為「中國夢」，這句話最明顯的出處，應該是孫中山先生的「振興中華」。

持平而論，在「振興中華」的過程中，臺灣在蔣中正先生領導下，有了很好的成就與基礎，現階段臺灣的領導人，應該善用本身長處——文明、民主、均富、先進，作為大陸借鏡，同時也應學習大陸長處——大氣、恢弘、有高度，能以民族復興為己任的精神；兩岸唯有互補互助、相互合作、振興中華，才是整體中華民族之福！

「振興中華」不只是孫中山、蔣中正、毛澤東、鄧小平、習近平等中華領導人的夢，也應是兩岸共同的情懷──不僅是大陸人的夢、也應是臺灣人的夢！只有兩岸共同合作，才能完成中華夢！只有兩岸愛國者共同攜手連心、為此奮鬥到底，和平合作。中華民族偉大復興，才能早日勝利成功。這也是我今天講「蔣先生與中華夢」最主要的目的。

以上我的演講受到所有貴賓的認同與歡迎。

## 六　中山精神永垂不朽

二〇一九年十一月十二日，我應廣州孫中山基金會湯炳權理事長的邀請，在「孫中山學術研討會」上發表主題演講，重要內容如次：

我今天演講的題目是「中山精神永垂不朽、華人文化領航全球」，均環繞「紀念孫中山：中華民族使命與世界未來」的主題，作各項引申闡明，我分為四大項分別論述：

### （一）中山精神永垂不朽

孫中山先生領導國民革命，推翻滿清，肇建民國，使中國邁向現代化的第一步，同時也建立了亞洲第一個民主共和國，而中山先生所主張的民有、民治、民享，也就是民主、倫理、科學的三民主義，更成為當時的建國方略。

這一思想也為亞洲其他國家提供了民主、自由、平等、博愛的理念，以及人類為生民謀福祉，為萬世開太平的宏偉模式。

　　從歷史的經驗和過程觀察，中山先生的思想以及救民治國的措施，不但在中國，甚至於其他鄰近亞洲各國也得到重大的參考，並加以實施而獲得成效。

　　中山先生無私無我，為國家民族所作的偉大貢獻，記載史冊中斑斑可考，相信不論是大陸、臺灣乃至全球的華人，對中山先生都有無比的尊敬和景仰。

　　因此，我們可以得到一項共識，就是中山先生是海峽兩岸及全球華人共同尊敬的偉人，他的思想與理念形成一股巨大的正能量，影響整個中華民族，因此，中山精神將永垂不朽。

## （二）中山思想振興中華

　　西元一八九四年，中日爆發甲午戰爭，日軍在十一月七日攻占大連，而當時的滿清政府卻仍在北京慶賀慈禧太后的六十歲誕辰，引起全國熱血青年的憤慨，十一月二十四日中山先生在忍無可忍之下，率先邀請愛國志士在檀香山成立「興中會」。

　　興中會就是專為「振興中華，維持國體」而設立的，宗旨是「驅逐韃虜，恢復中華，創立合眾政府」，而「振興中華」這句話，立刻成為當時中華兒女的共同心聲！

　　西元一九〇五年八月二十日，中山先生更邀集了黃興、蔡元培等多名愛國志士，在東京成立「中國同盟會」，此一組織大大發揮了「有容乃大，兼容並蓄」的內涵，充實了「振興中華」的力量，中山先生還激昂慷慨地發言說：「全國所有有抱負、有熱血的青年應該發奮自強，務必將『振興中華』的責任，置於自身的肩頭上。」

　　中山先生再次在興中會後宣示了「振興中華」的目標。中山先生還強調：「十年、二十年之後，不難舉西人之文明而盡有之，即或勝之焉，亦非不可能之事！」其後他在演講民族主義時，更進一步提醒

國人「以世界最古、最大、最重要之民族加以世界最新主義，而為積極之行動，以發揚光大中華民族，吾決不久必駕美超歐，而為世界之冠。」

今天我們紀念孫中山先生，徹底感到「大哉斯言！」這種豪情壯志，已深深打動全球華人的心。到今天，海峽兩岸領導人都曾在經濟上，採用中山先生對民生的理念，結合市場經濟和社會主義，實施了中華特色的社會主義，因此人民富足，社會欣欣向榮，而在民族方面，以「振興中華」作為旗幟，作為號召，全球華人團結一致，已為民族的復興，奠定了無比堅實的基礎。

## （三）中山理念時代詮釋

現階段的寶島臺灣，幾乎所有民眾都尊敬景仰中山先生，早在一九二〇日據臺灣年代，當時的臺灣名人蔣渭水在日本法庭中曾公開指出「臺灣人是明白的中華民族，這是不能否認的事實」，並且強調「中山思想完全是中華的正統思想，我們應該承認中山先生理念是二千年來中斷傳統道德文化的恢復。」

迄今為止，臺灣人民紀念、緬懷中山先生，不但沒有間斷，而且日漸隆重，從每年中山先生誕辰及逝世的紀念日，民眾前往中山紀念館獻花致敬的人數與日俱增，即可看出，而全球華人也視臺北中山紀念館是訪臺必到之處，如此可以瞭解到，為什麼臺北國父紀念館到處人潮洶湧的重要原因。

一九九一年起我擔任國父紀念館館長至一九九七年期間，曾屢次率團前往世界各地尋找中山先生走過的痕跡，號稱「尋根之旅」，並且在各國首都展出國父史蹟書畫文物，同時發表中山精神永垂不朽的演講，公開闡釋海內外華人應該重視中山先生當年開創亞洲第一個民主共和國的偉業，效法他天下為公的胸懷，群策群力共同開創二十一

世紀華人的新境界。令人欣喜的是每到一處都獲得巨大而熱烈的迴響。而更讓人感動的是，許多聽過我演講的海外僑胞，絕大多數贊成我在一九九二年開始所提出，有關華人前途的主張。

我當時強調：「天下合久必分，分久必合」，世界上有好幾個分裂國家，南北越以武力統一、東西德以政治統一、未來南北韓可能是經濟統一，而海峽兩岸則必然是文化融合，因為華人文化「天下為公」的思想，也正是中山先生一向秉持的主張。

所以以中華文化及中山精神作為兩岸和平的標竿，乃是海峽兩岸融合的最佳方式。

事實上，中華文化博大精深，世界哲學大師法國的伏爾泰、英國的羅素，都極力稱道華人文化的偉大，中山先生認為只有華人文化才能真正使人類社會進步和平、繁榮，中山先生還以此勉勵國人，要以中華文化來重新恢復民族光榮的傳統。

## （四）華人文化領航全球

坦誠而言，東西文化最大的不同乃是西方文化重現實，好功利，以科技財利導向，促使社會繁榮進步，對人類的發展自有其巨大的貢獻，惟進一步深思，則可發現西方宗教文化的傳播，已呈現停滯不前的狀態，而公民道德的價值，則有向下探底的現象，世界超強的美國已無復昔日之風光，而多元強權從而興起，也因為如此，華人文化也有了進一步拓展的空間。自古以來，華人即以儒、釋、道文化為主軸，強調「天下為公、富而好禮、慈悲為懷、清靜自在」的文化，此項文化且已流傳數千年之久。

綜觀世局，當可瞭解到一項事實，那就是經濟的繁榮以及科技的進步，並不能彌補心靈的空虛，唯有灌輸公民中心思想，重整道德禮儀教育，才可以社會淨化，進步繁榮。引申而言，臺灣如果想在本世

紀扮演比較重要的角色，必須以儒、釋、道傳統文化，弘揚中山精神理念，才是不二的法門。

至於中國大陸的近期表現更讓人驚艷，二〇一七年五月，全球一百多個國家的領導人物齊聚中國，出席國際合作高峰論壇，這項盛會規模宏大，空前成功，說明了一項事實，那就是中國大陸已經崛起，已經成為世界強國，一個率領經濟全球化的國家，一個超大型的文明型國家，這樣的奇蹟，讓人彷彿感受到的漢唐盛世的氛圍。

上海復且大學張維為教授和臺灣大學朱雲漢教授，是兩岸論述的極富盛名的學者，他們在民主論壇中發表過相當卓越的看法，他們二位有一個共通理念，那就是中華民族的復興，必須依靠傳統文化與國學理念，張教授說：「中國有世界最大的中產階級、經濟購買力、最多的出國人數及高速的經濟成長，那是因為以民意為先的強勢政府，改革開放三十年突飛猛進的進步，其實他的底蘊仍是傳統文化」，他以超文化傳統，超豐富文化基點來形容這件事。

而朱教授則以人類歷史上最快速的經濟成長，人類史上最大範圍的工業化，當前世界最大的出口國，以及拉動世界經濟的火車頭，來形容中國大陸的發展。

我非常同意他們二位的見解，事實上，張教授是政治學家，朱教授則是經濟專家，而我本人就從文化教育的角度，來解析中華崛起的文化力量。

中國大陸改革開放三十年來，經濟穩定成長，民眾迅速脫貧，逐步走向小康社會，正朝世界大同的方向邁進，到底其蓬勃發展的原動力何在，理念基礎是什麼，在在值得深思與檢討。我認為華人文化的特質，是崛起的最大原動力，而傳統文化的精髓就是國學，換句話說，國學就是形成奇蹟的最重要元素。

中國大陸現階段大力推動文化及國學的宣揚，實施迄今績效斐

然，過去臺灣奉為建設圭寶的中山實業計畫在大陸徹底實施，而隨著高等教育的蓬勃發展，傳統文化也受到了應有的重視，華人文化正勢無可擋的邁向全球。

「文化立國」、「文化興國」的政策井然有序的逐步實施，坦誠而言，今日兩岸共同推動國學教育，必然形成一股沛然不可禦的東方文明力量，來領導全球走向和諧發展的國際社會，邁向人類成功的基石。

以上各種狀況說明了一項事實，那就是華人新文化世界的到來，全球華人應該如何群策群力、團結合作、共創多贏的時機已然開啟。

我認為海峽兩岸共同推動華人文化，是當前融合雙方最佳方法。臺灣小而美，公民素質高，可以建置為海洋華人文化中心，所創造的新文化產業，可以作為自然及文化觀光旅遊景點，來帶動文化邁向多元發展的新境界。

中國大陸則是華人文化的發源地，可以引導世界華人共同研究拓展儒、釋、道華人文化的途徑，以因應全球化、國際化的時代來臨。而孔孟思想及中山精神當可成為全球華人共同信念。在此一基礎上，融合形成完整的華人共同文化圈。

因此，宣揚中山思想是全球華人的神聖使命而中山精神必當永垂不朽。

# 伍
# 寶島影響全球華人

## 一　僑教現代化開創新境界

　　一九九七年四月，我奉教育部新任吳京部長之命調回教育部擔任參事兼僑民教育委員會主任委員之職，事實上，其中還有一些內幕故事。

　　吳部長原為中央研究院院士，一向是海外的著

教育部

名學者，在國際間頗具盛名及份量，他有一股極高的熱忱想全力進行臺灣的教育改革。據瞭解，由於我在國父紀念館的海外績效頗受他所青睞，再加上我的母親心臟病有加重的跡象，她一直期望我能由行政院三級單位主管的工作，轉到教育部擔任幕僚主管後可以有比較多的時間去照顧她，眾所周知，我在國立國父紀念館的工作極為忙碌，每天工作十二小時以上，而且幾乎沒有週六、週日的假日，因此在公私兩便的考慮之下，我同意調回教育部。

　　吳部長對我相當禮遇，他讓我自行挑選部內涉外單位主管的位置，包括國際文教處處長，僑民教育委員會主任委員以及駐美國、加拿大、英國文化參事等職位，我最後選擇的是僑教會主委之職，原因是我從事華僑研究數十年，算是海內外知名的華僑問題專家，而且我

喜歡文化藝術，更曾經有出任文建會次長級職務的機會，惟官運不濟，升遷受人陷害而胎死腹中。為達到理想及考慮現實，不到海外就職而能從事僑教工作，是我當時最佳的抉擇。

　　事實證明我的選擇極為正確，我雖然沒有被任命為文化建設委員會副主委或僑務委員會副委員長，然而能夠在教育部僑民教育委員會上有了相同的工作職權及重責大任，從而得以更好的發揮。該項職務非常重要，最早時期曾由教育部長黃季陸親自兼任，後又曾改由政務次長兼任，但因業務逐漸繁重，復以部長及政務次長工作極為繁忙，必須委由專任人員來擔此責任，更因為權責重要，委員皆由各相關院、部會重量級官員組成，包括立法院外交僑務委員會的主任秘書，監察院外交及僑務委員會主任秘書，均為十三職等到十四職等的高階官員，再加上大學校長二至三人，以及教育部重要相關司長所組成，此一委員會更代表教育部與行政院僑務委員會，共同分擔全球僑教任務。

　　因此，我有機會擔任如此重要的職位，而獲得了很大的揮灑空間，從一九九七起到二○○四年止我在任有八年之久，也因此做了相當多的事情，在政府公報中也有了多項記載。至少對我個人而言，算是開啟了服務民眾的大門，俗云「身在公門好修行」、「人在做、天在看」，我盡心竭力為海外僑界學子打拚了八年，自問種了不少的福田，也積下了不少的功德。我想這些小小的成就，除了歸功於我「工作即是娛樂」的工作使命感之外，也是我為人處世的基本目標，我自幼以「仁民愛物」的俠義人物自居，崇拜關公的「義薄雲天」，觀世音菩薩的「慈悲為懷」，以及媽祖娘娘的「愛心護民」，所以常以「勿以善小而不為，勿以惡小而為之」的三國劉備嘉言來進行自勉，故此在公職服務一本初心，直至在教育部退休為止，一直能獲得長官的信任以及部屬的愛戴，同時也獲得許多佳評。

　　因為我同時解決了海內臺北學校幾乎所有的問題，包括建置永久

校舍、建立輔導制度、規劃發展目標等等充滿挑戰的各種困難，我能夠完成海外臺北學校的基建工作，使東南亞臺商對我有「海外臺校之父」的嘉許，而我對僑界各學校及社團均大力伸出援手，善用教育部豐沛的資源，贊助了三二○○名返臺升學僑生生活及學雜費獎學金，我在八年任期中把教育部僑生相關獎學金名額由二三○○名增加到七○○○名，而每年返臺升學的僑生幾乎增加了一倍，由原來的八○○○餘名增加到一四○○○餘名，績效相當驚人，此外，更補助了許多海外僑校經費及書籍，還培訓了大部分正式僑校的教師，也使有些華僑人士以「聖誕老公公」、「萬能醫生」、「萬應公」、「彌勒佛」等等美名來稱呼我。

　　當時我告訴他們，我實在愧不敢當，因為那並不是我一個人的功勞，而是僑教相關人員共同的成績，而我不過只是一名居中調整善用資源的協調人而已。

　　雖然如此，此一期間我在僑教及華文教育方面的貢獻及績效，均在新聞媒體的報導及教育部專項工作報告中顯現無疑。以下就是各項會議記錄、工作實效及報導的綜合。

　　我到教育部僑民教育委員會擔任主任委員一職，從一個主管將近四百人的行政院三級單位國立國父紀念館，調回教育部擔任一個幕僚主管，上上下下只有十五人的小單位，內心不免有所感觸，不過教育部是一個行政院內閣下的最大最重要的部會，經費預算人員都是居於前矛，可以做的事情很多，我到任後不到一年，即接受了中央日報的專訪，而發表了我對全球僑民教育的看法。

　　由於僑民教育政策是由教育部制定，所以先就僑教的理念、政策、單位等現況及未來施政的構想、實施的策略做一個大的綱目引言，我們僑教政策的理念，就是秉持著一句話即「國父　孫中山先生曾經說華僑是革命之母」，而所有專家學者都強調的另一句話，那就是「沒有僑教就沒有僑務」。

　　除此之外，我們認為所有海外華裔子弟都跟所有國民一樣，都有接受教育的權利，我們歡迎全球華裔子弟都返臺升學，這是政府秉持著一貫的僑教理念。

　　其次，教育部僑教政策近年來一直推動教改大業，我們希望教育改革成功後可以延伸到海外，繼經濟奇蹟之後，又有教育的奇蹟，希望臺灣能夠成為亞太教育中心，我們要擴大僑教的輔導，讓東南亞及東北亞的僑教形成一個串聯，然後以臺灣作為中心，把教育的理念，宣揚到海外。

　　然後我們要達到一個目標，就是希望僑民教育要國際化、學術化、現代化，基於一個這樣的僑教政策，對於教改大業的推動，都是有目共睹的，要把教改大業延伸到海外，讓海外的僑民體會到中華傳統文化的偉大，我想這是僑教政策簡單的說明，其次再談僑教的機構，尤其是推展僑民教育的單位。教育部僑民委員會成立於一九二九年，至今為止已有七十年以上歷史。

　　僑教會的主要任務就是制定僑教政策，其下成員有十五位僑教委員，包括立法院外交及僑務委員會主任秘書、監察院外交及僑務委員會主任秘書等重要教育主管，這樣的一個組織就是集合了政府高階文官的僑教單位菁英，每年都要召開一到二次的會議，來共商制定僑教政策。一九九七年我擔任主委後，首份僑民教育委員會委員名單如次：

一、主任委員高崇雲（教育部參事）
二、委員張日松（立法院外交及僑政委員會主任秘書）
三、委員吳昌發（監察院僑政委員會主任秘書）
四、委員何進財（教育部參事）
五、委員黃碧端（教育部高教司司長）
六、委員黃政傑（教育部技職司司長）

七、委員卓英豪（教育部中教司司長）

八、委員單小琳（教育部國教司司長）

九、委員羅虞村（教育部社教司司長）

十、委員宋文（教育部軍訓處處長）

十一、委員楊德川（教育部會計處會計長）

十二、委員鄭石岩（教育部訓委會常務委員）

十三、委員陳士魁（僑務委員會第二處處長）

十四、委員李本軒（僑務委員會僑輔室主任）

十五、委員黃金文（靜宜大學教授）

十六、委員劉瑞生（宜蘭技術學院院長）

　　我們與僑委會分工也很清楚，從一九二九年僑民教育委員會成立以後，我們和僑務委員會就有一個業務上的分工，根據行政院的指示，教育部是負責國內的僑教。

　　國內的僑教由教育部主政，然後由僑委會協辦，海外的僑教，因為海外的中文學校很多，大概有三千多所，這些學校是由僑委會主政，教育部協助，但是雖然如此劃分，在國內僑教及海外僑教方面，我們還有分工，國內僑教部分，除了在每個學校設有一個僑生輔導室來協助僑生之外，由教育部主管課業輔導及一般輔導，其他有關生活方面的輔導是由僑委會來負責，在海外分工方面，教育部主管海外的大專院校及臺北學校，僑委會負責海外其他的學校，自從這樣的分工以來，我們教育部及僑委會攜手合作，共同推展僑教。截至目前為止，部會間可以說是相得益彰，對於僑教有極大的貢獻，但是令人遺憾的是，由於環境的變遷，返國僑生人數從一九八九年的一三七〇五人，下降到一九九七年的八七二七人。

　　在我一九九七年擔任主委後，教育部僑教會主即擬訂了一個專案，定名為「拓展僑教領域，開創僑教新境界，擴大招收華裔子弟回

臺升學方案」，這個方案一共有九項措施，重要的有：開放所有研究院科系名額，派遣宣傳團至海外宣導，擴大招收海外華裔子弟回念科技學院，聘請學者專家來研究僑教政策等，在實施九大措施之後，很欣慰已得到具體的成果，到一九九八學年度增加到九三七五人，短短一年即增加了六三〇人。

　　僑教會對僑教主要理念為「拓展僑教新領域，開創僑教新境界。」沒有僑教就沒有僑務，在政策上教改大業將延伸至海外，臺灣除了經濟奇蹟之外，也希望產生教育奇蹟。

　　我提出了教育部對僑教工作未來施政構想與實施策略：

## （一）施政構想

一、擴大爭取華裔子弟來臺升學，擴展僑教新領域及新境界。
二、加強輔導僑生，使其有賓至如歸的感覺。
三、全面輔導海外臺北學校及大專院校，籌設基金會予以運作。
四、全面輔導海外各僑校培訓僑校之師資。
五、號召僑校志工推廣僑界文教活動。
六、強化函授教育實施空中教學使海外僑民獲得終身學習機會。

## （二）實施策略

一、修正清寒僑生公費待遇核發要點，將請領條件、地區限制等規定適度修改，僑生工讀時數之限制予以放寬。
二、將臺北學校定位為具有僑民教育性質的私立學校，協助其締結姊妹學校推動海外臺北學校發展。
三、聘派華文教師在全球重點僑校任教。
四、擴大海外僑教志工團，配合學者專家協助募捐書籍予以整理，運赴海外僑校，並巡迴至各地講學。

　　二個月後我又接受了中央報的專訪，就加強照顧國內外僑生及僑校、蓬勃華文教育發展、傳承及延續中華文化方面進行說明，期盼打造臺灣成為全球漢學僑教中心，我強調現階段僑民教育已經有了蓬勃的發展、績效輝煌，令人感到無限的振奮。以下就推動僑民教育工作的理念、政策及目標加以說明：

一、任何業務的推動，必須要有其理念，僑民教育的理念如次：

（一）僑民是國家發展最重要的原動力之一。

（二）推展僑民教育可以培養心繫臺灣的僑民獲得良好的學術及專業技能。

（三）僑民教育是實行憲法精神全人教育的一環。

二、現階段僑民教育政策有下列三項：

（一）拓展僑民教育的領域，開創僑民教育的新境界，使臺灣能成為亞洲教育重鎮及全球漢學中心。

（二）將教育改革理念延伸到海外，使海內外國人互相結合，共同推動教育改革大業，塑造教育發展的奇蹟。

（三）加強照顧海內外僑生及僑校。

三、為使僑民教育理念及政策落實，僑民教育重要目標如次：

（一）僑民教育的學術化──學術可以啟發思想，思想可以形成政策，政策可以指導措施。為使僑民教育獲得正確的方向，學術化勢在必行。

（二）僑民教育的現代化──面臨二十一世紀新環境的挑戰以及資訊及科技時代的來臨，僑民教育必須展現現代化的願景。

（三）僑民教育的國際化──國際社會的互動以及海內外的交流已成世界潮流之所趨，要使臺灣成為東西文化交會的重鎮，實有賴於僑民教育國際化。

　　推動僑民教育的學術化、現代化與國際化是當前僑民教育的重大目標。其次，在就華文教育的現況及問題略加說明，到第二階段時，我再談談海外僑校，特別是臺北學校的狀況、關懷華文教育方面。依我的瞭解是只要有華人的地方，就有華文學校的設置，大約有六種類型，分述如下：

一、從小學到大學有完整的華文教育體系。如馬來西亞，目前有華小一千二百多所，華文獨中（獨立中學）六十所。

二、納入當地的國家教育體系。華語作為當地學校教育的一個課程，如新加坡、泰國、菲律賓、越南。新加坡實行雙語教學制度。新加坡國立大學有中文系，目前新加坡特選中學九所，特選小學十五所。在泰國，原來的華校已被政府改為講授華文的民校，學校的體制與泰國政府設立的學校相同，華文作為一門課程，只限於從小學一年級到六年級。

泰國政府規定課授華文的民校的華文課程只能教到六年級，在中學教育方面則未設辦。菲律賓華校已完全當地化，華文只作為一個課程。越南已沒有華校，但政府辦的中學、小學和大學有中文課程或中文專業進修。

三、經當地政府批准，當地華人自發創辦的華文中小學。如緬甸、柬埔寨、日本、南韓等國的華文學校。

四、週末中文補習學校。如：美、澳、紐、菲、印尼等地有眾多的業餘中文補習學校。

五、政府在東南亞為臺商子弟開設的「臺北學校」，目前有「胡志明市臺北學校」、「泰國中華國際學校」、「檳城臺灣僑校」、「吉隆坡中華臺北學校」、「泗水臺北學校」、「雅加達臺北學校」等六所。

六、當地政府開辦的小學、中學、大學的中文課程、中文班、中文

專業。歐美及世界許多國家中小學的中文課程都屬於這類。這
是當地華僑、華人子女接受華文教育重要途徑。

　　而海外僑校的設置，包括中小學到大學院校及研究所等階段。其
中大專院校部分主要集中在香港地方，隨著香港主權由大陸接掌，目
前僅餘大學一所、研究所一所、學院四所、專科學校一所。中小學部
分的海外僑校發展，一九六四年是一個高峰，共有僑校五千三百所，
而後受到國際局勢的影響，以及各地區政府的限制而逐漸萎縮。然近
年來，隨著臺商對外投資日漸增多，對海外臺北學校的需求增加以及
學習華文之風日盛，使這類學校有再度復甦的現象。

　　教育部與外交部曾商討在南非、歐洲、北美、中南美、中東和澳
紐等地設立臺北國際雙語學校的可行性，如果成功，更可照顧海外僑
民的子女教育。為適應國外各地設置學校的法律，海外臺北學校現有
兩種形式，一是目前在馬來西亞、印尼和越南的純粹與國內一樣教學
的模式，另一是目前在泰國的中華國際學校，學生人數總額中必須有
在國內繳稅的臺商和中華民國僑民的子女占一半以上，而中文教學時
數也占一半以上的雙語教學模式。

　　政府非常重視發展海外僑民教育，不僅提供大量補助給海外臺北
學校，並將辦理教師回臺到師範學院深造班。更經常免費寄送各種課
外讀物、教材和教具等軟硬體設備給海外各學校。

## 二　開拓僑民教育新里程碑

　　我在僑教會服務一年後績效斐然，更於一九九八年提出工作報告
重點如下：

## （一）在加強輔導各校僑生方面

一、背景與現況：

（一）多年來政府對回國升學僑生之照顧，無論在考選甄試及在校
　　　課業與生活輔導方面，均能因應需要適時訂定各種輔導辦法
　　　實施。

（二）實施新僑生入學輔導講習、加強僑生國語文訓練，辦理僑生
　　　基本學科課業輔導及假期課業授課班；舉辦各項社團活動、
　　　慶典及重要節日聯歡活動、辦理大專校院僑生研習會及幹部
　　　訓練；頒發僑生中華文化獎學金，對家境清寒者核給清寒僑
　　　生公費待遇。

（三）一九九七年在學僑生人數八七二七人，分發僑生人數三六一
　　　六人。

二、具體工作績效：

（一）舉辦新僑生入學輔導。

（二）加強基本學科課業輔導。

（三）辦理大專校院僑生假期課業補修。

（四）加強僑生社團輔導活動：補助六十三校院辦理僑生社團活動
　　　等。

（五）頒發僑生中華文化獎學金：一九九七年度計有四十九校院僑
　　　生六〇三人獲獎。

（六）補助私立大專校院聘用僑生輔導人員經費。

（七）組團訪問各校僑生：經會同僑務委員會、內政部、外交部、
　　　勞委會、健保局等中央部會組團於一九九八年十一月二十五
　　　日起至十二月十九日止，分四梯次訪問北、中、南部五十九
　　　所校院之僑生，協助解決僑生各項困難問題。

（八）舉辦僑生輔導老師工作研討會。

（九）舉辦大專校院僑生研習會。

（十）舉辦農曆春節祭祖活動：每年農曆春節，由教育部撥專款補助各校舉辦僑生春節祭祖、聚餐、聯歡晚會抽獎活動等。

（十一）照顧清寒僑生生活：核發清寒僑生公費待遇一九七八名。

（十二）補助海外臺商臺北學校僑教經費。

（十三）協助海外僑校專業師資訓練。

（十四）創刊「僑教通訊」：為促進海內外僑界、僑校、僑團、僑生的聯繫，宣導中華文化，已於一九九八年十一月十二日創刊「僑教通訊」，俾服務海外相關人士，預定每月出刊一期。

（十五）出版「僑生教育須知」：為加強僑生輔導，使僑生適應校園生活，特編輯出版「僑生教育須知」一冊。

（十六）成立危機處理小組，因應印尼排華事件：在東南亞金融風暴及印尼排華之際，教育部立即成立危機處理小組，小組執行秘書為本人。

## （二）在積極拓展僑教領域方面

一、背景與現況：

（一）鑑於近年來僑生返國升學人數直線下降，一九九七學年度在臺僑生僅有八千餘人。

（二）僑民教育委員會立即擬定「積極拓展僑教領域開創僑教新境界擴大招收海外華裔子弟來臺升學」方案。

二、具體工作績效：

（一）關於「擴大辦理海外招生宣導」、「配合各大學組成『亞太地區招生巡迴宣導小組』」已分別實施。

（二）關於「擴大開放各大學、研究所僑生名額」事，經教育部僑教會同仁訪視各校協調已獲得成果。

（三）「試辦開放部分大學、研究所僑生名額」事也獲得成效。

（四）「委託國內學者專家專案研究僑教政策及其發展」事，僑教會已邀請朱浤源、林若雩、夏誠華三位學者提出，本年十月已完成。

（五）關於「聯合相關單位建議海外各企業廠商提供來臺升學僑生獎助學金」事。惟因東南亞經濟衰退，僑界損失慘重，近期該項舉措之實施恐有困難。

（六）修訂「僑生回國就學及輔導辦法」。

## （三）在接辦海外臺北學校方面

一、背景與現況：

（一）近年來，臺商赴海外投資設廠者日益增加，其子女教育形成嚴重問題，於是在政府相關機構協助之下，東南亞各國臺商於主要城市分別創辦了六所海外臺北學校。

（二）教育部為謀求海外臺北學校正常運作及發展，已於十二月三日及十九日邀集行政院及相關部會代表開會，由李政務次長建興主持，商定「僑務委員會自一九九八年一月一日起正式將六所海外臺北學校業務移交教育部辦理」及研訂「海外臺北學校輔導要點」報准後實施。

二、具體工作績效：

（一）在三月至六月東南亞各國發生金融風暴及排華事件之際，我曾經偕同楊德川會計長曾僕僕風塵前往印尼等地區訪視臺北學校，且於部次長的支持下，增加專款撥予各臺北學校，使各校得以度過難關，奠定堅實的基礎後，進一步正常營運及發展。

（二）教育部代表團在林清江部長率領下，於一九九八年六月四日

至九日在馬來西亞主持第一屆海外臺北學校董事長、校長聯席會議，會中獲得多項決議並解決各項問題，對加強六所海外臺北學校永續發展影響深遠。

## （四）在強化海內外僑教文化交流方面

一、背景說明：

（一）依行政院指示：國內僑教由教育部負責，僑委會協辦；海外僑教由僑委會主政，教育部協辦。

　　　海外華僑學校種類繁多，除大專校院及臺北學校是教育部主辦外，其他三千多中、小學校及文教社團均由僑委會主政，惟基於業務需要，教育部僑民教育委員會亦依規對海外相關文教機構予以支持。

　　　近年以來僑教會對下列各個屬於僑委會輔導之僑校亦予以補助，例如日本東京、橫濱、大阪三所僑校，韓國漢城、釜山、仁川、大邱、群山等五所僑校，紐西蘭僑校、泰北難民村僑校等，均獲教育部之經費補助。

（二）馬來西亞返臺升學僑生人數一向為全球之冠，最主要的原因是該國華文獨中制度的成功，而「馬來西亞華校董事聯合會總會」及「馬來西亞華校教師會總會」（兩者簡稱「董教總」），不但為華文教育的中樞，且大部分幹部均曾在華受教育而親臺。

　　　「董教總」屢次來訪請求教育部能支持其所新創建的「新紀元學院」，並實施雙聯課程，渠等且要求獲相關的遠距教學設備鑒於本案的重要性，教育部曾承諾予以優先考慮。

（三）海外僑教相關人士常組團返國，教育部為宣揚僑教政予熱忱接待及座談，除解決渠等之需求外，並將其建議納入教育部推動教改之參考。

二、具體績效：

（一）十月二十二日教育部召開雙聯課程會議，檢討與馬國新紀元學院合作計畫，該學院代表莫泰熙主任、李慧德顧問及張基興主任等三人，來教育部專訪。

（二）本年度我接待來訪之海外文教團體共五梯次，略述如次：

四月二十二日：日本橫濱華僑各界回國致敬團。

四月二十四日：馬來西亞中華大會堂總會全國華團文化諮詢委員會。

九月二日：馬來西亞國會下議院副議長翁詩杰拿督率領馬來西亞華裔青年領袖訪問團。

十月九日：馬來西亞韓新傳播學院臺港新聞考察團，由領隊林景漢院長率領拜會。

十一月三日：美國華僑專業青年返國訪國團。

（五）在輔導國內相關僑校方面

一、背景與現況：

（一）僑大先修班專為招收海外高中畢業生、經大學（僑大先修班）海外僑生（港澳生）聯合招生委員會分發、或因志願不合申請改分發之大一新生，及參加國內大學聯招之僑生而設立。該校現有班級數為三十一班，學生人數七六九人，教職員額一七八人，全年預算約二億餘元，校地面積二十三公頃。

（二）華僑實驗高中是國內唯一培育回國僑生接受中等教育的學府。為增進僑生中華文化學習，及地方需求，設有高、國中實驗班，招收本地高、國中學生，提供僑生與本地學生相互交流機會，以培育五育均衡、術德兼修的海內外青年為教育

目標。該校現有班級數五十七班（僑生17班、國內生40班），學生人數一七七六人（僑生430人、國內生1,346人），全年預算約二億餘元，校地面積一二點四九公頃。

（三）本會於一九九七年僑民教育委員會會議中曾提出「國內僑校形成一貫制」方案，即暨大、僑大先修班、華僑中學三校仍維持現制，但在僑教銜接上發揮其一貫功能。

二、具體工作績效：

（一）為因應馬來西亞留臺校友會聯合總會之請求，及擴大招收海外華裔子弟返國升學，僑大先修班增設「春季班」招收馬來西亞華文獨立中學高中部應屆畢業生一二〇名，此項計畫已報院核處中。

（二）為因應本年五月印尼風暴及排華事件，在危機期間對印尼緊急返國僑生，特別補助專款新臺幣二百八十萬元予國立華僑中學增班三班，並對渠等提供全額之清寒僑生公費待遇補助，使其得以安心向學。

（三）為使僑大先修班及華僑中學能蓬勃發展，協調教育部各單位在經費上及營運上予以全力支持，使僑大先修班及華僑中學辦學績效極為優異。在上述兩大項目中，二組黃秀芳主任及王明源專員，勞苦功高出力甚多，黃主任勤奮樸實績效優異，王專員機敏幹練潛力無窮，均值肯定。尤其王專員頗具領導才能及處事魄力，前途遠大，現已擔任過技職等，兩司副司長更上一層指日可待。

## 三　協助海外僑校推動業務

### （一）教育部僑教會每年都辦理赴海外僑生升學輔導活動

　　由我全權主持，率團前往相關各國辦理升學輔導講座：一九九九年赴海外辦理升學輔導及教育政策講座奉行政院核定，計赴港澳、馬來西亞、緬甸及泰國等四個地區實施。同年一月五日至十二日赴馬來西亞地區辦理。

　　本次赴馬來西亞，由我擔任團長率同高教司陳德華副司長、技職司李彥儀專員及僑教會林合懋專員前往。並分別在吉隆坡坤成女子中學、中華臺北學校、檳城大山腳日新中學、韓江中學辦理教育說明會與師生家長座談。

　　行程中並拜會我駐馬代表處左代表紀國及馬國國會翁副議長詩杰、馬來西亞董教總及留臺同學會等單位，充分宣導教育政策並瞭解當地僑教情形，介紹僑生回國升學輔導資訊。並與留臺聯總前後總會長陳華清、陳志成、鄭有儀、林卓民會晤，他們是馬國最重要的僑領。

　　我在一九九九年十二月十五日接受星洲日報記者專訪時表示，臺灣將為大馬的高中生開辦僑大春季班，以免讓大馬學生在成績放榜後的三月至九月時間出現「空檔期」。由於只有大馬學生出現以上特殊情況，因此該課程班將只接收大馬學生。有關這項建議已呈上行政院院長。這些參加春季班的大馬學生將可於九月份，通過聯考進入大學。一般而言，參加僑生的成績都相當優秀，進入大學的機會相當大。

### （二）出席日本地區僑校教育座談會

　　我率二等文化秘書羅國隆於九月五日前往日本參加由臺北駐日經濟文化代表處舉辦的「日本地區第四次僑教教育座談會」。

　　參與會議者包括莊代表銘耀。教育部：高崇雲主任委員，羅國隆

秘書，僑務委員會：宗才寧副處長（第二處），郭副代表。大阪中華學校：郭棟（副理事長）、連茂雄（理事）、張桐齡（校長）、陳雪霞（教務主任）、蔣燁（訓導主任）。橫濱中華學院：讀慶秋（理事長）、魏倫慶（理事）、張師振（理事）、雷兆元（理事兼家長代表）、杜國輝（校長。東京中華學校：傅啟泰（副理事長）、張建國（專務理事）、郭東榮（校長）、張察（教務主任）、謝偉（老師兼校長秘書）。大阪辦事處：郭明山處長、橫濱辦事處：吳嘉雄處長、文化組：陳燕南組長、業務組：張仁久副組長、僑務組：羅坤燦顧問、張燈城副組長、曾應榮秘書、王東生秘書等共約三十餘人。

我於當天應邀致詞略稱：「教育部非常重視僑民教育，對僑校非常關心，希望教改大業能延伸至海外，使我國能成為亞太教育中。教育部對莊代表關懷僑教推動僑校發展表示敬意」等語。

又於結論後應邀表示意見略云：「一、本部上次來日訪視之所有承諾均已完成；二、本部將繼續對各校支持且予以補助」。

我於九月六日前往我國駐日代表處拜會莊銘耀代表，會談約半小時，莊代表特別感謝教育部對日本三所僑校之支援與關懷，且盛讚部長率教育部同仁推動教改大業之積極與績效。我並且與東京及橫濱兩校理事長及校長座談並交換意見。九月七日訪問日本通訊教育聯盟，洽商今後進行文教交流事宜之後在九月八日搭乘新幹線赴大阪中華學校，受到該校師生及董事會熱烈歡迎，駐大阪辦事處相關人員亦參與座談，會後且實際瞭解教育部補助該校校舍修繕經費之使用情形。

據瞭解，日本三所僑校及代表處人員均已深深體會教育部擴展僑校領域，開創僑教新境界之前瞻性政策，渠等除有正面之回應外，並均對教育部之支持表示感佩。

事實上，我國駐日代表處在莊代表銘耀領導之下有非常卓越的表現，不僅對中日外交關係有具體的貢獻，對僑教僑務的努力也有目共

睹，同時我駐日代表處文化組包括陳燕南組長、斯吉甫副組長、林默章秘書、林世英秘書，及大阪陸世雨文化專員及文化組其他人員等，均工作認真，績效良好，且甚受莊代表之重視。

## （三）專款補助軟體硬體設備

我在僑教會非常重視發展海外僑民教育，不僅提供大量補助給海外臺北學校，並將辦理教師回臺到師範學院深造班。更經常免費寄送各種課外讀物、教材和教具等軟硬體設備給海外各學校。越南的胡志明市臺北學校債務高達六十萬美元，大部分由教育部予以補助，不過為促進這六所海外臺北學校早日能夠自給自養，也正在推動胡志明市臺北學校設立中文補習課程，要求準備前往臺灣定居的越南新娘先來參加中文補習，再來臺定居。

## （四）建置全球僑民教育網

二〇〇一年五月我在完成所有公文程序後，召開記者會宣布：僑教會將建置「全球僑民教育網」，僑教會將與中原大學合作建置「全球僑民教育網」，將以僑教會為網站主體，設置頻道，目的為整合當前僑教資源，宣導僑教概況包括教育部僑教政策、法規及文獻資料等。

「全球僑民教育網」以一年時間，分成三階段循序建置，第一階段以建置「僑民教育服務網」為主，主要包含國內相關主管單位與僑民教育相關之政策、法規、文獻資料與相關諮詢服務。第二階段以海外臺校為服務重點，建構「海外臺校教育網」，將「僑民教育服務網」與「海外臺校教育網」整合，使海外臺校能透過「海外臺校教育網」與國內相關機構交流。

## （五）擬定教育南向政策重點計畫

為加強南向政策的功效，我擬定了一項教育面的重點計畫：

一、計畫背景：

一九九四年登輝先生前往東南亞訪問，開啟外交新頁，「南向政策」爰正式成為開拓務實外交之新方向。

臺灣西鄰中國大陸，北臨日韓，南接菲律賓與東南亞諸國，居於地理樞紐地位，既有利西進開發大陸，亦可南向投資經營東南亞市場，從而發展成為區域活動的中心。就現實而言，目前西進固然不可避免，但不能成為唯一的方向，相對的，我國應有風險考慮與主動積極的全球宏觀視野。

進言之，在策略上，南向政策應定位為臺灣全球布局的區域重點，其政策目的，不僅在消極制衡西進，適度抑制資金與人才西移，更重要的是，重新思考自我的定位，爭取成為東南亞區域的一份子，進而積極參與，擴大投入，成為東南板塊的頂點，如此方能有效利用地理的優勢，放眼全球布局，成為亞太區域的經濟與教育學術中心。

二、理念與目標：

（一）理念：從宏觀前瞻的角度思考教育南向政策，其主要理念為「關懷僑教與區域合作」。其次，在經貿交流的基礎上，進一步提升我與東南亞各國的區域夥伴關係，強化雙方教育與學術交流與合作，且基於平等互惠的精神，促進教育體系策略聯盟，共謀東南亞區域高等教育同步提升發展。

（二）目標：依據既定教育政策，基於「關懷僑教與區域合作」的理念，本計畫所指東南亞地區包括以下國家：新加坡、印尼、馬來西亞、泰國、菲律賓、汶萊、越南、柬埔寨、緬甸、寮國等十國。

教育南向政策二項主要目標如下：1、提升僑民教育與華語
文教育國際化。2、促進我與東南亞區域教育與學術合作。
三、原則與策略：
　（一）原則：1、整合與雙贏。2、深化與質化。
　（二）策略：依據前揭二項目標，本計畫有四項實施策略：
　　　1、加強輔導海外臺北學校，擴大招收優秀僑生回國升學。
　　　2、推動華語文教育國際化，建立測驗制度培育人才資源。
　　　3、研推技職教育策略聯盟，建立教育體系區域合作機制。
　　　4、強化區域教育學術交流，開展國內大學境外功能。
　　此項計畫奉行政院核定後已於二○○三年一月一日實施，到本人
二○○四年八月一日退休止，績效極為優異，已充分引起朝野各界的
重視，足見此項重點計畫對僑教政策的影響極為重大。值得重視的
是，此項計畫實質起草人為我的副主管王俊權，他眼光深遠，才識敏
銳，能力出眾，是一位優秀的官員，後來在教育部只做到司長及主任
秘書的職位，殊為可惜。

## （六）訪問泰國執行教育南向政策

　　我於二○○三年於十一月八日晚抵達曼谷，此行主要目的係執行
教育部南向政策，其計畫中主要二項措施：一、加強輔導海外臺北學
校包括訪視泰國中華國際學校。二、強化臺灣與東南亞各國間文教交
流，包括與泰國崇聖大學洽談合作計畫等。
　　此次訪視的行程重點如次：拜訪泰國臺灣總商會，參加臺大校友
聯誼會，巡視泰國中華國際學校，同時將拜訪中華民國駐泰代表處，
我公開宣示：目前臺灣有將近一萬二千名華裔子弟，正以每年百分之
五的成長率增加中，而以馬來西亞、緬甸、印尼三華裔子弟較多，泰
國華僑子弟赴臺升學者不多。

　　為擴大招收華裔子弟赴臺升學，政府將提供下列獎助學金：包括清寒僑生公費，中華文化獎學金等。其中，清寒僑生公費三千一百名，中華文化獎學金七百名，另新增成績優良學生獎學金二十七名（馬來西亞及港澳僑大先修班等於轉變試辦，計畫逐步擴大將包括泰國地區，相關單位如僑委會，海華基金會也提供學行優良僑生獎學金六百名，僑生工讀金六百名等相關助學金約二千名）。

　　我本人由中華國際學校周幼蘭董事長，校長蔡維昆，財務長賴建仁，李秘書長等陪同於二〇〇三年十一月十一日十時訪問泰國華僑崇聖大學，受到該校林長茂助理校長及中文系主任莊貽麟等校方人士熱烈歡迎。

　　我在林助理校長的歡迎詞後，聽取該校簡報，華僑崇聖大學係鄭午樓先生創建，為泰皇陛下特別重視及為海外華人特別開設之大學，有其重要之歷史意義。我致詞表示非常感謝華僑崇聖大學對本人之招待，特別是許樹鎮校長於十一月十日晚上在侖麗雅大廈晚宴款待，彼此相談甚歡。

　　許校長與我共同認為教育全球化係當前發展趨勢，華僑崇聖大學仍應在此日前下積極推動國際化。教育部願在推動全球華文教育的宗旨下，協助該校之華文教育之加強。欣聞該大學已有五百餘位學生正在學習中文，此項實已符合教育部正推動中之教育南向政策之一環，深值肯定與重視等語。

## （七）研擬華文托福制度

　　據中國時報二〇〇〇年四月十五日報導：「教育部僑教會主委高崇雲於四月十五日宣布，預計兩年內建立標準化華文能力測驗制度，作為僑生回臺入學及外籍人士來臺學習華文的評定標準，並希望發展為國際測驗系統，以免在「正體字和簡體字」之間的競爭中落後。

教育部表示，基於正體字和簡體字的競爭，建立華文能力測驗制度更有急迫性。中國大陸北京語言文化大學漢語水平考試中心主持編製的「漢語水平考試」已施行多年，大陸學校招收僑生和外籍生時，都用該測驗作為學生入學評定標準。近年來大陸教育當局並積極於全球各地普設測驗點，廣為推行，明顯企圖建立全球華文標準化測試，臺灣地區必須急起直追。

教育部表示，國內研發中的該項測驗，可說是「華文托福」測驗，將授予分級能力證書，初期以僑生為對象，再推廣到外籍學生適用，未來可能發展到國內學生也可參加測驗。」

## 四　積極招收僑生返臺升學

### （一）召開重大會議

歷任教育部部次長包括吳京、林清江、楊朝祥、曾志朗、黃榮村、袁頌西、趙金祁、楊國賜、李建興、吳清基、范巽綠、林昭賢、呂木琳對僑教非常重視，在他們的卓越領導及本人的執行之下，教育部僑教會為全球僑生謀福利，特別每年召開一項名為「積極拓展僑教領域」的重大會議，其重點如次：政府推動僑教政策，培育海外華裔子弟來臺升學研習中華文化及專業知能，學成後返僑居地創業發展，帶動了當地繁榮提高華人地位，畢業僑生在海外確實發揮了舉足輕重之影響力量。

近年來臺升學僑生日漸減少主要為經濟因素，另係國內政治生態丕變；海外對國內學制及課程不瞭解；學位文憑承認問題；大陸及歐美國家紛至各僑居地招生宣導爭取學生……等原因所致，力謀因應改善，積極拓展僑教領域開創僑教新境界，教育部僑教會特簽擬「積極

拓展僑教領域開創僑教新境界擴大招收海外華裔子弟來臺升學」乙案，內含九項實施方案，分別為：

第一案：擴大辦理招生宣導事宜，寬列預算配合相關單位，分赴海外僑生來臺升學人數較多之地區，辦理招生宣導說明會，介紹國內教育制度等相關法令，俾使更多僑生回國升學。

第二案：配合由各大學組成之「亞太地區招生巡迴宣導小組」或「我國高等暨技職教育展」分赴海外進行諸項巡迴宣導，向有意來臺升學之外籍生及僑生，說明輔導升學等相關事宜。

第三案：擴大開放各大學、研究所僑生名額，大學校院尤以增加醫、牙等學系僑生名額為先，研究所則不限定文、法、商各系所，使僑生有更多來臺研習專精學術領域之機會。

第四案：試辦開放科技大學（含技術學院）僑生名額措施，並擴增二年制專科學校（含建教合作班）僑生名額。加強輔導僑生來臺升學研習專業技能及中華文化，俾協助其在僑居地未來的發展。

第五案：將國內各大學現況簡介資料上電子網路，俾使世界各地僑生獲知更多來臺升學相關資訊。

第六案：辦理教育部主管之海外學校校長暨學者專家聯席會議，並另聯合相關單位辦理全球僑校校長會議，藉學術研討促進經驗交流及傳承，俾蓬勃僑校發展，從而協助輔導更多僑生來臺研習中華文化。

第七案：聯合相關單位向海外各企業界廠商，建議渠等提供來臺升學僑生的建教合作獎助學金，俾鼓勵更多海外僑生來臺升學。

第八案：試辦開放部分大學（含科技大學、技術學院）與國外大學辦理雙聯課程，藉與國際間各大學的學術交流，以及課程、學分的相互承認，俾使更多海外僑生，得以選擇以修讀雙聯課程方式來臺升學。

第九案：委託國內學者專家，專案研究僑教政策及其發展，僑教

政策的基礎將來自學術界的建議，藉學術界人士對問題的深入探討，致力於僑民教育理論的研究，俾使更多海外同胞，對政府的僑民教育有所認知並獲得肯定與支持。

## （二）在我積極推動之下僑教會與僑委會共同推動海青班

海外青年技術訓練班開辦迄今，回國至該校受訓僑生包括來自──馬來西亞、港澳、泰國、韓國、印尼、新加坡、汶萊、菲律賓、寮國、越南、印度、高棉、多明尼加、蘇利南、模里西斯、帝汶、伊朗、巴拿馬、哥斯大黎加、巴西、日本、阿根廷、斐濟、美國、南非、巴拉圭、玻利維亞等共二十七個國家地區，獲致更高學位外，絕大多數均在僑居地區發展所學，事業有成，對當地僑界及社會貢獻極大，深獲肯定。

海青班招生對象為海外地區已受中等教育之華僑男女青年，授予實用之工商知識與技能。課程參照國內之二專技職體系，以技術為重，實習課程占百分之七十、理論課程占百分之三十。訓練期滿成績及格者，均發給中英文畢業證書，畢業學生並依規定須返回僑居地，不得留臺升學，以符訓練意旨。逢甲大學以工商院起家，在相關之技職教育極具經驗，並擁有完整之人文、理、商、建設、工、資電等學院的充分資源與先進儀器設備做後盾，該校近千位專業兼任師資做支援，四十年來所開辦的個個科別，均以符合僑居地之人才需求為考量，並逐期調整。我在僑教會工作八年期間，每年均參與海青班活動。

## （三）首創僑民教育學術研討會

在部次長指導及我的籌劃之下，第一屆僑民教育學術研討會於一九九八年六月十二日及十三日假臺灣大學思亮館國際會議廳舉行，我主持開幕式，致詞重點如下：

　　非常歡迎各位貴賓、女士、學者、專家，今天來參加首次舉辦的僑民教育學術研討會。

　　教育部僑民教育委員會成立於一九二九年，截至目前為止有七十年的歷史，這段期間，歷任的主委都做了很多事情，但是有關學術研討方面，我們還是首創的，今天有這麼多位海內外的校長以及專家學者，大家共聚一堂，來共同探討我們的僑教政策及未來的發展方向，這對於教改大業來說，是要把教改大業延伸到海外，我們希望臺灣能夠成為亞洲教育中心。

　　我海內外僑校工作在政府（包括教育部、僑務委員會）及僑界共同合作努力之下，已建立了堅實雄厚的基礎。我本人在前年五月奉命接任教育部僑民教育委員會主任委員後，體認任務艱鉅，全力以赴，增加編列和預算，同時獲得部次長的支持。我們僑民教育委員會正以最大的熱忱、最高的服務，來為國內將近一萬名的僑生，及海內外的僑校，與僑務委員會攜手合作，共同努力之中，我們也希望與全球的僑胞，心連心、手連手，來為中華文化的宣揚而努力。

　　許多人說：「沒有僑教，就沒有僑務。」所以僑教政策的成功與否，影響到僑務工作，可以證明僑教工作的重要性。過去的僑教工作在曾委員長、歷任僑務委員會委員長及教育部部長的共同努力之下，已經獲得非常大的績效，但是我們希望建立一個思想的共識，我常常覺得做任何事情必須要腦力激盪、集思廣益，由知識界最高層的菁英群策群力，召開學術研討會、座談會，然後把未來對僑教應該發展的方向，擬定前瞻性的計畫，按圖施工，一步步推動，才能使僑教不但保持現狀，而且有所進展，這也就是教育部為什麼在這個時候，召開第一屆僑民教育學術研討會議。

　　由於學術研討會可以集思廣益，可以腦力激盪，可以形成
政策，所以我相信在座諸位都是對於僑教有精深研究的專家學
者，希望藉由各位的討論，共同擬定正確的方向。

## （四）為使僑生來臺人數增加，我擬定了僑生班增加春季班的計畫，由僑大先修學校執行。

　　由於馬來西亞華文獨中辦學的成功，致使馬來西亞到臺升學的僑
生居全球之榜首，加強了兩國文化的交流。另外，為了達到強化海內
外僑教文化交流的目標，僑教會也慎重考量與各國有誠意的學院合辦
雙聯及遠距課程。海外僑教相關人士時常組團到臺，僑教會也樂於給
予熱情接待及各種座談會，以藉此作深切的交流和宣僑教政策，將教
育改革的宏願延伸到海外。

　　因此，我主持下的僑教會全力推動僑大先修班春季班的正式開
辦。春季班成立可說是完全為了配合馬來西亞的僑生。這主要是因為
馬來西亞六十所獨中高三統考係於十月中旬舉行，畢業後須至次年九
月方能到臺升學，其閒置時間達一年左右，故導致許多學生另作選擇。
為了避免僑生的日漸流失，僑教會經過長達一年的深思熟慮及積極籌
辦，不單為馬來西亞僑生提供了一條嶄新的升學管道，同時也為僑大
先修班注入了一股新的元素，更為僑教史寫下最璀璨的一頁。我要特
別說明的是當時僑大先修班有幸來了一位好校長，就是陳金雄教授，
陳校長原為成功大學主任秘書，後受到吳京部長的提攜轉任教育部主
秘，就任校長後積極努力使僑大有了蓬勃的發展。僑先班王新華主
任、柯平順主任、李健美主任、陳清輝主任等教授都有優異的表現。

## （五）出席立院頗受好評

　　二○○三年四月二十五日我奉派代表教育部出席立法院外交及僑

務委員會第四屆第五會期第十二次全體委員會議報告「南向政策衍生問題之檢討——海外臺北學校概況」，會議主持人為范召集人揚盛委員，會議重點有二：

一、發言委員：洪委員讀、林委員豐喜、關委員沃暖、顏委員錦福、范委員揚盛、郭委員素春、湯委員金全。

二、洪委員讀、關委員沃暖、湯委員金全對教育部僑教工作以「很好」、「很努力」、「貢獻良多」等語表示肯定。據立法院員工反映，政府官員能受到立委的讚許及禮遇是很少見的，他們對我的表現相當肯定。

立法院此次對教育部有關決議如次：

一、請教育部及僑委會研議如何提供清寒獎學金給臺商弟子前往胡志明市臺北學校就讀。

二、請教育部制定海外臺商子弟之臺北學校設置條例。

三、請教育部及外交部共同合作提高東南亞國家學生獎學金名額，以厚植友我力量兼培養具潛力之臺商幹部。

本項會議係立法院外交及僑務委員會邀請外交部、僑務委員會、教育部、經濟部、財政部、交通部、行政院衛生署、行政院勞工委員會、財政部關稅總局主管官員列席報告「南向政策衍生問題之檢討」並備詢。

## （六）七年績效總結成果非凡

二○○三年九月我應邀到政大作專題演講，總結了我擔任僑教會主委七年的績效報告，我首先闡明僑教政策，未來我國發展必須以面向海洋作為思考的主軸，而廣大的海外僑民就是「立足臺灣，放眼世界」的橋樑和動力。

因此，加強僑民教育就是鞏固國家發展的基石，也是拓展國家外

交與經濟實力的關鍵所在，為實現上述僑教理念，教育部僑教政策一貫方針有三：

一、拓展僑民教育的新領域，開創僑民教育的新境界，使臺灣能成為亞洲教育重鎮及全球重要漢學中心。

二、將教育改革理念延伸到海外，使海內外國人互相結合，共同推動教育改革大業，塑造我國教育發展的奇蹟。

三、加強照顧海內外僑生及僑校，俾華文教育得以蓬勃發展，從而使我國傳統文化得以傳承及延續。

我接著說明近年來僑生教育施政成果如下：

一、輔導僑生回國升學：政府對回國升學僑生之照顧，無論考選甄試，在校課業或生活輔導，均能因應需要，適時訂定各種輔導辦法，自一九五一年起至二○○二學年度止，僑生回國升學人數已達十五萬人，其中大專畢業僑生至二○○二學年度止，亦達八萬餘人，為僑界造就許多優秀人才。二○○二學年度在學僑生人數總計一萬一千六百三十四人。

二、加強海外僑生招生宣導：為落實僑教政策，教育部會同僑委會、海外聯招會等相關機關赴海外及港澳地區舉行僑生升學輔導座談會，辦理各項招生宣導。又有鑑於回國升學僑生，因語言適應及海外教育環境殊異，對其在校生活，品德及課業方面，均予特別輔導與照顧。

三、定期聯合訪視僑生：為瞭解國內各級學校僑生生活適應及課業修習狀況，並轉達政府關懷僑生之德意，此一項目實極為重要，是照顧僑生的重大政策，每年辦理一次。現在此特將《僑教通訊》所刊載二○○○年辦理實況重點說明如下：

　　本部為瞭解回國就學僑生之生活及課業輔導情形，並轉達

　　政府關懷僑生之德意，每年均會同中央有關部會人員前往各校
訪問僑生，解答僑生各項問題，此為本部重要之年度僑教活動。

　　本（89）學年度援例辦理「中央有關單位聯合訪問各校僑
生」活動，自十月二十四日起至十一月二十日止，分北、中、
南三區抽訪各校僑生，計訪問四十二所學校（主辦學校十四
所，配合學校二十八所），訪問團領隊由本部僑教會高主任委
員崇雲擔任。

　　高主任委員一行於十月二十四日上午訪視中國文化大學，
受到張董事長鏡湖、林校長彩梅及師生熱烈款待，並觀賞技訓
班學生之服裝表演。林校長彩梅盡忠職守，以校為家，愛護僑
生，深受肯定。高主任委員對中國文化大學辦理僑教之優異績
效，表示欽佩，並讚揚該校在民意五項調查中有二項獨占鰲
頭，另二項名列前五名之事實。配合學校為國立陽明大學。

　　訪問團隨後又於十月二十七日上、下午分別探視政大及師
大二校僑生，受到政大鄭校長丁旺及師大賴副校長明德及師生
熱忱接待，鄭校長在國內外享有盛譽，而賴副校長對僑教貢獻
良多，二位均為學術界重量級人物。會中中央各單位代表熱心
解答各項問題。配合學校為臺北醫學大學、世新大學、臺灣大
學、臺北大學及大安高工等校。

　　十月三十日，訪問團前往中原大學及輔仁大學訪視，受到
熊校長慎幹及李校長寧遠的熱誠接待。熊校長慎幹盡心負責，
校務蓬勃發展，對僑生同學極為關懷。而李校長寧遠除使校務
蒸蒸日上外，其與僑界淵源深厚之關係及照顧僑生亦為另一頁
佳話。配合學校為中央大學、交通大學、清華大學、僑生大學
先修班、華僑中學等校。

　　訪問團於十一月二日抵達銘傳大學訪問，這所位於山腰的

學府在包董事長德明、李校長銓的苦心經營下，校譽日隆，李校長銓不僅能力卓越，對僑生也極為關愛。配合學校為東吳大學。

十一月六日，訪問團來到中部的逢甲大學，劉校長安之青年有為，誠懇正直，對校務之推動不遺餘力，而李副校長元棟老成精幹，對僑生噓寒問暖，因此逢甲大學所辦理之僑生技術訓練班馳名中外。

配合學校為東海大學及靜宜大學。下午訪視中國醫藥學院，該校謝校長明村為一負盛名之醫師，對養生特有研究，且對僑生之生活起居極為關注，故該校僑生之體魄均頗強健。配合學校為中山醫學院。

十一月七日訪視暨南國際大學，此一擔負僑教智庫的學府在徐校長泓的勞心勞力之下，終於在九二一地震後回復原貌。徐校長的付出及為僑教所作的貢獻有目共睹，配合學校為彰化師範大學。下午則到達以農學院聞名國際的中興大學，彭校長作奎曾任我國農委會主任委員，以他曾任部長級官員的資歷對該校而言，無異是一項珍貴的資產，而他大將之風的談話更令人敬佩。配合學校為臺中技術學院。

訪視團十一月十日訪視淡江大學，該校依山面海，風景秀麗，人傑地靈，復以張校長紘炬為虔誠之佛教徒，具有極大之慈悲心，推動校務不遺餘力，對僑生之照顧令人感動，而張副校長家宜是一位具有極大愛心的女性傑出教育家，去年且曾榮獲本部部長頒發輔導僑生績優獎狀，代表所有受獎僑輔人員致詞，極受各界推崇。配合學校為海洋大學。

十一月十日下午訪問團到達國防醫學院，由張副院長聖源將軍與高主任委員共同主持，該校新建校舍巍峨莊嚴，占地幅員廣大，已成為我國最現代化之醫學中心，張副院長是一位頗負盛名的牙醫師，對僑生甚為關照。

參與訪問的中央各單位代表名單詳列如下：

內政部役政署唐科長英敏、柯股長紋泯、內政部警政署林警官弘志、陳警官鴻堯、樂警官茵，內政部警政署入出境管理局周副主任潤群、呂副主任水欽、張蘭欣小姐，外交部領事事務局黃組長清雄、江秘書秋香、高秘書國亮、謝科長立明、梁明月小姐，行政院勞委會職訓局詹研究員官諺、劉研究員秀珍、陳研究員思惠、葉研究員盈盈小姐，僑務委員會李主任時昌、李副主任永誠、林科長美芳、黃視察幸惠、岳啟迪先生，中央健康保險局楊襄理翠華、程科長穆、許專員建盛、莊素芬小姐、本部高教司熊科長宗樺、馬專員湘萍、李專員毓娟、蔡政廷先生、技職司梅科長瑤芳、歐專員李曦、中教司施宏彥先生、大陸工作小組劉主任文惠、邱皓秋小姐，及負責本次訪視活動承辦單位僑教會吳專門委員長玲、李主任淑範、黃主任秀芳、羅秘書國隆、林專員合懋、王專員明源、谷麗珍小姐、楊寵小姐等合計四十餘人。

和往年一樣，教育部將於本年十月由僑教會會同僑委會，內政部（役政司，警政署，入出境管理局），外交部（領事事務局），中央健康保險局，海外聯招會等及教育部相關單位，分七場次，訪視政治大學等七十五所學校詳查僑教現況，並聽取各校僑生代表的意見解答或解決相關問題。

——〈高主任委員崇雲率中央有關單位代表聯合訪問各校僑生獲各校熱烈歡迎〉

四、擬定僑教因應新方案：為因應海外變局，本會擬定「積極拓展僑教領域開創僑教新境界擴大招收海外華裔子弟來臺升學」方案，包括擴大辦理海外招生宣導，配合各大學組成亞太地區招生巡迴宣導

小組赴海外宣導，擴大開放各大學，研究所僑生名額，試辦開放科技
大學僑生名額，並擴增二年制專科學校（含建教合作班）僑生名額，
國內大學現況資料上網，辦理海外學校校長暨學者專家聯席會議，提
供來臺升學僑生獎助學金，試辦開放部分大學（含科技大，技術學
院）與國外大學的雙聯課程，委託國內學者專家研究僑教政策及其發
展等，均已分別實施。

　　五、修訂僑教相關法規因應僑民教育發展現況，積極檢討修正僑
教相關法規，二○○二年八月修訂「僑生申請公費待遇注意事項」，
二○○三年九月修訂「僑生回國及升學輔導辦法」將於近日提部務會
議討論。

　　六、推動建立華語文能力測驗制度：教育部於邀請國立暨南國際
大學、中正大學、臺北大學及世界華語文教育學會開會，研發編製一
套適合僑生使用之華語能力測驗系統，已於近期完成第一及第二階段
測驗架構之建立，試題測試暨修改審定等工作，現進行華文測驗題本
審查及推試工作。

　　七、促進僑教國際雙向交流：支持國立僑生大學先修班增設馬來
西亞春季班，擴大招收海外華裔子弟回國升學。協助日韓及泰北地區
正規僑校之營運，補助各該校專案經費，使其能蓬勃發展。應馬來西
亞華校董事聯合會及馬來西亞華校教師會之請，訂定「國內大學校院
與外國大專校辦理雙聯學制實施要點」，使馬國地區三所華文學院可
與我國各大學簽署並進行雙聯課程。

　　八、建立全球僑民教育網專案：「全球僑民教育網」之計畫目的
在於建構一完整網站，結合現代資訊科技，隨時提供最新教育資訊與
教學新知，以服務海外學校及廣大僑民。

　　本計畫分三階段循序建置：第一階段以建置「僑民教育服務網」
為主，主要包含國內相關主管單位與僑民教育相關之政策，法規，文

獻資料與相關諮詢服務；第二階段以海外臺北學校為服務重點，建構
「海外臺北學校服務網」。第三階段則以全球推廣華語文之海外僑校為
範圍，建構「僑民教育學術網」，以達成建構全球僑民教育網為目的。

　　九、提供清寒僑生公費獎學金三千二百名，每名每年約五萬元，
此項預算每年超過億元臺幣，中華文化獎學金七百名，優秀僑生獎學
金二十七名。

　　十、執行教育部教育南向政策，與東南亞各國進行學術文化交
流，擴大招收華裔子弟來臺升學，希望年增百分之五。我最後語重心
長地表示僑教政策不僅攸關海外僑民受教權益與傳統文化在海外的傳
承與發揚，更重要的是關係現階段國家發展與外交、經濟實力的擴
展。為因應國內外環境的變動，未來僑教政策將著重在推動僑教國際
交流與教育輸出，其中國內僑民教育方面：加強輔導及照顧僑生、建
立激勵僑生努力向學機制、加強培養僑生專業技能、重視僑生回國升
學銜接問題。

　　國外僑民教育方面：建立吸引海外僑生回國升學獎勵措施、協助
海外臺北學校正常營運發展、建立全球僑民教育學習網路、推動僑教
學術化與現代化、協助國內外相關僑校交流、建立僑生華語文能力測
驗系統、支持海外地區成立臺北學校等。期盼透過上述各項措施，積
極培育僑界人才，扶助僑民創業發展，厚植海外人力資源，加強僑民
文化維繫，以落實政府僑教政策。此項在政治大學的僑教報告是我在
退休前一次工作成績的總結，我捫心自問績效可以說是十分輝煌。

　　事實上，教育部僑教會職員不多，約為十二至十六人，但是上下
一心，所有工作同仁都認真負責，全力以赴，工作表現極為優異，其
中副主管王俊權專門委員、李淑範、黃秀芳、吳長玲、王傳明等四位
主任，任勞任怨，使得僑教會績效在教育部名列前茅，功不可沒，我
認為僑教會同仁都是努力奮進，值得肯定的國家公務員。特將工作同
仁名單附後：

　　主任委員高崇雲、文化參事程其偉、專門委員兼秘書王俊權、傅武堅，一組組主任李淑範、二組組主任黃秀芳、專門委員代三組組主任吳長玲、三組主任王傳明、二等文化秘書羅國隆、廖高賢、專員林合懋、汪小月，王明源、林威志、劉智敏、幹事楊寵繕、幹事谷麗珍、專員詹智仁、張群超，科員李毓真、江奇晉，黃士玲、莊雅惠、鄭翔榛、丘子寧、臨時人員沈肖媛、工讀生張惠晴、司機李錦華，而教育部各司處對僑教協助的同仁，如楊德川會計長、宋文軍訓處長、王宮田中部辦公室主任、許志賢人事處副處長、劉賢德專門委員等等及其他相關人士，多深值吾人感謝。

　　此外，僑務委員會有許多夥伴菁英如陳士魁二處處長、李時昌主任、劉蓮華主任、李永誠副主任、張良民、張景南、宗才寧等處長及林美芳、董幼文、李繼宗、鄧毅雄等科長、黃公弼僑務專員還有其他同仁推動僑教的績效有目共睹，和我們也合作良佳。陳士魁處長在僑委會表現優異，在僑界聲望崇隆，後在馬英九政府也曾出任僑委會委員長。

## 五　海外臺北學校蓬勃發展

　　接辦海外臺北學校是一項臺灣教育史上劃時代的大事，也是我這一生最艱難最具挑戰性的工作，然而由於我個人的使命感及堅強的意志力，在長官及同仁的支持下，我終於圓滿完成了海外臺北學校的各項基本建置任務。

　　我於一九九七年五月奉吳京部長令接任教育部僑民教育委員會主任委員，同年九月即隨同部長前往東南亞訪問，除與馬、新兩國相關部會首長會晤外，並訪視了吉隆坡臺北學校，實際瞭解臺商子弟學校各種狀況。

　　同年十月教育部由行政院同意接辦，原由僑委會主管的東南亞四

國六所海外臺北學校，我在教育部僑教會工作八年期間，每年均率團
巡訪各個臺北學校，克服許多困難，解決各項問題，到我在二○○四
年七月退休為止，可以說是犧牲奉獻，為臺校盡心竭力。

　　以下是幾項非常重要而有代表性的具體績效，說明如下：

　　一、在僑教會主持會務八年期間，我出國次數極多，前往東南亞
各國視察海外臺校及各國僑校不下數十次，其中重要的一次訪視是率
團訪視四國六校：我在二○○○年三月底向教育部提交海外臺北學校
訪視報告，我偕同軍訓處處長宋文等一行七人，於二○○○年三月十
二日起至三月二十日止，共計九日，前往東南亞越、泰、馬、印等四
個國家六所海外臺北學校實施現地訪視。

　　教育部於一九九八年一月一日接辦海外臺北學校，迄今已三年有
餘，這段期間，教育部已舉辦過兩次董事長及校長聯席會議，以及五
次教師研習會，並與相關單位協調建立制度，全面解決了所有臺校學
生返國升學的問題，同時撥付專款協助各校的營運及發展，現階段除
馬來西亞檳城臺灣僑校外，其他五所海外臺北學校在教育部大力支持
之下，都已建置了美輪美奐的永久校舍。

　　本次出國訪視目的，是對教育部所輔導的六所海外臺北學校，進
行總體檢方式的評鑑，包括「董事會的結構、財務作業及管理、辦理
營繕工程、教學的改進、學校特色、教師的遴聘與進修、教育替代役
的評估」等七大部分做深入的瞭解。

　　在訪視各校座談會的過程中，我率領的訪視團已充分的宣導了部
長「將我國教育改革延伸至海外」的理念與政策，各校人員反映熱
烈，對部次長的關懷非常感動，並紛紛表達了他們最高的敬意與謝
意。訪視團在八天之內，完成了巡訪東南亞越南、泰國、馬來西亞、
印尼等四個國家、六所海外臺北學校的任務，工作積極熱忱，任勞任
怨，完成任務，為海外僑教工作奠定更良好的基礎。

　　訪視日期：二○○一年三月十二日至三月二十日。訪視地點：越南、泰國、馬來西亞、印尼。訪視學校：胡志明市臺北學校、泰國中華國際學校、馬來西亞檳城臺灣僑校、吉隆坡中華臺北學校、雅加達臺北學校、印尼泗水臺北學校。訪視人員：僑教會主任委員高崇雲、軍訓處處長宋文、人事處專門委員陳長德、中教司司長邱維誠、國教司專員張筱婷、會計處專員劉火欽、僑教會組主任王傳明。

　　此次訪視非常辛苦，每一國家及學校均只停留一天，上下班機十餘次，除了工作就是工作，只有最後一天檢討會在巴里島算是休息，但是主題報告極為精彩，更獲得了教育部的褒獎。

　　訪視團回國後提交了一份報告，據說也引起各界相當的重視，一個這樣規模的代表團能在八天的時間參訪了四個國家六所臺校，並且當場討論解決問題的績效，令人肅然起敬，而且整個報告完備整齊，足以為所有出國單位樹立一項楷模實屬所得。

　　同年七月十八日，我陪同林清江部長及海外臺北學校聯合會代表團一行六人，前往行政院拜會蕭萬長院長，聯合會成員包括世界臺商總會名譽會長余聲清，聯合會會長呂宥萱等，蕭院長極為關心該六所學校未來之發展，並指示各項工作原則，在本人的主導下，海外臺北學校聯合會正式成立，並於一九九八年八月四日在圓山大飯店召開年度會議，六所學校董事長全數出席，達成多項決議。

　　一九九九年十一月五日至十二日，我又率同高教司副司長陳德華等四員，前往馬來西亞辦理僑生升學輔導及教育政策講座，拜會我駐外代表處及當地政要留臺同學會等單位，並訪視吉隆坡及檳城兩所臺北學校，解決多項困難問題。

　　為加強海外臺北學校教師專業知能，提高其教學水準，特於一九九九年二月五日至十一日假華僑會館舉辦「第一屆海外臺北學校教師寒假回國研習班」活動，計有二十八位海外臺北學校教師回國參加。

七天之研習課程融合了知性與感性的學習，課程安排普獲學員高度肯定。

　　為實地瞭解海外臺北學校校務推展情形，協助解決有關問題，我因此於一九九九年五月三日至九日，率團一行三人訪視印尼雅加達臺北學校及泗水臺北學校，由於印尼當時局勢不穩定，且同年六月間將舉行大選，各地華人及臺商紛紛出國；教育部訪視團到訪該地區，除表達政府關懷的德意及協助解決有關校務推動問題外，並當場為泗水臺北學校募得建校經費三百三十萬元，對該校發展極有幫助。

　　為加強海外臺北學校教師使用電腦及媒體與資訊應用能力，提高其電腦教學水準，我特於一九九九年五月二十三日至二十九日委託景文技術學校辦理「海外臺北學校教師電腦教學與資訊應用研習營」，約有六十餘位海外臺北學校及日韓正規僑校、國內各校僑輔人員參加。本項研習課程內容新穎而充實，學員獲益良多。

　　早在一九九八年七月三十日至八月三日，我曾經代表教育部赴越南胡志明市臺北學校參加該校臨時董事會，對董事會改組及甄選校長等重大事項進行協調，在我國駐當地辦事處及臺商總會共同參與下，圓滿達成任務，胡志明市臺北學校校務營運已趨正常。

　　二〇〇〇年一月七日至十四日我又奉命代表教育部前往越南胡志明市臺北學校主持永久校舍動工典禮。

　　為提升海外僑校教師電腦教學能力，我在二〇〇〇年二月十日起至二月十四日止，假景文技術學院主持「海外臺北學校教師寒假回國電腦教學與資訊應用研習班」，參加研習人員計有東南亞六所海外臺北學校之校長、主任及教師、僑大先修班及日韓僑校教學相關人員共五十六位，本項活動對推動海外僑教工作貢獻卓著。

　　事實上，海外臺北學校已分別創校五至十年，其創建過程極為艱辛，在教育部於一九九八年接辦以前，營運及發展均有許多窒礙，包

括沒有永久性校舍、合格師資不足、經費極端缺乏、無相關明確法
規、學生返國升學及人數過少等等困難問題，教育部主政後，在將近
二年半的時間內已傾全力予以輔導，使六所海外臺北學校普具規模，
完成各項專業制度，且能正常運作，其間即使遭遇到東南亞金融風暴
以及印尼排華事件，仍能支持各校一一予以克服。以下謹就目前重點
問題及對策分述如次：

現階段各校在僑教會積極援助之下，紛紛開始或完成永久校舍的
興建，已先後核撥經費予各校，計吉隆坡中華臺北學校新臺幣四千萬
元，胡志明市臺北學校新臺幣二千萬元及泗水臺北學校新臺幣六百六
十萬元，供其等建校，而對泰國中華國際學校及雅加達臺北學校，也
予以較多資本門的經費補助，供其改善校舍設備。

因此，除檳城臺灣僑教校仍以租屋作為校舍外，其他五校均已擁
有美輪美奐的教室及宿舍，就學校基礎建設的實施而言，教育部已完
成初期的目標。

至於合格師資不足的問題，僑教會已召開多次會議，通過將海外
臺北學校比照偏遠地區學校予以照顧，並舉辦數次教師研習會，對各
校之現有教師予以培育，最近已委託國立屏東師範學院辦理「海外臺
北學校教師學士後國小教育學分專班」，提供各校現有不合格教師進
修俾取得合格教師證的機會，預定三年內使海外臺北學校全體教師均
為合格教師。

教育部並且正在研擬「海外臺北學校教師輔導辦法」，希望制定
各種可行而包括派遣教師赴各校教學的方案，俾提高各校教師的教學
水準。各校建校的初期，經費均為臺商的捐款，大企業的贊助及政府
相關單位的補助，惟因先天不足及後天失調，導致營運經費極為欠
缺，甚至負債累累等狀況出現，教育部主政後立即予各校經費的補
助，包括資本門、經常門、專案、校長津貼等四大項經費的補助，實

施迄今，大致已圓滿達成各校收支平衡的目標，當前各校所缺者僅剩「擴大發展」之經費而已。

　　有關法規不足的問題頗為重要，我們雖已制定「海外臺北學校輔導要點」，惟此項法規僅為過渡之用，而海外臺北學校原依據「華僑學校規程」而設置，其法源亦有待整理。

　　教育部僑教會正會同有關單位擬在「私立學校法」中明定「海外臺北學校輔導辦法由教育部定之」之條文並初步擬訂：（一）海外臺北學校輔導辦法。（二）海外臺北學校學生及返國升學輔導辦法。（三）海外臺北學校教師聘任及輔導辦法。（四）海外臺商子弟學校規程等各項法規草案。現正與相關單位會簽辦理中，將來準備經法規會及部務會議通過後院報核定，俾徹底解決所有問題。

　　關於各校學生返國升學銜接及人數過少的問題，教育部已在過渡辦法中保障海外臺北學校學生的權益，而上述第四點已敘述正準備提出正式法案中，教育部並與各校開會協商，要求各校立即辦理推廣部及視狀況，招收部分外籍學生等相關措施，俾增加學生人數及經費，據瞭解已有部分臺北學校正實施之中。

　　我主政的僑教會為拓展僑民教育新領域，開創僑民教育新境界，使我國能成為亞洲教育中心。而將教育改革理念延伸到海外，更為目前當務之急，輔導海外臺北學校使其能與美日等國在臺北的學校並駕齊驅，且為當前教育部海外教育最重要的一環，自當善體民意，順應僑心，全力做好照顧海外臺北學校之工作。

　　二、舉辦海外臺北學校董事長暨校長會議，由於前幾次都在海外舉辦，二〇〇三年首次在臺北辦理，重點如次：

　　教育部於二〇〇三年九月二十九日至十月一日，在臺北圓山飯店召開第五屆海外臺北學校董事長暨校長聯席會議，黃榮村部長與實踐大學謝孟雄校長（承辦學校）共同主持開幕典禮（二十九日下午一時

三十分），僑務委員會張富美委員長、范巽綠政務次長亦出席參加，各界學者、專家及出席會議四國六校代表，總計約一百餘人共襄盛舉，黃部長致詞後，立即主持頒獎儀式，頒發推動僑教有功獎予李謀誠會長，隨後，何麗蓉董事長接任新會長職務。我本人除為大會主要負責人外，並發表題為「海外臺北學校之營運與發展」專題演講。內容如次：「近年來，臺商赴海外地區投資設廠日益增加，在政府相關機構協助下，東南亞各國臺商於主要城市分別創辦六所臺北學校，包括印尼雅加達臺北學校、泗水臺北學校、馬來西亞吉隆坡中華臺北學校、檳城臺灣僑校、泰國中華國際學校及越南胡志明市臺北學校，以解決當地臺商子女教育之問題，並利於銜接國內教育。自第一所臺北學校──檳城臺灣學校於一九九一年設立以來，各校學生人數逐年增加，目前六校學生總人數已達一千六百餘人，其中以泰國中華國際學校人數六百三十五人最多。

各校因地處海外，硬體建設在教育部逐年編列預算補助下，已漸趨完善，惟受限於當地國法令及資源不易獲得等因素，學校規模比國內小，學生人數少，教師退撫制度不夠完善，因此往往無法吸引國內優良師資前往任教，造成教師流動頻繁，嚴重影響臺商子弟教育。

為實際瞭解各校的困難，教育部自一九九九年起每年召開「海外臺北學校董事長暨校長聯席會議」，期能邀集各界集思廣益，提供各校發展之建議與依據，使臺北學校面對國內外快速變遷之際，能夠不斷創新求變，以符合臺商教育子女之需要，維護其受教權益。目前已召開五屆會議，第一至三屆聯席會議在海外舉行，第四、五屆改於國內舉行。聯席會議選出會長一人，第三任會長李謀誠先生（印尼雅加達臺北學校董事長）業於本次會議中卸任，並由泗水臺北學校董事長何麗蓉女士接任會長職務。」等語。

本次會議議程共舉行三場研討會，分別由暨南國際大學張進福校

長、臺北師範學院張玉成校長及教育研究院籌備處何福田主任主持，針對海外僑教經營瓶頸問題、海外臺校及正規僑校之營運策略及海外僑教經營現況與未來發展進行討論。

　　最後綜合討論，針對以上共識，大會擬定下列工作重點作為未來輔導海外臺北學校之依據，以創新海外臺北學校之經營，落實照顧國人子女教育政策。

　　（一）依據私立學校法訂定「海外臺北學校設立及輔導辦法」。

　　（二）繼續予以補助，除分為經常門、資本門、校長津貼、專案補助四項，並將考量當地臺商人數成長及實際教育需求給予協助。

　　（三）鼓勵臺北學校多元發展，未來將朝向成為政府南向政策的資訊據點，推動華語文教育中心，與當地國學術教育交流中心，臺商聯誼場所等。

　　（四）繼續派遣替代役教師赴海外各校協助教學，未來每校至少維持二位人力，並視學校規模及實際需要，逐年增加，至多以五至八名為目標。

　　（五）保障臺北學校學生回國銜接升學，發給清寒及優秀學生獎、助學金，並定期派遣學者專家，前往各校辦理專題講座。

　　（六）健全學校董事會運作。

　　（七）建立校長教師公開遴選、職前講習、及權益申訴保障制度。

　　（八）協助培育當地師資及教師進修。

　　（九）建立海外臺校遠距教學網路系統。

　　（十）推動臺北學校成為海外華語文教育及國際學術交流據點。

　　此次承辦單位實踐大學，為辦好此次會議可以說是全力以赴，除了組織一個工作編組委員會，由謝孟雄校長親自擔任主任委員之外，並納入該校所有一級單位主管。實踐大學謝校長是為我國極富盛名之學者，曾經擔任台北醫學院校長、監察委員等要職，多才多藝、和藹可親，對推動僑教貢獻良多，是一位廣受推崇的教育家。

　　三、我在各種場合所發表的「海外臺北學校之營運與發展」專題報告，重點如下：

　　（一）前言：近年來，臺商赴海外投資設廠者日益增加，其子女教育形成嚴重問題，在政府相關機構協助之下，東南亞各國臺商於主要城市分別創建了六所海外臺北學校，包括印尼雅加達臺北學校、泗水臺北學校、馬來西亞吉隆坡中華臺北學校、檳城臺灣僑校、泰國中華國際學校、越南胡志明市臺北學校等。

　　各該海外臺北學校及臺商認為，各校學生均為持中華民國護照的國民，理應視為國內教育的延伸，而受教育部的妥善照顧，僑務委員會為順應僑情並行文簽報行政院，將六所海外臺北學校移交由教育部接辦。

　　臺北學校係海外臺商創建，渠等投資各僑居國，為使幹部無後顧之憂而安心工作，必須設校俾使子女得以求學，且與國內同步學習，多年以來，海外臺商及中央民代均曾大聲疾呼，要求教育部比照國內教育的延伸加以主政，教育部如能予以輔導，應為體察民意，順應僑心之舉，不僅如此，接辦該項業務可顯示政府照顧海外臺商子弟的用心，並為服務廣大僑民奠定更堅實的基礎。

　　教育部為謀求海外臺北學校正常運作及發展，特於一九九七年十二月三日及十九日邀集行政院及相關部會代表開會，研訂「海外臺北學校輔導要點」加強辦理。教育部於一九九七年十月十四日呈報行政院同意接辦，並奉行政院同年十一月八日台86僑字第43991號函核定。自一九九八年一月一日起接辦六所海外臺北學校業務，迄今為止，教育部輔導各個臺校已五年有餘，其間盡心竭智，全力以赴，績效已廣獲僑界肯定。

　　時值教育國際化之今日，未來僑教工作應與國際文教交流、高等教育與技職教育相互配合，以「關懷僑教與區域合作」為主要理念，

透過周延有效的僑教政策，提升僑民教育品質與其受教機會，並藉由教育關懷與人才培育，提升僑民及臺商的品質素養與社經地位，增進我國整體教育與政治經濟外交的實力。並在區域合作的基礎上，進一步加強我國與東南亞各國的區域夥伴關係，促進雙方教育與學術交流與合作，共謀東南亞區域高等教育同步發展。

　　教育部所輔導之六所海外臺北學校，均位於東南亞各國的首都或經濟發展重要都市，有其地理優越之條件，復以各校在過去迄今均曾扮演臺商聚會之核心場所，在我國與東南亞各國進行外交經貿文化關係上，實具有舉足輕重的地位，不僅如此，各校且為我國在各地區唯一懸掛國旗之處所，其所代表之精神意義是無可取代的。

　　（二）僑教理念與教育南向政策重點計畫：

1、僑教理念由於我國未來的發展必須以面向海洋作為思考的主軸，而僑民就是向海外延伸國家建設的原動力，因此加強僑民教育就是建立國定發展的基礎。同時推展僑民教育可以培養心繫祖國的僑民，使渠等獲得良好的學術及專業技能，在海外宣揚我國文化。

2、教育南向政策重點計畫：依據既定教育政策，基於「關懷僑教與區域合作」的理念，本計畫所指東南亞地區包括以下國家：新加坡、印尼、馬來西亞、泰國、菲律賓、汶萊、越南、柬埔寨、緬甸、寮國等十國。

　　　　教育南向政策二項主要目標如下：（1）提升僑民教育與推動華語文教育國際化。（2）促進我國與東南亞區域教育與學術合作。

　　　　基於文化與血緣關係，教育南向政策必須重視提升僑民教育的品質與受教機會，使僑民認同傳統文化，進而支持中華民國臺灣自由民主制度。除此以外，由於政府有義務照顧持有我國國籍的海外臺商，對於投資東南亞各國的臺商子女，應盡力保障其接受國民教育的權益，並協助輔導回國銜接升學等事宜。

　　依據前揭二項目標，本計畫有四項實施策略：（1）加強輔導海外臺北學校，擴大招收優秀僑生回國升學。（2）推動華語文教育國際化，建立測驗制度培育人才資源。（3）研推技職教育策略聯盟，建立教育體系區域合作機制。（4）強化區域教育學術交流，開展國內大學境外教育功能。

　　計畫執行期間預定自二〇〇三年一月一日至二〇〇五年十二月三十一日止，為期三年。

　　此項計畫中的最優先策略是輔導海外臺北學校，教育部奉行政院核定接辦六所海外臺北學校業務以還，相關單位均盡心竭智，全力輔導各個臺北學校。二〇〇二年九月三十日黃榮村部長在第四屆海外臺北學校董事長暨校長聯席會議致詞表示：今後將以具體行動關懷我國僑民在異域的教育文化事業，尤其對海外臺北學校的經費、人力及法令方面會予以更多的支持，足證教育部對各海外臺北學校運營與發展的關注。

　　（三）海外臺北學校營運之概況：六所臺北學校中，以馬來西亞檳城臺灣僑校於一九九一年三月創校最早，次為印尼雅加達臺北學校，而越南胡志明市臺北學校於一九九七年十月成立最晚。計至九十學年度，學生人數以泰國中華國際學校六三五人最多，次為越南胡志明市臺北學校三八五人，印尼泗水臺北學校八十三人最少。除印尼泗水臺北學校尚未設有高中部外，其餘各校均為完全中小學，雅加達、泗水臺北學校、泰國中華國際學校、越南胡志明市臺北學校並附設幼稚園。

　　分類說明：目前海外臺北學校依其性質，主要分為三類：一、臺商自辦之私立學校：如印尼雅加達臺北學校、泗水臺北學校、馬來西亞吉隆坡中華臺北學校、檳城臺灣僑校。二、官辦民營之臺北學校：如越南胡志明臺北學校。三、國際型之臺北學校：如泰國中華國際學

校具有雙語學校性質。

　　越南胡志明臺北學校係胡志明市人民委員會，根據總理府一九九七年六月十七日公文，於一九九七年八月六日同意我國駐胡志明市臺北經濟文化辦事處設立臺北學校，該辦事處之駐外負責人員同時並擔任該校之董事長，二〇〇三年該校改選味丹越南分公司總經理楊頭雄先生為董事長。

　　泰國中華國際學校創立於一九九五年，為非營利之私立學校，當時泰國政府不允成立臺北學校，乃不得不成立國際學校，其體制為日間部男女合校，提供英文教育予泰國臺商子弟，泰籍和他國學生。該校為國際學校，其課程依據美國西方學校暨學院協會（WASC）認證之美國課程標準，採用美國教科書，從美國購買教學資料，並依美國之教育體系辦學。

　　除此，另依泰國教育部之規定，學校課程是以革新的美式教材教法為基礎，並延伸融入我國學制的需求，每日教授密集中文課程，並加強中華歷史文化之教導，俾符合雙語學校之標準。除中文及泰文課程外，所有課程教學語言均以英語為主。該校學制從幼稚園、國小、國中部至高中部。

　　校舍現況：至二〇〇三學年度止，六所海外臺北學校除馬來西亞檳城臺灣僑校以外，各校在教育部積極輔導與補助之下，均已擁有永久校舍及教學大樓。如馬來西雅吉隆坡中華臺北學校，在教育部補助新臺幣四千萬元及號召臺商捐款募得建校基金，已於二〇〇一年七月完成永久校舍各項建築及設備。

　　教育部除每年補助各校資本門、經常門、校長津貼大約一千萬元之外，並專案補助興建永久校舍所需經費。

　　教學制度：依「華僑學校規程」第二條規定：「華僑學校之設立，參照本國現行學制辦理。」準此，教育部所輔導之六所海外臺北

學校學制與課程均與國內學校同步，採六─三─三制，另為因應當地實際需要，並得附設幼稚園。

　　截至二○○四年海外臺校蓬勃發展，六所臺北學校共有學生一千六百餘人、教師二百餘人，各校規模草具，制度漸趨完備，而從宏觀角度來看，與日韓兩國前十年僑民學校的績效相比，已經算是有驚人的成長。而且在當地臺商及僑界全力支持及教育部每年提供經常門與資本門距額補助之下，各校已呈蓬勃發展，校務蒸蒸日上。

　　而全球各地，包括南非、巴西、巴拉圭、澳大利亞、紐西蘭及美國等地區，均已有臺商向教育部申請或表示要設置該地區臺北學校之意願，其中美國德州達拉斯已由知名藝術企業家汪大衛組成菁英臺北學校籌備處，並購地興建校舍中，而洛杉磯、休斯頓及紐約均有臺商領袖積極推動，基於僑教的立場，照顧海外臺商子弟及駐外人員子女之就學為當前優先的政策，教育部允宜全力予以協助。

　　（四）問題與對策：海外臺北學校已分別創校六至十二年，其創建過程極為艱辛，在教育部於一九九八年接辦以前，營運及發展均多窒礙，包括沒有永久性校舍、合格師資不足、經費極端缺乏、無相關明確法規、學生返國升學及人數過少等等困難問題，教育部主政後，在將近五年半的時間內已傾全力予以輔導，使六所海外臺北學校普具規模，且完成各項制度，使其能正常運作，其間即使遭遇到東南亞金融風暴以及印尼排華事件，教育部仍能支持各校一一予以克服。

　　教育部自一九九八年元月接辦海外臺北學校以還，對各校之照顧可謂全力以赴，不敢有絲毫懈怠，迄今為止，除檳城臺灣學校仍在覓地外，其餘五校均在教育部支持協助下，完成永久校舍之建置，就輔導初期目標而言已圓滿達成。

　　惟各校仍有師資流動率高，教師權益無足夠之保障、學生人數過少、發展經費預算等困難問題，教育部雖已盡心竭力，提出各種解決

方案，惟與理想目標仍有一段距離，仍盼各相關單位及臺校師生共同
合作攜手共進。

　　各臺北學校儘管遭遇許多挫折，仍能蓬勃發展，勇猛精進，名聲
且已遠播全球，包括南非、巴西、巴拉圭、紐西蘭及美國等地區，均
已有臺商向教育部申請或表示要設置該地區臺北學校之意願，我並且
曾經到美國洛杉磯及達拉斯參訪當地教育，研究了成立海外臺校學校
的可能性。基於僑教的立場，照顧海外臺商子弟及駐外人員子女之就
學為教育部優先的政策，教育部當全力予以協助。

　　僑教政策為拓展僑民教育新領域，開創僑民教育新境界，使我國
能成為亞洲教育中心。而將教育改革理念延伸到海外，更為目前當務
之急。輔導海外臺北學校使其能與美日等國在台北的學校並駕齊驅，
乃為當前教育部僑民教育最重要的一環，教育部自當善體民意，順應
僑心，全力做好照顧海外臺北學校之工作。事實上臺校有今日，僑教
會第三組功不可沒，其中王傳明代主任貢獻最多，值得嘉獎，我特別
表示讚許。我擔任僑教會主委時常與教育部次長林昭賢、教育廳廳長
王宮田、新北市教育局局長林騰蛟等教育人士來往，交誼甚深。事實
上，當時監察院院長張博雅、行政院六組組長吳清基教授對我也相當
關照。

　　而東南亞各國臺商支持臺校的精神令人敬佩，例如馬來西亞吉隆
坡和檳城臺校能夠蓬勃發展，是因為臺商陳坤煌、李芳信、丁重城、
杜書堯、呂宥萱、詹益湧、洪鵬翔、謝國權及其他僑領等人，無私無我
的捐資與貢獻。又如印尼雅加達、泗水和越南胡志明及泰國曼谷四臺
校的建置，臺商領袖李謨誠、何麗蓉、黃順良、呂春霖、余聲清、戴春
雅、周幼蘭、賴建人、張政銘等人，及其他僑領奉獻良多，功不可沒。

　　坦誠而言，我在海內外相關場合中，發表有關海外臺北學校專題
演講不下數十次，每次都獲得相當激賞的掌聲。

（五）各校校舍照片：

檳城臺灣學校

雅加達臺北學校

吉隆坡中華臺北學校

泗水臺北學校

泰國中華國際學校

胡志明市臺北學校

　　與僑教會相關單位聯絡重要名單：駐日本代表處、駐韓國代表處、駐越南胡志明市辦事處處長吳建國、駐泰國代表處、駐馬來西亞代表處、駐印尼代表處、胡志明市臺北學校校長劉文德、泰國中華國際學校校長周憲明、吉隆坡中華臺北學校校長陳正邦、檳城臺灣僑校校長紹啟明、雅加達臺北學校校長趙吉林、泗水臺北學校校長趙富年、東京中華學校校長郭東榮、橫濱中華學院校長杜國輝、大阪中華學校校長張桐齡、漢城華僑中學校長孫樹義、釜山華僑中學代校長林行先、大邱華僑中學校長賈鳳聲、仁川華僑中學校長初福成、馬來西亞吉隆坡中華臺北學校董事白聖舟、馬來西亞吉隆坡中華臺北學校董事李芳信。

　　教育部每年補助學校名單如次：越南胡志明市臺北學校、泰國泰國中華國際學校、馬來西亞吉隆坡中華臺北學校、馬來西亞檳城臺灣僑校、印尼雅加達臺北學校、印尼泗水臺北學校、日本東京中華學校、日本橫濱中華學院、日本大阪中華學校、韓國漢城華僑中學、韓國仁川華僑中學、韓國釜山華僑中學、韓國大邱華僑中學、韓國廣川華僑小學。

　　更值得說明的是，我對海外臺校及日韓僑校的特別照顧，我每年都邀集各該校教師返臺，提供免費培訓。到二〇〇四年我在政府退休前，已完成海外六所臺校永久校舍建置工作，我均有發表感言。

## 六　全力宣揚傳統文化藝術

　　為了海外臺校及日韓僑教能蓬勃發展，在我的支持之下，由淡江大學、中國孔學會、醒吾技術學院及中華民國書學會等四個單位，於一九九九年三月聯合辦理「拓展海外僑教宣揚中華文化計畫」赴馬來西亞、越南，舉行書畫展、文化講座、義賣勸募海外臺北學校及留臺

校友會會務發展經費活動。對於配合教育部之僑民教育政策與促進國
際文化教育之交流，將有重大效益。

　　此項活動邀請了國內知名書畫家組成「中華書畫藝術僑教宣揚
團」，前往馬來西亞（吉隆坡）、越南（胡志明市），由書畫家提供書
畫作品展覽，並在臺北學校及留臺校友會舉行揮毫示範與傳統書畫藝
術及文化講座。參展作品與當場揮毫之作，均於當地義賣，所得將捐
贈海外臺校及留臺校友會，以資助僑界及僑團辦學。

　　此項活動的特色在於一方面結合國內書畫家舉辦作品展覽與文化
講座，一方面結合海外僑界，透過義賣書畫勸募海外臺北學校及正規
僑校之發展經費，對於國際文化教育之交流及加強華裔子弟，尤其是
海外臺北學校及正規僑校學生對我國傳統書畫藝術之瞭解，有相當大
之助益。為拓展僑校教育，宣揚傳統書畫藝術文化於海外，特予以經
費之贊助。

　　僑民教育的目的之一，即為促進傳統文化在海外延續與發揚；而
文化中之傳統書畫藝術，向為海外華人所嚮往。惟近年來，海外華裔
子弟受當地文化及歐風美雨之影響，有逐漸淡忘正宗傳統文化之傾
向。此行書畫訪問，正可將臺灣歷經半世紀以來，所淬鍊出的正宗我
國藝術文化弘揚於海外，意義重大而影響深遠。

　　本次活動績效良好，在我駐越南胡志明辦事處吳建國處長，臺商
總會呂春霖總會長及世界留臺聯合會陳華清總會長等僑界人士大力推
動及李奇茂大師、顧建東校長、沈禎教授、戴子超教授、程梅香教
授、陳若慧教授等畫家共同努力之下，為越南胡志明市臺北學校募得
十萬元美金（臺幣330萬元），馬來西亞留臺聯總五萬元美金（臺幣
170萬元）。

## 中華書畫藝術文化宣揚團

| 名譽團長 | 高崇雲 | 教育部僑民教育委員會主任委員 |
|---|---|---|
| 顧　　問 | 顧建東 | 醒吾技術學院校長 |
| 團　　長 | 李奇茂 | 淡江大學文鑾藝術中心主任、中國孔學會會長 |
| 執行秘書 | 沈　禎 | 淡江大學駐校藝術家兼文鑾藝術中心秘書、中國孔學會秘書長 |
| 秘　　書 | 李毓真 | 教育部僑民教育委員會研究助理 |
| | 邱竹林 | 淡江大學學生事務處僑生輔導組組長 |
| 團　　員<br>（年齡序） | 戴子超 | 專業畫家 |
| | 張光正 | 藝術評論家、中國孔學會常務理事 |
| | 程梅香 | 中華藝文交流協會副會長 |
| | 陳若慧 | 政治大學美術班教授 |
| | 秦裕芳 | 專業畫家 |
| | 吳金城 | 政戰學校教授 |
| | 楊麗芬 | 書友雜誌總編輯、畫家 |
| | 李宗仁 | 政戰學校教授 |

當地華文報紙《馬華日報》等，報導重點如下：

　　此項活動由曾經擔任過國父紀念館館長六年的高主任委員崇雲邀請國內知名書畫家李奇茂、顧建東、吳豐堃及張炳煌等二十位，組成中華書畫藝術僑教宣揚團，第一梯次前往馬來西亞（吉隆坡、檳城）；第二梯次將前往韓國漢城及日本（東京、大阪）。藉由書畫家提供書畫作品展覽，並在臺北學校及正規僑校舉行揮毫表演、傳統書畫藝術及儒學演講會，而參展作品與當場揮毫之作品均於當地義賣，義賣所得將捐贈僑校，以資

助僑界辦學，這次在馬來西亞透過書畫大師及名家的生花妙筆以及中華民國旅馬來西亞投資廠商協會對書畫藝術的熱愛與慷慨贊助，總共募得馬幣二十萬元整（約合新臺幣貳佰萬元）。另外，談團亦訪問了馬來西亞中央藝術學院、馬來西亞藝術學院、光華日報與當地書畫家、作家，與他們進行了豐富的人文藝術交流。

此項活動的特色在於一方面結合國內著名書畫家舉辦作品展覽與文化講座，一方結合海外僑界，透過義賣書畫勸募海外臺北學校及正規僑校之發展經費，對於國際文化教育之交流及加強華裔子弟，尤其是海外臺北學校及正規僑校學生對我國傳統書畫藝術之瞭解，有相當大之助益。教育部為拓展僑教領域，宣揚傳統書畫文化於海外，特予以經費之贊助。

僑民教育目的之一，即為促進中華文化在海外之延續與發揚，而中華文化中之傳統書畫藝術，向為海外華人所嚮往，唯近年海外華裔子弟受當地文化及歐風美語之影響，有逐漸淡忘正宗傳統文化之傾向。書畫訪問團此行正可將臺灣歷經半世紀淬煉出的正宗中華藝術文化弘揚於海外，意義重大而影響深遠，第一梯次馬來西亞的書畫宣揚活動，為我僑教的推展樹立了一個新的里程碑。

此項報導深獲各界重視。

同年五月十二日在我的策畫之下，正式協調書學會、醒吾商業專科學校及中國孔學會三個關心僑教之文教單位組成「中華書畫藝術僑教宣揚團」一行二十人，前往韓國僑校參訪。

訪韓期間分別於漢城華僑中華及仁川華僑中山中學兩校舉辦文化講座、書畫展、揮毫表演及作品義賣活動，參加展覽之書畫作品及當

場揮毫之作品,經受邀來訪之書畫家同意,將悉數捐出提供義賣,所得亦將資助僑校作為校務發展經費。

當地《韓華日報》報導重點如次:

> 該團第一梯次前此曾於一九九九年三月下旬前往馬來西亞完成活動,成果豐碩,此次第二梯次宣揚團一行二十八人,由國畫大師李奇茂教授率團,分別前往韓、日舉辦活動,前往各國所需食宿交通等經費,係由教育部贊助。
>
> 「中華書畫藝術僑教宣揚團」第二梯次成員有名譽團長高崇雲(教育部僑教會主委)、顧問顧建東(醒吾商專校長)、僑務委員吳豐塗、團長李奇茂(臺灣藝術學校教授)、副團長張炳煌(國際書法聯盟理事長)、中華民國書學會理事長劉炳南、秘書長李淑範(教育部僑教會主任)、團員張光正、程梅香、陳若慧、戴子超、蔡友、褚端平、沈禎、羅順隆、林勝鐘、林韻琪及楊麗芬等。

其他各報也有深入的報導。其中我要強調的一點如次:李淑範主任是一位認真負責、勤奮努力、多才多藝的優秀公務員,她任勞任怨,關愛僑生的精神值得肯定,我認為以她的表現及能力而言,她至少應該可以做到司長的職務。

漢城展安排於五月十三日上午十一時至下午六時,仁川展經安排在五月十四日上午十一時至下午五時,參展作品一律折優割愛,惟因活動時間有限,主辦單位呼籲僑胞能夠掌握時間,儘早前往會場觀賞。

中央日報海外版報導如下:「教育部僑民教育委員會組團訪韓,並於五月十三日,在漢城市延禧洞漢城華僑中學大禮堂舉辦書畫展覽、文化講座,並為僑校勸募校務發展經費,意義非凡。

　　漢城華僑中學校長孫樹義，向本報記者說：『中華書畫藝術僑教宣揚團』一行廿餘人，由教育部僑民教育委員會主任委員高崇雲率領來韓，而宣揚團都是國內知名書畫家所組成。

　　孫校長並說：『本校為壯此盛舉，是日亦有學生書法、美術及物理化學、生物學業展覽，希望我華僑同胞前往觀賞，共襄盛舉。』

　　孫校長最後說：『五月五日是該校第五十一屆校慶慶祝大會，而「書畫藝術僑教宣揚團」一行廿餘人，在該校禮堂舉辦裡畫展覽，充分顯示政府對僑教的關心，令該校師生感激不盡。』等語。韓國華僑僑界對此一活動有極大的積極而熱烈的支持。漢城僑校孫樹義校長一直是我的好友，他是一位苦幹實幹的教育家，主持僑校數十年享有極高的聲望。而仁川校長初福成和孫校長一樣，是一位認真負責的好校長，對仁川僑校的校務發展有重大的貢獻。」

　　綜合而論，我從一九九七年五月到二〇〇四年八月在僑民教育委員會服務八年，任職期間績效優異，返臺升學僑生人數由谷底八七二七人增加到一三九〇三人，輔導海外臺北學校頗有成果，為臺校建置了永久校舍，並派遣替代役教師到臺校以解決教師欠缺問題，協助臺校發展校務走上正軌。

　　我在二〇〇四年五月二十七日正式遞上辭呈提前退休，返回校園，時任政務次長范巽綠在簽上表示：「高主委對海外臺校之建制協助甚有貢獻」等語，教育部杜正勝部長並頒發「僑教有功」獎狀。而值得大書特筆的是，時任僑務委員會委員長的張富美也特別在該會大會議室召開了主管會議，所有副委員長及一級主管均出席，邀請我本人參加，張委員長致詞當面褒獎我對僑民教育的貢獻，並且頒發金質獎牌「功在僑教」一座，我實在有深深的感觸，因為當時執政的政黨是民主進步黨，對於身為中國國民黨員的我而言，這是一項極為難得的殊榮。

# 陸
# 春風化雨展翅臺灣

## 一　淡江教學兩年績效

　　我於二〇〇四年八月一日由教育部僑民教育委員會主任委員職位上退休，在淡江大學創辦人張建邦董事長的邀約，及張紘炬校長的懇切聘請下出任該校東南亞研究所教授兼所長之職，東南亞研究所沒有學系，所以只有四位專任教授，除我以外，有林若雩教授、蔡青龍教授及林欽明教授等，還有賴玉枝秘書。我雖然僅僅做了二年，卻有相當不錯的績效。

　　然而到了二〇〇六年春天，我因各項因素，向張家宜校長提出辭呈，我在辭職信上說明了原因及工作績效。並充分顯示了我「來去分明的君子氣概」，辭職理由有二：一是健康因素，年齡過大不宜再擔任行政主管，二是交通因素，我開車上下班從住處到學校來回約需三小時以上，眼力不好，技術更差，交通不方便，所以請辭，不過我的績效還好，謹說明如下：

淡江大學

　　我於二〇〇四年八月來校任職，期間盡心竭智、認真負責、績效尚良好。在教學方面，所開之六門課程經評鑑結果，教學總分平均數均在「4.5分」以上；在研究方面二年內共發表期刊及會

議論文十五篇，專書及主編各一冊；在服務方面招生狀況頗佳，學生報考人數大幅增加，且不僅為本所募款約三十萬元，且協助學校爭取補助款超過二百萬元。

## （一）招生

一、在多方宣傳本校校譽並積極輔導之下，九十三學年度報考本所人數為五十六人，九十二學年度為二十七人（九十一學年度為二十三人），增加二十九人，錄取率由百分之五十左右降低為百分之二十三。

二、九十四學年度報考本所人數為三十四人，雖比九十一、九十二學年度增加，但比九十三學年度減少，錄取率約為百分之三十八，其原因可能為九十三學年度錄取率較低，影響學生報考意願。

## （二）募款

為響應本校五十五週年募款計畫，全力對東南亞華人及臺商進行勸募，二〇〇四年八月迄今已募得二十八萬元，績效較以往增長數倍有餘，更達到本校規定本所募款額度一萬兩千元之二十三倍。本校校刊曾經提及本所之績效表現。

## （三）增聘教師

為加強本所師資陣容，且因應研究生之建議，已聘請國內東南亞專家陳鴻瑜教授擔任本所專任教授、馬來西亞外籍教授 Dr. 哈麗瑪開設歷史學課程，暨大副教授龔宜君擔任本所兼任教授，開設社會學課程。

## （四）協助及配合其他單位

一、與教務處合作擴大招收僑外生，協助爭取教育部經費五十萬
元，且於二〇〇四年十一月率團前往緬甸宣揚本校發展狀況。

二、與教務處合作將於二〇〇五年四月八日接待僑大先修班學生來
校參訪，並於四月十一日赴僑大先修班發表專題演講及俾擴大
招收僑生來校。

三、與文鑭中心合作爭取教育部經費五十萬元，於二〇〇四年十二
月率書畫家前往馬來西亞為海外臺校、留臺校及總會、本校留
臺校友會等單位募款，並推動本校在該國設置境外碩士班計
畫，馬來西亞新紀元學院柯嘉遜校長因此專程來校訪問。

四、應華僑協會總會之邀請，擔任該會之顧問，於二〇〇五年十一
月前往馬來西亞及印尼參訪，除與韓新傳播學院簽約合作及考
察印尼大學外，並出席馬來西亞淡江校友會成立十週年大會。

## （五）與他校及本校單位合辦學術研討會

一、與玄奘大學通識中心合作於二〇〇四年十二月上旬舉辦海外華
人與僑民教育國際學術研討會，本所師生踴躍參與。

二、協助本校教政所爭取教育部經費九十萬元，共同主辦第六屆僑
民教育學術研討會，本所師生全體參與。

三、與玄奘大學華人研究中心合作，於二〇〇五年十二月上旬舉辦
「新移民國際學術研討會」，本所師生踴躍參與。

## （六）舉辦學術研討會

爭取外交部、經濟部、國父紀念館之補助三十萬元，舉辦「海峽
兩岸政策比較學術研討會」，並於會後出版《海峽兩岸南向政策與東
協》一書。

### （七）推動國際及兩岸學術交流

一、於二〇〇四年八月三十一日應北京清華大學之邀前往中國大陸參加海外華人學術研討會，並發表論文。

二、於二〇〇五年六月前往中國大陸參加「台黔觀光學術研討會」，會後訪問北京與前海協會秘書長唐樹備座談，後赴上海會見復旦大學鄭祖康副校長。

三、接待馬來西亞駐華代表辜拉曼（Dr. Ku Abdul Rahman bin Ku Ismail）伉儷、新紀元學院代表團柯嘉遜院長等、留臺校友總會代表團劉天吉會長等及亞洲臺商總會會長李芳信、秘書長詹益湧等多次外賓代表團。

四、於二〇〇五年十一月前往馬來西亞、印尼參訪，考察韓新傳播學院及印尼大學。

五、於二〇〇六年七月前往中國大陸杭州浙江大學進行參訪，並參加學術研討會，與該校副校長龐學銓會晤。

### （八）舉辦學術演講會、所務評鑑及向國科會申請研究專案

九十三至九十四學年度曾邀請江丙坤委員、蕭新煌執行長等學界碩學蒞臨本所發表專題演講等活動將近十五次，而三年一次的所務評鑑已於二〇〇五年底完成。本所本年度向國科會申請研究專案申請率為百分之百，本校校刊亦曾刊登。

### （九）舉辦聯誼活動

為加強輔導學生，增進師生間情誼之交流，曾舉辦蘭陽校區參訪、校友返校、春節餐會……等多次活動。

## (十) 現階段業務之推動

一、在職專班計畫已獲院務會議之通過，正尋行政手續積極籌備中。

二、已獲得僑委會華人及臺商問題講座專案補助五萬元，用於支付專家學者主講臺商相關課程。

　　至於有擔任教授職務方面，我的績效簡報如下：

## (一) 教學

一、教學評鑑平均「4.5分」遠遠超過一般水準。

二、兩年以來，已指導學生一人撰寫碩士論文獲得通過，現正指導學生兩人進行碩士論文撰寫，且所開課程選修之學生人數相當踴躍，舉例而言，「教育與文化行政」課程選修人數達一〇四人，而研究生每科目均超過十人。

## (二) 服務

一、擔任國際光明社會運動總會副理事長，促進國際文教交流。

二、擔任觀光學會顧問兼秘書長，除應邀至真理大學擔任該校觀光學系之評鑑委員外，並與會長率團赴大陸貴州大學及浙江大學進行學術交流。

三、應邀至桃園育達技術學院、長青學會、僑大先修班、玄奘大學、聖約翰大學、真理大學擔任專題講座，發表有關東南亞之演講。

## (三) 研究

　　兩年以來，所進行的各項研究成果如次：

一、學術期刊論文，發表六篇。

二、學術會議論文，發表九篇。

三、擔任學術會議論文評論人共五次。

四、專書：東南亞華人與華文教育，淡江大學，二〇〇六年六月。

五、研究案：東南亞臺校之營運及發展，行政院國科會，二〇〇六年（審查中）。

六、進行中之研究：

其一，中國大陸積極推動全球華文教育——以東南亞地區為例，育達技術學院。其二，南向政策的檢討與西進大陸的契機，臺灣經濟發展研究院。

七、主編：

其一，海峽兩岸南向政策與東協，淡江大學，二〇〇五年九月。

其二，第六屆僑民教育學術研討會會議實錄，教育部，二〇〇四年十二月。

我辭職當時張校長雖表示了慰留之意，不過我仍然堅辭，其理由實在還有下面幾點：

一是我的住所在內湖的昇陽生活大樓，是一個空氣清新、周圍環繞著綠蔭大樹的山坡庭園別墅型大廈，附近正好臨近德明財經科技大學，該校係以國父　孫中山先生的號為校名，而創辦人又是曾任僑務委員會委員長的鄭彥芬先生，如果我應聘到該校任教，就可不必親自開車，其中最重要的原因是，我自從政以來均獲得政府主管座車的配置，一直有駕駛為我服務，所以我的駕駛技術荒廢了十五年，以至於開車時經常發生小車禍，安全的確堪慮。

二是因當時承蒙教育部呂木琳次長的鄭重推薦，德明科大有意聘我為名譽教授，而此項榮譽相當難得，基於上述因素的考慮。我堅決

辭任，終於獲得張家宜校長的核可，事實上，在淡江服務二年，二位張校長均對我相當禮遇，更獲得了張建邦創辦人及姜文輜董事長的關懷照顧，實在有些依依不捨。而在淡江也有好令人懷念的幾位好友，其中蓋浙生教授、羅運治教授、李奇茂教授、張炳煌教授、王高成教授等均與我來往密切，相知友好。

我終於在二〇〇六年八月轉任德明科技學院講座教授之職。

## 二　德明科大學界支柱

二〇〇六年八月一日，我正式應聘到德明財經科技大學擔任通識中心講座教授，這所學校在技職教育的領域上有相當精彩的表現，它位於內湖科學園區的捷運西湖站旁，園區雖小但卻精緻，再加上校風良好，我得以在這樣的優異環境中進行春風化雨的教學工作，貢獻心力，坦誠而言，實在感到非常愉悅。

一般而論，當時對於一位教授的價值，通常可以分為三個項目來評鑑：一是教學成績，二是研究成果，三是服務態度。

事實上，我到任何地方，任何工作崗位，都有極為傑出的表現，那是因為我的人生態度非常認真，相當勤奮，「努力加時間就是成功」，這句話是我終生奉行的座右銘。

從二〇〇六年八月起到二〇一〇年十二月四年半中，我一直在通識中心服務，作為一名講座教授，我經常可以帶動風潮，成為該校學術講座的核心支柱，那段期間我的績效列表如下：

### （一）教學

二〇〇六至二〇一〇年教學評鑑總平均為「4.36」，成績算是全

球頂尖的百分之五，我擔任的主要課程是憲法、立國精神、兩岸關係與大陸政策、文化觀光行政管理等等。

## （二）服務

二〇一〇年十月引薦馬來西亞新紀元學院潘永忠院長來校訪問，並與本校郭校長簽訂合作協議書，準備進行雙聯制。

二〇一〇年十月承辦「開拓僑民與華語文教育新境界」國際學術研討會，邀請多位中心同仁參與發表、主持、編撰等工作。

二〇一〇年八月出席第十一屆世界休閒大會發表論文獲得行政院國家科學委員會全額補助新臺幣五萬元。

二〇一〇年八月因主持院際研究中心辦理大型研討會獲得嘉獎一次。

二〇〇九年十二月應中華科技大學邀請擔任「兩岸教育文化論壇」與談人。

二〇〇九年向行政院僑務委員會申請專案補助四萬七千元開設華僑問題講座，配合本校南向政策，並培養學生對國際局勢及東南亞越南等國之瞭解。

二〇〇九年五月中旬管理學院舉辦「創新服務觀光行銷暨國際禮儀學術研討會」，除擔任執行委員兼總策劃外，並爭取內政部補助十萬元，又邀請外交部非政府組織吳建國副主委等多位重量級專題演講貴賓蒞校。

二〇〇八年參加「東南亞經濟研究中心」籌設會議，除提供諮詢外，並負責邀請外交部大使及總領事級代表協助，已出席會議多次。

二〇〇八年兼任管理學院國際會展觀光休閒研究中心主任，協助辦理「國際會展研討會」，邀請了教育部技職司副司長李彥

儀、經濟部商業司司長王鉑波、觀光局郭蘇燦洋副局長出
　　席會議共襄盛舉，並擔任主持人。

二〇〇七至二〇〇九年兼任國際光明社會促進會中華總會副總裁、中
　　華民國觀光學會首席副會長、中華旅遊休閒學會副理事長及
　　臺北市文化觀光國際會展協會理事長等職，期間應邀擔任
　　各項相關研討會主持人三次，並四次率團出席國際學術會
　　議，推展學術活動不遺餘力。

二〇〇七年擔仟本中心通識品德教育研討會分組會議主持人，應邀出
　　席東海大學臺中縣市合併升格學術研討會論壇擔任評論
　　人。兼任本校學報政治學論文審查人。

二〇〇七至二〇〇九年每年十月均應邀前往中國大陸杭州參加休閒發
　　展國際論壇擔任演講貴賓共計四次，並與世界休閒組織理
　　事會秘書長克里斯多夫・艾丁（Christopher R. Edginton）
　　等人協商合作，使本校名聲進一步傳播國際。

二〇〇七年出版《東南亞華人與華文教育》一書，由全國僑聯總會評
　　選為世界華人學術論著第一名，獲頒獎狀及獎牌，為校爭
　　光。

二〇〇七年為促進本校升格科大，以資深教授身分協助相關單位熱忱
　　接待教育部相關單位之評鑑委員。

二〇〇七年起進行促進本校與馬來西亞新紀元學院、韓新傳播學院以
　　及韓國相關大學之間的交流工作。

二〇〇七年擔任本校國際交流推動小組成員，聯絡我國駐外代表處文
　　化組及國外大學，對本校與美國聖道大學（Incarnate Word
　　University）及日本星城大學之結緣多所協助，貢獻良多。

## （三）研究

　　共發表「海外華文教育的回顧與展望」等期刊論文十七篇。研討會論文「僑民教育的新思維與新策略」等共計十七篇。出版專書共三種：《國際禮儀與會展教育》、《文化觀光行政管理》、《東南亞華人與華文教育》。

　　研究計畫：一、「我國觀光及會展教育的發展現況與前景分析」計畫專題報告，獲獎補助新臺幣二萬元，二〇〇九年十一月。二、國際禮儀與會展教育，內政部計畫已完成，獲獎補助十萬元，二〇〇八年十二月。

## （四）其他主要活動

二〇一〇年十月應邀至新生醫護管理專科學校發表專題演講。

二〇一〇年八月應興國管理學院邀請擔任助理教授級專業技術人員徐守志資格審查外審委員。

二〇一〇年八月應中原大學應用華語文學報邀請擔任審查委員。

二〇一〇年七月獲聘擔任國家政策研究基金會特約研究員。

二〇一〇年五月應育達科大期刊論文審查委員會邀請擔任審查委員。

二〇一〇年五月當選國際光明社會促進會中華總會副總裁。

二〇一〇年四月應玄奘大學邀請擔任陳偉之教授升等審查委員。

二〇一〇年三月當選僑聯總會海外常務理事。

二〇一〇年三月當選中華文化休閒觀光協會理事長。

二〇一〇年三月當選世界華語文教育學會理事。

二〇一〇年一月當選海外華人研究學會理事長。

二〇一〇年一月應邀擔任玄奘大學陳敏慧碩士論文審查委員。

二〇〇九年十一月擔任僑委會等單位主辦之「孫中山——海外華人與兩岸發展國際學術研討會」夏誠華教授論文之評論人。

二○○九年十月擔任「變局變遷學術研討會」夏誠華教授論文之評
　　　　論人。

二○○九年十月擔任「海外華人研討會」朱浤源教授論文之評論人。

二○○九年十月應中原大學人文科學院邀請擔任專題講座。

二○○九年十月應育達科技大學通識教育中心邀請擔任專題講座。

二○○九年十月應大陸武漢大學及相關單位邀請擔任專題講座。

二○○九年九月應亞太文化基金會邀請擔任專題報告，題目為「僑社
　　　　發展與兩岸關係」。

二○○九年六月應邀擔任玄奘大學蔡忠雄碩士論文審查委員。

二○○九年一月擔任「孫文論壇」第二屆學術研討會主持人。

三年內獲得教育部獎補助款計三四八五二元、國科會六九一○○元、
　　　　內政部一○○○○○元、本校二○○○○元、僑委會四七
　　　　○○○元，共計二七○九五二元。

二○○八年十二月完成內政部「強化國人國際禮儀與會展教育」計畫。

二○○八年十月前往大華技術學院發表「觀光行政與城市發展」專題
　　　　演講。

二○○八年九月提出「我國觀光及會展教育的發展現況與前景分析」
　　　　計畫，獲得本校審查通過並於二○○九年十一月進行專題
　　　　報告。

二○○八年九月應邀前往玄奘大學發表「談判與溝通」專題演講。

二○○八年六月應邀擔任「玄奘大學國際企業研究所」任璧鈞碩士論
　　　　文審查委員。

二○○八年五月應邀擔任臺灣師範大學成秋華副教授升等審查委員。

二○○七年六月應邀擔任玄奘大學陳偉之副教授升等之審查委員。

　　作為一名專職教授，我在通識中心的表現有目共睹，郭憲章校長

對我頗為尊重，後來接任校長的徐守德教授則對我極為讚賞，而加上德明科大行銷管理系進行擴編成為招牌院系，二○一一年當時擔任系所主任王淑滿教授，特別情商希望借重於我的觀光休閒會展專業，她建議管理學院院長潘昭賢教授成立會展中心，並簽呈徐守德校長聘我擔任行政管理系講座教授兼中心主任乙職，我在情誼難卻之下，勉為其難，再度出任行政職務，事實證明，德明科大領導階層策略正確，我又為該校在會議展覽這一領域方面建置了新的里程碑，從當時起，德明科大在各項國際會展競賽就取得了傲人的成績，而名列全國技職院校之首。徐守德校長常說：「功勞實應歸功於高教授」等語。

我先後任職於通識教育中心及行銷管理系，其間與陳光憲教授、朱介國教授、吳光濱教授、姜瑞明教授、王淑滿教授、許勝雄教授、謝佩玲教授、郭定教授、王高樑教授、陳銘慧教授、陳燕巒教授、邱郁琇教授、賴淑惠教授、謝淑慧教授、林彩蕙教授、李琇玲教授等諸位學者專家，時相過從，常有來往，也與其他教職員相處融洽，合作無間，度過了七年快樂的學者生涯。

## 三　社團領導卓然有成

我在德明任職期間也兼了許多社團負責人的工作，重要事蹟如次：

### （一）接任觀光學會副理事長兼秘書長

第十屆觀光學會會員大會於二○○七年二月二十二日在育達高職禮堂舉行，出席會員超過一百位，會中唐學斌博士當選理事長，我本人也以第二高票當選副理事長兼任秘書長。

觀光學會是臺灣最重要的觀光休閒社團，經常代表出席各項世界國際級的會議，所以擔任秘書長的我實際肩負了許多開拓寶島臺灣觀

光旅遊項目的重責大任。

　　由於唐學斌理事長年事較高，本身又擔任臺灣經濟發展研究院總院長之職，所以很多重大活動都由我代表出席。

　　我當時任德明科大講座教授在學術界頗具聲望，所以應中國大陸（湖北武漢臺灣週、漢臺經貿會議論壇組委會）邀請，我以資深學者身分出席，於二〇〇七年十月七日至十四日參訪武漢，在十月八日漢臺經貿合作論壇大會發表專題演講，題目為「臺灣經濟發展與產業移轉大陸之趨勢」，一般媒體均有報導咸認內容精彩。次日開始，我又陸續出席辛亥革命九十五週年大會及文藝晚會，訪問武漢博物館、宜昌長江大水壩、武昌首義紀念館、江漢大學並與相關單位代表座談。

　　十月十五日結束武漢行程，我又應第九屆世界休閒大會（IX World Leisure Congress）組委會之邀請前往杭州，臺灣出席該大會有兩個代表團，其一是由觀光學會組成，由我擔任團長，其二是世界休閒組織臺灣分會，由師範大學陳和睦教授擔任團長，共約五十餘位代表，大多為各大學教授。會議共進行五天，包括聯合國教科文組織高級官員 Francoise Riviere 等世界著名之產、官、學人士出席。

　　全球有數十個國家、七百多位代表參與，我除擔任小組會議主持人外，並發表「臺灣觀光休閒教育的推動與展望」論文，開會期間曾與世界休閒組織秘書長 Dr. Christopher Edginton、世界休閒期刊主編 Kenneth Roberts、二〇〇四年世界休閒大會主辦人 Francis Lobo、本屆世界休閒大會承辦人 Holly Donohoe、浙江大學副校長龐學銓博士、本屆世界休閒大會組委會辦公室副主任郭初民等重要人士會晤及協商。

　　我此次出國參與兩項重要學術研討會，除已宣揚臺灣經濟及休閒兩方面的實況之外，並與相關單位負責人進行多次座談，討論合作發展等議題，且已取得相當成果。世界休閒大會組織會派員來臺，浙江

大學也組團來臺訪問，浙江省旅遊局高層官員曾談及邀請觀光學會組團前往該地出席雙邊旅遊休閒會議，以上各項狀況對促進臺灣與國際非政府組織及海峽兩岸文化經濟之交流應有具體的績效。

## (二) 擔任海外華人研究學會理事長

　　二〇一〇年一月十七日海外華人研究學會在師大舉行第十一屆會員大會中我當選了理事、並在同日下午所舉行的理監事聯席會中我當選了理事長，任期二年，出席理事包括高崇雲、王秀惠、湯熙勇、夏誠華、朱浤源、沈大川、古鴻廷、陳鴻瑜、朱德蘭、張啟雄、陳三井、邱炫煜、陳靜瑜、李盈慧、姜正華等十五位。本人當選理事長，王秀惠為副理事長。

　　監事包括曹淑瑤、張徽貞、江宗仁、唐潤洲、張存武擔任常務監事。

　　二〇一〇年至二〇一二年我擔任理事長期間雖短，但仍然有許多傑出的表現，重大績效與成果如次：

一、出版「海外華人研究」期刊第四期、第五期及第六期。由我擔任發行人，並邀請中原大學人文教育學院院長黃坤錦擔任總編輯及編輯委員多人，名單如下：王秀惠、朱介國、朱浤源、吳光濱、李本京、林正三、夏誠華、徐榮崇、高崇雲、張存武、陳光憲、陳偉之、陳鴻瑜、湯熙勇、黃坤錦、董鵬程、賴明德、林泉忠（日本）、張愛東（新加坡）、廖文輝（馬來西亞）（依姓氏筆畫及國內外先後為序）。執行編輯：高鵬翔、高欣，助理編輯：蔡文軒、吳旭哲，助理、林孟諭。

二、二〇一〇年十月二十二日我籌劃並主辦「開拓僑民與華語文教育新境界之國際學術研討會」，政府單位包括教育部、僑委會、外交部均予以支持，並且獲得華僑協會總會，海華文教基

金會、世界華語文協會的協助，再加上協辦單位：臺灣師範大學、中原大學、德明科大等數十所大專院校學者二百餘人參與，共發表了三十九篇論文，新加坡、馬來西亞、美國、英國、日本、印尼共七個國家代表出席，可以說是盛況空前。當天在開幕典禮上致詞的貴賓如下：

（一）華僑協會總會伍世文理事長致歡迎詞

（二）僑務委員會吳英毅委員長致詞

（三）教育部林聰明政務次長致詞

（四）外交部研設會主委致詞

（五）國父紀念館鄭乃文館長致詞

（六）海華文教基金會孫國華理事長致詞

（七）中原大學應用華語文學系夏誠華主任致詞

（八）世界華語文教育學會董鵬程秘書長致詞

（九）中華民國海外華人研究學會高崇雲理事長致詞

在辦理了許多重要活動之後，我因業務繁忙加上任期屆滿，在二〇一二年四月沒有競選連任理事長，然而仍留任常務理事之職。

## （三）創設二個觀光休閒社團

一、二〇〇九年五月二十三日「臺北市文化觀光國際發展協會」於德明科大成立，我受全體會員的重託，擔任理事長。
理監事名單如次：
高崇雲、黃慶源、高鵬翔、徐唯正、高欣、沈居政、吳旭哲、葉培棟、江建志、王海倫、陳素秋、陳冠穎等。

二、二〇一〇年三月六日在德明科大成立「中華文化休閒觀光協會」，當天選出理事十五人，高崇雲、黃慶源、高欣、徐唯正、高鵬翔、吳旭哲、葉培棟、江建志、黃西榮、王淑滿、簡

郁涵、邱益釋、張文齊、顏博文等當選。監事選出五人，王海倫、陳素秋、王素珊、沈居正、林銳。

我獲得全體理事支持當選理事長，當即提名林明德擔任秘書長，在二〇一〇年至二〇一八年擔任理事長八年期間，我的確做了不少事，詳細情況在「四　觀光休閒振興華文」一節中有詳細的交代。

以上兩個社團，都是臺灣非常重要的休閒觀光社團，所以新聞報導甚多，當時我在記者會發表的新聞稿重點如下：

中華文化休閒觀光協會訂於二〇一〇年三月六日，假臺北市內湖區環山路一段七號二樓成立。由德明財經科技大學講座教授、中華工商研究院榮譽院長高崇雲博士及國際知名畫家黃慶源等人發起，吸引了九十餘位對觀光及文物有研究興趣的社會人士入會。高崇雲教授曾經擔任臺北市文化觀光及國際會展協會理事長、中華民國觀光學會副會長、中華旅遊休閒學會副會長、曾經發表文化觀光專書及相關論文數十篇。

高崇雲指出，依據世界經濟論壇（WEF）二〇〇七年全球觀光競爭力評比，臺灣由於人力、文化及自然資源的優勢，使得觀光競爭力名列亞洲第四，領先南韓、泰國及中國；惟二〇〇八年臺灣實際觀光旅遊收入的全球排名僅居亞洲第九，遠遠落後於中、韓、泰之後，顯示臺灣還有極大的成長空間。

WEF 這份評比於二〇〇九年三月完成，這也是首份有關觀光競爭力的評比，係以「人力、文化及自然資源」、「企業環境和基礎建設」、「觀光旅遊規範架構」三大面向來評比一國的觀光潛力。而據以評比的資料，除了實際統計外，還包括對跨國經理人的問卷，以使評比更為公正客觀。

依WEF這項評比，最具觀光競爭力的前六名依序是瑞

士、奧地利、德國、冰島、美國及香港，新加坡居第八，日本居廿五，臺灣居卅，南韓居四十二，中國更落居第七十一。

臺灣能名列亞洲第四，主要是得力於「人力，文化及自然資源」這一項，臺灣此項排名全球第廿三（亞洲第二），相信這是因為臺灣擁有高人力素質，優美風景加以故宮博物院蘊藏豐富中國文化，對外國人具有極大吸引力的關係。

此外，在國際會展方面，高崇雲依據一月十六日的國政評論，有關會展產業的一篇文章的報導指出，我國會展的績效如下：臺北在二○○七年大幅躍進到全球第十八名，亞太第六名；和二○○六年的全球第四十名、亞太第九名比較，令人刮目相看，被國際會議協會（ICCA）譽為「耀眼的新進者」（remarkable newcomer）！

臺北一年六十七場的國際會議，被新加坡的一二○場，維也納的一五四場遠遠拋在後面：但和首爾、曼谷的同為七十場比較，還是相當具有潛力。在展覽方面，臺北似乎更勝一籌，電腦展、秋季電子展、汽機車展和自行車展都是亞太第一大，全球前三大。

高崇雲表示以上這些統計數據，證明了一項事實，臺灣在觀光旅遊及國際會展方面已經有良好的表現，尤其令人振奮的是，馬英九先生在二月份表示，臺灣服務業四大旗艦產業，包括觀光、金融、醫療照顧及文化創意，未來將設立三百億元觀光產業發展基金，行政院並已於二○○九年籌編十億元預算，希望帶動資金挹注，及觀光投資。

臺灣服務業四大旗艦產業，只有觀光能結合醫療照顧與文化創意產業，在未來行政院組織改造過程中，觀光局的組織結構將更具彈性，在世界各地設據點時阻力最小，能用最大創意

推動觀光產業，結合醫療產業，文化創意來發揮臺灣的軟實力，臺灣有很強的信心推動觀光產業，臺灣雖然不是觀光大國，觀光客只占人口百分之十六左右，但是去年與前年相比，入境觀光客成長百分之三點五，代表不景氣時，臺灣觀光產業還能逆勢成長。

高崇雲表示，政府首長的講話對觀光休閒產業有很大的鼓舞，但是令人遺憾的是，在最近的行政院組織改造中，卻把文化與觀光分開，僅成立文化部，而將觀光局仍置於交通部之下，此項發展完全違背了馬英九先生當初競選的政見。

高崇雲強調二〇〇八年一月，龍應台女士在媒體發表了〈臺灣未來，一塊三毛——四大問就教於總統候選人〉的文章，引發了許多討論與迴響。龍女士強力主張「文化立國」，認為能夠讓臺灣立足於華人國家的真正資產，就是我們的文化。在龍應台文章發表後，當時的總統候選人馬英九先生就立刻予以正面回應，並且承諾在當選一年內成立「文化觀光部」。

在馬蕭當選之後，新政府的文建會與文教政務委員也開始往設置文化觀光部的方向規劃，但卻遭到許多藝文界人士的反彈。藝文界人士認為，戲劇、文學、舞蹈、電影等才是文化的本體，而觀光只是很淺的文化呈現，沒有必要為了淺顯的特定呈現需要，而強將文化與觀光結合。

於是政府在組織改造的過程中，受到上述人士的影響，使得原本規劃已久的文化觀光部胎死腹中，因而使得關心文化觀光及國際會展的人士不得不組織起來，先成立「臺北市文化觀光國際會展協會」，以此開始推動文化與觀光結合的理想。

除此以外，臺灣觀光協會名譽會長嚴長壽曾多次表示，文化是觀光的內涵，臺灣觀光必須要以文化來包裝，他認為在觀

光的發展上臺灣忽略的文化這一塊，他在接受遠見雜誌的訪問時指出，觀光客是有不同階段的，觀光可以分成三個階段。第一代的觀光，是走馬看花型的，第二代的觀光是深度旅遊，第三代的觀光是反璞歸真，無期無為，追求心靈沉澱。

臺灣今天若還是停留在經營第一代的觀光，成功的機率不高。臺灣應該進入第二、第三代的觀光，臺灣有這樣的條件，但沒有包裝好。

高崇雲最後指出，龍女十和嚴先生兩位文化與觀光的專家，的確是有高瞻遠慮的眼光，他表示沒有文化哪有觀光，文化觀光是臺灣產業未來發展最重要的一環，而國際會展的推動更是使文化觀光成為國家建設最重要的獎勵旅遊的附加價值。高崇雲呼籲政府要重視文化觀光及國際會展，使臺灣能成為代表全球海洋華人文化的觀光休閒寶島。

他強調馬英九先生曾表示要以文化立國，那麼就應該以強大的魄力來結合文化與觀光，使這兩項專業能相輔相成，互為表裡，促使臺灣能夠有更美好的未來。

——〈高崇雲呼籲重視文化觀光及文物鑑定〉

這項新聞稿受到中央日報、蘋果日報等媒體大幅報導。

「中華文化休閒觀光協會」及「臺北市文化觀光國際會展協會」相輔相成，我擔任這兩個協會理事長任內做了很多事，這些活動都會在下一章中予以充分的說明。

## （四）出任中華工商研究院院長

二〇〇五年至二〇〇八年，我受臺濟學研聯盟創辦人黃國藏博士邀請，黃博士是一位熱心服務及社會公益的教育學者，他有理想有抱

負又有遠見，所以他所創建的中華工商研究院及臺灣經濟研究院，擁有極佳的學術聲望，他極力邀請而禮聘我為中華工商研究院院長之職，這是一項重要的職務，我在此一極具學術聲望的機關工作了三年，而在二〇〇八年之後更被聘為榮譽院長之職迄今。

中華工商研究院成立已超過三十年，不但是教育部所屬的學術機構，也是工商界最佳的研究機關，有三大院區。

其業務簡單介紹如下：在發展方面，工商院已占有全國智慧財產權業務大約二分之一以上，而對各項企業診斷、不動產鑑定，業務也有蓬勃的發展，相關產業的研究業績也蒸蒸日上。

在國際合作方面，工商院與美國喬治華盛頓大學、加拿大皇家大學、韓國慶熙大學、日本鹿兒島大學均有合作交流，關係密切，來往頻繁，雙方首長經常互訪。

在兩岸交流方面，與大陸浙江大學、湖北大學、澳門科技大學均有密切的合作關係，雙方負責人交誼親密。

在活動出版方面，工商院與臺灣專案管理學會、中華專案管理學會、臺灣資源規劃學會均簽約合作、開班研習、頒發證照，工商院並出版工商學報及專書多種。

在擴展業務方面，工商院近期新成立國際專案研究所，資源規劃研究所，並聘請學界名人擔任所務，並增聘多位具有實力之研究人員。

記得我曾經在二〇〇七年以中華工商研究院院長身分，於加拿大皇家大學臺灣區結業典禮上致詞如次：

　　經過一段長時間的學習與研究後，各位終於可以順利完成學業，在這裡我特別代表中華工商研究院向各位表示賀意。

　　事實上，各位能夠在帶職進修的狀況下，撥出餘暇來唸書，尤其是能進入加拿大皇家大學，我認為是非常正確的選

擇，值得肯定。皇家大學在加國是相當有名的學府，與中華工商研究院合作也有一段相當長的時間，雙方互相配合極為愉快，可以說是水乳交融，相信已在臺加文教交流上，寫下了光輝的一頁。

中華工商研究院成立於一九七四年，在一九八〇年奉教育部核定專門從事國內外各種研究發展與技術交流，並致力協助企業人材培訓、鑑定研究、檢測驗證、價值理算、經營診斷、資格認證及文化出版，藉以輔導企業經營進而提升工商業之投資發展。本院有四大特色：一、國內獲得政府核准之最高工商學術研究機構，二、司法判決參考採用最多之鑑定機構，三、國內分支機構最多之研究機構，服務網遍布全臺地區，四、國內最具實務性，最接近民間之研究機構。

時迄今日，在黃創辦人卓越的領導下，已經發展到有三個院區，分別為南臺、中山、與西門院區，九個部門，十九個研究所，十二個研習班。特別是在智慧財產權鑑定方面，幾乎擁有國內百分之五十的市場，各項業務蓬勃發展。中華工商研究院除與加拿大皇家大學從事密切之合作外，並與美國喬治華盛頓大學有頻繁的學術合作。

此外，也曾前往海峽對岸進行交流工作，於北京、天津、武漢、杭州等地與政要以及北京大學、浙江大學等著名學府，加強學術文教交流。期間曾拜會唐樹備秘書長、許又聲主席、王小兵主任、趙建處長等領導。

本人曾經擔任國立國父紀念館館長及教育部僑民教育會主任委員等職長達十六年之久，更曾經擔任國立臺灣師範大學、政治大學、淡江大學及文化大學之教授兼系主任、所長等職務，對教育事業擁有極高的熱誠，雖不敢說是桃李滿天下，但

　　是也曾經出版專著十餘冊，並指導博碩士生數十人，所以尚可稱為學術經歷豐富，深深盼望各位在畢業之後，能有機會加入本院之陣容。

　　今天是一個好日子，有那麼多的學術重鎮及貴賓出席，共同參與這項盛典，本人內心極為高興，俗語有言：「君子贈人以言」，我現在以一句話來奉贈各位：「努力加時間就會成功，只要不斷積極奮進，必然會完成心願」。希望各位能百尺竿頭，更進一步。謝謝大家。

這段講稿引起所有出席者的重視。

中華工商研究院園區首長名單如次：
內科研究園區總院長　高崇雲
中華語文研究院院長　程南洲
海外華人與華文教育研究所所長　高欣
企業資源規劃研究所所長　許昌齡
藝術管理及文物所長　高鵬翔
鑑定研究所副所長　黃慶源
國際會展與觀光休閒研究所所長　高崇雲（暫兼）
專案管理科技研究所所長　高欣（暫兼）
中華文化禮儀研究所所長　王海倫
企業經營管理研究所所長　黃廷合
中道管理研究所所長　林明德
旅遊休閒研究所所長　孫武彥
工商易經研究所所長　江弘毅
客家研究所所長　吳志剛

中山實業計畫研究委員會主任委員　高崇雲（暫兼）

中華工商研究院創辦人　黃國藏

臺濟學研聯盟總裁　劉錦齡

中華工商研究院研修院院長　黃一修

中華工商研究院副總裁　黃淑美

中華工商研究院副院長　黃惠美

臺灣經濟研究院院長　范徽瑜

## （五）僑聯總會

我與僑聯總會淵源甚深，早在我一九九七年擔任教育部僑民教育委員會主任委員之際，就與僑聯總會有密切的互動。當時僑聯秘書長吳振波先生熱忱負責，服務僑胞不遺餘力，他和仇健民總幹事曾經親自來僑教會拜會，我認為吳秘書長無私無我深值肯定，所以在我的權限之內，我也大力贊助各項活動經費。因此與僑聯極有緣分。

二〇〇六年我的著作《東南亞華人與華文教育》獲得僑聯頒發藝術第一名獎，我以為畢生之光榮。

我在二〇〇四年從公務機關退休轉到淡江大學及德明科大，擔任所長及講座教授以還，經常有機會參予僑聯的活動，二〇一二年承蒙僑聯前理事長簡漢生的厚愛，聘我為海外常務理事之職，而現任理事長鄭致毅對我更相當禮遇，我在二〇一七年當選社團法人僑聯總會的正式理事，又在二〇二〇年當選正式常務理事，獲得總會的重視，實在是因為張植珊、葛維新及林晏文三位常務理事等多位好友的支持與協助，有關我本人的表現，綜合新聞媒體的報導重點如下：

華僑救國聯合總會二〇二〇年元月五日上午十時在總會會議室舉行第十七屆第一次會員大會，由理事長鄭致毅主持，一

三〇位會員出席。會中完成理監事會改選，鄭致毅理事長高票當選連任，黎愛珍當選監事會召集人，黃五東續任秘書長，中華學術文教基金會高崇雲董事長當選僑聯總會常務理事。

　　鄭致毅理事長四年前獲得全體會員擁戴，出任第十六屆理事長後推動會務不遺餘力，他在歸僑服務聯繫、強化海內外僑務活動及維持兩岸交流等，三個面向方面的績效極為優異，促使會務蓬勃發展，成果輝煌！值得肯定、值得讚揚、更值得敬佩！

　　高董事長獲選為僑聯總會常務理事後表示：鄭理事長為人心胸寬闊、肚大能容，做事用人唯才、勵精圖治！相信在鄭理事長卓越的領導及全體會員、理監事和工作幹部的奮發努力之下。僑聯總會會務必然蒸蒸日上，興隆昌盛，從而成為全球最核心的華僑領導社團！

　　僑聯總會成立於一九五二年十月三十日，當時名稱為「華僑救國聯合總會」，是全世界華僑第一次的聯合組織。二〇〇〇年政黨輪替後，時任秘書長的吳振波先生根據規定修訂章程完成法定程序後，在二〇〇五年獲內政部正式登記為社團法人組織，又稱為『中華僑聯總會』，簡稱（僑聯總會）。簡漢生先生曾擔任二屆理事長，功在僑聯，貢獻良多。僑聯總會是我國最重要的華僑社團，海外理事顧問總計超過二五〇〇位，分布於世界五大洲，還有數十處各國僑務辦公室，在全球各地有巨大的影響力！

　　高董事長曾經擔任教育部僑民教育委員會主任委員八年，績效斐然，期間增加僑生公費獎學金二〇〇〇名，每人每年發給五萬元新臺幣的獎學金，而最讓人稱道的是高主委把教育部各種獎學金名額由二三〇〇名增加到七〇〇〇名。足足翻了三

倍，嘉惠無數僑界學子，並協助海外六所臺商子弟學校建置永久校舍，還風塵僕僕巡視全球華僑學校給予補助及鼓勵，擴大招收僑生人數使其人數增加接近兩倍，從八千餘人到一萬三千餘人，不僅如此，當時擔任主委的高董事長全力支持所有僑界相關活動，不管是僑聯或是僑協，均能獲得教育部僑民教育委員會的支持及補助，而許多人更津津樂道者是當年世界留臺校友會成立時，當時的高主任委員代表教育部，率先提供巨大金額補助開辦費，使其能夠迅速開展業務。

　　由於高董事長極為關懷全球僑教，被某些僑胞稱為僑教之父、聖誕老公公、萬能醫生等等美名，甚至還有人說他是東南亞臺校永久校舍的建置人。事實上，高董事長強調個人常常謙辭這些美名，表示本身不過是身為僑社的一份子，盡一份心力而已，他宣示有生之年一定會為僑教僑務貢獻全力，甚至奉獻整個生命！這樣的使命感是他自強不息的原動力！

　　　　　　　　　　——〈高崇雲董事長當選僑聯總會常務理事〉


　　僑聯總會人才倍出，全球各地辦事處主任，也都是當地僑界領導人物對僑界有極大貢獻，而總會工作人員雖不多，但績效優異，團隊精神極佳，值得肯定。茲將僑聯各辦事處及名單臚列如次：

| 地　區 | 姓　名 | 地　區 | 姓　名 |
|---|---|---|---|
| 菲律賓（馬尼拉） | 吳民民 | 多明尼加（聖多明各） | 張躍輝 |
| 菲律賓（宿務） | 楊世寧 | 秘魯（利馬） | 張作駒 |
| 泰國（曼谷） | 陳鴻彰 | 巴西（聖保羅） | 廖世秉 |
| 越南（胡志明市） | 賴燦賢 | 巴西（里約） | 胡雲光 |
| 緬甸（仰光） | 張明安 | 阿根廷（聖馬丁） | 李茂勇 |

| 地　　區 | 姓　　名 | 地　　區 | 姓　　名 |
|---|---|---|---|
| 印度（加爾各答） | 張　　杰 | 巴拉奎（東方市） | 李肇洪 |
| 印尼（雅加達） | 葉秀娟 | 法國（巴黎） | 丁偉星 |
| 香港（九龍） | 梁昌求 | 英國（倫敦） | 沈為霈 |
| 澳門 | 郭贊守 | 西班牙（馬德里） | 陳文楠 |
| 韓國（釜山） | 孫世運 | 德國（柏林） | 柳黃林芝 |
| 日本（東京） | 周其德 | 德國（波昂） | 楊嫚妮 |
| 日本（大阪） | 楊秀慧 | 荷蘭（海牙） | 朱建人 |
| 美東（紐約） | 童惠珍 | 澳洲（西雪梨） | 朱淑芳 |
| 美東（華盛頓） | 巫和怡 | 澳洲（北雪梨） | 林垂佐 |
| 美南（休士頓） | 賴李迎霞 | 澳洲（墨爾本） | 王桂鷥 |
| 美南（邁阿密） | 李非四 | 澳洲（柏斯） | 齊金龍 |
| 美西南（洛杉磯） | 文光華 | 澳洲（達爾文） | 古財發 |
| 美西北（舊金山） | 張人睿 | 澳洲（布里斯本） | 李紹晟 |
| 美中（聖路易） | 沈慧莊 | 紐西蘭 | 施振嘉 |
| 美中（芝加哥） | 楊朝湖 | 夏威夷 | 張國基 |
| 加東（多倫多） | 余琪玲 | 南非（約翰尼斯堡） | 陳源淵 |
| 加西（溫哥華） | 汪漢宗 | 26國43地區 | |

　　僑聯會務工作人員：秘書長黃五東、研究組總幹事仇建民、總務組總幹事陳麗霞、組織組宣傳組總幹事龔維軍、秘書處會計郭昭伶、秘書處專員黃詩涵、總務組專員仇繼光、總務組幹事林東立、宣傳組專員劉為一。

## （六）出任國際光明社會促進會中華總會理事長

　　國際光明社會促進會是一個在聯合國有席次的非政府組織，創始

人就是我的恩師韓國慶熙大學校長、世界大學校長聯合會主席的趙永植博士，在韓國該會大名滿天下，所以說是人人皆知的績優社團。

　　我在二〇一四年五月二十五日當選就任理事長，我的前任唐學斌博士不幸在二〇一三年過世，他是一位非常知名而具長才的觀光學者，擔任過中國文化大學觀光系主任、觀光協會理事長，在海內外聲望崇隆，對臺灣的觀光休閒學術有重大的貢獻！

　　國際光明促進會宗旨如次：

　　國際光明社會促進會（簡稱 GCS）在計畫建造的全球非政府間社會運動－精神美麗，實質上在友好（G）合作（C），以及服務（S）的精神裡的富裕和人力所及令人滿意的社會。為了意識到這樣的一個理想的社會，其集中於五項較大的活動（本會宗旨），即：一個健康的社會的運動，更好的生活的運動，自然保存的運動，人尊嚴的恢復的運動，以及世界和平的運動。GCS 的最後的目標是超出運動比賽、宗教、思想意識和國籍的差別，是一個全球普通社會（GCS）的建造。

　　國際 GCS 將更活躍，並與全部 GCS 成員合作，其在國際 NGO 裡建造它的積極的參與能力作為國際 NGO 賦予使命，使得在與聯合國的經濟及社會理事會中，成為特別的諮詢地位。

　　工作內容如次：

　　一、我們將透過肯定人的尊嚴獻身於人權的恢復。

　　二、我們將在友好、合作和服務的精神裡獻身於一個美麗、富裕和令人滿意的國際社會的建設。

　　三、我們將全球家庭的密切關係的精神地獻身於世界和平和愛國心。

　　五大運動（五大信念）：

　　一、一個健康的社會的運動：一個健康的社會的運動，是被用於

建立一個聲音社會，透過良心和人性，去除自私、腐敗、不道德和犯罪的，恢復社會生氣。這可能成功的協調物質及精神的世界取得。

二、更好的生活的運動：更好的生活的運動將透過意識，到達人類基本的必需要求上，並且改進生活標準建造一個實質上富裕社會。運動計畫將建造一個全球合作機構社會，致力於要基於人們生存的誘導上，而不是過度的唯物主義的盲目的追逐。

三、自然保存的運動：自然保存的運動將保護自然的環境免受損壞，並且恢復被損壞的環境，因為我們對環境所負責任日漸愈深，因為保持環境乾淨和美麗，適合於後代，是我們的義務。它被用於保護自然的環境，作為全部生物和一個自然資源的豐富的倉庫之永久避難處所。

四、人類尊嚴的恢復的運動：只有當人們開始在社會的發展過程中起主要作用時，人類尊嚴可能實現。人和婦女能夠自己管理和其處的環境，並且絕不讓任何東西或者任何人管理他們。不過，過度的唯物主義壓倒並且支配現代社會，這傾向於降低人類尊嚴等級。運動的目的是中斷在目前的社會架構裡存在的壓迫，並且允許人們住作為管理自我的演員，不作為主題。

五、世界和平的運動：由於網路科學技術的發展，今天的世界成為一個更小的全球社區。然而，衝突和對抗繼續，人類不能超出當時計畫所取得保證共存世界。因此，人類須透過和平與合聲的共同繁榮的一持久和平世界，而不是透過戰爭和衝突，擾亂世界。

中華總會早期理事長都為臺灣高層領導人，第一任是張寶樹先生，第二任是陳水逢先生，第三任是趙自齊先生，第四任是高儷文女士，第五任是唐學斌先生，我是第六任。

我擔任國際光明社會促進會中華總會總裁多年，盡心竭力，也做了不少事情，相關活動將在下一章做詳細的說明。

## 四　觀光休閒振興藝文

### （一）二○○七年

　　我擔任中華工商研究院總院長，期間與喬治華盛頓大學聯合在臺北設立企管碩士專班，績效圓滿，該校工學院院長唐偉章博士及 Dr. Machusi Dr. Sarkani 與我經常聯繫合作事項，且於一月二日共同主持學員畢業典禮。同年加拿大皇家大學與香港德明書院與本院也有相互交換關係，皇家大學授證儀式在十月份舉行，皇家大學亞洲區總裁 Eric Huong 與我共同主持。該校校長 Dr. Allencohoon 及副校長 Sfeve Grurdy 於九月訪臺，由我本人主持歡迎會，出席相關人員大約有一百人。

　　五月，浙江大學副校長龐學銓率團來訪，總院於故宮博物院餐廳以簡餐招待，並陪同該團參訪中國文化大學、真理大學以及專程前往臺南參訪致遠管理學院，獲得各該校熱烈歡迎，各該校的新聞及校刊均曾刊載。

　　八月，我率領青年教師訪問團前往武漢，除報告總院各項業務外，並發表意見，表示能源電力短缺，東南沿海生產要素成本上升等因素，促使臺商開始關注中西部的市場潛力，並向中西部轉移投資。此項發言並刊登於大陸「經濟參考報」，強調促進漢臺間的學術交流發言，也被武漢媒體大幅報導。

　　九月，我率團赴杭州參與休閒發展國際論壇，會中發表論文強調：以中華文化為主流的臺灣文化資源豐富，閩南的、客家的、原住民的與外來的文化紛呈，希望號稱東方休閒之都的杭州與號稱多元文化之都的臺北，能夠互相觀摩，攜手共進。

## （二）二〇〇八年

接續二〇〇七年的國際合作與美國喬治華盛頓大學（GWU）來往，聯合辦理碩士班，已進行到第四屆，績效良好，順利圓滿。

二月，前往大陸南京訪問，出席「國際旅遊與世界和諧論壇」並發表論文，與駐中國大陸各國使節及各省市代表、學術界菁英討論世界和平問題。

五月，前往韓國漢城與仁川訪問，擔任韓國華城計畫諮詢委員並參與其開發座談會。出席大華技術學院與中華民國觀光學會共同舉辦之學術研討會。

八月，出席「釣魚臺問題與對策」座談會，會中建議馬政府應對日本採取適當的手段來保護漁民，所發表之評論刊載於各報獲得廣大之迴響。

九月，前往大陸杭州、寧波、上海出席「海外僑務的回顧與前瞻論壇」並發表論文，且與中國大陸僑聯總會及僑辦等相關人士研討共同推動僑教問題。

十月，赴大陸杭州出席「中國國際休閒發展論壇」及「中國城市會展高峰論壇」，會中除報告有關臺灣休閒產業文化創意的內涵外，並對海峽兩岸高層次人才培育的問題提出解決對策，且順道訪問湖州市。出席「觀光行政與城市發展論壇」，擔任專題演講貴賓，並發表引言報告。

十二月，出版專書二本，即：高崇雲、高鵬翔、高欣，《國際禮儀與會展教育》，臺北：中華工商研究院；高崇雲、高鵬翔，《文化觀光行政管理》，臺北：中華工商研究院。

## （三）二○○九年

　　四月八日，我率團前往香港出席新任香港理工大學唐偉章校長就職典禮，因為小兒高鵬翔教授及小女高欣教授均出自唐校長門下，他們兩位都曾經在美國喬治華盛頓大學作過博士後研究，而唐校長當時正擔任華盛頓大學工學院院長，我與內人王海倫教授等一行四人專程前往祝賀。

　　唐校長的就職典禮簡單隆重，很有英國古典學術氣氛，事實上，香港理工大學是世界五百大之一，聲望相當高，唐校長一直與我密切交往，他一旦有機會到臺灣來都會與我聯絡，我記得我也曾經介紹過很多臺灣學界重量級人物給他，包括育達商業科大學園集團總裁王廣亞先生、中原大學校長張光正教授，以及中華工商研究院總院長黃一修教授等。

　　十月，當選臺北市文化觀光國際會展協會理事長；應大陸武漢孫中山基金會及相關單位邀請，擔任專題講座並出席南京與武漢大學「辛亥革命」辯論賽進行觀摩，大陸平面及電子媒體均介紹本人為德明財經科技大學講座教授。

　　十一月，前往杭州「中國國際休閒發展論壇」發表「華人宜居城市特徵之探討──以大臺北都會能否成為幸福城市為例」；在臺北出席「孫中山海外華人與兩岸發展國際學術研討會」，發表「孫中山與星馬僑界」論文；擔任「孫中山──海外華人與兩岸發展國際學術研討會」評論人；應邀前往中國大陸杭州參加休閒發展國際論壇擔任演講貴賓，並與世界休閒組織理事會主席 Derek Casey 及秘書長克斯多夫·艾丁（Christopher R. Edginton）等人協商合作，並獲浙江大學特聘研究員證書。期間且與世界休閒組織澳紐代表陳彼得教授密切交往，徵得其同意將於適當時機訪問本校發表專題演講。

（四）二〇一〇年

一月，當選中華民國海外華人研究學會理事長。

三月，當選僑聯總會海外常務理事、當選中華文化休閒觀光協會理事長。

十月，以本校教授及海外華人研究學會理事長名義，承辦開拓僑民與華語文教育新境界國際學術研討會，邀請多位本校同仁參與發表、主持等工作。

研究計畫案：二〇〇九年十一月提出「我國觀光及會展教育的發展現況與前景分析」計畫專題報告，獲獎補助新臺幣二萬元。

產官學案：二〇〇九年十二月獲僑務委員會補助四萬七千元在本校開設華僑問題講座。

發表「The Development and Perspective of Tourism and MICE Education in Taiwan」2010 World Leisure Organizing Committee, Seoul, Korea，論文於二〇一〇年八月出席重點內容如下：

「二〇一〇年八月二十九日至九月一日前往韓國首爾春川，本次會議除學者外另有競技大學參與者數千人，規模龐大，本人發表「The Development and Perspective of Tourism and MICE Education in Taiwan」一文頗受好評，開會期間曾與休閒組織理事會主席 Derek Casey、世界休閒組織理事會秘書長 Christopher R. Edginton、大會委員長孫殷男、協會理事陳彼得、凌平及浙江大學亞太休閒教育中心副主任周麗君等人會晤及協商，並曾協助新竹市長代表表達該市爭取在二〇一四年舉辦之心願。」

應中天電視（深圳衛視）邀請擔任「三八線附近韓軍演」、「馬六甲：中國油路的七寸」兩項新聞評論發表專題分析。該兩項節目曾邀請中國大陸北京及上海專家學者共三名，同時發表評論。據瞭解，上

述三位學者均屬知名碩學，不僅如此，該項新聞節目收視者極為眾多，遍及海內外。

## （五）二〇一一年

四月，擔任華僑協會總會「研究出版管理委員會」副主任委員。

六月，擔任「海外華人新聞與文化傳播學術研討會」主題演講人；發表論文《龍行天下‧臺灣啟航──論臺灣未來的進路》（海外華人新聞傳播研討會，玄奘大學，臺北，二〇一一年六月）。應邀出席慈溪‧中國縣城休閒發展國際論壇，擔任臺灣首席代表，率領高雄餐旅大學觀光學院黃榮鵬院長及真理大學觀光學院施志宜前院長出席，獲得浙江大學來回機票及住宿等全額接待。在論壇中與德國、加拿大、美國、中國大陸等國首席代表同列並發表主題演講。

七月，擔任中國（國際）休閒發展論壇休閒大獎專家委員會委員。

任職中華民國海外華人研究學會理事長期間，擔任《海外華人研究》期刊發行人，於二〇一一年十月出版第五期，二〇一二年二月出版第六期，並聘請中原大學人文教育學院黃坤錦院長及玄奘大學資訊傳播學院陳偉之院長，兩位著名學者出任總編輯，該期刊發行全球，影響深遠。

十一月，率團前往中國大陸浙江大學出席中國（杭州）休閒發展高峰論壇，在此項國際學術會議中與日本學者德村志成，共同擔任國際學者研討場次之主持人，並發表主題論文，廣獲學界好評。

為協助行銷管理系所及國際會展觀光休閒中心業務，於二〇一一年十二月九日至十日主辦「海內外華人教育休閒文化文物國際學術研討會」，邀請各校教授及學生數十位共同承辦，所有會議經費約六十五萬元，全部由個人向有關單位及民間爭取補助或捐助，會議圓滿成功，新聞媒體曾大幅報導。

　　八月至二〇一二年四月擔任華僑協會總會理事。

　　十二月九日至十日，於國父紀念館中山講堂、多媒體講堂，我以海外華人研究學會、中華文化休閒觀光協會理事長名義主辦一場規模盛大的國際學術研討會，這一項名為「海內外華人教育休閒文化文物」學術研討會，主要討論的題目是海內外華人的休閒教育、海內外華文教育的展望、中華文化的融合與宣揚、中華文物的保存與鑑定等重大議題。

　　由於議題非常重要，中華文化休閒觀光協會、海外華人研究學會、海華文教基金會以及八畝園美術館等相關單位及社團，再加上玄奘大學、中原大學、德明財經科技大學、高雄餐旅大學、臺灣師範大學、臺灣大學等數十所大專院校百餘位學者都踴躍出席共襄盛舉。

　　本人同時邀請中國大陸、日本、韓國、馬來西亞計七位海外學者出席，全力宣揚中華文化及華文教育，且以提升休閒品質及保護中華文物為重心進行腦力激盪，期盼成為此一領域的核心論壇與平臺，從而發展新思維與新方向，總計發表二十九篇論文，提出創新建議及重大理念，同時又成立文物鑑定研究委員會，聘請十二位專家為研究委員，值得重視的是，研討會第四單元討論文物蒐藏的回顧與前瞻，共發表包括書畫、玉器、陶瓷、金銀銅器等各領域的論文，並論析藝術創作、文物修復、文物蒐藏等專題。

　　更重要的是，研討會還有另一項別開生面的單元，包括邀請國畫界李奇茂大師、陶畫界劉銘侮大師，以及世界詩人協會范光陵主席發表演說，最後則由黃慶源、趙松筠、林幸雄、黃明櫻、張瑗容五位名畫家現場揮毫，為研討會寫下完美的句點。

　　我所主辦的國際學術研討會，特別請到任弘副委員長、龐學銓主任、莊明憲創辦人、曾坤地館長、孫國華董事長、黃榮鵬院長、陳偉之院長、潘昭賢院長等貴賓蒞臨致詞，杜聖聰主任、夏誠華主任、王

淑滿主任也擔任研討會主持人。

## （六）二〇一二年

二月一日出席中華學術文教基金會當選副董事長。

四月一日主持海外華人研究學會會員大會會中辭去理事長職務，但續任常務理事。

五月二十五日出席國際光明社會促進會中華總會獲選新任理事長。

八月二十六日出席東方茶文化協會會員大會並應聘為該會首席顧問。

十月十二日出席世界休閒大會杭州國際學術研討會發表「臺灣茶文化與休閒發展」論文。

十二月七日出席全臺大陸同胞聯誼會擔任副總會長。

十二月二十一日應邀出席在中央研究院所主辦之孫中山國際學術研討會並擔任主持人。

由中華文化休閒觀光協會、國際光明社會促進會中華民國總會、臺北市文化觀光國際會展協會、中華臺北經濟科技研究院所主辦的「民生建設與臺北文化觀光研討會」二〇一四年六月十四日（星期六）上午十時在臺北國父紀念館中山講堂舉行。我邀請文化部政務次長李應平、僑務委員會副委員長陳玉梅、臺北市觀光傳播局局長孫廷龍、國父紀念館館長王福林出席共襄盛舉。

此次研討會以「臺北邁向全球華人心靈故鄉幸福城市的探討」為主題，特別邀集專家學者共聚一堂，包括多位觀光學院院長，如黃榮鵬、李右婷、施志宜、吳偉文、陳偉之、吳新高、高鵬翔等教授，以及藝術界泰斗，如趙松筠、王淑娟、林裕淳、黃明櫻、張瑗容、朱振南、陳燧慧等名家現場揮毫，由大會主辦人本人主持，希望能全力宣揚中華文化及臺北觀光，並以提升休閒文化及生活品質為重心進行腦

力激盪，期盼成為此一領域的核心論壇與平臺，從而發展新思維與新方向。

# 五　文化興國創建新猷

在民進黨陳水扁先生執政八年後，國民黨馬英九先生高票當選臺灣領導人，兩黨輪替執政的民主政治在臺灣實現，而馬英九先生在二〇〇九年一月十六日與文化創意產業的菁英們對談時，談到臺灣在推動文化創意產業的優勢時指出：「臺灣擁有自由民主多元的環境；兩岸三通也帶來新的商機與商業模式，有機會讓臺灣的文創產品在全球華人市場占有相當地位」。

他強調：「經濟建設可以使一個國家壯大，但文化建設可以使一個國家變偉大」。他希望做到文化治國的理想。針對此一議題，正在德明科大擔任文化觀光講座教授的我立即發表了一篇「對馬英九文化發展策略的商榷」一文，重點如次：

> 根據最新遠見民意調查結果顯示，民眾對馬英九先生執政8個月的整體表現，有28.7%表示滿意、57.3%不滿意，而且已連續3個月都維持這樣的態勢。另外，就民眾對馬英九先生的信任度而言，有44.5%信任，而39.9%不信任，顯示出對馬英九先生信任危機的警訊已然出現。

> 綜觀現階段全球態勢，可以瞭解到世局風雲激盪的狀況，經濟停滯衰退，政治紛亂頻仍，社會困擾叢生，處處呈現不穩定及不安全的狀態。臺灣如何化危機為轉機，以及如何扭轉乾坤是從政者必須思考的要題。

> 時迄今日，默察海峽兩岸的發展，臺灣已不能將國防外交

列為施政的第一優先，而應以文化及觀光來取代。換言之，將臺灣建設成為文化觀光、綠色科技之島，並結合海外五千萬華人進而成為海洋華人文化的核心，並以此作為平臺與對岸的中國大陸進行和平競爭暨推動合作，才是今後臺灣最佳的出路。

馬英九先生既已提出「文化立國，文化優先」的主張，在強化基本經濟建設，鞏固國本後，就應大刀闊斧推動文化建設與執行觀光政策，才能符合國家發展的目標。

眾所周知，在當前這一段「金融海嘯」、「苦撐待變」的時期，政府最近的幾項政策：包括海峽兩岸關係的改善、清廉政府的形象、刺激經濟的措施等等，均頗值肯定，惟長遠之計，仍在於文化水準的提升，以及道德教育的重整，與富而好禮社會的建立。

站在關心國政的一名知識份子立場，經過長期研究分析後特擬定下列幾項看法與建議，提請馬政府參考：

第一，在華人文化融合與臺灣的發展方向要點如次：

其一，大陸海洋華人文化的融合：華人文化博大精深，尤其在漢唐成為世界強國之後，儒、釋、道華人文化不斷向外擴展，影響已遍及整個東亞，包括海峽兩岸，還有日本、韓國、越南、新加坡、馬來西亞等國，均被學者納入為華人漢字文化圈範圍內。

一九四九年國民政府播遷來臺，期間力行傳統文化教育，締造了臺灣經濟奇蹟，臺灣以一小島崛起，並不是因為土地的資源，而是因為人才的培育，臺灣被稱為寶島應該是寶在「人才」，寶在「海洋華人文化的發揚」。

　　反觀中國大陸自改革開放以來，已逐步具備世界大國的架構，姑且不論其經濟成長的快速，而僅就教育文化而言，也有令人驚艷的進步，一股華人大陸文化正勢無可擋的邁向全球。

　　此種狀況說明了一項事實，那就是華人新文化世界的到來，全球華人應該如何群策群力、團結合作、共創雙贏的時機已然開啟。為因應全球化、國際化的時代來臨，孔孟思想及中山精神當可成為全球華人共同信念。在此一基礎上，吾人可以融合中國大陸華人文化及臺灣海洋華人文化，形成完整的華人共同文化圈。

　　其次，在文化觀光的執行與文化資源的整合方面：多年來經徵詢學者專家、民間團體意見，文化部會將新設，近期雖然行政會研考會已決定設置「文化部」，惟許多學者仍認為「文化觀光部」才是最佳的抉擇。

　　故宮博物院應提升其位階直屬總統府，同時，更可提高國父紀念館的位階與故宮博物院相等。以上措施有相當大的意義，一方面由故宮博物院顯示中華文化五千年瑰寶的光輝，另一方面由國父紀念館扮演中山精神永不朽的標竿。當可促進全球華人連結，作為全球華人合作互助的平臺。

　　此外，必須進行臺灣文化資源的整合，布袋戲等民俗技藝文化的推廣，歌仔戲等民間曲藝文化的宣揚，東港漁市漁夫人物特色文化的強調，媽祖出巡及繞境祭典及文化的提升，花蓮太魯閣地方特景文化的充實，阿美族豐年祭作為原住民慶典文化的傳播，故宮博物院代表博物館文化的流動，一○一大樓建築特色文化的宣傳，long stay精緻休閒農場文化的發展，而打造臺北為多元文化休閒之都是可以優先進行的措施。

### 第二，在文化觀光創意及國際藝文交流方面

其一，必須積極培訓人才、發揮文化創意：強化文化教育體系，建設新興服務相關專業、以政策和資金扶持，掌握文化師資的擴大、加強文化理論研究、執行重點以分期及分批方式來建置文化教材體系。

其二，努力發揚文化創意：借鏡韓國，韓國在遭遇亞洲金融風暴襲擊之後，重新認識文化產業，並將其作為二十一世紀發展國經濟的戰略性支柱產業，積極進行培育，一九九八年正式提出「文化立國」方針。歷任總統包括金泳三、金大中及李明博等均極為重視文化。

韓國前文化觀光部長宮南鎮曾表示：「十九世紀是軍事征服世界，二十世紀是以經濟，二十一世紀是以文化建構新時代的時候」。一九九九年至二○○一年韓國政府先後制定「文化產業發展五年計畫」等，有力地推動了文化產業的發展。

因此臺灣文化創意的革新非常重要，臺灣將面臨向更高的經濟型態轉型。文化創意產業所衍生的多元文化活動和產品服務，提供精緻、品味、舒適、自在、驚奇的消費感覺，又能提高這塊土地上的人民和商品，在世界舞臺上的價值感，使生活更豐富、生命更有尊嚴，生態更受到保障。

事實上，在文化創意方面還有一個逆方向的思考，即外國文化創意的投入，如美國迪士尼樂園（Disney Land）文化及拉斯維加斯（Las Vegas）博弈園區文化，其設置地點還可以更深入討論。當然，強化藝文國際交流及推動華文教育，也是可行的策略。

古語有云：「蓋有非常之時，乃有非常之人，有非常之

人，然後有非常之功」。馬英九先生所領導的政府正站在時代的分界線上，如何正確掌握國家發展的方向及展現堅強魄力來扭轉乾坤，是當前臺灣人民共同的期待。

　　吾人認為，馬政府、劉內閣應該順應民意，展現更積極的作為，尤其要「海納百川，廣徵賢才」，任用具有氣魄，能立竿見影的行政專家來擔任部會首長，使他們可以大刀闊斧來為國建設、為民服務，而不應再有年齡、省籍以及性別的顧慮，「用人唯才、魄力為先、績效第一，才是突破困窘現況的唯一途徑。」


此一建言我特別專書呈送馬政府參考。

　　為實現文化興國的個人理想，我在德明科大一方面進行教學，另外一方面則不斷發展文化觀光國際會展的論文，並參予各項全球巡訪活動。

　　我在二〇〇四年從政府職務退休後，轉任淡江大學教職兼任所長行政職務，又於二〇〇六年到二〇一二年，應德明技術學院之職，前往該校擔任講座教授，當時正逢德明轉型科大重要關鍵，我也盡心竭力兼任國際會展中心主任，全力協助校務之發展。

　　因此，在德明科大執教七年期間，因為有專任教職兼具行政主管之任務，還能利用寒暑假期間，隨同相關單位前往世界各地進行文化觀光之考察。

　　我算是非常有福報的人，我因為曾經擔任華僑協會總會的理事，出版委員會副主任委員以及僑聯總會常務理事，海內外理事的職務，所以有機會參加這二個全球僑胞核心社團的所有的海內外大會議及參訪，有幸參與僑聯總會簡漢生理事長、鄭致毅理事長、華協總會伍世文理事長、陳三井理事長、黃海龍理事長以及林齊國理事長所主辦的海內外僑界活動。我特別感謝伍世文上將理事長，他曾任國防部長，

對軍人子弟的我相當關懷，也相當重視。常常對我委以重任，我也不負他的青睞，回報了更好的學術績效，成為他任內卓越的貢獻，尤其是辦理了大型學術研討會與出版期刊，為僑協總會樹立優良的學術基礎。

我認為僑聯總會也好，華僑協會總會也好，兩個單位的工作人員都非常勤奮努力而且認真負責，此兩大僑團的團隊同仁都能善盡職責，會員們也都盡心竭力，值得肯定與讚揚。

這段期間，僑聯總會及華僑協會總會，辦了多項在海外召開會員大會，並巡訪各個國家的活動。例如，在美國邁阿密的會員大會，在歐洲法國、義大利、德國的參訪活動，在亞洲菲律賓、泰國的巡訪等等，我和內子王海倫都積極參加。

此外，因為我個人的專業能力以及服務社會熱忱頗受肯定，因此經常受到臺灣主辦兩岸交流的兩大協會邀請，出任該兩協會的榮譽理事長或相關職務，不僅有機會率團赴大陸訪問，更常常擔任大陸重要人士來臺歡迎會的主持人。

這兩大協會，一是劉志旋理事長主持的文化協會，二是王正典理事長主持的文創協會。劉理事長是一位個性豪邁，性情機敏，能力卓越，極具領導能力的社團領袖，他所主持的三個協會被中國大陸觀光旅遊界給予極高的評價，大陸每天來訪的重要團體，以及臺灣組團前往大陸訪問的交流工作也相當頻繁。

我應劉志旋理事長的邀請，一共擔任了三個社團榮譽理事長的職位，包括臺北市農經會、臺北市經貿協會、臺北市文化教育交流發展協會等等。以此名義，我和劉志旋理事長合作無間，一起主持了數十次大陸各省來臺參訪團歡迎會。根據記憶所及，謹臚列如次：

二〇一四年一月十二日上午十二時在錦華園舉辦兩岸國學及傳統文化
　　　　　座談會，並歡迎由吉林市教育局副局長錢大波所率領的一
　　　　　行十一人參訪團，臺北市教育局有一位專門委員也在座。

二〇一四年四月二十九日主持甘肅省平涼市由陳偉書記所率領一行十
　　　一人參訪團的歡迎晚宴，親民黨廖滄松副秘書長也在座。
二〇一四年八月二十五日歡迎上海市文史參訪團，並舉行兩岸文化交
　　　流座談會，由該市政協副主席吳振明率領的七人參訪團。
二〇一四年九月二十一日歡迎四川省成都工業學院校長周激流率領的
　　　學者一行八人。
二〇一四年十一月二十日青海省副省長劉志強率領十一人，包括清海
　　　臺辦主任杜貴生等來訪，我與劉理事長在王朝大飯店舉辦
　　　歡迎晚宴，旺旺集團總裁王仁鍇親自出席。
二〇一四年十二月四日江蘇省副省長曹衛星、教育廳楊湘副廳長等一
　　　行十人來臺北參訪，劉理事長與我設晚宴歡迎，臺灣教育
　　　界領導林昭賢、林騰蛟、前立委周守訓等均出席。
二〇一四年十二月十七日山東省淄博市台辦主任王樹賢一行二十四人
　　　來臺參訪，我與劉理事長共同接待。
二〇一五年四月八日北京市門頭溝辦事處主任段鐵軍一行十人來臺參
　　　訪，劉理事長與我共同接待，親民黨廖蒼松副秘書長在座。
二〇一五年五月二十五日山東省濟南市法政副書記辛金龍率十一人來
　　　臺參訪，我本人主持歡迎會，新黨副秘書長蔡政崇出席。
二〇一五年七月三日吉林市政協主席趙洪奇一行十四人來臺，我在錦
　　　華樓主持歡迎會。
二〇一五年七月十二日貴州省政協副主席黃康生率六人參訪團來臺，
　　　我本人在錦華樓主持歡迎會。
二〇一五年七月二十七日四川省政協文史協會副主任鍾鋼一行十人來
　　　臺參訪，我在錦華樓主持歡迎座談會。
二〇一五年七月三十日蘇州市政協副秘書長徐俊明率六人參訪團來
　　　臺，我在錦華樓主持歡迎會。

二〇一五年七月三十一日山東省社會處長張志權率十一人參訪臺北，
　　　　並參與服務業發展座談，臺北市立大學郭家驊教授及臺北
　　　　市復華里里長黃展輝出席。

二〇一八年八月二十一日內蒙在臺辦主任呂晨光一行九人來臺參訪，
　　　　我在錦華樓主持歡迎會，臺北市教文交流協會許明珠及金
　　　　融聯誼總會理事長林萬福在座。

二〇一五年九月十二日江蘇省連雲港市南縣縣長一行二十人來臺參
　　　　訪，我在錦華樓設宴歡迎。

二〇一五年十月七日青海省人大常委會副主任沈何一行十一人來臺參
　　　　訪，劉理事長和我一起主持親民黨廖蒼松副秘書長出席。

二〇一五年十月十二日山東省濟南市公安區黨委一行八人來臺參訪，
　　　　我在錦華樓主持歡迎晚宴。

二〇一五年十一月十日山東省畫院院長陳景和一行十七人來臺參訪，
　　　　本人在錦華樓設宴歡迎，臺灣林務局也有一位官員在座。

二〇一五年十一月十二日山東省濟南市文聯黨組書記率團來臺，我在
　　　　錦華樓設歡迎晚宴款待。

二〇一五年十二月十八日青海省台辦主任杜貴生率青海大學副校長趙
　　　　之重、青海師大副校長扎布來臺參訪，劉理事長和我共同
　　　　主持歡迎會。

二〇一六年二月二十八日青海省政協副主席王小青率六人參訪團來臺。

二〇一六年六月四日寧夏工商職業學校副校長田間一行八人來臺。

二〇一六年六月六日湖南僑聯副主席孫民生一行十五人來臺。

二〇一六年八月二日上海民革副主席查波一行十人來臺。

二〇一七年六月七日重慶文化資產公司總裁一行十五人來臺。

二〇一七年六月二十八日四川宜賓政協主席葛獠原一行十人來臺。

二〇一八年五月二十日上海虹口政協副主席張強一行七人來臺。

　　當然還有一些未能記錄的參訪團，這三年期間，劉志旋理事長和我相處融洽，大家都全力把兩岸交流活動辦好，俾促進雙方的瞭解。

　　我於二○一五年開始擔任劉志旋理事長所主持的三大協會的榮譽理事長期間，接待過無數次大陸高階團體。也率團前往大陸各省巡訪十數次之多。劉理事長在大陸擁有極高的人脈與知名度。

　　至於王正典理事長所主持的文創協會則和我結緣較晚，應該是在二○一七年以後，然而由於王正典理事長與我相處日久，瞭解更深，從當年開始到現在為止，一直是我最好的合作夥伴。

　　事實上，當時王正典理事長所主持的三大協會及公司接待的大陸貴賓層級相當高，省市級主管來訪者頗多，我均應邀以主持人身分來歡迎他們。

　　我於二○一三年八月在德明財經科技大學第二次退休，我的第一次退休是在二○○四年從教育部僑民教育委員會主任委員的職位上退出了公務部門，然後進入私立大專院校擔任教職，進行春風化雨的第二春工作，這段期間長達九年，坦誠而論，我在文化行政、博物館管理以及休閒觀光發展領域有極大的發揮。

　　在學術界退休後，我也辭去教育專職，而獲選為社團法人理事長及財團法人基金會董事長的社會公益職務，工作較為輕鬆，而且不受拘束有極大的自主空間，我除了應德明科大之聘擔任講座客卿之外，其他的時間就是擔任了中華工商研究院、中華臺北科技研究院，以及國際光明社會促進會中華總會的社團領導人，加上臺灣經濟科技研究院分院及臺灣省社會科學研究院，均頒發院士榮銜給我，使我的退休生活更有意義，而擔任社團領導人都算是出錢出力，不需全天上班的社會公益工作。因此頗有空間從事全球的巡訪活動。

　　從二○一三年八月開始，我就以自由考察方式進行了許多項巡訪全球文化觀光重鎮的活動，這段黃金時期可以說是我一生的輝煌歲月。

## 六　旅遊觀光巡訪全球

迄今為止，我在文化觀光休閒會展領域方面，已可算是專家泰斗，我撰寫了多篇論文及專書，又主辦了多次學術研討會，因此在文化行政、觀光休閒及藝術管理方面，有了一些撼動人心的績效！

而個人「行萬里路讀萬卷書」的理想也獲得了實現，二○一三年到二○二二年的十年間，我幾乎踏遍千山萬水，巡訪世界各地，最近三年雖遇疫情，我仍然趁空走遍寶島的每一角落。

二○一四年七月我擔任團長率文教界團員五十九人參訪新疆，陳逢顯任副團長，當地新聞報導如下：

> 高崇雲博士介紹說，他的父親是江蘇人，母親是湖南人，他一九四三年出生在大陸，兒時與父母從貴州到達臺灣。與大多數人一樣，共同經歷了初到臺灣時的艱辛，見證了臺灣的經濟騰飛，現時常來往兩岸，基共同之情懷，促兩岸之交流。或許是受中華傳統文化「萬般皆下品唯有讀書高」之影響，高崇雲博士與家人都從事教育事業，不到四十歲的兒子高鵬翔，現在是中華科技大學餐飲管理系系主任、浙江大學特約研究員，女兒現在是助理教授。
>
> 談到這次的新疆之行，高崇雲博士說，新疆之美不來就感受不到，從臺灣到烏魯木齊市坐飛機六個小時，沒有感受就體會不到「路途之遙遠」，從烏魯木齊市到阿勒泰山喀納斯，從烏魯木齊穿天山到火州吐魯番，一個地方一個氣候，一民族一種風情，時而茫茫戈壁寸草不生，突然登高一望花草滿坡、牛羊似雲，占國土面積六分之一的新疆，不來看看是感受不到新疆之大之美，高崇雲博士表示「大美新疆」還要再來多來。當

記者詢問對當地的治安有何感受時，他說，如果沒有信心，這次他是不會帶著妻子、孩子一同來的。

——寶歌邊疆／烏魯木齊，《中華時報》

二○一四年八月十八日到二十二日，我率領臺灣基層代表一行二十一人到湖南張家界參訪，當地新聞報導如下：

日前，由臺北市敦北社區發展協會主委、中華文化休閒觀光協會理事長、前國父紀念館館長高崇雲、臺北市中山區復華里里長黃展輝、臺北市中山區復華里鄰長李昆諺為正、副團長的臺灣基層民意代表張家界社區交流考察團一行二十一人，在張家界市臺辦主任姚紅岩、副主任郝慧敏的陪同下，考察了湖南慈利縣東街社區居委會。

考察團認真聽取了慈利縣委副書記王勝同志對慈利縣社區管理和社區服務的情況介紹；聽取了東街社區居委會在社區管理和社區服務方面具體做法和經驗；參觀了東街社區為民服務大廳、老年大學分校、社區廣場；觀看了老年門球、老年人秧歌隊和廣場舞等精彩表演。並就社區管理和社區服務中居民最關切的養老保險金、醫療保險金、民事調解、城鎮居民最低生活保障金、保障房、計畫生育、救助弱勢群體、社區經費等方面進行了廣泛的交流和探討，促成了臺北市中山區復華里與東街社區居委會結為友好社區，並建立長期的合作機制。

——姚邦欣／慈利縣台辦通訊員，《臺灣網》〈慈利縣消息〉，

二○一四年八月二十二日

我的致詞如下：

　　我們是海峽對岸寶島臺灣的大臺北社區代表,很高興能來到張家界參訪,張家界是全球文明的風水寶地,不僅是國際電影阿凡達仙境的發源處,也是世界最著名的自然遺產之一。

　　張家界的天子山、黃石寨、朝陽地縫、金鞭溪、十里畫廊,都是膾炙人口的風景勝地。但是,張家界的多元社會、奇特風情,以及熱誠好客與彩色演藝更令人有無限的嚮往,因此,我們都帶著肯定與欣賞的態度,來感受張家界的秀麗奇景,而且,更盼望今後與張家界的朋友們進行合作與交流。

　　自從桃園——張家界直飛後,只要三小時的飛行路程,雙方就可以實地接觸,我們很感謝主辦單位的精心安排,有機會能到慈利縣東街居委會進行參訪,我們知道慈利縣有三四○○多平方公里,人口約七十萬人,有土家族、漢族、白族、回族與苗族,可以稱為多元民族的故鄉,人民和善與物產豐富是二大特色。

　　在這裡我想要說的是,臺灣也是一個國際聞名的蓬萊寶島,有著不同風貌的海洋風情,是一個小而美、小而精緻的文化旅遊勝地,我們也期盼能在臺灣熱烈歡迎在座各位朋友的參訪。

　　二○一四年九月十五日到二十二日,我於率領兩位副團長周談輝教授、高艷秋董事長一行二十六人前往四川省大熊貓團團圓圓故鄉參訪,去看了成都市規劃館,然後到江油市參觀李白紀念館,再到九寨溝這個全球最美的景區遊覽,最後又訪問了千年不朽的都江樓,深覺不虛此行。

　　二○一四年十一月,我和內子王海倫應攝影協會總會的邀請,前往日本北海道參訪,到達了日本最北方的小島,還獲得了證明,北海道的北國風景的確不凡。

　　二〇一五年四月十三日至二十日，華僑協會總會在巴黎召開全球分會聯席會議，我擔任該會委員與內子王海倫一起獲邀出席，我們一共訪問了巴黎、里昂、亞維儂、普羅旺斯、馬賽、坎城、尼斯、摩那哥等著名城市，可以說是巡行了整個法國，那是一次非常高品味的心靈之旅，值得一生回味。

　　二〇一五年八月六日至十四日，我擔任團長率團前往甘肅省參訪絲路景點，從敦煌、張掖、武成、金昌、到嘉裕關，直到蘭州，一路參訪各地及市領導熱忱的接待，我也發表了七篇對巡訪各地級市的建言，我覺得已經獲得了當地領導的重視。

　　二〇一五年八月二十四日又率茶葉考察團前往安順產業區深入考察，臺灣茶商代表陳永裕董事長及臺北市長春茶莊董事長莊錦龍等一行十六人隨行，我當場發表了茶文化與臺灣茶葉狀況的專題演講，獲得了兩岸人士一致的讚揚。

　　二〇一五年六月十二日至十九日，華僑協會總會主辦了一項東北三省考察活動，我與內子王海倫應邀出席對東北進行了七天的深入訪問，深覺收穫良多。

　　二〇一六年三月十二日至十八日，我因為擔任僑聯總會常務理事，所以也參與了僑聯總會七彩雲南的參訪，到了昆明、大理、蜜江、金沙江、虎跳峽遊覽。雲南省風景秀麗而且對臺灣相當友好，所以此行相當愉快。

　　二〇一六年六月十一日至十八日，僑聯總會舉辦了四川峨嵋參訪大佛之旅，我亦以常務理事身分出席，飽覽了金頂、青城山、樂山大佛、都江堰等名勝。

　　二〇一六年九月二十三日至二十六日，我和劉志旋執行長一同到天津出席媽祖娘娘文化旅節，我發表致詞如下：

　　我是來自臺北的中華文化休閒觀光協會理事長高崇雲，此次偕同臺北市文化教育交流發展協會劉志旋執行長一同出席第七屆天津媽祖文化旅遊節，我們深感榮幸，因為這項盛會不但是全球華人的重大活動，也是世界級的文化饗宴。媽祖文化源遠流長，強調扶危濟困，消災解厄，是中華文化的珍貴遺產。全球的媽祖廟超過五〇〇〇座，有規模者在一五〇〇座以上，全球信眾至少有二億人。而臺灣人口二三〇〇萬人中，至少有一五〇〇萬人信仰媽祖，臺灣大甲所舉辦的媽祖遶境活動，參加人數在百萬人以上，被列為世界三大宗教活動之一，欣逢天津舉辦媽祖文化旅遊節，臺灣信眾當然要踴躍參與共襄盛舉。

　　天津天后宮名列世界三大媽祖廟之一，而在弘揚媽祖文化的過程之中，屢次擔任領頭羊的角色，天津政府與人民全心全力舉辦媽祖文化旅遊節，不僅可以宣揚媽祖慈悲為懷的無限愛心，而且可以淨化民眾的心靈，提升社會的生活品質，更可以擴大天津對海內外的影響，強化天津與世界各地的交流與合作，此項作為值得肯定，值得讚賞。我認為我們可以以天津媽祖文化旅遊節作為促進兩岸合作交往最重要的平臺，共同體驗媽祖忠愛國家、孝順父母、修行吃苦、救人濟世的忠孝節義精神，來發揚傳統中華文化。

　　二〇一七年六月我應福州正東方國際教育集團邀請，前往日照及青島發表〈國學與三代塾親子共育〉專題演講重點如下：

　　臺灣居民雖然一直生活在不穩定的環境中，但是民間力量的強大，對子女教育以及對國學的重視一直沒有間斷，所以三代塾就緣起於臺灣道禾的學生要學習農耕、射箭、採竹、茶

道、書法與古琴，依循著自然的節氣來生活，在生活的涵養
與實作中，無不蘊含著國學的滋潤，藉此引領學生打開心量、
開拓眼界。

　　一九九○年代該校的創辦人曾國俊執行長想辦一間「中文
國際學校」，替「下一代華人教育」尋覓出路，已在大陸建立了
好幾間具有書院古風的教育機構，那就是「道禾實驗學校」。
他說：「我們不是來教育這個社會，而是開啟下一個社會。」
還說：「一間好學校應該是三代人的學習。」因此，他提出
「三代塾學」、「根深中國」與「盛開國際」的教育理想，並認
真耕耘與實踐自己的承諾。

　　該校確實有著濃郁的書院風格，座落於臺中、新竹與苗栗
的山林間，學校宗旨立志要傳承中華傳統的「六藝」──
「禮、樂、射、御、書、數」，並將其發揚光大。他們從幼兒
園到高中有完整的學制，學生的制服也是改良式的漢服，教室
設計得古色古香卻深富靈魂，而且該校的學生家長還必須參加
「志願者組織」，每個月來學校擔任義工，從事有機農耕、閱
讀推廣、染布編織或支援登山等服務工作。除此，曾執行長還
成立道禾教育研究院，敦聘研究員，專門從事教材研發與教師
增能研究。

　　道禾落實「一年一座山，一年一條河」的理念，希望在這
裡讀書的學生都能透過山河的滋養，體會人文素養如何在大自
然中獲得化育。曾執行長說：『好老師會影響學生一輩子。」

　　學生依循著自然的節氣來生活，在生活的涵養與實作中，
無不蘊含著國學的滋潤，藉此引領學生打開心量、開拓眼界。
他的理想獲得大陸名人李亞鵬的認同。

　　在二○一五年新浪中國教育盛典上，李亞鵬首次以培德書

院國際學校董事長的身分在教育圈亮相，並獲得中國教育公益
突出貢獻獎。在當天「大家說」的演講環節裡，李亞鵬不僅與
現場觀眾分享了在小女兒李嫣教育上的點滴心得，也分享了為
何創辦培德書院這樣一所書院式國際學校。

　　該校錢志龍校長介紹培德書院成立於二〇一四年九月，目
前幼兒園和小學一共有近一百位學生，他強調：「過去的這些
年，我們一直在向西方求取各種教育模式，可是在我們的土
壤、我們的文化裡，應該長出一個屬於華人自己的教育，這也
正是培德努力在做的事情。」

培德學校教育重點如次：

## （一）深耕國學

　　扎根學前的幼稚教育，盡量選擇開設有國學或傳統文化課程的學
校就讀，從父母親、長輩的身教，參與幼兒的學習下手，讓兒童能耳
濡目染、寓教於樂，在家長的陪伴下，輔以相關童蒙教材，引導幼兒
進入國學的殿堂。基礎教育階段由國小、國中，而至高中，透過學校
所設計的國學課程，並以詩、詞、歌、賦的所賞與創作，並積極參與
相關傳統文化及國學活動，進一步培養對國學的興趣及更深入的認識。
高教階段則進一步選修有興趣的國學與傳統文化課程及活動，讀萬卷
書，行萬里路，將從小所學的國學認識，內化為滋養自己的養分。

## （二）邁向國際

　　透過辦理傳統文化、研討會、出版相關書籍、製作相關影音網、
資料庫，將國學與傳統文化介紹，並傳播至全世界，讓外國人能進一
步體會中國文化的美及古人的智慧。

## （三）達到國學最高境界

內化國學及傳統文化中的智慧及修養，並將其外顯於行為、言行上，知行合一，由格物、致知、誠意、正心、修身、齊家、治國而平天下。窮則至少能獨善其身，達則可兼善天下。己利利人，己達達人。並在全世界同沐中國優秀的傳統文化及國學思想菁華上，進而促進全人類夢想的大同世界的早日到來。

從道禾到培德宣揚國學教育的演進中，無獨有偶的，正東方國際教育集團也趁勢而起，從國學教育的出發來成為典範學校。

正東方國際教育集團，二〇一一年成立，集教育投資、管理、科研於一體，總部設於福建福州，研發中心設於新加坡。

集團以幼稚教育為主體，致力於打造中國幼教國學國際化行業標準。同時與全國多家教育機構、海內外多位知名教育專家合作，並與臺灣，加拿大、新加坡、義大利等國家建立教育資源互動關係，朝著國際化目標逐步前進。

正東方品牌溯緣以太陽為主，以孔子正東方、日照作為標竿。

正東方教育理念是源自國學的思想：品智正東方，自性定未來，教育特色為多元智慧雙語經典教學。目標是立足本土，面向國際，表示：

一、汲取中華傳統文化精髓，研創幼兒教材教具，激發幼兒探索熱情與創造力。

二、引進臺灣辦學模式與教材，與新加坡、義大利、加拿大、丹麥等國家幼稚園建立了合作關係，共用教育資源。

我最後強調，家教及孝道是國學的根本。

二〇一八年四月二十四日至三十日，我率領浙江文化參訪團應民革的邀請，前往杭州、潮州、金華、義烏、奉化、寧波等地級市參訪。

　　參訪團成員以教授及軍方人士花木蘭為主，包括高崇雲教授、王海倫教授、李威侃教授、周健教授、舒立彥教授暨李淑敏會計師、張育蘭上校、王素珍上校、方洪英中校、張綺蓮中校等。

　　參訪團具有國民黨黃復興黨部代表的特質，因此受到浙江民革的重大禮遇及接待，民革主委吳晶、副主委宋新力親自款待，並由核心幹部何劍峰處長等人陪同前往奉化蔣介石故居參訪，意義重大。

　　二〇一八年十月十二日至十九日，我參加僑聯舉辦的馬尼拉全球大會，共有十一個單位參與，二百餘人出席，盛況空前，我們在僑聯總會菲律賓分會的妥善安排之下，有了一次愉快的菲律賓參訪之旅。

　　二〇一九年五月六日至十三日，我率領中華學術文教基金會董事會成員及顧問代表等，前往浙江訪問北部四大地級市，此行文化藝術色彩頗為濃厚，我在第七章中將有更進一步的說明。

　　二〇一九年六月九日至七月六日，我參加英倫郵輪之旅葡法參訪團，前往英國、愛爾蘭、葡萄牙，法國等四個國家訪問，此行極為精彩，詳情也會在第七章說明。

　　二〇一九年十月六日至十六日，在中華東方茶文化藝術學會理事長王淑娟的邀請下，我與內子王海倫一起參加土耳其參訪團，此一過程也在第七章中有相當詳細的交代。

　　二〇二〇年十一月十二日至十六日，我以前國父紀念館館長的身分應邀到廣州中山論壇發表主題演講，受到各界的重視。此一事實也會在適當的篇章中予以說明。

　　我除了擔任許多社團的領導人之外，本身也參加了古亭扶輪社及慧智獅子會。事實上，這兩個國際性的社團在臺灣的表現極為突出，更具有輝煌的績效，我在古亭扶輪社有年除了交了許多好朋友之外，還學習到許多國際通用的原則，禮儀及文化，受益良多，扶輪社熱心公益而且制度良佳，值得肯定，我對古亭扶輪社社友相當感佩，現謹

將社友名單加以記錄如下，俾作為我終生的回憶。

　　林春金（金中山窯業（股）公司）

　　黃振南（北門電器有限公司）

　　吳瓊姻（向春貿易有限公司）

　　許炳裕（德鋁企業（股）公司）

　　顧勝忠（哥德利華有限公司）

　　朱大慶（嘉碩營造工程有限公司）

　　陳志章（崇格有限公司）

　　黎益全（伯東商事株式會社）

　　顏北辰（鳳霖實業（股）公司）

　　李世雄（台爐（股）公司）

　　杜昆進（億鄉有限公司）

　　洪金川（麥克龍育樂事業公司）

　　許泗川（益銀電熱企業有限公司）

　　駱文杰（凱威資訊有限公司）

　　童義興（立碁電子工業（股）公司）

　　馬永奎（今天旅行社有限公司）

　　徐九恩（筆王工業有限公司）

　　翁忠信（聚太成建設開發（股）公司）

　　陳明嘉（萬華龍企業（股）公司）

　　陳阿和（金果王食品有限公司）

　　林勝章（一力金屬工業有限公司）

　　鄭森焜（鉅基投資開發有限公司）

　　林文正（冠華傳播有限公司）

　　陳朝龍（偉登興業有限公司）

　　徐景星（戀霖國際法律事務所）

李明智（展新室內裝修有限公司）

方基業（南山人壽）

林慶助（啟延電子科技集團）

林輝銘（品昇機械工程有限公司）

林廷堯（勤威科技有限公司）

林春連（動名停車場）

魏金村（王陽印刷股份有限公司）

陳章明（惟昌企業股份有限公司）

高崇雲（德明科技大學講座教授）

張宗元（基金會負責人）

曹偉修（易立安科技有限公司）

彭增田（小精靈股份有限公司）

陳建宏（雄豪鐘錶眼鏡有限公司）

王天錫（海揚國際實業（股）公司）

游東穎（敏揚企業股份有限公司）

劉月釵（不動產公司負責人）

萬英豪（財團法人海峽交流基金會秘書長）

我之所以加入古亭扶輪社，係好友林春金董事長的介紹，林春金先生與我相識甚早，相知極深，我們兩家是通家之好，他是一位熱忱待人、為人誠懇、認真負責的業界典範，也是一位文物的大典藏家，我對他相當讚賞，我非常感恩上天賜我許多位知交好友，他就是其中的一位。事實上，古亭扶輪社人才濟濟，大多為社會名流。

我曾經加入另外二個重要的社團曾擔任常務理事，一是世界華語文學會；是董鵬程擔任秘書長的社團，在華語文教育有極大的貢獻。董秘書長推動華文教育數十年從未見間斷，其精神可佩，學會前任是程萬里理事長，現任是張光正理事長，名單如次：理事長程萬里（中

原大學校長）、常務理事張光正（財團法人商業發展研究院）、常務理事李鍌（臺灣師範大學教授）、常務理事曾志朗（行政院政務委員）、常務理事賴明德（中原大學應華系主任）、常務理事柯華葳（中央大學學習與教學研究所所長）、常務理事張孝裕（臺灣師範大學兼任教授）、理事曹逢甫（清華大學語言所教授）、理事高崇雲（中華工商研究院院長、德明技術學院教授）、理事林治平（宇宙光全人關懷機構外展部、關輔中心執行長）、理事黃坤錦（中原大學人文與教育學院院長）、理事何景賢（中華語文研習所董事長）、理事陳純音（臺灣師範大學英語系教授）、理事黃沛榮（文化大學中文系教授）、候補理事王新華（臺灣師範大學副教授）、候補理事鄭昭明（臺灣大學心理學系教授）、候補理事亓婷婷（臺灣師範大學國文系講座教授）、常務監事何福田（教育研究院籌備處主任）、監事張霄亭（中國視聽教育基金會董事長、臺灣教育傳播暨科技學會理事長）、監事林再藩（世界廣東同鄉會副會長）、候補監事吳肇銘（中原大學資訊管理系教授）曾志朗教授後接任教育部長，有為有守，推廣理念不遺餘力，深獲各界肯定。

　　另外則是，財團法人華岡文教基金會，這個社團在文大校友中占有舉足輕重的地位，對中國文化大學的發展協助良多，前任董事長是簡江作教授，現任則是侯淵堂董事長。

　　董事長簡江作（韓國檀國大學史學研究所）、常務董事高崇雲（政治學博士）、常務董事何和明（早稻田大學碩士）、常務董事鄭師中（理學博士）、常務董事張金明（中國文化大學）、常務董事徐水俊（中國文化大學）、常務董事（王鎮皇）、董事黃有良（中國文化大學建築系）、董事張運同（中國文化大學）、董事侯淵棠（中國文化大學）、董事林清汶（中國文化大學）、董事莊震霆（中國文化大學）、董事朱宏哲（中國文化大學）、董事吳侃（中國文化大學）、董事馮定

國（政治學博士）、董事鄭清泉（中國文化大學）、董事徐慶炎（韓國建國大學政研所碩士）、董事楊家玲（中國文化大學文藝組）、董事張智超（中國文化大學）、董事葉東樺（中國文化大學）、董事陳龍（中國文化大學戲劇系）。名譽董事：鐘榮翼、閣志昭、張文齊、黃焌吉、吳天池、林宗嵩、林清華。

# 柒
# 學術文化公益社會

　　我在二○一八年九月十八日被選為中華學術文教基金會董事長的職務，從此又開始一個新階段的生活，那就是投入「宣揚傳統文化藝術強化學術文教交流及推動社會公益」的事業。由於各項記錄完整，謹分項列表如下：

## 一　強化各界學術交流

### （一）二○一八年九月十八日第九屆第八次董事會

　　基金會第九屆第八次董事會議在陸軍聯誼廳召開，第九屆董事均續任，會中選任第十屆董事長，全體董事共同推選高崇雲教授出任第十屆董事長，並由高董事長提名陳光憲教授擔任副董事長，獲出席董事通過。第十屆董事會於十月二十一日正式就職。

### （二）二○一八年十二月二十一日海外華人研究學會三十週年

　　海外華人研究學會十二月二十一日上午在臺灣圖書館辦理「離鄉與歸鄉：臺灣人的海外遷移經驗」學術研討會暨學會成立三十週年大會。我因為曾擔任該研究學會理事長，績效優異，現任李盈慧理事長特贈送紀念獎牌。

## （三）二〇一九年一月十二日出席台濟學研聯盟

我偕同程南洲董事於元月十二日中午出席聯盟在王朝大酒店舉辦的聯誼餐會，相關學術界代表約百餘位出席，該聯盟係由中華工商研究院、臺灣經濟科技發展研究院等五大機構組成，是我國在智慧財產鑒定研究方面的權威，而在國家建設中對於人才培育、課程服務、規劃輔導領域方面也有巨大貢獻，我曾應聯盟創辦人黃國藏博士的邀請，擔任中華工商研究院院長多年，程董事也曾兼任該聯盟重要的職位，我在致詞時表示，將促進本基金會與該聯盟的合作，獲得熱烈的迴響。

## （四）二〇一九年六月十一日參訪葡萄牙及愛爾蘭大學

我偕同本會顧問名書畫家邵文虎，於六月九日至二十三日前往葡萄牙及愛爾蘭兩國訪問，除參觀世界文化遺產、博物館及美術館之外，並專程前往葡萄牙首席大學參訪。令人高興的是，剛好在校園中庭與浙江中醫藥大學副校長所率領的訪問團不期而遇，雙方相談甚歡，並合影留念。

我們一行並於六月十九日前往愛爾蘭最著名大學三一學院參訪，該學院和英國牛津、劍橋兩大學齊名，訪問期間恰逢該校舉行畢業典禮後尋訪校園活動，我主動趨前自我介紹來自臺灣中華學術文教基金會，現在且為德明財經科技大學客座教授，獲得該校校長、院長等領導認同，雙方寒暄後並快樂留影紀念。

此行有機會與各界菁英同行，特別是資訊泰斗包括神通電腦前副總經理馬嘉樂及前總經理蔣台方等專家同行，受益良多。今後應加強國際學術交流及媒體電腦資訊，才能夠使基金會名揚海外！

## （五）二〇一九年六月三十日參訪英國大學及法國歷史名城諾曼第

我偕同本會顧問邵文虎、神通電腦前總經理蔣台方一行於六月三十日專程前往牛津大學參訪，該大學為世界頂尖大學，產生過十六位英國首相，學術氛圍可為無與倫比。

我們一行並於六月二十八日抵達法國歷史名城諾曼第訪問，該市是二次世界大戰聯軍的登陸橋頭堡，聞名全球！

除此以外，又於六月二十六日參訪蘇格蘭大學，該大學有五百年歷史，建築雄偉人才輩出，英、法兩國皆為世界五強之一，文教學術的水準自然是讓人刮目相看，值得肯定，值得讚揚，我的參訪結論是，本基金會必須和歐美相關文教組織加強聯繫交流，才能成為我國核心的文教重鎮！

## （六）二〇一九年六月三十日參訪牛津及劍橋大學

我偕同本會顧問名書畫家邵文虎，以及神通電腦前總經理蔣台方，於六月三十日訪問牛津大學，該大學不愧為世界級一流大學，學風優異，學術氣氛濃厚，培養了很多頂尖人才，英國能雄霸天下超過一世紀，英豪輩出是原因之一，文化教育更是最核心的價值。

劍橋大學校園優美，景色宜人，如詩如畫，學生們青春活潑，展現出力與美的特色，能夠來此參訪，的確心曠神怡。無怪乎當年徐志摩可以在劍橋寫出〈再別康橋〉這樣的千古詩句。在康河上撐篙的學生充分展現了劍橋精神！

## （七）二〇一九年九月十八日德明科大徐守德校長在國際會展會場讚揚高崇雲教授

德明財經科技大學徐守德校長，不僅在今年榮獲私立大學傑出校

長獎，當年更獲選為私立科技大專院校協進會理事長，徐校長主持德明校務有年，績效優異，校務得以蓬勃發展，深受學術界重視。事實上，德明科大在徐校長卓越領導下，不但成為企業界最愛的財經學群的大學，更在二〇一八年榮獲 WRO 國際奧林匹克機器人世界大賽亞軍。

除此以外，德明在國際城市行銷競賽中屢獲冠軍。徐校長相當重視資深教授，除聘請他們擔任客座教授外，更經常諮詢意見作為推展校務的參考，我即為資深教授其中之一，徐校長此種禮賢下士、察納雅言的舉措值得肯定！

## （八）二〇二〇年七月二十八日拜會中國科大唐彥博校長

我於七月二十八日下午二時，專程前往中國科技大學拜會唐彥博校長，商討本會與該校合作事宜，由於有同門之誼，結識甚久，故此相談甚歡，最後達成共識，均認為推動私校的生存與發展，乃屬現階段學術教育界的重大課題，會談歷時一小時結束！

中國科技大學位於臺北市文山區，交通便利，人傑地靈。是一所極具特色的優良高等學府，創辦人上官業佑曾任國大代表、總統府國策顧問，他以開創我國教育界第一所市政專業人才學校而聞名於世。

董事長上官永欽女士為著名教育家，曾任美國花旗銀行副總裁，多年以來在她的卓越領導之下，已使中國科技大學名揚海內外，成為國際知名代表性的大專院校！

現任校長唐彥博教授去年八月到任，他同時兼任教育部高等教育審議會委員、私校諮詢會委員兼會議主席，私立教育事業協會理事長等要職，他的經歷極為豐富，曾任崇右技術學院校長、育達商業科技大學校長、臺北海洋科技大學講座教授兼校長、私立科技大學校院協進會理事長，是私立科技大學校長中代表性的人物。他愛護青年、春風化雨的精神以及奉獻犧牲、無私無我的品德值得肯定！由於他對私

立大專科技院校的生存與發展有巨大的貢獻，學術教育界人士對他的好評如潮！

## (九) 二○二○年九月一日拜會德明財經科技大學徐守德校長

我特別於九月一日上午十一時，專程前往德明財經科技大學拜會徐守德校長，受到徐校長熱烈的歡迎，我與徐校長就合作交流與校務發展進行一小時的腦力激盪，雙方相談甚歡，會晤於中午十二時圓滿結束，因為我曾經在德明財經科技大學擔任講座教授及客座教授共十五年，對學校校務發展瞭解甚深。

我非常敬佩徐校長的教育理念及春風化雨的精神，德明財經科技大學是我國唯一的財經大學，近年來在徐校長卓越的領導下績效優異，畢業生在財經界表現良好，已經成為我國財金企業界最愛採用畢業生的第一名！

事實上，德明財經科技大學德明兩字，是引用國父　孫中山先生的號所命名，而且也是海外僑界興學的最好典範。在此特別提到的是，德明在一九八七年由我國著名企業家陳兩傳董事長接手領導下蓬勃發展，校務蒸蒸日上，績效有目共睹！

陳董事長在事業有成後投身文教與公益，獎掖後進，指導德明使學生成為財經界企業的最愛，德明畢業生在知名企業實習被滿意度超過八成。陳董事長並且積極投入資金，改善學校設備，先後興建二座教學大樓，致力學校升級及轉型，升格為德明技術學院後，更成為財經科技大學！

坦誠而言，德明財經科技大學有今天的優異的表現，現任校長徐守德博士居功甚偉，徐校長不僅在去年榮獲私立大學傑出校長獎，更光榮獲選為私立科技大專院校協進會理事長，在他的主持領導下，德

明科大不論在績效方面，還是在校務發展方面，都有令人驚艷的表現，已深受我國教育學術界重視，聲望崇隆，名聲遠播，德明科大擁有這樣的卓越校長，讓全體師生引以為榮！

徐校長不但讓德明科大成為企業界最喜愛的財經大學，而且在二〇一八年又指導學生榮獲 WRO 國際奧林匹克機器人世界競賽的第二名，不僅如此，德明科大在他的指導下，於國際城市行銷競賽中屢獲冠軍。德明財經科技大學能夠百尺竿頭，更進一步成為頂尖的科技大學，徐校長實功不可沒。

## （十）二〇二一年七月二十五日參訪參訪史丹佛大學及柏克萊加州大學

我與內子王海倫於七月二十日及七月二十五日分別前往史丹佛大學及柏克萊加州大學參訪，因為我曾經在一九八二年經政大校長張京育的推薦，前往柏克萊加州大學進行博士後研究，作為一名訪問學者，受到該校世界著名學者史卡拉‧賓諾教授的指導，獲益良多，進修期間還在該校東方圖書館撰寫《韓美關係研究》一書出版，獲得中華戰略學會頒發著作獎。

當時在美研究半年，深深體會到美國學界自由的風氣以及民主的氛圍，美國地大物博，人才輩出，科技發達，實在有值得學習之處！

所以國父　孫中山先生曾經說過：吾人必須師美友日，學習他人之長補己之短，才能振興中華！大哉斯言！中山先生發動國民革命、創建亞洲第一個民主共和國的豐功偉業將永垂不朽！

我當天在柏克萊加州大學巡行一周，重溫舊夢。而且此行又能再度前往史丹佛大學參訪，深感不虛此行！

## (十一) 二○二一年十二月九日拜會臺北市立大學邱英浩
　　　　校長

　　我於十二月九日下午專程前往臺北市立大學博愛校區參訪，受到邱英浩校長、張曉生通識教育中心主任、蕭金玲舞蹈系主任等校內同仁熱烈的歡迎。我此次來到市大，主要是要與該校領導階層討論合作計畫，臺北市立大學半年來在新任邱校長卓越領導之下表現極為優異，不僅聲名遠播，而且已經引起了國際學界的重視，尤其值得大書特筆的是，邱校長在城市規劃領域方面有舉足輕重的地位，臺北市政府稱他為城市擘畫師，他留學英國，國際人脈雄厚，常常邀請國外知名學者來校教學，帶給學生更寬廣的國際視野。

　　我與邱校長深入懇談兩小時，曾就合作辦理全球華人藝術名家大展、傳統文化藝術大獎以及青少年文化藝術研習等進行腦力激盪！最後達成共識：表示將以宣揚傳統文化及中山精神為主要理念，不僅要將臺北市打造成為北市府的智庫，更將規劃大臺北偉大城市的基本藍圖。我強調在深入瞭解邱校長理念後，認為他的確是一位具有前瞻性的眼光以及擁有跨越多元領域，並加以整合超強能力的年輕校長，值得各界肯定與讚嘆，更值得大家支持！

## (十二) 二○二二年六月十六日拜會康寧大學陳清溪校長

　　我於六月十六日下午專程前往位於內湖的康寧大學拜會陳清溪校長，因為我曾任教育部僑民教育委員會主任委員，當時陳校長就在教育部中部辦公室擔任科長，所以會晤雙方可以說是教育部的老同事，故此相見甚歡。

　　我也曾經擔任康寧大學董事會董事多年，現在又出任董事會監察人，我以此身分向陳校長提出多項建言。也利用此一機會，論及文化學術合作交流事項。會晤約一小時，已達成多項共識！

　　我認為陳清溪校長自從來到康寧大學之後陸續擔任副校長、校長等重要職務，勤奮努力，績效優異，對康寧大學有重要的貢獻。值得肯定！

## 二　兩岸藝文融合合作

### （一）二〇一九年五月十日兩岸國學書院交流

　　我於二〇一九年五月十日率同基金會副董事長陳光憲、董事查重傳、李威侃、研究委員王輝丹一行五人七日上午拜會浙江大學繼續教育學院，與院長樓錫錦、主任商利明、副主任裘盈芳、項目主任舒桂飛進行座談。此行最主要目的是促進浙江大學與臺灣四所大學進行交流與合作。座談會共達成三項共識，以期深耕國學，宣揚傳統文化。

　　三項共識分別為：第一，合作開始著手進行為浙江及上海的臺商開辦國學高級研究班；第二，計畫為臺灣企業家開設兩階段國學進修專班；第三，深入討論計畫與相關大學強化交流交換學生與教授的可行性。

　　事實上，浙江大學是大陸排名第三也是世界前百名之內的大學，臺灣有非常多的學校願意與浙大進行交流合作。我曾應浙江大學前副校長兼亞太休閒教育研究中心主任龐學銓教授之邀擔任特聘研究員，在二〇〇六年至二〇一五年的十年期間曾出席杭州休閒國際論壇八次，分別擔任主持人發表人及評論人。這次拜會洽談特別推薦臺灣中原大學、銘傳大學、中國文化大學、玄奘大學來進行合作項目。

　　中原大學是臺灣私立大學第一名，也是臺灣大學生註冊率最高的學府，校長張光正教授是一位卓越的教育家，曾經擔任三所大學的校長，表現優異，國際聲望崇隆，也曾經擔任過臺灣私立大學協會主席。銘傳大學是目前臺灣大陸學生最多的學校，校長李詮認真負責熱

忱待人，愛護學生。中國文化大學的創辦人張其昀教授，在一九四九年前曾擔任浙大史地系主任，文學院院長。其公子張鏡湖，現在擔任董事長，宣揚中華文化不遺餘力。玄奘大學，該校創辦人是佛教界長老，辦學具有相當多的特色。

浙江大學繼續教育學院院長樓錫錦表示：非常歡迎兩岸國學書院院長高崇雲所率領的參訪團，更感謝提出的積極性建議，並期望於適當時機親自率領或派遣代表團到臺灣參訪，與上述各大學進行交流，以加強兩岸文教合作。

## （二）二〇一九年五月七日訪浙江大學交流

我與中華學術文教基金會一行人專程參訪浙江大學，民革浙江委員會工作人員陪同下於校史館瞭解該校創校歷史、學科組建、教學理念、重大歷史事件及在促進兩岸之間友好交流、和諧發展之間做出的很多努力與貢獻，而後進行合影留念簽名，隨後即啟程參觀紫金港校區校園。

我及副董事長陳光憲、董事查重傳、李威侃四位學者，曾就兩岸大學教育事宜與浙江大學繼續教育學院達成初步共識，推動臺商進修。

## （三）二〇一九年五月十二日兩岸國學書院、南懷瑾書院在溫州達成合作意願，接棒南師心願

溫州市台辦副主任方棟才、溫州三垟濕地生態園管委會副主任胡躍中、民革浙江省委員會聯絡處處長何劍鋒、溫州市委會副主委南品仁、南懷瑾書院院長柯小敏等人，上午陪同我及中華學術文教基金會成員參訪南懷瑾書院並進行座談。我與南懷瑾書院院長柯小敏在座談會上達成合作意願，並由新北市樹林美術協會理事長高駿華，記錄此兩院為復興中華文化共同努力的歷史性一刻。

　　我致詞表示：南懷瑾先生繼承了孫中山天下為公的理想，孫先生說，我們不立志做大官，我們要立志做大事，文化才能永恆，南師（南懷瑾）接了孫中山先生的棒，作為南師的學生，我們一起來接他的棒，共同推動傳統思想，宣揚中華文化，達到兩岸一家親。

　　方棟才副主任對於我及陳光憲兩位曾是南懷瑾學生表示驚訝與驚喜，更讚賞我們兩位如數家珍的描述南師幾十年前所教授的思想。

　　胡躍中副主任也說：「三句話來形容這次會面，第一、感動；第二、斷不了；第三、敢為。」

　　南品仁主委則表示，經師易得，人師難求，爺爺在血緣上是爺爺，但永遠是自己學習努力的楷模。爺爺為後代留下的是兩副字，一副是天下為公，另一副是平凡，所以要把自己做成一個平凡的人更加謙虛謹慎。

　　我們一行人名單如下：王海倫、陳鐘素敏、邵文虎、蕭雅明、劉瓊玩、藺斯邦、查重傳、張仲琪、李威侃、謝可珊等。

## （四）二〇一九年五月十三日歡宴朱成鋼副會長率領之上海企業家參訪團

　　上海中山文化協會副會長朱成鋼於五月十三日率領上海徐匯區九位企業家及學者來臺參訪，受到我及羅秋珠秘書長熱烈歡迎，我們雙方曾就當前國際經貿情勢、臺灣經濟現況及兩岸經貿來往充分交換意見，取得多項共識，氣氛熱烈，相談甚歡！

## （五）二〇一九年五月二十二日歡宴上海文教參訪團

　　我於五月二十二日下午在凱達飯店舉行晚宴，熱烈歡迎由上海社會科學研究院王慧敏主任所率領的文教參訪團，團員均為上海市各大專院校教授或文化創意專家。該團來臺主要目的，即為與臺灣各界藝

文設計創意產業會展籌辦文化傳播等文教界人士交流。期盼能獲得具體的績效，暨產生各項新的觀念。

　　我本身就是文化觀光專家，即席與參訪團進行座談。我致詞說：「極為讚賞王團長所帶領的文教代表團，希望參訪團在臺灣能夠愉快的完成任務。而且能夠將海峽兩岸正面能量交流發揮到極致。以便提升兩地的社會文化品質，我認為臺灣的文化創意觀念相當優異，文化創意產業也有極佳的表現，許多特殊的案例將可提供給上海參訪團參考。」等語。

　　王團長發言精彩、內容充實，顯現了她作為文化創意專家的特質。王團長謙虛的表示：此次參訪是個學習之旅，希望能達成實質的目標。我當即表示：中華學術文教基金會願意全力支持與協助。雙方當晚談話相當深入且富有意義，進行了兩個小時的腦力激盪，充分交換意見，最後達成（合則雙贏共同推動文化創意產業）的共識。

## （六）二〇一九年八月二十日歡宴浙江文教參訪團

　　中華文經發展協會羅秋珠秘書長於八月二十日晚上六時在臺北花園大酒店晚宴浙江文教參訪團，我應邀主持並致歡迎詞，參訪團由民革劉淨非專職副主委率領，來臺參訪一星期，團員均係浙江省各界專業領導人士，晚宴在輕鬆愉快氛圍下進行，可以說是交流熱烈，賓主盡歡！

　　我致詞表示：擔任團長的劉淨非副主委是一位著名的法官，不僅行政經驗豐富，而且機敏幹練，曾經擔任浙江省政協副秘書長等要職，對兩岸文教交流有相當的貢獻，值得讚揚！

　　劉團長表示：此行收穫良多，深感愉快，期盼兩岸相關單位能夠加強合作，深化交流等語。一席講話非常精彩，獲得在座所有出席人員的肯定。擔任副團長的徐銘恩博士是一位非常知名的青年學者，現

任杭州電子科技大學教授、博導。也是生物打印與醫療器材研究院的院長，杭州捷諾飛生物科技公司的首席科學家！

## （七）二〇一九年八月三十一日出席台北內江兩市文化交流晚宴

臺北市經貿協會理事長劉志旋於八月三十一日晚上六時，在臺北市忠孝東路彩蝶宴舉辦交流晚會，款待四川省內江市參訪團，我應邀出席並致詞。

> 本人曾於二〇一六年十二月率領好幾位書畫名家前往內江市參訪，包括名書畫家趙松筠女士，她也是張大千大師的弟子，及微雕專家陳逢顯名家等出席內江情牽大千活動，並參觀張大千博物館，期間惠蒙內江市委馬書記、市長及張團長等領導的熱誠款待與禮遇，對內江市的進步與繁榮印象極為深刻，尤其是內江不遺餘力地宣揚張大千大師的各項舉措令人感動，特別表示最高的敬意！

張林團長致詞時曾提及我上次參訪內江市成功圓滿，期盼能夠再度撥冗前往內江，強化兩岸文化藝術的交流與合作等語，獲得我熱烈的回應！事實上臺北市經貿協會在劉志旋理事長的卓越領導下，可以說已為兩岸的交流貢獻良多，劉理事長的人脈與績效令人讚歎！

## （八）二〇一九年九月二十七日出席兩岸藝術家共繪黃山作品展

我於九月二十七日上午十時應中華文創發展促進會王正典理事長邀請，前往張榮發國際會議中心六樓出席「江山如此多嬌──兩岸藝術家共繪黃山作品展」畫展開幕儀式！

　　當天出席的藝術家甚多，包括臺灣國畫泰斗、首席藝術名家歐豪年大師及展出名畫家臺灣代表李宗仁、蔡友、林進忠、陳正治、黃慶源、孟昭光及大陸代表劉罡等兩位均參與盛會。出席貴賓約三百餘位！王正典理事長致歡迎詞表示感謝各界光臨。

　　王正典理事長指出，以促進兩岸文化藝術交流為目的，今年是第一次舉辦兩岸藝術家繪黃山，未來將每年以《江山如此多嬌》為題持續舉辦。

　　我接著致詞表示：「首先肯定臺灣及中國大陸十六位名書畫家共繪天下第一奇山黃山之活動，認為對促進兩岸文教交流及友誼貢獻巨大，他並讚揚兩岸名家精彩絕倫的藝術表現，同時也對主辦單位表示了敬意與期待。今天最難能可貴的是國畫瑰寶歐豪年大師的出席，代表了這項藝術活動的最高水準，我也敘述了與歐大師深厚的情誼，對歐大師表示敬佩，並且讚賞六位元臺灣名家卓越的作品！」隨後歐豪年大師及李宗仁主任也分別致詞。會場氣氛熱烈，盛況空前！

## （九）二〇一九年十月二日出席兩岸名家書畫展歡迎晚宴

　　我於十月二日晚上六時應全球粥會理事長陸炳文邀請，前往臺北市三軍軍官俱樂部出席陝臺兩地名家書畫展歡迎晚宴，陸理事長因在大陸有要事不克返臺，特別請王詣典中將代為主持，王中將特別推崇我說：高董事長在擔任國父紀念館館長期間時，他正任總統府侍衛長，與高董事長之間合作愉快，情誼深厚等語。

　　我當即發言表示：極其肯定王將軍在軍職及促進兩岸文教交流的績效，他並且表示將軍書畫會在丁之發上將領導下有卓越的表現，在此特別以最真誠的心熱烈歡迎陝西省台辦何銳主任及民革崔彬秘書長所率領的代表團來臺參訪展出，相信必然會對兩岸文化藝術交流有重大的貢獻。

## （十）二〇一九年十月十九日主持歡迎湖南文教參訪團晚宴

　　我偕同李威侃董事於十月十九日晚上六時，在凱達飯店四樓出席由中華文創發展促進會羅秋珠秘書長所主辦的歡迎晚宴，我並且擔任主持人並致歡迎詞。

　　此次湖南文教參訪團陣容極為堅強，係由湖南省教育廳唐副廳長親自率領的湖南各著名大學的十餘位教務長，我致詞時表示：「湖南是中原大省，山川秀麗、物產豐富、英才輩出、人傑地靈！湖南與臺灣有許多相似之處，例如社會民風純樸、熱誠樂觀、藝文鼎盛、國學基礎優異等，而在自然景觀方面，湖南有張家界、桃花源；臺灣有阿里山、日月潭的名勝，可以說是各有千秋！論及臺灣的教育時，認為已經達到先進國家的水準，尤其在高等教育方面，幾乎人人有大學可以讀。許多著名大學在世界大學排行榜上也名列前茅，至於基礎的國中小學教育，也達到相當的水準。湖南也有好幾所國際一流大學，高等教育的質量與家數絕不亞於臺灣。尤其在基礎國中小學教育更有優異的表現！」

　　我最後建議：雙方應該深入交流，相互進行調研，互補有無，截長補短，共同為中華傳統教育文化的光明前途而攜手前進！

## （十一）二〇二〇年十月一日出席兩岸藝術家共繪長江三峽作品展致詞

　　我於十月一日上午十時應邀出席，由中華文創發展促進會在張榮發基金會六樓國際會議中心，所舉辦的「兩岸藝術家共繪長江三峽作品展」，當天冠蓋雲集、嘉賓如潮，估計有數百位藝術家、藝術工作者、藝術愛好者共襄盛舉，熱烈參與，氛圍極佳，這是一場規模宏大的文化藝術饗宴，在主辦單位王正典理事長致歡迎詞後，首先由我發表談話表示：在中秋佳節之際，能夠展出超水準的海峽兩岸名家大師

的作品，實在具有重大的意義和價值，臺灣由歐豪年及蘇峰男兩位大師領銜，大陸由劉罡大師領銜，藝術家們以精妙神筆，把長江三峽的獨特山水充分加以顯現，大氣磅礡、山川秀麗，實在值得肯定，值得讚歎！

我深深感謝主辦單位王正典理事長與協辦單位黃慶源理事長，特別表揚了他們兩位對於兩岸藝術交流，以及推動文化藝術發展的重大貢獻。

此次畫展臺灣參與並出席的畫家包括：歐豪年、李宗仁、林進忠、蘇峰男、蔡友、黃慶源、孟昭光、黃才松、陳正治、莊伯顯、曹茵茵等十一位名家，大陸方面則有：劉罡、熊紅剛、周石峰、吳雪、王佛生、葛茂柱、宰賢文、施江城、茹峰、梁明、陳吉、管苠棡、周斌、許琪萍、王義軍等十五位名家參展！

## （十二）二〇二一年十月二日出席兩岸藝術家共繪泰山作品展致詞

我於十月二日上午十時應邀出席兩岸藝術家作品大展開幕典禮，此項盛會是由中華文創發展促進會理事長王正典及中國藝術家協會理事長麻念台主辦，該項活動是在張榮發基金會六樓國際會議廳，所舉辦的「兩岸藝術家共繪泰山作品展」。參與致詞重要貴賓除我之外，還有文化部洪孟啟前部長、國父紀念館王蘭生館長等。當天冠蓋雲集，嘉賓如潮，大約有數百位藝術家、藝術愛好者熱烈參與，氛圍極佳。

我致詞表示：「在現階段疫情嚴重之際，海峽兩岸名家仍能夠合作展出超水準的作品，實在具有重大的意義和價值。臺灣由江明賢大師、王南雄大師、連勝彥大師、杜忠誥大師、張炳煌大師等書畫家領銜，大陸則由張海、徐里及劉罡等名家大師領銜，藝術家們以精妙神筆把泰山的壯觀秀麗及大氣磅礡，加以充分顯現，實在值得肯定，值得讚嘆！」

　　這次畫展臺灣參與並出席的畫家包括王南雄、江明賢、杜忠誥、李振明、林章湖、林昌德、林榮森、丞雨、孟昭光、洪根深、袁金塔、莊連東、連勝彥、連瑞芬、莊伯顯、張炳煌、張春發、黃才松、黃慶源、陳朝寶、曹茵茵、程代勒、顏聖哲、歐陽鯤、羅振賢、游三輝等二十六位藝術家。

　　大陸方面則有張海、徐里、劉罡、周石峰、吳雪、施江城、梁明、宰賢文、王佛生、徐琳、賈榮志、葛茂柱、范立、熊紅剛、管苠楣、陳吉等十六位藝術家參展。

## （十三）二○二一年十二月三十一日參加兩岸四地藝文活動

　　我於十二月三十一日出席在淡水兩岸和平文化藝術聯盟紅樹林會館，由李沃源理事長兼港澳臺美協主席及蔡登輝榮譽主席兩位所主持的藝術家饗宴。出席的藝術家有中華記協袁天明理事長、喻文芳書畫院長、中國美術協會楊月明秘書長以及付小琴、康佳雯、李卉楨、吳淑真、曾盈齊、曾榮福、王詮富、施珍瑛、姜金玲、吳朝滄、蔡淑惠、陶秀華、李永祥、張宜華、嚴潔和留法江祖望博士等約二十位藝術家參加。

　　在頒發顧問理事證書後，我首先致詞表示：非常高興在歲末新春之際，能參加這樣具有重大意義的文藝盛會，主持人沃源理事長的才華橫溢，潛力無窮，不僅在國畫方面造詣極高，而且在瓷板畫方面更是當代的頂尖，將來必然可以成為兩岸和平藝術交流的核心砥柱，我並且以該聯盟副主席的身分暢述與已故主席李奇茂大師之間的深厚淵源，盛讚李大師對國民外交及兩岸交流的重大貢獻！

## （十四）二〇二二年三月十三日出席藝術聯盟大會頒獎典禮致詞

我於三月十三日上午十時應「兩岸和平文化藝術聯盟」等四個單位主辦人李沃源理事長的邀請，在「國軍英雄館」舉辦的聯合大會及頒獎儀式上致詞。當天參與的貴賓相當多將近二百人，可以說是冠蓋雲集，氛圍熱烈。我當天致詞表示：文化藝術是一切的根本，藝術家們是振奮人心、淨化世界的核心菁英，吾人應該重視藝術家的才華，全力支持他們發揮潛能來創造好的作品，從而影響到社會的發展！

我並且再三強調：本人是宣揚傳統中華文化的終身義工，無論在任何單位或擔任任何職務，都會朝向理想目標努力邁進！

當天出席的藝術家包括蔡登輝、蘇進強、唐健風、沈禎、王慶海、孟昭光、陳若慧、顏聖哲、黃明櫻、揚月明、喻文芳、甘美華、施珍瑛、黃旭清、楊靜江、詹阿水、張佩文、江鴻政、王國昌、林惠怜、林思婷、林世英、高燈立等數十位名家。

此外出席這次活動並致詞的社團領袖則有陳鎮湘上將、吳成典主席、李天鐸董事長、李正圻理事長、高明達理事長、王水袞理事長、袁天明理事長、吳國勝理事長、盧朝辛理事長、張添財理事長等十餘位。

## （十五）二〇二二年四月十六日出席墨潮新象──兩岸台閩青藝交流展

我於四月十六日下午一時應邀出席在八德路老子空間藝廊所舉辦的「墨潮新象──兩岸臺閩青藝交流展」，此項盛會是由臺灣藝術大學書畫系主任陳炳宏教授及臺北市記者公會郭慶璋理事長主辦，並商請福建美協主席翁振清教授擔任學術主持。當天冠蓋雲集、嘉賓如潮，包括前文化部次長陳永豐、臺北市黃珊珊副市長辦公室主任、秦

慧珠議員、臺北市新聞記者公會名譽理事長劉本善等等貴賓，還有將
近百位的名藝術家、學者、青年藝術家及藝術愛好者出席，氛圍極
佳，是一場具有濃厚學術文化氣息的藝術饗宴！

　　我致詞表示：「在現階段疫情仍然嚴重，而歐洲發生俄烏戰爭，
世局陷入動盪之際，海峽兩岸學者率領青年藝術家共同展出精彩的作
品，不但有療癒民眾心靈、淨化社會人心的作用，而且更有宣揚和諧
合作真善理念的價值，實在具有重大的意義！」等語。

　　臺灣參展藝術家包括陳炳宏、林錦濤、蔡介騰、何堯智、吳恭瑞、
張維元、張祐禎等七位教授，再加上王柔茵、吳采庭、周明翰、施皓
嚴、陳文慧、陳鈺守、陳廷彰、陳柏源、徐顯德、高定、張真彥、
鄒孟辰、楊証皓、楊崇廉、鄭至廷、鍾享諭、簡曼珍等十七位青年藝
術家。

　　大陸參展者包括王來文、趙勝利、張永海、劉東方、盧清、林任
菁、翁志承、張秋桔、吳建福、王曉靜、王芳、沈益群、黃夢洁、文
亞坤、楊寶新、黃盛剛等十七位藝術家！

## 三　藝術教育培養人才

### （一）二〇一八年十月七日中華九九書畫會開幕致詞

　　本會共同主辦之「2018中華九九書畫會戊戌年創作獎暨會員聯
展」，在中正紀念堂二展廳舉行開幕式，涂璨琳大師主持，我偕同黃金
文董事、李威侃董事、程南洲董事、黃秘書主任等出席，並致詞勉勵。

### （二）二〇一八年十一月二十五日中油「油於藝」美展致詞

　　二〇一八年度臺灣中油「油於藝」美展在臺北市中正紀念堂二展
廳展出，十一月二十五日上午十時舉辦開幕式，我應邀擔任中油「油

於藝」美展主要貴賓致詞並剪綵，中油總經理李順欽、副總方懷仁出席。創作類型有攝影、水墨、書法、油畫、水彩、工藝等，主題內容涵蓋山水、花鳥、走獸，兼以傳統、現代及抽象等手法展現，更有仿古作品。

### （三）二〇一八年十二月七日出席「無界」畫展致詞

我應中華文經協會邀請前往「老子空間」藝廊出席孟昭光水墨畫展「無界」活動，為展出者著名畫家孟昭光女士致詞嘉勉，當天藝文界人士，百餘人踴躍出席，盛況空前！

### （四）二〇一九年一月七日出席長遠畫藝學會聯展

我於一月七日下午二時，出席在臺北市議會文化藝廊所舉行之「長遠畫藝學會會員聯展」開幕典禮，我因為曾擔任該會榮譽理事長，和該會會員們情誼深厚，在儀式致詞表示對展出者嘉勉及讚揚，期盼他們能百尺竿頭，更進一步，再創佳績！

### （五）二〇一九年一月十九日世界水彩華陽獎得獎畫家邀請展

世界水彩華陽獎得獎畫家邀請展，在國父紀念館文華軒舉行開幕典禮，國父紀念館梁永斐館長首先致詞，我隨後致詞表示：華陽獎創辦人陳陽春大師係多年好友，陳大師致力創作臺灣新水彩畫，宣揚臺灣之美，名聲遠播至五湖四海，而且推動國家文化建設不遺餘力，值得讚揚。

### （六）二〇一九年五月十一日出席「風華絕代包容回顧展」

國畫名家包容於五月八日至十九日在中正紀念堂二展廳舉辦風華

絕代回顧展。我原應邀於五月十一日下午兩點半在開幕儀式中致詞，惟因當時正率團參訪浙江杭州、衢州、麗水、溫洲等四個市，並與浙江大學、揚帆美術館、南懷瑾書院等進行合作交流而未能參與開幕式。

所以我在五月十二日晚間返國後，立即在五月十三日下午兩時整前往中正紀念堂觀賞名家包容的精彩展覽，並與包容、名家趙松筠、西畫家邵張承等會晤，對當前臺灣藝術發展情形進行腦力激盪，咸認政府實應對藝術家多加照顧，方能充分顯示出政府積極推展文化興國之國策。

包容原為著名的演藝人士，後因興趣開始尋求繪畫之路，從名師歐豪年等大師學習書法及國畫，盡得各大師之真傳，其作品在國際間享有盛名。

## （七）二○一九年八月三日出席新北市舉辦之藝術名家書畫開幕典禮致詞

「藝術名家書畫邀請展」八月三日下午在樹林舉辦開幕典禮，慶祝新北市立圖書館樹林分館展覽館落成啟用。由新北市樹林美術協會理事長高駿華策展，展出油畫、國畫、書法、篆刻、陶瓷等作品，展覽館的成立，標誌著樹林藝文又進階了一個層次，未來將會成為每個藝術家的專業表演場域，提升樹林地區的藝文水準。

我應邀致詞時恭喜樹林能有屬於自己的展覽館，他指出當年在任職國父紀念館館長時結識非常多優秀藝術家，當時還開闢了兩個場館提供更多展覽機會，相信新的展覽館將來會越來越好，不只造就樹林，也造福很多藝術家。

我並且全力推薦高駿華理事長，認為高理事長是一位文武全才，中西合璧的藝術家。

當天出席的新北市民意代表有黃志雄前立委、蘇巧慧立委、陳世

榮市議員、洪家君市議員，他們均曾致詞鼓勵。本基金會董事兼研究發展主委李威侃也全程參與。

## （八）二〇一九年十月二十日新北市樹林美術協會藝術活動

我偕同本會董事李威侃出席十月二十日，在板橋區溪北公園由新北市樹林美術協會主辦的第二屆寫生比賽，此一重大而有意義的活動，是由協會高駿華理事長主辦。主要為提倡優良休閒課程，強化親子情感，鼓勵兒童從事戶外有益身心的活動！當天出席人數眾多，有二百餘位學童參加比賽，包括家長在內的人數超過五百多人，盛況空前，情緒熱烈，充滿了藝文氛圍。

我應邀發表簡短評論表示：兒童是國家未來的希望，這樣的競賽可以陶冶學童的心胸，激發學生們創作的意願，不僅可以提升社會的藝術風氣，而且可以增加親子間關係，強化家庭教育。是一項非常有價值的活動。

## （九）二〇一九年十一月十日出席簡惠美書畫展

我偕同李威侃董事於十一月十日下午出席在基隆市文化局四樓所舉辦的「簡惠美書畫展」。

我首先致詞表示：「簡惠美理事長是一位著名的書畫家。勤奮好學，不僅在書法上有特殊的造詣和功力。而且在水墨畫方面也有突出的精彩表現，尤其是簡老師推動書法教育不遺餘力，常常攜學生共同展出值得稱道。她同時又是新北市樹林美術協會的創始理事長。本人就是在現任協會理事長高駿華所主持的書畫展會上與簡理事長結緣，就是因為高駿華理事長積極推動會務的優異表現，從而對簡理事長創會功勞表示肯定與讚揚！」等語。

當天嘉賓雲集，簡老師的指導教授陳炳宏博士、臺灣海洋大學謝

忠恒教授、臺灣藝術大學校友總會理事長吳啟賢先生，以及好幾位基隆市議員及立法委員代表均出席盛會。

### （十）二〇二〇年五月二日出席歲月靜好——黃慶源大師彩墨創作展

我於五月二日下午二時偕同王正典秘書長一行三人，專程前往新北市淡水滬尾藝文休閒園區禮萊廣場，出席由將捷集團所主辦的「歲月靜好——黃慶源大師彩墨創作展」，當天貴賓雲集，許多位藝文人士齊聚一堂共襄盛舉！本基金會黃金文董事、程南洲董事、習賢德董事均撥冗出席！

我代表貴賓致詞表示：黃慶源大師是多年的好友，他不僅是一位才華橫溢的藝術家，而且深具文化的底蘊，三十年來親眼目睹他勤奮努力充實學術內涵，更不斷在國畫技巧上創新精進，時至今日，終於成為書畫界的代表重鎮。黃大師所展出的作品，充分展現了他爐火純青的繪畫功力以及萬分精彩的內容，值得肯定，值得敬佩。

在這裡特別提到的一點是，主辦單位將捷集團是我國極富盛名的超大企業，林長勳總裁是位非常了不起的企業家，他擁有極為崇高的理想。他一向秉持延續地球生命的建築理念。更有下列幾句話值得大家省思，他說：「建築是一個藝術與科技緊密結合的事業」，「建築一個永恆，實現一個夢想」，大哉斯言，從這些話中已經讓我們體會到一位非凡建築家的心聲！

### （十一）二〇二〇年八月二日出席雲墨藝林雙聯展致詞

我於八月二日上午十時，偕同中華東方茶文化藝術學會王淑娟理事長一行，前往新北市樹林圖書館出席雲墨藝林林裕淳、吳美雲雙聯展！會中我除代表貴賓首先致詞外，並與兩位展出者相談甚歡。事實

上，我常與林裕淳名畫家及王淑娟理事長，聯合舉辦藝術活動來推動社會的淨化。

林裕淳名畫家為我國鄉土派大師級的藝術家！他有三項特點：

其一：林大師多才多藝，除了對西方美術的水彩、油畫、銅雕有深厚的功力之外，對於中華文化的書法、水墨及泥塑方面，也有深入的研究與探討，是中西合璧的全能的書畫家。

其二：林大師多年以來巡訪臺灣各城鎮、市，實地瞭解地方風土人情，然後以一幅畫一故事的方式，將中華文化的內容及底蘊在鄉土畫中表現，這種古樸鄉土的畫作，形成風格特殊的臺灣鄉土畫。

其三：林大師非常愛鄉愛國，經常以藝術家的身分參與社會公益活動，而且春風化雨誨人不倦，全力指導學生使他們成為更有用的人才。

我並且邀請在座的貴賓為林大師熱烈鼓掌致敬。我同時也推薦了與林大師聯合展覽的吳美雲理事長，我說：吳美雲現任新北市青溪藝文協會理事長，不僅畫作功力令人驚艷，而且也在推動社運活動方面，展現了過人的績效與能力。將來必可在女性畫壇占有一席重要的地位，從而進入更高一層的藝術家的行列！

## （十二）二〇二〇年九月九日出席長遠畫藝學會聯展

我及內子王海倫、陳光憲副董事長、王正典董事兼秘書長、程南洲董事、李威侃董事兼主委、黃素珠主任等一行七人，於九月九日下午出席「長遠畫藝學會」在臺北市議會一樓藝文中心所舉辦之會員聯合展覽開幕典禮，當天參加人數很多，盛況空前，氣氛熱烈。

長遠畫藝學會理事長為黃慶源名書畫家，而前國家文化總會副會長黃石城則擔任名譽理事長，我則為榮譽理事長，所以長遠畫藝學會與本基金會關係密切，淵源極深。故此黃慶源理事長特別邀請本會董事出席，而本會參與的董事也相當踴躍。

黃石城名譽理事長首先致詞，然後由我發表講話：「長遠畫藝學會受到黃石城名譽理事長的支持與關懷，加上黃慶源理事長的卓越領導，所以會務蒸蒸日上，逢勃發展！已成為海內外極富盛名的藝術團體，這次會員藝術家們的展出均相當精彩，值得肯定與稱許！」

## （十三）二○二○年十月十八日出席樹林美術協會藝術活動

我偕陳光憲副董事長、李威侃董事一行三人，出席十月十八日下午二時，在「樹林圖書館」所舉辦的「樹林美術協會會員名家聯展暨第三屆學生美術競賽」頒獎典禮，此一重大而有意義的活動，係由樹林美術協會高駿華理事長主辦，高理事長也是本會研發會副主委，當天會場嘉賓雲集，包括樹林區黃坤南區長、新北市陳世榮議員、樹林美術協會簡惠美前理事長、臺藝大陳炳宏教授、楊企霞教授，還有來自各地的美術協會理事長均參與盛會，現場文藝氣息濃厚，氛圍良佳，再加上有兒童藝術競賽的頒獎場面，家長們反應極為熱烈，使圖書館展覽是到處洋溢著歡樂的氣氛！

## （十四）二○二○年十二月十三日出席孟昭光水墨畫展致詞

我和內子王海倫偕同王正典理事長、中華東方茶文化藝術學會王淑娟理事長等一行四人，於十二月十三日下午三時出席在承德路美術館所舉辦之名書畫家孟昭光水墨畫展，我及王正典理事長均應邀致詞，我特別表示：孟昭光畫家是一位多才多藝，極富創意的水墨名家，她具有獨特魅力的畫風以及中西合璧的繪畫技巧，她所展出的精彩作品，相信可以獲得藝術界高度的評價，值得肯定！

## （十五）二〇二一年二月四日《藝禾闔歡》王秀杞伉儷聯展開幕致詞

我和內子王海倫偕同名書畫家黃慶源本會董事、中華東方茶文化藝術學會王淑娟理事長、曾悅子理事長一行五人，於二月四日下午兩點半，前往國立國父紀念館博愛藝廊所舉辦之「《藝禾闔歡》雕塑家王秀杞伉儷聯展」開幕典禮，當天貴賓雲集，包括呂秀蓮前副總統、徐國勇內政部長、馮世寬退輔會主委、黃石城國策顧問、國父紀念館楊同慧副館長等，約二百餘貴賓參與共襄盛舉，可以說是氣氛熱烈，盛況空前！

在徐部長、黃國策顧問致詞後，我接著發表談話，我除祝賀展覽會圓滿成功外，並特別強調下列各項重點：

一、本次展覽以牛歲福滿門之圖騰以及關公義薄雲天、英姿颯爽的正義形象為主題，意義非凡，再加上王大師夫人曹金霞女士一併展出卓越的花藝作品，可以說是一項代表溫馨與愛、富貴花開、正義形象、撼動人心、具有重大價值的展覽，不僅可以振奮社會風氣，更能達到療癒人心的效果。值得肯定與讚揚！

二、王秀杞大師響應雕塑公園化、公園雕塑化的藝文政策，在中山公園建置許多愛心親子雕塑，使得國父紀念館揚溢著濃厚的藝文氣息，從而成為我國藝文復興的核心基地！王大師對於推動國家社會文化藝術方面的貢獻，應已引起各界廣大的迴響！

## （十六）二〇二一年四月十七日出席包容畫展致詞

我於四月十七日下午二時出席在佛光緣美術館台北館所舉辦的「似錦繁花——包容七十六回顧展」。我應邀致詞：包容是一位多才多藝的著名藝術家，和我是多年的老友，早在一九九一年我出任國父

紀念館館長，任內就曾經多次出席包教授的畫展，不僅如此，國父紀念館還曾經邀請她在中山畫廊展出。

包教授精研水墨畫五十多年，尤其專精牡丹畫作及書法創作，此次更展出十四條幅的老子道德經書法。足見她在書法方面的精深功力！

## （十七）二〇二一年十一月二十日出席朱清波甘美華水墨篆刻聯展

我於十一月二十日下午兩點半，出席友生昌藝術空間所舉辦的「朱清波甘美華水墨篆刻聯展」。

我致詞表示：很高興能出席這一項文化藝術的饗宴，朱清波老師研析篆刻藝術六十年，並且擔任過兩屆篆刻協會理事長，在此一領域可以說是極具聲望，此次率領學生一起舉辦聯展，其春風化雨的精神更值得敬佩！

而甘美華老師則是書畫名家，她多才多藝，作品又非常具有特色，尤其是她能以文學的專業融入藝術的領域，使其作品充滿了自然親和之美，觀賞之後有令人如沐春風的感覺，而且畫如其人，代表了溫良恭儉讓的文人畫內涵，她的畫作相當精彩，技巧與功力均數一流水準，值得肯定與讚揚！

當天出席的藝術家有動物爸爸葉傑生（動物園前園長），他主持的風格令人耳目一新。此外還有臺灣文創媒體藝術推廣協會理事長沈禎教授及唐健風理事長和中華大漢書藝協會葉武勳理事長、臺北中華書畫藝術學會馮士彭理事長、中華崑盧書法學會馬豫平副理事長、彩陽畫會張佩文會長、怡然畫室邢萬齡老師等著名人士參與！

## 四　全心投入社會公益

### (一)二○一八年十月八日臺北市梅花之友會三十週年慶祝大會

我於十月八日應邀出席臺北市梅花之友會三十週年慶祝大會,會中並獲會長葉慧珊頒感謝狀。

### (二)二○一八年十二月二十二日出席第二屆嘎檔文化節

第二屆嘎檔文化節十二月二十二日下午二時三十分在張榮發基金會舉辦,我率同李威侃董事出席,我除應邀剪綵外,並與與會大老們合影,相談甚歡,同日上午十一時三十分我與李董事且出席於桃園住都大飯店舉行之「二○一八睿澤(花仙子)年終感恩餐會」。

### (三)二○一九年三月九日出席丁守中新春感恩晚宴

我於三月九日晚上六點半,出席丁守中委員在福容飯店所舉辦的新春感恩晚宴。

臺北市各界相關人士齊聚一堂共襄盛舉,為丁委員加油鼓勵。更難能可貴的是,許多位重量級的前政府領導人,均撥冗參加。包括馬英九、吳敦義、王金平、朱立倫、郝龍斌等政要。整個會場氣氛溫馨和樂,更有蓬勃發展努力奮進的魄力展現,象徵了團結一致,攜手共進的重大光明氛圍。

### (四)二○一九年四月七日出席馬來西亞拿督陳坤煌晚宴

馬來西亞拿督陳坤煌董事長曾任世界臺商聯合會總會長、馬來西亞臺商協會總會長、吉隆坡臺北學校董事長,他是臺商在馬來西亞最早被授予拿督榮銜的我國人士。地位崇隆、人脈廣大,尤其他有情有

義、樂於助人，廣受僑界好評。他於四月初返臺，特別於四月七日晚上六時在天成大飯店宴會廳宴請我和內子王海倫及吉隆坡臺灣學校校長張義清餐敘，並邀請多位企業家座陪。

拿督陳坤煌表示：當年吉隆坡臺灣學校建置永久校舍，高董事長時任教育部僑民教育委員會主任委員，曾主導並協助各個臺北學校建置永久校舍，高董事長為造福臺商子弟並且邀請教育部會計長楊德川一同親訪所有東南亞臺北學校進行深入瞭解，因此獲得教育部全力支持，編列預算、撥款給東南亞各個臺北學校建置校舍。

其中，吉隆玻臺北學校由拿督陳坤煌號召所有臺商均捐款興學，終於在教育部及臺商協會通力合作之下，建置了規模宏大的吉隆坡臺北學校校舍及校園。此一盛事均經中馬兩國媒體爭相報導。

## （五）二○一九年九月三日接待許順隆理事長

臺北市兩岸文教商貿協會許順隆理事長偕同雲林同鄉總會蔡慶輝主任，於九月三日下午三時參訪本會，我率王正典秘書長、李威侃董事、黃素珠主任等熱烈歡迎！

我致詞表示：許順隆理事長不僅是一位成功的企業家，而且辦理「喜迎大佛情牽兩岸」活動，表現傑出，深受兩岸高階領導的青睞，為兩岸交流做出了非凡的貢獻，值得肯定，值得讚賞！

許理事長說：這一次偕同核心幹部蔡主任一起參訪基金會，暢談未來合作發展計畫，深感愉快等語。

## （六）二○一九年九月十日出席臺北市里長聯誼晚會

我於九月十日晚上六時，出席在大直典華旗艦店五樓所舉辦的「臺北市里長聯歡晚會」，會中與許多民意代表及好友相晤，研討如何推動臺北市建設相關事宜。當天大家歡聚一堂，共商國是，盛況空前，氣氛極為熱烈！

## （七）二〇一九年九月二十九日出席歸僑協會尊師重道敬老尊賢聯歡會

　　我於九月二十九日中午十二時應柬埔寨歸僑協會理事長吳鴻發邀請，出席在民生東路晶宴會館大會堂所舉辦的一項慶祝教師節及重陽節聯歡盛會！並應邀致詞，出席會議的僑界大老甚多，包括華僑協會總會代理理事長王進宏、華僑救國聯合總會秘書長黃五東、廣東同鄉會理事長梁灼、臺灣晉江商會理事長張貽秋、秘書長施輝煌、立委童慧珍辦公室主任林冠勳等，以及高棉歸僑協會理監事、會員約近百位出席！

## （八）二〇一九年十二月十日頒發方怡文顧問聘書

　　我於十二月十日下午在本會大會議室召開留美僑領方怡文女士歡迎會，會中除頒發方女士顧問兼新聞媒體發展委員會副主任委員的聘書之外，同時頒發秘書長聘書予王正典董事及研究發展委員會副主任委員聘書予高駿華先生。

　　方怡文女士原為臺視主播後赴美留學，擔任美國客家語電視臺創辦人！方女士服務僑社不遺餘力，不僅如此，方女士為宣揚中華文化特捐贈新臺幣五萬元作為本會推展會務之用。據瞭解，方怡文女士是本會副董事長陳光憲校長得意門生。這次受陳校長之感召，願全力協助本會的發展而出錢出力，值得肯定。

　　陳光憲校長且即席發表推薦演講，其內容字字珠璣，發人猛省，精彩非凡。他更溫馨製作了國學教材贈送予方怡文女士，此項舉措與發言令人極為感動，更令人敬佩！

## （九）二〇一九年十二月十五日出席臻觀中醫總院開幕典禮與剪綵

我於十二月十五日應臻觀中醫醫療體系總院長陳建輝之邀請，為位於臺北市光復南路該總院所屬之雲鼎中醫醫院開幕典禮進行剪綵，當天貴賓雲集，盛況空前。

國內中醫界大老和中醫協會理事長均踴躍出席，包括新北市中醫師協會理事長洪啟超、常務理事陳文豐、監事長詹益能、中醫師公會全國聯合會前監事長劉富村，以及各相關藥廠董事長均趕來參加。

我一向對宣導中華國學不遺餘力，也常和我國醫、卜、星、相等各界領導人會晤討論並交換意見，此次因陳建輝總院長誠意邀請，乃撥冗親自出席參與盛典，也為本會與中醫學界的交流邁出一大步。

## （十）二〇二〇年一月十七日美國紐約州前眾議員楊愛倫參訪本會

美國紐約州前眾議員楊愛倫於一月十七日上午十一時三十分蒞臨本會參訪，受到我們熱烈的歡迎，在握手言歡後，我在本會大會議室舉行歡迎會，致詞表示：楊愛倫女士曾經擔任美國紐約州眾議員，並且代理過議長職務，聲望榮崇，也曾擔任美國紐約州高等法院律師審議委員會委員，現任紐約州眾議員金兌錫的高級顧問。數十年來服務紐約州選民不遺餘力，還曾經為紐約州僑界貢獻良多。

正因為楊愛倫女士的優異服務績效，以及對美國華裔的鉅大貢獻，我特別頒發最高顧問聘書給與楊愛倫議員，更由於她是德明財經科技大學第一屆畢業生，她的班導師剛好是本會陳光憲副董事長，陳副董事長也曾經擔任過德明科大的校長。所以我特別邀請陳副董事長一起頒發聘書給楊愛倫議員。

　　楊議員接受聘書後表示：中華學術文教基金會近年來的蓬勃發展，非常受到海內外各界的重視，很榮幸受聘為顧問，今後將全力以赴為基金會作出貢獻，她對會務方面也提出一些建設性的意見！

　　陳光憲副董事長特別讚揚楊愛倫議員對紐約以及紐約僑界的付出。事實上，陳副董事長不僅是一位知名的學者，而且春風化雨，誨人不倦，培養了很多優秀的學生，楊愛倫議員就是代表性的人物。

## （十一）二○二一年一月二十日拜會寶昌公司董事長鄭書鎮

　　我及內子王海倫等一行三人，於一月二十日下午三時半專程前往位於中山北路的寶昌實業有限公司參訪，拜會該公司負責人鄭書鎮伉儷，雙方曾就建教合作以及建置文創企業項目交換意見，鄭書鎮董事長白手興家，從事紡織業及不動產投資業多年有成，為業界知名的實力派企業家，我與鄭董事長相識已有一段期間，此次首度進行正式拜會，與鄭董事長洽商合作計畫，雙方相談甚歡，參訪於五時半圓滿結束！

## （十二）二○二一年一月二十九日拜會東興振業公司嚴文聰董事長

　　我偕同高鵬翔執行長，於一月二十九日上午十時前往位於臺北市中山區中山北路三段之東興振業股份有限公司拜會嚴文聰董事長伉儷，獲得該公司全體員工熱烈的歡迎！

　　東興振業公司是臺灣知名的實業公司，主要經營項目為倉儲、成衣、漁產、物流等等。據暸解，某些項目的經營已是臺灣的產業的頂尖！

　　嚴文聰董事長是一位具有前瞻性眼光，心胸寬闊、人品厚重的企業家，在他的領導下東興振業公司發展日趨蓬勃，現階段已成為海內

外聲望崇隆的大型企業。嚴董事長優異的績效與領導力非常值得肯定、值得讚揚！

　　我與嚴董事長相見甚歡。在歷時兩小時的會談中，雙方對於建教合作與文創事業交流方面，獲得極大的共識！

## （十三）二○二一年四月二十日世界翡翠博物館董事長謝治平參訪本會

　　世界翡翠博物館創辦人兼董事長謝治平於四月二十日下午三時參訪本會，受到我及王正典秘書長、黃素珠主任的熱烈歡迎，謝治平董事長表示：非常敬佩我在宣揚文化藝術方面的卓越貢獻，極願與本會加強合作，共同推動社會人心淨化的理念。

　　我鄭重表示：謝董事長所主持的翡翠博物館是中華文化總會的團體會員，而渠在文化薪傳，弘揚文創事業的績效值得肯定。雙方相談甚歡，謝董事長並參觀了本會老子空間展覽廳！

## （十四）二○二一年十一月十七日拜會MOMA創辦人郭新踦

　　我及內子王海倫偕同好友也是房地產專家的林文進董事長，於十一月十七日前往位於新北市的其基有限公司拜會 MOMA 創辦人郭新踦伉儷，郭董事長是時尚界的名人，具有最新穎的服飾理念以及霸氣十足的經營魄力，號稱平價時尚教父，全臺展店不下數十家，以款多量少無折扣聞名於世，其基公司於一九九七年創設迄今不過二十五年，已經成為臺灣時尚服飾的龍頭、女性品牌的冠軍，由於堅持理念、專注本土市場，所以 MOMA 是當前整體營收超過百貨公司堅持開街邊店面的臺灣本土品牌。

　　郭董的夫人呂玉蘭女士與先生共同創業，是一位才華出眾、領導力非凡的女中豪傑，對 MOMA 的發展有重大的核心作用。

　　我致詞表示：此次偕同好友林文進董事長參訪其基公司，除增進了對時尚服飾品牌的瞭解之外，對於臺灣本土紡織服飾業的發展趨勢，以及典範名人成功背後的因緣故事能夠有更深入地認識，實在覺得收穫良多，時尚服飾也是文化藝術的一種，而且更能代表臺灣社會進步的價值，郭董事長伉儷對於臺灣服飾發展方面的用心與貢獻值得肯定！

　　我同時更藉此機會讚揚了林文進董事長，因為林董事長的介紹，我有機會認識了許多不動產界的太老，而所有太老對林董事長的信任，更是有目共睹的事實，林董實在是一位苦幹實幹，值得讚佩的當代企業家。

## （十五）二○二二年一月十九日會見澳洲華人美協代表名畫家周淑玲

　　我於一月十九日下午二時，在本院大會議室會晤遠自澳大利亞墨爾本來臺參訪的澳洲華人美協周淑玲前理事長伉儷，雙方曾就交流事宜進行會商，同時出席者還有陪同前來的元大會計師事務所所長李淑敏博士，以及本總院副總院長王正典等人。

　　名藝術家周淑玲曾任澳洲華人美協理事長，並在墨爾本美術館擔任過部門主管，也在相關美術大學任教。她也是一位國際知名的西畫家，她的作品清新典雅，在西方技巧中隱約透露出東方文化的底蘊，使她的風景油畫中，展現了水墨山水畫的韻味，這種中西合璧的油畫實在有令人驚艷的獨創氛圍。

　　周淑玲表示：她計畫於明春之前將邀集在澳洲居留的義大利、英國裔的畫家好友來臺舉辦國際名家聯展，期盼與中華文化藝術總院進行合作。

## （十六）二〇二二年一月二十九日肯定仁醫書畫家陳持平的藝術創意

我於一月二十九日下午二時專程前往觀賞在臺灣藝術教育館所舉辦的「人間有愛四季如春陳持平書畫展」。我致詞表示：在仔細瀏覽陳醫師的作品後非常感動，認為陳醫師此次以藝術來宣揚愛心的壯舉，已經為當前疫情嚴重的臺灣社會，注入了療癒心靈的重大活水，值得肯定與讚揚。

陳持平是一位仁心仁術的名醫，他本來是國際知名的婦產科醫師，更是產前細胞遺傳學的學者，在產前染色體異常領域有重大的發現與創見，拯救了許多無辜的胎兒，使其能夠正常生產及成長，所以在二〇一九年榮獲醫療奉獻獎，今年更入選為全球頂尖科學家之一，他的仁術義舉已在臺灣醫療界廣被稱頌，然而更可貴的是他有一項宏願，那就是期盼以不同的藝術來從事非凡的活動，從而達到藝術與愛心的融合，以藝術來陶冶人心。

## 五　宣揚中山博愛精神

### （一）二〇一九年七月十六日出席孫中山基金會參訪團晚宴

東莞臺商子弟學校董事長、中華海峽兩岸炎帝神農文化交流協會理事長葉宏燈於七月十六日晚上六時在圓山飯店富貴廳，以晚宴款待由廣東孫中山基金會副理事長李萍所率領的六十四位教授學生參訪團。

團員包括孫中山基金會副理事長趙立斌以及中山大學、廣東外語外貿大學、暨南大學、電子科技大學、華南理工大學、廣東社會科學院教授學生。陣容堅強，為近年來大陸高校師生參訪團中，極具代表性的文教團體。

　　葉宏燈董事長是以東莞臺商育苗教育基金會董事長身分主辦參訪團訪臺活動，此項晚宴應邀出席的貴賓極多，我首先應邀致詞表示：葉宏燈董事長不僅是一位非常成功的企業家，而且是一位誨人不倦的教育家，同時更是一位發揮愛心從事社會公益的社團負責人，是旅居東莞最具盛名的大陸臺商領袖，聲望崇隆，名揚四海，他創辦的東莞臺商子弟學校，為大陸臺商子弟的未來奠定了良好的基礎，葉董事長的貢獻及風範值得肯定，值得讚揚，更值得敬佩！

　　出席當天晚宴的著名人士包括龍華科技大學葛自祥校長、明新科技大學林啟端校長、清華大學前副校長劉容生講座教授、東莞理工學院粵臺產業科技學院長王春源教授、南華大學李謀監教授、東莞臺商子弟學校校長王天才、副校長劉義龍、臺南二中校長鄭忠煌等等各方學界領袖。

## （二）二〇一九年七月二十日中華孫立人研究會成立大會致詞

　　在兩岸和全球華人社會「孫粉」的期盼下，「中華孫立人研究會」在向內政部申請同意成立社團法人後，於七月二十日舉行首次會員大會，並選舉理、監事，推選孫立人將軍次子孫天平出任理事長，將以研究會的平臺，整合史料資源，持續推動海內外孫立人研究的學術交流，透過學術史料和展覽活動，弘揚孫立人愛國精神和民族氣節。

　　孫天平表示，中華孫立人研究會成立的宗旨，在弘揚孫立人抗戰精神，宣揚民族氣節，活躍孫立人史料研究學術氛圍，為孫立人研究作出貢獻。

　　本人致詞重點如次：孫立人將軍一生矢志精忠報國，勇於作戰，善於指揮，在戰場上常以寡擊眾，以少勝多，對日抗戰殲敵最多。第二次世界大戰期間，率領遠征軍轉戰印緬戰區，與盟軍並肩浴血奮

戰。「仁安羌大捷」，以不到一千的兵力擊潰數倍人數日軍，解救英軍七千餘人，獲英王喬治六世授予大英帝國司令勳章，美國小羅斯福總統也頒授豐功勳章。

前憲兵司令王詣典將軍，今天在成立大會致詞講述孫立人將軍的功勳，並認為兩岸都應還原歷史，宣揚孫立人愛國精神，激勵年輕人建立正確的觀念、態度。

## （三）二○一九年八月六日葉宏燈董事長拜會高崇雲董事長暢談合作交流

東莞臺商子弟學校董事長、中華海峽兩岸炎帝神農文化交流協會理事長葉宏燈於八月六日下午三時，率聶良知執行長等三人蒞臨基金會參訪。

我偕同王正典秘書長、中華文化教育學會孫劍秋理事長、高鵬翔執行長、李威侃主委、名國畫家黃慶源、名油畫家黃明櫻等核心領導幹部熱烈歡迎！

葉董事長在我陪同之下參觀本基金會展覽廳、辦公室設施之後，在本會大會議室進行座談。我在致歡迎詞時表示：葉董事長不僅是一位卓越的企業家、也是一位春風化雨的教育家，而且還是大陸臺商的典範！他對於兩岸文化教育交流的貢獻有目共睹，非常令人敬佩！這次能夠撥冗蒞臨本會進行參訪，相信對於臺灣文化藝術的發展會有相當大的影響。

雙方與會同仁在進行座談、腦力激盪之後，獲得了許多共識，今後兩會將攜手共進，共襄盛舉，全心為宣揚博大精深的中華文化而全力以赴！

## （四）二〇一九年十月十八日參訪土耳其國父紀念館

我及內子王海倫應中華東方茶文化研究學會理事長王淑娟邀請，一同組團前往土耳其訪問，此次參訪土耳其有三項重點，其一，就是考察土耳其國父紀念館，並以此與臺北國父紀念館做出各項比較！心得如次：

一、在建物實體方面：土耳其國父紀念館占地廣大，樹蔭濃密，建築雄偉，充分表現了伊斯蘭文化建築風格！我國國父紀念館位於臺北市中心，壯嚴巍峩，古色古香，庭園茂密，具有中華建築文化之特色！因此可以瞭解到雙方其實各具勝場，平分秋色。

二、在建物內容方面：土耳其國父紀念館展出幾乎全為開國元首凱末爾將軍的豐功偉業，陳列館資料內容相當豐富，惟功能則純屬單一。而我國國父紀念館則包羅萬象，除展出孫中山先生偉業之外，並附設展覽廳、表演廳、圖書館、演講廳等專業功能設施，再加上園區內又有中山碑林、各項雕塑、小橋流水等中國風庭園特色！不僅是紀念偉人的場所，更成為藝文復興的核心重鎮。

由此看來，我們國父紀念館氣勢上應稍勝一籌。本人曾在一九九一至一九九七年擔任館長期間，對於國父紀念館的藝文實體方面有巨大的業績，例如收回由黨史會及新聞局借用的三樓和地下一層，將其改建為德明、逸仙、日新、翠亨及翠溪等五個藝廊，為藝術家們提供最多的展覽空間，也為我國文化立國政策做出了堅實的基礎。

其二是本人為紀念創建民國國父暨革命先烈先賢，特別邀請工商界及文化界人士籌款興建「中山碑林」，設置日規景觀及革命先烈之墨寶花崗石碑林，融合書法及文化藝術之美，又具有歷史傳承之意義，現為國內最大的碑林。

其三本人曾奉當時國父紀念館管委會主任委員謝東閔之命，前往

挪威考察人生雕刻公園，返國後當即募集民間款項籌建了中山園區多座巨型雕塑，包括著名雕塑家曹崇恩所創作的國父幼年聽太平軍講革命之銅像，及表達天地、鄉土、人情、愛心的王秀杞名家所作之各項雕塑作品，還有謝宗安大書法家的墨寶石碑等，使公園雕塑化、雕塑公園化的中山公園功能全面顯現！此項事實證明了孫中山先生的一句重要的話，即不必做大官，也可以做大事等語！

## （五）二○一九年十月二十八日廣東孫中山故居參訪團訪臺

廣東省中山市孫中山故居參訪團一行六人於十月二十八日上午十時三十分前往世界廣東同鄉會總會考察，世廣總會理事長、臺北市大埔同鄉會會長黃東祥親自接待。參訪團由中山故居副館長黎勝昔擔任團長，率宣教部副主任金鑫等來到會所拜會，我因擔任世界廣東同鄉總會總顧問之職，而被邀請為首席貴賓出席盛會。

黃理事長首先致詞表示歡迎，他說：國父　孫中山先生推翻滿清，創建民國的偉大功業是無人能及的，而中山故居多年來宣揚中山先生「天下為公、平等博愛」的思想不遺餘力，值得敬佩！

我則以總顧問身分致詞表示，個人在擔任臺北國父紀念館館長期間，曾與故居主管來往交流，頗有淵源，也做了一些合作的事項，包括闢建了翠亨、翠溪二個藝廊，邀請廣東藝術家曹崇恩於國父紀念館中山公園佈置一座和中山故居相同的（根）雕塑，也因此促進了兩館之間的合作，並且召開第一屆全球中山紀念館館長聯誼會，當時中山故居也有代表出席！

## （六）二○一九年十一月二日出席退休將領聯誼會

我於十一月二日上午出席在臺北市三軍軍官俱樂部所舉辦的北部地方退休將領團結自強聯誼會。大會由金恩慶上將軍指導，陳築藩中

將主持，李治安將軍協辦，將近六百位退休將領共襄盛舉，其中有約二十位上將軍出席，百歲人瑞上將軍許歷農更親自參與並致詞。整個會場將星雲集，歡欣鼓舞，氣氛熱烈，盛況空前。

中國國民黨吳敦義主席親率多位立法委員等民意代表前來致意，並發表重要講話，獲得在座將軍們最熱烈的肯定與支持！

我當即表示，身為軍人子弟此次能有機會參加盛典，親炙這些曾經領導指揮軍隊戰士們，執行保國衛民神聖任務將軍們的風采。深深引為畢生的光榮，更對將軍們表示最高的敬意。

## （七）二〇一九年十一月十二日在廣州孫中山學術研討會發表主題演講

我應廣州孫中山基金會的邀請，十一月十二日出席「二〇一九年粵臺滬紀念孫中山學術研討會」。會議在廣州市凱旋華美達大酒店盛大舉行，由廣東省前副省長孫中山基金會理事長湯炳權主持。共有來自韓國、日本、臺灣、北京、上海、香港、澳門等地的學者專家一百餘名參與，會中共宣讀五十一篇論文。

我此次主要是發表主題演講，題目是「中山精神永垂不朽、中華文化領航全球」。內容分為四段論述，我發言表示，孫中山先生是兩岸全球華人共同尊敬的偉人，他領導國民革命推翻滿清，創建民國，建立了亞洲第一個民主共和國。他並且首先提出振興中華的口號，並勉勵國人要以中華文化來重新恢復民族光榮的傳統。在孫中山先生誕辰之日，我們要緬懷他天下為公的精神，大力宣揚中華文化。從而為全人類謀福祉，邁向禮運大同理想的社會。

我特別感謝湯炳權理事長的邀請以及李萍前副校長的推薦，得以參加這場具有重大意義的盛會，我也表示了非常敬佩孫中山基金會對宣揚中山思想的績效與貢獻。

　　我的演講獲得在場學者專家一致的肯定與讚揚，當天出席的貴賓頗多，包括中山學術文化基金會秘書長李建榮、前中山大學副校長李萍、上海中山學社副社長廖大偉、中國社科院近代史研究所所長王建朗、前廣東省社科院院長張磊、前醒吾科大校長周家華教授、金門大學教授李金振、中國文化大學教授李炳南、前文化大學邵宗海教授等重量級學者都提出論文。會議氣氛熱烈，發言踴躍，獲得多項共識。

## （八）二〇二〇年三月四日夏瀛洲上將率團參訪本會

　　中華民族團結協會名譽理事長夏瀛洲上將偕夫人秦立錦、該會副秘書長周國珍和本會董事習賢德一行四人，於三月四日下午二時半參訪本會，受到我及王正典秘書長、高駿華研發會副主委、黃素珠主任等人熱烈的歡迎！

　　夏上將一行除參觀本會辦公室及展覽場之外，並與本會同仁座談，交換意見。

　　我致詞表示：夏上將曾擔任國防部空軍軍官學校校長、副參謀總長、國防大學校長等要職。現在擔任中華民族團結協會名譽理事長、中華黃埔三軍退役將官總會總會長，可謂是我國名揚四海、聲望崇隆的傑出將領！

　　這次來會參訪，係就推展社會公益、提升民間藝文水準等項目與本會同仁交換意見。

## （九）二〇二一年七月十五日參訪美國金山國父紀念館

　　我應美國金山僑領唐煥清會長及孫文青董事長的邀請前往當地僑社參訪，此行主要目的係宣揚中山理念及推廣全球華人傳統文化藝術的交流。

　　我於七月十五日參訪美國金山國父紀念館，受到當地僑團盛大的

歡迎，該館陳夏儀館長表示：「高崇雲董事長在一九九一年至一九九七年擔任臺北國父紀念館館長，期間曾經大力支持金山國父紀念館的設置，不但贈送國父銅像，而且提供了大量的國父史蹟文件，對金山國父紀念館有重大的貢獻，特敬表最高謝意」等語。

我接著應邀發表「中山精神永垂不朽傳統文化領航全球」的簡短致詞，獲得在座人士一致的好評，隨後于愛珍僑務委員、趙川三僑務諮詢委員以及中華僑聯金山辦事處張人睿主任，均發表精彩致詞共襄盛舉。

當天出席除上述僑領外，還有陳伯豪榮譽董事長、徐楚南、楊子超兩位前館長，以及驕陽中英雙語學校楊昆山校長、僑領呂明廉等。大家齊聚一堂進行腦力激盪，共同討論宣揚中山理念的現代化方案，氣氛熱烈，已經獲得金山僑界熱烈的迴響！

## （十）二〇二一年七月十七日參訪驕陽中英雙語學校會晤楊昆山校長

我於七月十七日下午三時，前往驕陽中英雙語學校參訪並拜會楊昆山校長，雙方對文教交流坦誠交換意見，並獲得多項共識。

楊校長曾經擔任過緬甸中正中學校長，是一位春風化雨受人尊敬的教育專家，驕陽中英雙語學校在舊金山頗為知名，學生人數曾經高達五百餘人，辦學績效優異！

## （十一）二〇二一年八月八日參訪美國舊金山僑社

我於八月三日拜會中華僑聯金山辦事處與張人睿主任交換服務僑社經驗，張主任不僅是一位成功的旅美企業家，也是服務社會的僑界大老，他出錢出力熱心公益，在華僑社會聲望崇隆，值得肯定與敬佩！

我在滯美期間更到過加州柏克萊大學及史丹佛大學參訪，重溫他

一九八二年在美進修的舊夢。並抽空與僑界人士會面餐敘，暢論藝文交流事項。其中值得一提的是，海外華人的辛苦創業，只要努力勤奮大都可以順利圓滿成功，而成為僑社的典範，例如唐煥清會長就是一個最好的例子，唐會長是韓華僑社的甘草，一位足以代表全美國各地韓華的中心人物。他的綽號很多，包括黑市會長、梁山宋江、唐山大兄等等。

事實上，他的確是一位仁義大哥，不僅待人處事誠懇圓滿，而且熱心服務社會不遺餘力，他的聲望已為全美韓華所稱道！他事業成功、家庭美滿是一位旅美華人的典範人物，他的夫人孫文青女士尤其值得讚佩，不但秀外慧中，是相夫教子的賢良主婦，而且還是一位頭腦清楚、眼光遠大、處事果斷的女中豪傑！在她的襄助之下，唐會長得以大展鴻圖在全美韓華中處於頂尖地位。

無獨有偶的是，唐會長的親家陳炎棣也是一位著名的僑領，同樣擁有賢慧的內助，優秀的子女成為中華典範家族，陳董事長不但是成功的企業家，也是品格高尚的君子，更具有俠義之風。他的夫人秀麗端莊，才華出眾，是一位著名的服裝設計師。

一般而言，在美華人只要努力勤奮，都可以擁有較為富足的生活，然而能夠像陳董事長一樣開創貿易公司又蓬勃發展的前例並不太多，尤其是在科技重鎮的矽谷，能夠鞏固其所創辦的服飾公司，實在非常難得。陳董賢伉儷的毅力非常人可及，因此唐會長及陳董事長都是海外華人之光！

此外，在海外宣揚傳統文化藝術的藝文人士也相當多，其中李作堂大哥和張書花女士兩位就是代表性的人物，值得感佩！

我最後強調：「本人作為一個從事宣揚中山理念及傳統文化的義工，這次前往美國金山參訪，獲得許多僑界人士的熱誠鼓勵，不但信心大增，而且深信本人創建文化藝術院的理想，將可與海外華人共襄盛舉合作實現，訪美之行可為收穫極為豐碩！」

## （十二）二〇二一年十月二十六日主持辛亥革命學術研討會第四場會議

我於十月二十六日上午九時三十分前往國父紀念館拜會王蘭生館長，商討合作事宜，雙方理念相似，會談甚歡，隨後在王館長親自陪同下到中山講堂出席「辛亥革命一一〇週年紀念學術研討會」，並與該研討會主辦人中國文化大學歷史系主任倪仲俊教授合影留念。

我係應主辦單位邀請擔任第四場次會議的主持人，並評論玄奘大學前校長夏誠華教授所撰〈辛亥革命以來的變局對我國僑教的影響〉以及由國父紀念館鍾文博、邱啟媛兩位研究員所撰寫的〈國父紀念館對於中山思想的推廣與發揚〉等兩篇論文，參與學者熱烈發言，氛圍良好，獲得許多心得與共識，會議於中午十二點圓滿順利結束。

## （十三）二〇二一年十二月二日專訪中華文化藝術總院高崇雲總院長

藍雀新傳媒（2）日上午專訪擔任「中華文化藝術總院」總院長的我本人。我鄭重表示未來成立十個分院，目前已邀請到書畫家黃慶源擔任國畫院院長、書法家楊旭堂擔任書法院院長，正在邀請王秀杞大師院士兼任雕塑院院長、邀請名毫芒微雕家陳逢顯大師院士兼任技藝院院長。預計今年完成三項全球性活動。包括，全球華人書畫名家大展、傳統文化藝術大獎、文化藝術研習營。

茲將記者專訪於我的內容略述如下：

問：文化藝術總院創建的緣由？

答：綜觀現階段的世界局勢，當可以瞭解到一項事實，那就是經濟的繁榮以及科技的進步並不能彌補心靈的空虛，唯有灌輸全民中心思想，宣揚傳統文化藝術，才可以使得人心獲得療癒，社會得到

淨化，而如果能教育下一代，使他們重視文化藝術及品德修養，那麼就會讓他們擁有高尚的人品，我們的社會才可以形成富而好禮和諧的大家庭！

為了貫徹上述的理念，中華學術文教基金會乃基於章程建置了文化藝術總院，積極爭取敦聘藝文界菁英人士加入，並予以組織整合，期盼群策群力，達到藝文振興的目標。事實上，文化藝術總院的成立乃在於當前疫情仍然嚴重之際，為強化全民心靈修為，共創光明前途的一項核心措施，一盞閃亮的明燈！

問：中華文化藝術總院成立的目的？

答：當前是全人類共同面臨金融海嘯、文明衝突及地球生態危機的關鍵時機，全世界人類關心人類文明和地球存亡者，莫不熱切期盼能夠發現解決困境之方案。

然而，在人類各主流文化藝術中，傳統文化與藝術已歷經多次劫難而再三復興，可見其中應該蘊藏著足以為現代人類參考的可貴經驗。因此，倘若審慎探索傳統多元文化與藝術，在數千年發展過程中所孕育產生的經驗與教訓，將可從其中萃取出符合二十一世紀人類，所需要的可貴智慧，作為解決這些重大衝突與危機，以及開創和諧、平等、美好新世紀時的方法。

本院期望結合這一世代中，深具無私無我精神，並願意服務全人類及地球生態的有志之士，共同協力探索中華文化藝術寶庫，找出這些關鍵性智慧。並主動運用電子媒體與科技方式，透過所有可行方案計畫渠道，及時提供給全球關心此類議題之人士、媒體及各國政府、國際組織、民間機關、專家學者等，作為在解決各類問題及教育培訓時的參考。

問：文化藝術總院的宗旨及使命？

答：在〈宗旨〉方面：天下為公、無私無我、真善和美、世界大同本
　　院由各領域國學、西畫、書法、國畫、雕塑、文創各領域的大師
　　及學者專家共同創建而成，以弘揚中華文化藝術，藉世界多元文
　　化間之學術與藝術交流學習，來提升傳統藝術並促進人類整體文
　　化藝術和諧的發展。

　　在〈使命〉方面：歷史悠久的華人文明，創造了光輝燦爛的傳統
　　文化藝術，這是國家和民族的精神支柱。面對全球化所帶來的文
　　化藝術多元交流、互動與衝擊，弘揚傳統文化藝術良好的美德，並
　　以互補、包容的氣度進入世界文化藝術生態圈，積極發揮擴散作
　　用，這不僅是振興文化藝術的重要途徑，也是世界文化藝術生態
　　和現代精神文明能夠保持健康、進步、發展的重要課題。瞭解、
　　繼承、弘揚、發展中華文化藝術，是當今國內外各界菁英責無旁
　　貸的使命。因此，本院特以推動中華文化藝術研究、發展與國際
　　交流活動等八項作為中心業務。

問：中華文化藝術總院的組織編製？

答：本院設總院長一人，綜理院務，對外代表本院。設副總院長一至
　　三人襄理院務。

　　並設置院士會、院務委員會、顧問會、院務諮詢委員會等。

　　總院下設國畫院、書法院、雕塑院、西畫院、技藝院、國學院、
　　媒體院、民俗院、四藝院、文化院等。

　　總院長由高崇雲教授擔任、副總院長由王正典理事長擔任、院務
　　委員會主任委員擬敦聘臺北市前副市長鄧家基博士出任、院士擬
　　敦聘歐豪年大師、江明賢大師、王秀杞大師，連勝彥大師、陳逢
　　顯大師等等藝文界泰斗出任。

　　總院下設十大分院，已邀請到名書畫家黃慶源擔任國畫院院長，

名書法家楊旭堂擔任書法院院長，正在邀請王秀杞大師院士兼任
雕塑院院長、邀請名毫芒微雕家陳逢顯大師院士兼任技藝院院
長，邀請王南雄大師出任文化院院長，蘇奕榮名畫家出任西畫院
院長，其他還有國學院、媒體院、四藝院、民俗院等等正在徵求
藝文界人士各領域頂尖專家出任中。

問：中華總院年度計畫及重大活動事項有哪些？

答：茲將優先辦理之三項重大活動列舉如下：

　　一、全球華人書畫名家大展

　　二、傳統文化藝術大獎

　　三、文化藝術研習營

問：請高總院長談談抱負與理想？

答：我明確宣示一項理念，那就是希望本基金會能成為大千社會的一
　　盞明燈，以「燃燒自己、照亮世界」來自我勉勵，以服務犧牲的
　　精神來推展文化藝術的公益社會，相信本基金會同仁必然也有相
　　同的理念，本人期盼中華學術文化能持續發揚光大，而本基金會
　　能成為引導國家邁向富強康泰的核心理念單位之一。
　　因此，此次中華文化藝術總院的設立，就是為完成基金會所擔負
　　的使命，我們強調宣揚傳統文化及中山精神，是吾人必須肩負的
　　神聖任務！

## 六　全球華人團結匯聚

### （一）二〇一八年十月十六日出席僑聯總會海外理事會

　　我於十月十六日出席由華僑救國聯合總會鄭致毅理事長，在泰

國曼谷主辦召集之海外全體理事大會，應邀擔任主席團主席及祭孔典禮主祭，大會有二十餘國共二百餘位代表參加，盛況空前，氣氛熱烈，發言踴躍，充分展現僑胞愛國的熱誠，堅定支持臺灣及維護傳統文化的決心！

## （二）二○一九年三月六日出席僑聯總會會員大會

我於三月六日上午十時，出席在宜蘭香格里拉飯店舉行之僑聯總會會員大會，因為曾擔任教育部僑教會主任委員八年，績效斐然，除增加僑生公費獎學金二二○○名，每人每年五萬元新臺幣，嘉惠無數僑生之外，又主導協助海外六所臺北學校建置永久校舍，更風塵僕僕尋訪全球華校給於補助與鼓勵，因此頗受僑界好評。

退休後受聘為僑聯總會海外常務理事，積極參與僑社活動，此次欣逢僑聯總會本屆會員大會，我在開會中與鄭致毅理事長、林姿妙宜蘭縣縣長、童惠珍立法委員等僑界相關人士交換意見，相談甚歡，我對僑胞愛國的熱誠甚為感動，我也常認為本身是僑社一份子而引以為榮！

## （三）二○一九年八月二十二日世界廣東同鄉會總會黃東祥會長參訪本會

世界廣東同鄉會總會黃東祥會長於八月二十二日上午十時三十分來到本會參訪，黃信麗秘書長同行，受到我本人、李威侃董事兼主委、黃素珠主任等本會同仁熱烈的歡迎。我邀請貴賓參觀本會辦公設施及展覽廳設備之後，隨即在大會議室舉行簡單座談會，出席者還有數位網路報社社長陳漢墀，高棉歸僑協會理事吳鴻發等貴賓。

我首先祝賀黃東祥當選世界廣東同鄉會總會長，並表示黃會長勤奮努力，熱忱服務，是一位不平凡的社團領袖，值得肯定，值得讚

揚，更值得敬佩！出席人員經過一番腦力震盪，交換意見之後達成共
識，咸認各方應該加強合作，共同為文化藝術的發展及民眾社會的福
祉全力以赴！

## （四）二〇一九年九月六日參訪廣東大埔同鄉會

　　廣東大埔同鄉會理事長黃東祥，日前當選世界廣東同鄉會總會理
事長，我偕李威侃董事於九月六日下午三時，前往臺北市羅斯福路大
埔同鄉會參訪，受到世界廣東同鄉會總會兼廣東大埔同鄉會理事長黃
東祥及黃信麗秘書長的熱烈歡迎！

　　我並且出席了大埔同鄉會所主辦的茶藝研習班，參觀了由何培才
茶藝館館長及黃玉珍老師所表演的奉茶禮儀，何館長以及王老師對茶
文化的深入瞭解以及實際奉茶的演練相當精彩，值得讚揚，得到在座
貴賓及研習班學員一致的肯定。

## （五）二〇一九年九月十八日出席世界留臺校友會總會長
## 　　趙達衡晚宴

　　我於九月十八日晚上六時出席世界留臺校友會總會趙達衡名譽總
會長在福華飯店所舉辦之晚宴，與會人士均為知名之士，包括前國防
部長伍世文上將、華僑救國聯合總會鄭致毅理事長、童惠珍立法委
員、羅智強臺北市議員、知名建築師宋緒康、僑務委員黎輝、國民黨
海工會前主任夏大明、高棉歸僑協會理事長吳鴻發等。群英聚會，相
談甚歡，共論國是，氣氛熱烈！

　　我並提及當年世界留臺校友會創立時的艱辛，我當時任教育部僑
民教育委員會主任委員，立即允諾來會拜訪的創會總會長關沃暖立委
及陳華清總會長的請託，由僑教會贊助經費一百萬元臺幣作為根本，
世界留臺校友會的創立才有了堅實的基礎。後來共計募款四百萬元新
臺幣，世界留臺校友會於是成功創立！

　　參加當天晚宴的所有貴賓均對我當年在僑教會任內的賢明舉措表示肯定，表示讚賞！

## （六）二〇一九年十月二十六日出席世界廣東同鄉總會二十九週年慶

　　我於十月二十六日上午十一時應邀參加在第一飯店敘香園所舉辦的世界廣東同鄉總會二十九週年慶及理監事就職典禮，當天出席貴賓極為踴躍，包括僑務委員會副委員長呂元榮，華僑救國聯合總會理事長鄭致毅，華僑協會總會陳三井前理事長，華僑協會總會代理理事長王進宏，以及張學海、李冠白、李文輝等僑界領袖及廣東各地同鄉會會長代表們均熱誠參與。

　　介紹出席貴賓後黃東祥理事長表示，世界廣東同鄉總會已二十九週年，在歷任理事長、理監事、全體同仁共同努力之下，有非常優異的績效，感謝相關各界人士撥冗出席，蒞臨指導，深感榮幸等語。

　　我致詞首先讚揚世界廣東同鄉總會過去的貢獻，然後肯定黃理事長的學識品德及服務熱誠，認為他必然會將會務處理得井井有條，使世界廣東同鄉總會達到現代化、國際化的目標，我對黃理事長深表期許，因此極願接受總會總顧問的邀聘。將全力支持世界廣東同鄉會會務發展！

## （七）二〇二〇年二月七日出席僑聯總會理監事就職典禮

　　僑聯總會第十七屆理監事就職典禮，於二月七日上午十時在該會會議室盛大舉行，當天不僅貴賓雲集，而且出席人士極為踴躍，盛況空前，氣氛熱烈！

　　我並且當選為新任常務理事，於是親自出席參加大會。首先由蟬聯的鄭致毅理事長發表演說，他的致詞熱情洋溢，充滿愛國情操，獲

得滿場熱烈的掌聲，貴賓致詞由僑委會呂元榮副委員長、立法院溫玉霞立法委員、邱成遠立法委員以及童惠珍前立法委員代表外賓致詞，本會榮譽理事長簡漢生及泰國僑領饒培中夫人也應邀致詞，他們精彩的談話獲得了全場熱烈的回應！

　　最後由鄭理事長介紹新任理監事，包括擔任常務理事的葛維新、林宴文、張正中、林基源、張忠春、高崇雲、李惠英、謝偉等八位，理事則有王能章、郟順欽、何邦立、林狄、張標才、吳鴻發、韓銅準、關志剛、戚良雁、藺斯邦、何國華、鄭匡宇、張仲琪、黃河、鄭雪菲、黎順發、李南賢、凌炳志。候補理事為黃植生、蔡小吉、洪鼎、何國鈞。監事長由黎愛珍出任，常務監事陳玉鑾、簡明有、監事朱國琴、鄭雪茵、郭菲、李勝文、舒立彥、葉清松。候補監事蔡祖偉、何良泉、彭聖師。

　　事實上，我與僑界結緣甚早，就讀國中時期因母親陳蘅君女士的異姓姊妹孫氏在眷村比鄰而居，不僅交往密切而且是通家之好，孫氏伯母極為讚賞我的勤奮好學，因渠原為印尼歸僑，故時常談及印尼僑社狀況，我也因此對東南亞僑社有深刻的印象！

　　一九六三年我就讀中國文化大學時期擔任學生代聯會主席，經常有機會與各大專院校僑生社團聯誼交流，大學畢業服兵役以後又接受創辦人張其昀博士的推薦，以公費交換生名義前往韓國慶熙大學留學，那一段期間擔任留韓同學會會長，與僑界社團互動頻繁，深深體會到僑胞愛國的熱誠，復以指導教授李暄根校長與李命植所長都是國際關係及東南亞問題專家，於是以中共東南亞政策作為主題撰述論文，最終獲得政治學博士學位，同時成為大韓民國政治學會最年輕的會員，並由該會出版專書。

　　我研究華僑的專著，不僅受到韓國學界的重視，也受到美國學界的關注。從而我與僑界社會及華人華僑問題研究，進入更深入的緣

分。我返國後任中國文化大學華僑及民族研究所教授、國立臺灣師範大學教授兼主任、外交部專門委員負責日本韓國業務。後出任國父紀念館館長、教育部僑民教育委員會主任委員、淡江大學東南亞研究所所長等職，可以說與僑界的淵源從未間斷，而我對於華僑問題的專著論述頗多，包括中共與東南亞，中共與南北韓關係，美國對韓政策與韓國政情，東南亞華人與華文教育等等專書出版，而其中東南亞華人一書獲得了僑聯總會頒發第一名學術獎的榮譽，而中共與南北韓關係更獲得了行政院的著述獎，我在華僑相關問題方面，撰寫了不下五十篇的論文，也因此被認可為華僑問題專家。

不僅如此，我所擔任職務幾乎均和華僑相關，故在宣揚中山精神、宣揚華僑為國民革命之母、以及增加全球僑生公費獎學金、建置海外臺北學校永久校舍、巡行全球僑校進行輔導及協助工作、擴大招收華裔子弟來臺升學等等，各大領域方面均有顯著的績效，此項事實，均記載於政府公文書。

我深深以本身為僑社一份子為榮，具有強大的為僑社華僑服務的使命感，我將於有生之年，為僑教及僑務之發展貢獻全部的心力！

## （八）二〇二〇年十月十二日出席華僑節大會

我以僑聯總會常務理事及主席團主席身分，偕同陳偉之董事於十月十二日上午十時前往國軍英雄館會議廳，出席本年度華僑節大會暨十七屆第一次海外全體理事會議，當天出席的各界人士達到五百位以上，可謂嘉賓雲集，盛況空前，氣氛熱烈！

僑聯總會鄭致毅理事長主持開幕典禮，首先是馬英九主席致詞，接著僑委會童振源委員長、國民黨江啟臣主席、溫玉霞立法委員以及僑界大老程國強先後致詞。海內外許多僑界領袖均在座，包括華僑協會總會林齊國理事長、陳三井前理事長、臺北市廣東同鄉會葉炯超理

事長、廣東世界同鄉會總會黃東祥理事長，各個歸僑協會理事長、僑聯總會常務理事、理監事等。

　　我對記者表示：海內外各界人士咸認僑聯總會在鄭致毅理事長卓越領導之下，不僅會務蒸蒸日上，日益興隆，而且在歸僑服務、強化海內外僑務活動及積極推動兩岸交流等三大面向，績效極為優異，成果輝煌！

　　而協助鄭致毅理事長主辦此次重大活動的工作團隊，包括黃五東秘書長、陳麗霞副秘書長，龔維軍處長，黃詩涵高級專員、仇繼光高級專員、劉為一組長、郭昭伶主任、趙學偉專員及其他工作人員勤奮努力，認真負責，全力以赴，使大會獲得圓滿成功，不愧為一流的行政團隊！頗值肯定！

## （九）二〇二〇年十月十三日出席僑聯總會臺中南投參訪活動

　　僑聯總會全體海內外理事、顧問一行兩百位，在鄭致毅理事長率領下於十月十三日至十五日，前往臺中市及南投縣進行參訪活動，我以僑聯常務理事身分偕陳偉之董事同行，除於十四日上午前往南投縣政府及十五日拜會臺中市政府外，並參訪竹山、霧峰、日月潭文武廟、國家歌劇院、文化創意園區等。

　　全體參訪者咸認這次行程安排妥善，獲益良多！特別值得大書特筆的是地方官員及民意代表，均極為重視來自海內外僑領的參訪。

　　在南投縣政府受到洪瑞智秘書長、許淑華立法委員率領局處首長熱烈的歡迎，在臺中市政府受到令狐榮達副市長、童惠珍前立法委員率領各局處首長與參訪團，進行親切的交流與腦力激盪。坦誠而言，臺中市及南投縣都是好山好水的風水寶地，人傑地靈，藝文鼎盛。

　　參訪團對於此項隆重的接待及藝文氣息的氛圍都相當滿意，大家

一致認為僑聯總會在鄭致毅理事長卓越的領導，以及全體工作同仁的努力下，成功圓滿的完成了這項華僑節參訪活動。

## （十）二〇二一年一月一日出席緬甸果邦學校臺灣校友會員大會致詞

我偕陳偉之董事等本會代表一行三人，應緬甸果邦學校臺灣校友會創會楊惠珍理事長的邀請，於元月一日上午十一時出席在大直典華所舉辦的會員大會，大會主席由現任理事長尹可旭擔任，當天會場冠蓋雲集、氣氛熱烈，包括僑委會陳士魁前委員長、立法院陳以信委員、國防部總政戰部前副主任陳興國中將，中華僑聯總會鄭致毅理事長、謝偉常務理事、華僑協會總會林齊國理事長伉儷、雲南同鄉會黎順發理事長、榮譽理事長何延慶等僑界大老均參與活動、致詞並領唱愛國歌曲來共襄盛舉。

我發言時表示：果邦學校臺灣校友會員大會在二〇一二年開國紀念日舉辦，意義非常重大，緬甸歸僑所表現的愛國情操值得肯定。本人於一九九七年到二〇〇四年出任教育部僑民教育委員會主任委員這段期間，曾經訪問緬甸六次之多，到過仰光、密支那、曼德勒、東芝、臘戌等地，親眼目睹緬甸僑校在非常艱困的環境建置，緬甸華校師生認真教學學習，宣揚中華文化仍是不遺餘力，非常令人感動，所以本人在第一次巡訪東南亞各國僑校之後，特別制定了新的教育南向政策，對於緬甸、印尼、越南等艱困地區返國升學的僑生，全面給予清寒獎助金，每人每年五萬元新臺幣，並且爭取經費贈送大批免費教材及補助刊物給相關華文學校、當然包括果邦學校！同時行文各大專院校僑外組主管，要求他們全力照顧緬甸、越南、印尼等艱困地區返國升學的僑生！

這項施政措施受到廣大僑界的歡迎，也獲得了極高的績效，同時

並受到立委們的嘉許與重視。我最後重申謝意，感謝楊惠珍創會理事長的誠意邀請，敬祝果邦學校校運昌隆，校友會蓬勃發展！

## （十一）二〇二一年二月二十七日出席惠州同鄉會六十週年慶致詞

我及內子王海倫於二月二十七日上午，應臺北市惠州同鄉會黃信麗理事長的邀請，前往第一大飯店敘香園出席該協會六十週年慶祝大會，同鄉會成立於一九六〇年，在臺惠州鄉親一直以進取、勤奮、包容、大度的胸懷來宣揚粵惠文化而薪火相傳！

此次盛會貴賓雲集，除了僑界大老，如僑聯總會鄭致毅理事長、僑協總會林齊國理事長、臺北市廣東同鄉會葉烱超理事長、世廣同鄉會黃東祥理事長、李冠白榮譽理事長，以及數十位廣東省各地同鄉會理事長參與外，還有林奕華立法委員、汎德建設公司潘英穗董事長、海外僑領張學海、世華臺文教產業發展協會何培才總監、余鑑昌名律師、楊旭堂書法名家等社會名流共襄盛舉！林奕華係中國國民黨內最傑出的女性立委，曾擔任新北市教育局局長、臺北市教育局局長。是國民黨內最有潛力的核心領導之一。

我致詞時強調：惠州名城人傑地靈，惠州同鄉會六十年來的績效值得肯定，現任黃信麗理事長才華橫溢，在她卓越的領導下，同鄉會必可更上一層樓，開創新局等語。

## （十二）二〇二一年八月三日參訪中華僑聯總會金山辦事處拜會張人睿主任

我偕同唐煥清會長、孫文青董事長一行四人，於八月三日專程前往位於舊金山中心的中華僑聯金山辦事處拜會張人睿主任，獲得熱烈的歡迎！

張主任致詞表示：「中華僑聯美國金山辦事處在鄭致毅理事長卓

越指導之下，會務蓬勃發展，已成為三藩市僑界的核心重鎮，歡迎高崇雲董事長來訪」等語。

我致詞表示：感謝張主任親切熱誠的接待。此次訪美主要目的是宣揚傳統文化及中山精神。海內外僑界人士均咸認，中華僑聯總會鄭致毅理事長服務僑胞績效優異，令人感佩！而張人睿主任不僅是美國金山灣區的成功大企業家，而且服務僑社不遺餘力，聲望崇隆。像這樣愛國愛鄉的僑界大老非常值得肯定與讚揚！

當天出席的貴賓有金山國父紀念館館長陳夏儀、榮譽董事長陳伯豪、驕陽中英雙語學校楊昆山校長等多位僑界人士！

## （十三）二○二一年十二月四日雲南同鄉會參訪中華文化藝術總院

雲南同鄉會會長緬甸僑領黎順發率團於十二月四日來到中華學術文教基金會參訪，受到我及工作同仁熱烈的歡迎！此次來訪的雲南同鄉會成員均為該會領導階層，包括緬甸臺商總會何廷貴總會長、臺北緬甸歸僑協會張標材前理事長，雲南同鄉會楊海潮秘書長等一行七人，另外還有一位現任僑聯常務理事的日本僑領謝偉。

我致詞表示：感謝各位海外僑領於百忙之中撥冗來到本會參訪，事實上本會近日成立文化藝術總院，已經獲得臺灣藝文界的肯定，但是也需要海外僑界的支持，黎順發理事長等海外僑領的來訪，對總院明年度即將辦理的全球華人藝術家大展活動，增加了無比的助力，實在令人振奮！

黎順發是苦學出生的優秀僑生，他的國學基礎、領導能力以及演講才華均獲得僑界極高的評價，而他為人誠懇，做事認真的表現也深受各界人士的歡迎，因此他是一位僑界的典範代表。

特別值得稱道的是：他在所服務的南山人壽公司推廣業務方面有

傑出的貢獻，已經引起海內外巨大的迴響。此時他率團來訪，以行動全力協助我實現真善和美、淨化社會的理想，從而共襄盛舉，充分顯示出來訪貴賓們宣揚中華傳統文化藝術的熱忱。此舉必將使相關工作同仁信心倍增。

　　我最後強調說：大家共同推動傳統文化以及中山精神的決心和毅力令人感動，堅信必可達成禮運大同的理想目標！

# 捌
# 傳統文化淨化人心

## 一　對抗疫情心靈療癒

### （一）二〇二〇年五月三日發表「抗疫新思維」重要聲明

　　中華學術文教基金會於五月三日上午十時在該會會議室召開第十屆第五次董事會，由本人親自主持，當天出席的董事相當踴躍，包括陳光憲副董事長以及王正典、江惜美、李威侃、查重傳、張啟明、習賢德、陳偉之、陳德禹、程南洲、黃金文、黃慶源等十三位董事。

　　會議除討論積極籌備「中華文化藝術總院」事宜外，並舉行「面對疫情我們應有的新思維」座談會，針對當前肺炎疫情進行腦力激盪及交換意見。對此議題，本會張啟明董事並請其主持之科技公司所派出之專家提出一項「面對疫情要健康生活，如何淨化空氣」的簡報，獲得與會人士的好評！

　　由於出席董事大多是各大學前校長、院長、主任或企業界、藝術界碩彥，所以發言精彩專業，最後達成共識，撰寫了一項「面對疫情我們應有的新思維」共同聲明，由本人宣讀，並將全文公開發表，俾提供各界參考！

**重點聲明如次：**

　　近期以還，肺炎疫情橫掃世界，面對如此艱困的局面，衛福部長陳時中所率領的防疫團隊表現優異，且深獲國際輿論的讚揚，使臺灣成為全球防疫的榜樣，此種績效值得大家肯定與敬佩！

然而由於疫情仍在全球肆虐，綜觀全局，臺灣狀況雖然較為穩定，惟仍不能稍有大意，我們必須要有更前瞻性的思考，來探討因應的新措施，放眼未來，本會認為下列幾點理念值得參考。

其一，人民福祉一定要超越意識形態及藍綠黨派，所有的政策與作為必須保證民眾的安全與幸福。

其二，康健簡樸的生活是即將來臨的社會新型態，而推廣文化藝術及心靈修整、講求愛與包容，才可以導正社會的趨勢與潮流。

其三，重視傳統文化、孔孟思想及中山精神，倡導天下為公、富而好禮、慈悲為懷、清靜自在、真善和美的新境界！

以上三項觀點，均應為全體臺灣人民的最高共識！

此時此地，本基金會呼籲大家團結一致，與世界各國攜手合作共抗疫情，親華、聯美、友日，才能創造和諧共存、經濟繁榮的新東亞！從而使臺灣更美好、更富裕、更安定、更快樂，使其成為全球華人最宜居的風水寶地！

## （二）二〇二〇年十二月二十七日發表新年新希望國是建言

中華學術文教基金會於十二月二十七日上午十時三十分，在該會大會議室舉行本年度最後一次董事會議，由本人親自主持、副董事長陳光憲、董事王正典、王高樑、江惜美、張啟明、李威侃、習賢德、陳偉之、陳德禹、程南洲、黃金文、黃慶源等人出席，會中並邀請韓國外國語大學華文學院前院長孟柱億等國際人士，共同討論臺灣大未來之主要議題，經過一小時腦力激盪、集思廣益之後，由本人代表宣讀「新年新希望國是建言」如次：

二〇二〇年即將結束，根據日前英國網路媒體委託最大旅外人士網站調查報告，臺灣是全球最幸福宜居的地方，事實上臺灣有許多世界第一，包括最好的醫療保險制度、最佳美食等等不勝枚舉，基於以

上之瞭解，我們認為，在全球疫情仍然嚴重各地災難紛紛的現階段，如何強化民眾心理建設，如何進一步推展臺灣優勢，是吾人當前最重要的議題，經過全體董事凝聚共識後，我們有三點建議：

一、促進科技產業的發展：重視民生，經濟優先，以台積電護國神山的精神作為指標，全力推動重點科技產業，並強化農工業生產動能，提升民眾生活品質，創建富而好禮的社會。

二、全面加強基礎的建設：公共建設為百年大計，臺灣好山好水，自然景觀與人文素質均具極高水準，投入大量資金，專注基礎公共建設，打造具有文化氛圍、藝術品味的新興美麗科技之島，是臺灣未來最佳的坦途。

三、以文化藝術陶冶心靈：臺灣民間力量強大，文化底蘊充足，藝文氛圍濃厚，是全球最具人情味的風水寶地，加上許多宗教大師高士的加持，因此強化文化藝術的傳播，必然可以使臺灣邁向人間淨土之理想實現。

我們鄭重呼籲社會大眾能夠齊心合力、攜手同進、共創臺灣美好的大未來！

## (三) 二○二一年四月二十九日第十屆第七次董事會

中華學術文教基金會四月二十九日晚於臺北召開第十屆第七次董事會，提出「以文化藝術陶冶心靈強化品格教育」專案，希望從建教合作開始，強化青年及企業界員工的品格教育，從而建立一個富而好禮優質的社會氛圍。跨國慈善企業家黃楚琪、中國科大校長唐彥博、臺灣著名毫芒雕刻家陳逢顯、企業家張文齊、基金會副董事長陳光憲等廿四位重量級人物出席。

我致詞表示，基金會會務蓬勃發展，績效斐然！在文化藝術、學術交流及社會公益三大領域方面，均獲得重大的成就。並強調在海內

外疫情嚴重之際，臺灣經濟仍能持續快速發展，最主要的原因應該歸功於民眾的努力與穩健。更是過去幾十年來民間不斷推動固有道德及品格教育的結果。

我深切指出，若要使得臺灣成為人間的淨土，如何強化民眾的品格教育，是當前刻不容緩的工作，因此在董事會開會時，特別舉辦「以文化藝術陶冶心靈強化品格教育」座談。並公開向社會建言，現階段臺灣整體成績不錯，然而社會人心卻仍有動盪不安的現象，其根本原因乃在於普羅大眾在邁向現代化新境界，同時吸收了西方各種新潮活動，使得固有道德價值及民眾品格有漸漸弱化的趨勢。品格教育是社會的根本，因此強化民眾的品格教育是當務之急。

## （四）二〇二一年九月二十六日第十屆第八次董事會

中華學術文教基金會於九月二十六日上午十一時在該會會議室舉行第十屆第八次董事會進行改選事宜，新任董事隨即於當天下午一時三十分改選董事長，結果出席全體董事一致擁護我連任該會董事長。我獲得全票通過以後，立即提名陳光憲連任副董事長也獲大家同意。

我致詞表示：第十屆董事會全體董事奮發有為，全力以赴，辛苦經營使得會務蒸蒸日上，蓬勃發展，已成為海內外極為知名的全國性績優核心社團，這次承蒙第十一屆全體董事支持獲得連任，將會在既有的基礎上提出新策略，擴大績效，使基金會更上一層樓，展望未來，不僅要成為臺灣重要的社團，更要成為國際性的重要智庫，基金會此次改組全盤調整體質，不再局限於學者，增加了好幾位藝文及企業界人士，期望以嶄新的陣容來開創更大的局面來服務社會。

第十一屆基金會董事包含了九位重量級學者，曾任或現任校長、院長、一級主管等，還有兩位前新聞媒體負責人，三位著名的國畫、西畫、書法的藝術家，再加上三位實力派的企業界人士，陣容極為堅

強，名單如下：高崇雲、陳光憲、王正典、王高樑、李威侃、陳偉之、黃慶源、程南洲、江惜美、陳德禹、黃金文、張啟明、查重傳、孟昭光、張文齊、高鵬翔、高駿華。

我還特別指出：將於近期舉辦成立三十週年慶，並視狀況成立「文化藝術總院」，總院已獲得海內外人士高度的支持，架構大致完成，相信必然可以在文化藝術界掀起一陣巨大的浪潮！

我更強調說：中華學術文教基金會今後將結合海內外有識之士，團結奮發再創新猶。基金會不僅要成為臺灣績優社團，也將成為國際性績優社團，我們將貢獻全部心力，期盼達到一個天下為公、富而好禮、真善和美、世界大同新理想境界的社會！

## （五）二〇二一年十月三十日第十一屆第一次董事會

中華學術文教基金會於十月三十一日上午十時三十分在會議室舉行第十一屆第一次董事會，會中包含高崇雲、陳光憲、王正典、王高樑、江惜美、李威侃、孟昭光、查重傳、張文齊、張啟明、高鵬翔、高駿華、陳偉之、陳德禹、程南洲、黃金文、黃慶源等十七位董事全員出席，除討論工作計畫等例行事項，會中重要事項為頒發董事當選證書和國學書院聘書。由我親自主持。

此次在會中舉行一項「臺灣要更好宣揚傳統文化藝術淨化人心」座談會之外，同時鄭重宣布：成立「中華文化藝術總院」，聘任我為首屆總院長。

事實上文化藝術總院係依據基金會章程設置，三年前已設立之國學書院首屆院長我本人任期屆滿，功成身退，其職缺由陳光憲副董事長接任，並加聘李威侃董事擔任副院長，因此迄今為止，基金會兩大核心組織的順利設置，充分顯示出會務的昌隆興盛和蓬勃發展，已經更上一層樓！

## （六）二〇二一年十一月二十六日鄧家基參訪中華文化藝術總院

　　臺北市前副市長鄧家基於十一月二十六日下午參訪位於八德路四段三一九號五樓的「中華文化藝術總院」，受到我及王正典副總院長、楊旭堂書法院長、中華學術文教基金會王海倫執行長、高鵬翔董事、黃素珠主任等人熱烈的歡迎。

　　鄧家基首先表示：在日前第四十一屆全國書法比賽頒獎典禮上與高總院長、楊院長等藝文界人士一起共襄盛舉，深感愉快，尤其在疫情仍然未能完全根絕之際，能夠參與這項重要的文化藝術活動，不僅可以療癒了人心，也達到了淨化社會的效果。

　　鄧前副市長強調：傳統文化藝術的宣揚極為重要，高總院長等藝文人士為這項使命感奉獻心力，值得肯定與讚揚。

　　我則表示：我輩藝文界人士，早已熟知鄧前副市長多年來在市政建設方面的重大貢獻，而且更深入瞭解到鄧前副市長無私無我、服務市民的抱負與熱忱。因此鄧前副市長此次的參訪，將大大增強了本院藝文工作者的信心，非常令人感動等語。

　　鄧家基前副市長除參觀展覽廳之外，且與總院相關人員進行了將近兩小時的座談，在腦力激盪及交換意見之後，獲得了許多創新和有重大意義的共識！

　　與會人士一致認為今後應加強合作，一起努力，則必將可共創臺灣藝文復興更美好的未來！

## （七）二〇二二年二月六日出席國際書法展迎春揮毫大會致詞

　　我於本年二月六日下午二時三十分出席臺北市國際書法展及迎春揮毫大會應邀致詞，當天出席的貴賓冠蓋雲集，幾乎所有的書法界先

進大老都踴躍參與,致詞貴賓包括文化部政務次長蕭宗煌、臺北市副市長蔡炳坤、國父紀念館館長王蘭生、外交部駐法前代表呂慶龍大使、書法教育學會楊旭堂理事長等六位。

開筆揮毫的貴賓也包括臺北市前副市長鄧家基、立法委員林奕華、文教基金會的張麗華顧問、連勝彥大師、國教署前署長吳清山、臺北市消防局長吳俊鴻、國際書法聯盟臺灣理事長陳嘉子、警察廣播電臺總臺長宣介慈及劉彬彬、王為權、陳銘鏡、沈榮槐、吳放、吳國豪、馮十彭、陳合成、施筱雲、林暉、葉傑生、吳朝滄等等書法家及社會領袖均熱烈參與。

我致詞表示:在國父紀念館開館五十週年的今年春節,四個主辦單位共同舉辦的此一文化藝術的盛會,值得肯定與讚揚。書法不僅是世界文字的奇葩,也是一種美學的表現,學習書法既可以強身又可以陶冶性情和品格,更可以發揚東方文化的精髓這種普世的價值,是中華傳統文化的實際代表!

我當年為了藝術家的展覽特別在國父紀念館闢建了五個展場,分別是德明、逸仙、翠亨、翠溪、日新等藝廊,為了書法家及水墨畫家提供了發表的園地,同時又結合書法家謝宗安、張炳煌及大雕塑家王秀杞。建置了中山碑林及中山公園雕塑園區,來展出包括經國先生及歷史名人、革命先烈的墨寶,宣揚中華傳統文化及中山精神不遺餘力。

我最後表示:希望將來有機會出席六十週年,甚至於七十週年的館慶!也期盼在場所有貴賓共襄盛舉!高崇雲強調:臺灣及臺北要能更好,國父紀念館能成為宣揚傳統文化及文藝復興的基地,是大家一致的願望!

揮毫大會圓滿成功的舉辦,為疫情仍然嚴重的當下,發揮了療癒社會大眾的效果,而且又提振了文化藝術的新境界!

## （八）二〇二二年三月八日全民大劇團謝念祖團長專訪高
　　崇雲總院長

　　全民大劇團謝念祖團長偕同陳怡靜經理、吳世偉編劇、製作人黃怡潔一行四人於三月八日下午一時三十分來到總院拜會，受到我及王正典副總院長等人熱烈的歡迎，謝團長這次參訪本院最主要的目的是：該團將於五月十四日在國父紀念館演出「仁愛路六號」五十週年慶大劇！特別專程來到本院專訪前館長即高總院長本人。貴賓在參觀展覽廳畫展後，立即在本院的會議室就五大議題請教我的意見，我表示：本人在一九九一年出任國父紀念館館長時，國內的氣圍正處於經國先生頒布解嚴政策之後的民主政治蓬勃發展時期，為順應時代潮流並全力宣揚中山精神，本人特別提出以傳統文化藝術為根本，積極發揚中山先生天下為公、平等博愛的理念，從而將國父紀念館從單純的歷史人物紀念館改變成為傳統文化藝文復興的基地。

　　我接著強調：在一九九一年至一九九七年館長六年任內，至少以六大績效深獲各界好評：其一，國父紀念館接待過世界級領袖如英國前首相柴契爾夫人、俄國戈巴契夫前總統以及各國元首，包括尼日總統、諾魯總統等等來館發表值得全球關注的演講；其二，關建由書法結合雕塑的中山碑林以及公園人生百態雕塑園區，使其更具有生活化的價值；其三，關建德明、逸仙、翠亨、翠溪等六大展覽廳，提供臺灣繪畫及書法教育的場所；其四、率團前往世界各國首都包括紐約、倫敦、巴黎等地展出國父史跡資料，並舉辦中山學術研討會宣揚中山思想；其五、推展兩岸文化藝術交流，包括大陸中央芭蕾舞團、京劇團來臺公演，展出孔子文物等大展；其六、舉辦國際性大展，包括畢卡索、夏卡爾以及美國名家及中南美各國藝術家大展，使國父紀念館成為國際展覽的重鎮。

　　我最後說：在國父紀念館工作的期間是我一生中最有價值、最快

樂的一段日子，值得永恆懷念！謝團長等人聆聽了我的工作經驗後，均表示非常感動，更表達了對我的肯定與敬佩之意！謝團長一行的參訪於下午四時半圓滿結束！

## （九）二〇二二年三月二十九日文創企業家參訪本院

昱達國際企業公司總監張添財、執行長陳銘吉及崇德發蔬食公司總經理張傳賢、流金穗月公司董事長陳政宏一行四人於三月二十九日下午一時來到「中華文化藝術總院」參訪，受到我本人及副總院長王正典、秘書室主任黃素珠、中華學術文教基金會執行長王海倫、董事高鵬翔等工作同仁熱烈的歡迎。

張添財等文創企業家來到總院參訪的主要目的，是為了表達對總院全力的支持，張董事長說：大家都很敬佩總院對宣揚傳統文化、淨化社會人心所做的重大貢獻，期盼加入本院等語。

## （十）二〇二二年四月二十三日第十一屆第二次董事會發表疫情建言

中華學術文教基金會於四月二十三日上午十時三十分在會議室召開第十一屆第二次董事會，會議由我親自主持，會中陳光憲、王正典、王高樑、江惜美、李威侃、陳德禹、黃金文、黃慶源、張文齊、高駿華、高鵬翔等十二位董事踴躍出席，除討論工作報告、收支營運等等例行性工作之外，並頒發聘書。本次會議頒發院務諮詢委員張仲琪、西畫院副院長高駿華、新聞媒體發展委員會副主任委員王輝丹、張汶寧等社會菁英榮譽證書。

本次會議的另一主要項目是舉辦了一項「面對疫情，淨化社會人心為首要」的座談會，邀請我及楊旭堂二位重量級的文化藝術人士擔任引言人，在與會董事熱烈發言、腦力激盪之後，達成共識重點建言如次：

一、綜觀最近世界局勢的發展，可以瞭解到全球疫情仍然嚴重，而俄烏戰爭的擴大已形成世界的動盪不安。幸好我們居住的臺灣仍然維持和諧平安穩定發展的狀況，這項事實足以證明臺灣是真正的蓬萊寶島，擁有許多上天的厚愛及護佑。

二、臺灣其實也有相當大的隱憂，例如昨天的新冠確診人數已超過三千人等等，因此如何順天應人，力保臺灣這片人間的淨土，使其能夠繼續繁榮昌盛是當前大家應該省思及檢討的重點。

三、防止疫情蔓延最好的辦法是淨化社會人心，人人修心養性，人人尊重他人，大家都倡導和諧和平、共存共榮的理念才是當前邁向光明大道不二的法門。

四、處變不驚、慎謀能斷，宣揚傳統文化藝術，美化心靈、信仰宗教，不做不該做的事，不去不該去的場所，一切以道德來規範，積極推動書法繪畫及國學素養教育，才能使臺灣達到真善和美的理想社會！

五、中央與地方各級政府決定防疫政策必須無私無我，不管是以篩代隔，還是購入疫苗，以及降低快篩成本等等都要發揮愛心，以全民的福祉作為最優先的考量，當然，民眾也應該對政府的政令主動積極全面配合，大眾團結一致才能度過此次災情蔓延的危機。

## （十一）二〇二二年十二月十七日第十一屆第三次董事會發表國是建言

本年十二月十七日上午十時三十分在會議室召開第十一屆第三次董事會議，由我本人主持，會中王正典、王高樑、江惜美、李威侃、孟昭光、高鵬翔、高駿華、張文齊、陳偉之、陳德禹、程南洲、黃金文、黃慶源等十四位董事踴躍出席，會議首先為十一月二十八日辭世

的陳光憲副董事長默哀，我強調：「陳副董事長為基金會盡心竭力，積極募款捐助，主編《讓愛飛揚》專書，編製國學視頻，等等優良績效，值得肯定與讚賞，功在本會，實應予以隆重的表揚」等語，會中除討論一一二年度工作計劃、經費收支預算表等例行事項之外，並且專案討論了文化藝術總院及國學書院兩大附屬單位發展重點計劃，還舉辦了一項〈如何提升臺灣國際形象與地位〉的座談會。在與會所有董事熱烈發言、腦力激盪法之後達成共識重點，提出建言如次：

一、綜觀最近世界局勢的發展，可以了解到全球疫情仍然嚴重，而俄烏戰爭持續已造成世界的動盪不安，幸好我們居住的臺灣，仍然維持和諧平安穩定發展的狀況，上月底也已經順利完成了縣市長的大選，這項事實足以證明臺灣是真正的蓬萊寶島，擁有極大的福報。

二、臺灣其實也有相當大的隱憂，尤其是在中國大陸與美國進行激烈競爭之下，臺灣產業的龍頭臺積電，出現重要設備遷移到美國的現象，我們鄭重呼籲，朝野各黨應該重視晶片產業發展的關鍵，應該使該產業根留臺灣。

三、如何避免戰爭，恢復臺海和平已成為現階段社會大眾最關心的議題，吾人建議八個字：那就是「親陸、師美、友日、南向」。以上所述即是當前臺灣生存發展的策略，臺灣具有傳統中華文化的底蘊，所有的居民大部分都來自大陸，當然會有兩岸一家親的情懷，師美友日是中山先生的主張，我們學習的是美國的人權民主與科學，我們友日是指對具有中華文化圈理想的日韓友好人士，南向則係針對東南亞各國具有影響力，而信仰傳統文化的三千萬華人而論。

四、我們主張「龍行天下臺灣領航」，臺灣不論在戰略地位、國民素質、電子產業等各方表現，都名列全球各國之前茅，我們臺灣的國際形象及地位都被低估。

五、臺灣的傳統中華文化的底蘊非常紮實，在華人文化圈擁有舉足
　　輕重的地位，我們期盼以傳統文化藝術來融合兩岸與國際，讓
　　臺灣成為全球華人心靈的故鄉，人類幸福宜居的風水寶地！

## 二　宣揚臺灣妙麗生態

### （一）二○一八年十月三十日出席金門參訪活動

　　我於十月三十日至十一月一日，出席由華僑協會總會黃海龍理事
長召集舉辦的紀念八二三炮戰六十週年金門參訪活動，華協理事監事
及會員共七十餘人參加，僑界代表們親眼目睹當年金門各項戰備的設
施及金門的發展，都有無限的思維與感慨，畢竟戰爭雖是歷史的一部
分，而和平才是人類至高的理想，吾人緬懷前人的艱辛，而必須以遠
大的眼光策勵未來，作為自我的期許。

### （二）二○一八年十二月二十日參訪指南宮文化中心

　　我於十二月二十日上午十時，應中華東方茶文化藝術學會王淑娟
理事長的邀請，前往指南宮參訪，該宮管委會高超文主委及文化中心
陳陽春水彩畫大師聯合接待，四位社團領導人座談二小時，進行腦力
激盪，相互交換意見，計畫未來方案，期盼能為文創事業發展貢獻心
力，俾再創臺灣文化藝術的新契機、新境界。

### （三）二○一九年四月二十四日全球華僑挺高雄參訪活動

　　我於四月二十四日至二十六日出席華僑協會總會所舉辦之活動。
我曾於一九九七年至二○○四年擔任教育部僑民教育委員會主任委
員八年，績效斐然，除增加僑生公費獎學金二二○○名，每人每年五
萬元新臺幣，嘉惠無數僑生之外，又主導協助海外六所臺北學校建置

永久校舍，更風塵僕僕尋訪全球華校給於補助與鼓勵，因此頗受僑界好評。

退休後曾獲選為華僑協會總會理事及學術出版委員會副主任委員。期間積極參與僑社活動，此次欣逢華僑協會總會舉辦全球華僑挺高雄活動，我覺得能親自參與頗感振奮。我於會中曾與華僑協會總會黃海龍理事長、高雄市葉匡時副市長及高雄市議會許崑源議長還有菲律賓、英國、美國等各國僑領交換意見，相談甚歡。我對僑胞愛國熱誠甚為感動，故常認為本身是僑社一份子而引以為榮！我對高雄市政府及人民積極進取、奮發有為的精神極感敬佩，而且深深覺得華僑協會總會這次挺高雄活動辦得非常有意義，值得肯定與讚揚。

## （四）二○二○年一月十九日參訪王秀杞大師雕塑藝術園

我偕同中華東方茶文化藝術學會王淑娟理事長一行多人，於元月十九日下午二時前往位於陽明山的名雕塑家王秀杞大師石雕公園參訪，當天欣逢聯合國山地夥伴全球大使直貢法王赤列倫正在王府宣揚佛法，王淑娟理事長並率核心幹部舉行盛大茶禮歡迎法王，信眾一同參與，法王開示字字珠璣，出席人士恭逢其盛，共沾法喜，受益良多！

我曾在一九九一年至一九九七年擔任國父紀念館館長，期間奉國父紀念館管理委員會主任委員謝東閔之命，前往挪威考察舉世聞名的人間百態雕塑公園，當時謝主委曾告訴我說：中華文化以禮運大同為宗旨，我們應當全力宣揚富而好禮的大同世界，將中華真善和美的傳統文化發揚光大！而中山公園缺乏大型雕塑，為達到公園雕塑化、雕塑公園化的理想，使國父紀念館中山公園更有藝文氣息，從而成為文藝復興核心基地等語。

此項理念啟發了我建置中山雕塑公園的創舉。於是在雕塑大師王秀杞及書法大師張炳煌兩位名藝術家協助之下，不僅創建了中山碑林

革命建國的雕塑，而且更設置了愛心公益人生百態的雕塑公園！也因此我與王大師及張大師兩位藝術家建立了永遠的情誼，更共同推動宣揚中山理念的文化藝術內涵！

事實上，王秀杞大師曾經擔任淡江大學及明道大學的教授，榮獲國家文藝獎，也是海內外最具盛名的雕塑泰斗，他以尊重自然重視倫常關懷鄉土而成為聞名於世的藝術名人。時迄今日，鑒於王大師在藝術文化界的卓越貢獻，我於今日參訪雕塑藝術園期間，曾當面正式邀請王大師出任即將成立中華文化藝術總院的院士！相信此項舉措又將為我國藝文界增添了一段佳話！

## （五）二○二○年五月四日參訪三峽茶文化園區

我於五月四日上午九時，偕同中華東方茶文化藝術學會王淑娟理事長一行十二人一起參訪三峽茶文化園區。

王理事長是一位極負盛名的茶道花藝泰斗級名師，她不僅才華橫溢，而且非常熱心推動相關領域的藝術活動，尤其在宣揚茶道方面更是不遺餘力，經常率領學會成員參訪茶文化園區。此種提升生活品質、弘揚傳統文化的精神，實在值得肯定！當天出席有簡貴玲、曾悅子理事長、郝爾繪、素貞、鳳友、思蓉、文鳳、玉津等專家。

當天的的行程極為自然順暢，於下午五時才快樂結束，在疫情嚴重影響全世界的現階段，此項前往山區茶園參訪的文化饗宴，不失為振奮人心、淨化社會的極佳因應對策，非但可以引起社會大眾的迴響與共鳴，而且也是療癒心靈的良藥，期盼社會大眾能多多參與茶文化尋訪活動！

## （六）二○二○年五月十八日積極宣揚臺灣茶文化藝術

我於五月十八日上午九時偕同中華東方茶文化藝術學會王淑娟理

事長一行九人。特別安排前往林口龍壽茶園參訪茶文化館，該學會幹部們包括曾悅子理事長、王芝蘭、簡貴玲、林芳姿、郝爾繪、素貞等專家也在此一宗旨之下全力以赴，表現績效極佳！

　　值得重視的是，所有行程均由曾擔任文化大學及醒吾科大教師的花藝專家倪永霞女士安排，內容精彩豐富，令人回味無窮。

　　事實上，我不僅是該會首席最高顧問，而且經常在學術界發表相關論文，舉例而言，二○一三年世界休閒大會杭州論壇中，我曾以「茶文化與臺灣休閒產業發展」為題與高鵬翔教授共同發表，獲得世界各國許多專家的好評！

## （七）二○二○年十一月二十二日出席雕塑大師王秀杞藝術音樂響宴

　　我偕同中華東方茶文化藝術協會王淑娟理事長一行，於十一月二十二日下午四時半前往位於陽明山的名雕塑家王秀杞大師石雕公園參訪。並出席當天特別舉辦之雕塑藝術音樂響宴，當天除了參訪王大師雕塑公園中所陳列的各項精品，並由王大師親自導覽之外，還邀請了王冠中、周天星等幾位著名民歌手現場演唱，公園自然的美景，加上精巧的雕塑創作以及人間的美聲相互結合，形成了絕美的人間天籟世外桃園。坦誠而言，這樣精彩的文化藝術響宴可以說極為難得。

　　當天幾位民歌手精彩的演出讓人極度感動，如果說是餘音繞梁回味無窮的話，應該是現場最好的寫照，在全世界都在疫情威脅之下，吾人身在寶島臺灣能有機會享受這種幸福，無疑是前世修來的福分！

　　我應邀致詞時表示：個人在一九九一年擔任國父紀念館館長期間，曾經奉管理委員會主任委員謝東閔之命，前往舉世聞名的挪威奧斯陸人間百態雕塑公園參訪，當時主要目的是全力宣揚富而好禮的大同世界，將中華真善和美的傳統文化發揚光大，而中山公園缺乏大型

雕塑，為達到公園雕塑化、雕塑公園化的理想，使中山公園更有藝文氣息，從而成為文藝復興核心基地的目標。

所以當時本人特別邀請雕塑大師王秀杞及書法大師張炳煌兩位名藝術家協助，不僅創建了中山碑林建國雕塑，而且更建置了愛心公益人生百態的雕塑公園，也因此我與王大師深入結緣。

當天出席的名人頗多，包括前駐法大使呂慶龍、怡奇實業董事長黃致銘、全通水電工程有限公司董事長李榮昌、中華企業家聯合會投資委員會副主席趙俊凱、王大師女公子王詩鵑藝術家等三十餘位企業及藝術界人士在場共襄盛舉！

## （八）二○二一年十二月二十一日邀請名藝術大家王南雄出任文化院院長

我及內子王海倫為實現藝文振興的理想，於十二月二十一日專程前往位於淡水的王南雄美術館參訪，在王大師的親自導覽下，參觀了半農廬與美術館的豐富典藏。

我當場表示：很高興有機會來到美術館瀏覽了那麼多的稀有文物，包括汝窯、漢硯，唐瓷、宋雕等等，可以說是精彩絕倫、美不勝收。再加上王大師本身的現代水墨鉅作，與古代文物相映成輝，構建出一座文化藝術的殿堂，自己深入寶山實有獲益良多的感覺。

王南雄是臺灣唯一榮獲中興文藝獎、中國文藝協會國畫文藝獎、中山文藝國畫創作獎以及國家文藝獎四大獎項肯定的著名藝術家，並曾受邀於國父紀念館、歷史博物館、臺灣美術館、中正紀念堂、市立美術館等國家級文化機構，以及歐美、南非、中美洲及中國大陸等等各國及地區大美術館巡迴展出！

我強調：能夠邀請到王南雄大師出任文化院院長，必將使得中華文化藝術總院獲得更高的評價與讚揚！我與王南雄等兩位藝術工作者

在這樣的文物天地中品茗交流、互訴心願、交換意見，在腦力激盪三個半小時後達成共識，兩位同齡好友將攜手合作，共創藝文復興的新里程碑！

## （九）二〇二一年十二月六日拜會中國美術雜誌社于百齡發行人

我偕同駐院藝術家王太田於十二月六日下午前往位於士林的中國美術館參訪，受到名書畫家于百齡、中國藝術協會會長齊豔梅熱烈歡迎。于百齡為臺灣藝文界的傳奇人物，他多才多藝，專精國畫，並且善於寫作，著作等身，他曾經師事馬白水、黃君璧、傅心畬、金勤伯等等藝文大老，並且留日十數載，獲得日本文部大獎，擔任過日本國議會的評審委員，回到臺灣以後，也曾經獲得臺灣藝文界的各項大獎，數十年來他已經獲得國際及大陸藝文界的榮譽校長、榮譽博士、榮譽院長、榮譽教授等等榮銜二百餘項之多，可以說是一位名揚國際的泰斗大師！

于百齡、齊艷梅、王太田三位藝術家專程為我導覽美術館全部典藏精品，大家從而進行品茗、評畫以及交換意見，最後達成共識，一致認為：中華文化藝術總院的成立，將可成為臺灣藝文界新的里程碑，引領藝文愛好者邁向更光明的前景！

## （十）二〇二一年十二月二十二日藝文界專家品茗論茶文化

我及內子王海倫偕同中華東方茶文化藝術學會創會理事長王淑娟等藝文界人士於十二月二十二日中午在玉璽會館邀請新任茶王徐友富餐敘，會館主人曾悅子理事長、董事高鵬翔以及王芝蘭、林芳姿、郝爾繪、玉津、文萍等多位茶藝專業人士出席。席間對茶藝等相關議題進行對話，談及臺灣茶葉發展過程，行銷現況及茶文化教育等等進行

討論，在充分腦力激盪之後再轉往位於麗水街的大自在東方美人茶會館實際考察，不僅現場品茗更從事深入研究，我偕同高鵬翔先會晤另外一位茶王鄧啟明，就臺灣茶葉行銷與建教合作事宜予以重點討論。

新任茶王徐友富及鄧啟明兩位茶葉專家係科技新貴出身的現代茶農，本年度經臺灣茶葉評審單位嚴格評選的結果，以東方美人茶奪得全臺第一名的特等獎，兩位茶王有一項宏願，就是想把東方美人茶形成點線面的結合，俾將臺灣的冠軍茶宣揚到全世界！

## （十一）二○二二年十月十三日雲嘉南參訪活動

我此次是以僑聯總會常務理事及主席團主席身分出席了慶祝華僑節活動，基金會董事陳偉之、執行長王海倫、文化藝術總院書法院長楊旭堂等同仁一同出席，共襄盛舉。定名為「風華70光耀全僑」的僑聯總會第十七屆第三次海外理事會，於十月十二日在國軍英雄館盛大舉行。

僑聯總會理事長鄭致毅主持，馬英九主席、僑委會呂元榮副委員長、立法院陳以信、溫玉霞二位委員均應邀出席，大會盛況空前，氛圍熱烈！而包括立法院最高顧問、海華文教基金會前董事長孫國華前立委伉儷及臺美關係研究中心副理事長、和平科技公司董事長巫和怡前國大代表伉儷等僑界大老，將近一百位貴賓都出席了十月十三日到十五日的僑聯雲嘉南參訪活動。

重點行程除觀賞故宮南院及奇美博物館所收藏的精品國寶之外，還拜會了雲林縣長張麗善、副縣長謝淑亞，以及嘉義市副市長陳淑慧，大家歡聚一堂，交換意見。鄭理事長並代表參訪團致詞，讚揚首長們對縣市建設的卓越貢獻！

## （十二）二○二二年九月三日出席林裕淳大師回顧展

我偕同中華東方茶文化藝術學會理事長王淑娟，於九月三日上午十時三十分出席在中正紀念堂一樓三展廳展出的「林裕淳八五回顧展」，並應邀首先致詞。

我表示：在現階段臺灣疫情仍然嚴重之際，林裕淳大師的展覽會必然可以為民眾療癒心靈，淨化社會人心，是一項精彩而有意義的展出。

我強調，本人及王淑娟理事長和林大師合作無間，一起辦理多次藝術公益活動，來為社會作出重大的貢獻，各種績效有目共睹。

致詞中說明林大師的三大特質如次：

一、林大師是一位多才多藝的泰斗級藝術家，精通中西藝術的各項技巧。

二、林大師曾經參訪臺灣全區域的所有地方，並以一市鎮一故事繪出傳統文化的底蘊，宣揚臺灣之美，不愧為海內外獨享盛名的鄉土藝術大師。

三、林大師春風化雨，教出了一系列的優秀學生，著名的女性畫家吳美雲理事長，就是其中的典範，林大師愛鄉愛國、熱心公益令人感佩。

當天會場貴賓雲集，有許多位藝術名家、藝術團體領導人及國防部將領多人出席，共襄盛舉，氛圍熱烈。

## （十三）二○二二年十一月一日日月潭文化觀光考察

十一月一日至二日我偕同基金會執行長王海倫、中華東方茶文化藝術學會王淑娟理事長一行八人，專程前往臺灣地標日月潭考察文化觀光設施，特別是有關茶文化、咖啡文化以及觀光旅館設施等等項目。

日月潭不僅是臺灣最佳景觀之一，也是國際及大陸人士來臺旅遊

公認的代表性地標！時迄今日，仍然一如往昔為寶島第一勝景，惟其文化觀光建設的現況與未來，仍然值得吾人深入關注，我認為身為臺灣文化觀光代言人之一，這次有機會舊地重遊，並進住全球聞名的涵碧樓，實地考察且體驗其生活，除了提升生活的品味之外應該也是一項具有相當重大意義的活動。

由於我本人的學術論述《文化觀光行政管理》最近必須修訂二版新篇，所以最近對臺灣各地名勝古蹟增加了很多參訪的行程，希望擴大該書有關臺灣的精彩內容及篇幅，將來或可在全球的華人世界中，加大宣揚臺灣的美好！

## 三　研究國學愛心飛揚

### （一）二〇一九年九月二十六日召開「國學視頻小組審查會議」

中華學術文教基金會於九月二十六日下午三時在大會議室召開「國學視頻小組審查會議」，由我親自主持，黃素珠主任擔任記錄。小組召集人陳光憲副董事長報告錄製過程與進展，小組核心幹部李威侃董事兼主委及負責編撰的汪其杭常委均發表意見，過程相當熱烈，歷時兩小時，最後達成精簡發行及再行修正之結論！會後聚餐，氣氛極為融洽！

### （二）二〇一九年十月三日接待許順隆理事長

臺北市兩岸文教商貿協會許順隆理事長偕同雲林同鄉總會蔡慶輝主任，於九月三日下午三時參訪本會，我率王正典秘書長、李威侃董事、黃素珠主任等熱烈歡迎！

　　我致詞表示：許順隆理事長不僅是一位成功的企業家，而且辦理「喜迎大佛情牽兩岸」活動，表現傑出，深受兩岸高階領導的青睞，為兩岸交流做出了非凡的貢獻，值得肯定，值得讚賞！

　　許理事長說：這一次偕同核心幹部蔡主任一起參訪基金會，暢談未來合作發展計畫，深感愉快等語。

## （三）二○二○年六月十二日國學視頻小組最終審查會議

　　中華學術文教基金會於六月十二日上午十時，在本會小會議室舉行國學視頻小組最終審查會議，由我親自主持，黃素珠主任擔任記錄，小組召集人陳光憲副董事長報告審查經過並提出建議，承辦人李威侃董事完成驗收手續。

　　出席者除我及陳副董事長、李董事外尚有王正典秘書長、製作人汪其杭及謝淑熙博士等相關人士。視頻製作小組共提交一六九片影音光碟，由召集人陳副董事長負責統籌處理，所餘成品則交由本會秘書處加以運用！

## （四）二○二○年七月一日國學視頻發表

　　一九九一年起，我擔任國父紀念館館長至一九九七年期間，曾多次率團前往世界各地尋找中山先生走過的痕跡，號稱「尋根之旅」，並且在各國首都展出相關文物，同時發表中山精神永不朽的演講，公開闡釋海內外華人應該重視中山先生當年開創亞洲第一個民主共和國的偉業，效法他天下為公的胸懷，群策群力共同開創二十一世紀華人的新境界。令人欣喜的是，每到一處都獲得巨大而熱烈的迴響。

　　時迄今日，繼臺灣經濟奇蹟之後，大陸也隨之大國崛起，而如星馬地區等其他海外華人也有了相當的表現，全球華人風起雲湧呈現出堅強茁壯、欣欣向榮的氣象，相信一個輝煌燦爛的中華文化圈即將出

現。值此之際，全球華人何去何從，應該擔負何種角色等等，均值吾人深思。

坦誠而言，東西文化最大的不同乃是西方文化重現實、好功利，以科技財經為導向，對人類的發展自有其巨大的貢獻，惟進一步深思，則可發現西方宗教文化的傳播已呈現停滯不前的狀態，世界超強的美國已無復昔日之風光，而多元強權從而形成，也因為如此，東方文化也有了進一步拓展的空間。自古以來，華人即以儒、釋、道文化為主軸，強調「天下為公、富而好禮、慈悲為懷、清靜自在」的哲學，此項文化且已流傳數千年之久。

綜觀世局，當可瞭解到一項事實，那就是經濟的繁榮以及科技的進步，並不能完全彌補心靈的空虛，唯有灌輸公民中心思想，重整道德禮儀教育，才可以使得社會淨化，進步發展。引申而言，臺灣如果想在本世紀扮演重要的角色，則堅持儒、釋、道傳統文化，弘揚中山精神理念，才是不二的法門。基於此項觀點，當前臺灣應該在文化教育方面注入更多的心力，才是走出困境最佳的途徑。

在這裡吾人所提出的建議就是「人生是短暫的，文化才能永恆」，如果能教育下一代，使他們能重視文化，研究國學，使得每一個人都能有高尚的品德，那麼自然而然就會形成富而好禮的社會，而團結華人共建和諧社會之後，再聯合全球以平等待我之國家民族，攜手奮進，則當然可以共同邁向世界和平的康莊大道。

中華學術文教基金會自一九九一年成立迄今已屆三十年，本人此次有幸獲得第十屆全體董事同仁的支持愛護獲任董事長的職位，除深感榮幸之外，同時也有責任重大以及肩擔道義的使命感。因此，本人在此明確宣示一項理念，那就是希望本基金會能成為大千社會的一盞明燈，以「燃燒自己、照亮世界」來自我勉勵，以服務犧牲的精神來推展文化藝術的公益社會。

為達成上述理念的目標，本會在章程中特別規定：得附設文化藝術院、國學書院及教育輔導中心。擬於近日增設「中華文化藝術總院」，藉茲宣揚固有文化藝術的內涵與精髓，成立宗旨如下：無私無我，天下為公，真善和美，世界大同。總院之下將另行設立國學院、國畫院、西畫院、書法院、技藝院、媒體院、民俗院、四藝院，文化院、雕塑院等十個分院。

中心業務包括：一、推動文化藝術研究發展。二、舉辦國際文化藝術講座。三、辦理文化藝術典藏、展覽。四、舉辦文化藝術等相關的研習等四大項。

特別要說明的是，本院將每年舉辦全球華人書畫名家大展、文化藝術大獎、文化藝術研習營等三項重大活動！院士及院長將商請我國學術及藝文兩大領域泰斗大師出任。事實上，臺灣是一個風水寶地，人才鼎盛，文化藝術名人均雲聚於此，例如國畫大師歐豪年、江明賢、黃慶源、趙松筠、巫登益等名書畫家，王秀杞、陳逢顯等名雕塑家，陳楊春、黃明櫻等名水彩油畫家，均在本院禮聘邀請之列。不僅如此，本院將擴大延攬更多知名藝術家一齊來共襄盛舉。

## （五）二〇二〇年八月十二日本會召開《讓愛飛揚》杏壇傳燈五十年專書編輯會議

本會於八月十二日上午十時在會議室召開讓愛飛揚、讓生命發光發熱、杏壇傳燈五十年專書編輯會議，由我親自主持，出席者包括專書主編陳光憲副董事長以及副主編王偉忠、謝淑熙、李威侃等三位教授，還有王正典董事兼秘書長、擔任專書設計美編的高駿華名書畫家。會中針對專書內容、編輯方向等等進行研討，歷時兩小時圓滿結束！

## （六）二○二○年十一月二十一日《讓愛飛揚》新書發表深獲各界好評

《讓愛飛揚》新書發表會，十一月二十一日於臺北市晶華酒店二十一樓隆重舉辦，主辦人黃楚琪董事長（兼法鼓山董事會會長）邀請我本人及陳光憲副董事長及參與撰述的專家、學者、校長、教師等等著名作家出席共襄盛舉，發表會首先由陳光憲副董事長也是新書主編致詞，說明《讓愛飛揚》這本新書出版的緣起、宗旨、目標與內涵，陳主編的精彩談話，獲得了全體出席者的熱烈反應與迴響，我隨後應邀致詞，我這次係擔任《讓愛飛揚》新書的榮譽召集人。

我致詞表示：非常高興出席今天這一場盛大的文化饗宴，看到了有那麼多的大德居士、學者專家，校長作家等等文教界賢達，大家齊聚一堂，全體為這本鉅著的發表而共襄盛舉。現場的氛圍實在令人感動、令人讚嘆。

我認為這本新書不僅達成傳播愛心教育學子的目標，也同時宣揚了本基金會的基本理念，本人身為基金會的董事長，也是本書的榮譽召集人，對於陳校長光憲兄與全體參與編撰及撰寫的各位名家，特別表示褒揚及感謝之意。

本人與光憲兄從一九六三年起就是中國文化大學同屆校友，相識將近一甲子。這段期間，互相扶持親如兄弟，再加上二○○六年和光憲兄同時應聘擔任德明財經科技大學講座教授。迄今一起共事十五年，現在又在基金會攜手共進，我與光憲兄真誠交往，相知相惜，理想相通，所以在今年初，光憲兄提出此一構想時，本人立即贊成並且全力支持，不僅親撰序文更發表〈相知一甲子，情義千萬年〉一文，其中顯示的內涵，相信可以比美古代的管鮑之交，事實上光憲兄不只是著作等身的學者，也是春風化雨的教育家，而他的文筆以及他的演講，在在都可以成為當代青年的典範。

　　本書的作者皆為社會的賢達、民眾的俊彥，例如：黃楚琪理事長就是一位奉獻自己、造福大眾、全力宣揚佛法的大企業家，而前美國紐約眾議員楊愛倫博士更是僑界的領袖，前臺視主播方怡文博士在海外發揚愛國精神。又如江惜美教授、何石松副教授獲教育部貢獻獎，易理玉、蔡綉珍兩位教師都曾經獲得傑出師鐸獎，謝淑熙等十位博士學者筆尖有情、心中有愛。

　　王瓊璜為當代才女教師、鄉土才子的林連鍠老師、簡麗賢老師、徐昀霖校長兩位榮獲全國演說首獎等等，以及其他作者人人皆是腹有詩書氣自華的寫作高手，坦誠而言，本書有這些才華洋溢的專家共同執筆，應該已經在我國文化歷史的長河中，寫下了不朽的一頁！

　　本人在二年前甫獲全體董事推選為董事長之後，當下立即提名光憲兄出任副董事長，本人深知光憲兄不僅是國學的泰斗，而且是教育專家，更兼以情深義重，必能協助我共襄盛舉，全力推廣中華文化與中山理念。

　　本書的出版就是本基金會邁向新境界的一項里程碑，本人斷言，在我們所有同仁攜手合作之下，中華學術文教基金會一定可以再創奇蹟，再建輝煌！

　　我的同修黃楚琪董事長是陳光憲校長擔任中學導師班時候的班長，秉性善良，常懷愛心，事業有成以後設立「鴻琪清寒急難救助獎學金」嘉惠大直地區中小學校，並且接受聖嚴師父的感召助印《108自在語》一億本和全球信眾結緣，實踐「奉獻自己、造福大眾、以微弱的光讓生命發光發熱」的宏願，黃董事長更以法鼓山義工的身分與大家分享「布施的人有福，行善的人快樂，知恩報恩為先，利人便利己」的名言，黃董事長的義舉與愛心，更獲得了全場熱烈的掌聲所表示最高的敬意！

## （七）二○二○年十二月二十三日出席《讓愛飛揚》新書發表慶功會

　　我及陳光憲副董事長、江惜美董事、李威侃董事、高駿華研發會副主委等五位本會同仁，於十二月二十三日應萬卷樓圖書股份有限公司梁錦興總經理之邀請，出席在「天成大飯店」所舉行的慶功晚宴。萬卷樓是海內外極享盛名的圖書公司，出版過許多鉅著，這次《讓愛飛揚》新書的發行受到各界高度的好評，該公司的努力功不可沒，我在《讓愛飛揚》一書中也曾發表〈相知一甲子，情義千萬年〉一文，頗受各界讚許。

## （八）二○二二年十月三十日出席楊旭堂院長書法個展

　　我於十月三十日下午二時應邀出席由書法教育學會在國父紀念館逸仙藝廊所舉辦的楊旭堂精品個展，除參加剪綵外並發表談話，當天冠蓋雲集、嘉賓如潮，舞蹈音樂表演精彩，藝術氣息氛圍濃厚，是一次圓滿成功的文化饗宴。前行政院副院長邱正雄、前文化部部長洪孟啟、前臺北市副市長鄧家基、國父紀念館館長王蘭生、書法大師連勝彥、杜忠誥等貴賓共襄盛舉。

　　事實上，文教各界對楊旭堂精彩的展出作品及書法教育的貢獻，均表示肯定。我在致詞中極為讚賞楊院長對書法教育的認真投入，並認同他對強化兩岸文化交流，以及將書法教育宣揚到全球的理念。詳細內容在我所撰寫的序文中有清楚的說明如次：

　　「書法是世界文化史上的一枝奇葩，也是一項藝術的瑰寶。就實用的角度來看，它是表達思想的文字；但自美術的角度來看，它又有多采多姿形象，且具有相當的美感，而更能顯示出音樂般和諧的節奏。由於中華的文字是象形文字，與西方的拼音文字有所不同，因此，漢字可以以「圖畫」的方式來表現，這是西方文字不及之處。

　　書法既是文字具體的表現，文人們以筆、墨、紙、硯作為工具，寫出以線條為媒介的文字來表現語言及思想，在中華文化的傳承中，有舉足輕重的地位。

　　事實上，書法是一種對身心均極有益的藝術，可訓練耐心與恆心，歷代大書法家均獲長壽，又可變化氣質，培養品格與情操，不僅在國內流行，鄰邦日、韓等國也都接受書法文化，影響所及，使書法在國際上也頗受重視，似此陶冶性情可以表達知識份子理想的書法藝術，實應予以發揚光大。

　　時迄今日，特別值得大書特筆的還是書法教育的推廣，中華傳統文化博大精深，文字更在文化彰顯與傳承中展現風華，承載時運，也讓書法技藝在各個年代時期獨領風騷，匠心獨具。推廣書法教育原本就是個龐大、繁瑣、永續的智慧工程，對書體的轉化、書藝的定位與書壇的史實，書法文字更扮演著關鍵性的角色。

　　對推廣書法教育多年，且在不同機會場合展現書體文化內涵而卓然有成，且備受正面評價的書法教育學會理事長楊旭堂而言，他正專注宣揚及傳承書法教育文化，在文教界受到極大肯定，而他帶著滿腔熱血執意從書體紮根做起，率先改造書法傳承的教育與實務課程，為社會的文化啟發與藝術啟迪起了最大的作用，楊旭堂理事長的積極進取，實為書法教育的發展創造出嶄新的意境。

　　尤其令人感動的是，楊旭堂理事長可以從本土書法教育的起點，再延伸兩岸書體文化交流提昇，乃至連結全球華人書體文化的智能發展，種種事實充分展現他對推動書法教育的毅力與堅持。

## 四　重整文化藝術倫理

### （一）二〇一九年七月十五日出席臺灣學生水彩華陽獎頒獎典禮

我於七月十五日上午十時應中華科技大學的邀請，出席在該校福華大樓11樓藝文中心所舉辦的臺灣學生水彩華陽獎頒獎典禮，我與中華科技大學校長郭承亮教授、臺北市藝文推廣處處長林信耀博士，以及水彩畫大師陳陽春等藝術家相談甚歡。

我致詞時表示：臺灣學生參加水彩畫競賽所提出的作品相當精彩，值得肯定！而中華科技大學在孫永慶董事長、郭承亮校長卓越的領導下，除了技職教育、工商科技領域方面獲得優異的績效之外，並且由此次的活動舉辦，充分展現了全民教育的精神。值得敬佩！

### （二）二〇一九年一月二十日呂仁清書法回顧展

由本會與國父紀念館聯合主辦之「呂仁清書法回顧展」開幕典禮，於二十日上午十時三十分在德明藝廊舉辦，此次活動為本會年度重要項目之一，我偕同黃慶源董事、李威侃董事、黃素珠秘書長參加，多位大師級書法家及書法協會理事長均出席，有二百餘人參與，盛況空前，氣氛熱烈，呂仁清名書法家以飄香翰墨為主題，展出一百多幅精品，頗受社會各界人士肯定與讚揚，許多新聞媒體均加以報導。

### （三）二〇一九年二月二十六日偕藝術家拜會陳錦祥議長

我及內子王海倫於二月二十六日下午二時半，偕同中華東方茶文化藝術學會王淑娟理事長、水彩畫大師陳陽春教授、中華茶聯張會長一行五人前往臺北市議會拜會陳錦祥議長，陳議長令堂陳曾悅子理事

長，李傅中武議員、議會公關室主任均在場參與座談，我與陳議長、李傅議員等臺北市議會領導以及學者專家們，曾就臺北市文化藝術發展現況相關問題進行腦力激盪，交換意見。

陳錦祥議長是連任七屆的臺北市議員及三屆副議長的民意代表，不僅人品貴重，事母極孝，而且對國家社會以及臺北市的發展，有卓越鉅大的貢獻，現階段更是我國政壇舉足輕重的政界人士之一。

尤其值得重視的是，陳議長在此次會晤中，親自為訪客泡茶接待，充分表現他親民愛民廣接地氣的風範，而陳陽春大師並且親書「義正言慈」墨寶一幅寓意深遠的書法作品進呈陳議長，相信也可成為當前臺北政壇的一段佳話，而在座的李傅中武議員風趣幽默的談吐及熱誠服務的愛心，也再再令人印象深刻。

## （四）二〇一九年三月四日籌組文化藝術總院

中華學術文教基金會於三月四日晚在臺北聚馥園召開本屆第二次董事會，會上總結了近半年來該基金會在文化藝術、學術文教、社會服務這三大領域方面取得的重大成就，我就正在籌設的中華文化藝術院宗旨、架構組織與發展方向做了詳細介紹，並通過任命董事李威侃為研究發展委員會主委，玄奘大學傳播學院現任院長陳偉之擔任新聞媒體發展委員會主委。

我強調，目前臺灣正面臨歷史的關鍵時刻、高雄市長韓國瑜以力拚庶民經濟與城市觀光作為市政重點，基金會表示贊同，同時希望臺北市更進一步，以力拚文化藝術與創意觀光和高雄市相呼應。臺北市文化藝術人才匯聚，文創事業一枝獨秀，文化觀光將大有作為，中華文化藝術院適時成立，必定有助於臺北市乃至於整個臺灣社會的發展，而且可以淨化人心，少一點政治算計，多一點生活品味，並指出，此項看法在上週拜會臺北市議會議長陳錦祥時已有談及。

中華文化藝術院宗旨是無私無我、天下為公、真善和美、世界大同；將設國畫院、書法院、雕塑院、西畫院、技藝院、國學院、媒體院、民俗院、四藝院、文化院等十大分院。院長、院士名單將非常亮眼，臺灣第一水彩畫家陳陽春、世界級微雕大師陳逢顯、詩文書畫四絕全能廖俊穆等堪稱文藝界該領域之泰斗，都將參與。文化藝術院設置後，每年將舉辦全球中華書畫名家大展、中華文化藝術大獎、中華文化藝術研習營等三項重大活動。

我從小立志做大事，又曾任國父紀念館館長、教育部僑教會主任委員及國學書院院長多年，人脈豐沛，在我登高一呼之後中華文化藝術院計畫已獲得許多相關人士的支持。

## （五）二○一九年四月九日中華學術文教基金會改革開放董事陣容耳目一新

中華學術文教基金會為擴大業務繼三月四日召開第二次董事會後，又緊鑼密鼓的在四月九號下午兩時三十分於臺北市八德路四段三一九號五樓老子空間藝廊會議室舉行第三次董事會。據悉，會前所呈報的新任董事名單已奉教育部核可，我鄭重表示：本屆五位新任董事係來自教育界、藝術界及企業界各方面的傑出人士，包括著名書畫家黃慶源，玄奘大學新聞傳播學院長陳偉之，大翰管理顧問股份有限公司董事長王正典，臺灣倍益有限公司董事長張啟明，玄奘大學前社科院院長查重傳等人均為一時之選。

中華學術文教基金會本屆董事人選大致底定，現任董事名單如次：董事長高崇雲教授、副董事長陳光憲教授、董事王高樑、朱建民、江惜美、李威侃、苑舉正、高大鵬、習賢德、陳德禹、陳偉之、程南洲、黃金文、查重傳等教授。其中曾任大學校長或院長者有八位，三位現任主任、兩位資深學者兼評論家、一位前媒體董事長，加

上黃慶源名畫家以及王正典、張啟明兩位董事長，總共十七位。

全體董事在當天會議中達成籌設中華文化藝術院的共識，會中且邀請籌備委員微雕大師陳逢顯列席，並展出其最新兩件精緻作品，會後並專車參訪籌備委員黃慶源董事的美術館。陳、黃兩位藝術家的優異表現令人讚嘆不已。

## （六）二〇一九年五月十九日參訪著名書畫名家邵文虎敦禮堂畫室

我偕李威侃董事等三人，於五月十九日晚間六時前往著名書畫家邵文虎敦禮堂參訪，並在當天晚上進行座談及餐敘，討論當前臺灣藝術界之發展。經深入討論腦力激盪之結果，均認為文化立國是世界之趨勢，尤其主張「生命是短暫的文化藝術才能永恆」，藝術家們應該肩負起對社會提高生活品味之責任，將真善美之情境散播於民間，達到天下為公、富而好禮之理想。

名畫家邵文虎那段期間從事創辦企業工作，但在多國工作之餘從沒停過畫筆，他的山水畫動靜相襯、意境深遠，具有獨特畫風，他的四君子作品清新典雅，而花草系列色彩繽紛，靈動非常，他的書法更是「胸中無俗氣，筆筆有清風」，許多藝文評論家均稱他是一位詩、書、畫、印四絕的才子型大師及書畫家。

## （七）二〇二〇年六月三日參訪臺灣藝術教育館

我偕同中華東方茶文化藝術學會王淑娟理事長一行四人，於六月三日下午二時專程前往南海路臺灣藝術教育館參訪，觀賞油畫家黃美賢教授與書法家張炳煌教授的聯合展覽，我們一行受到藝教館吳津津館長、展出畫家黃美賢教授、展覽承辦人李長恩先生等同仁熱誠接待及高度禮遇，實在深為感動！

展出者黃教授是公務員出身的藝術家，不僅學識出眾，而且資歷完整。曾經擔任臺北市立美術館編審、故宮博物院副處長、嘉義市政府文化局局長等文化行政要職，現任臺灣藝術大學副教授，在西畫及現代數位科技藝術方面極具專業，可以說是當前藝壇同時具有文化行政長才及美術專業、數位藝術專業的藝術家。

我特別讚揚說：在現階段我國的藝文界中，這樣的人才極為稀少，相信將來黃教授必可成為獨當一面的藝術泰斗，從而成為女性畫家的頂尖代表藝術家！

與黃教授聯合展出的書法家張炳煌大師，是一位才華橫溢名滿天下的著名藝術家，早在三十年前他就曾在華視以每日一字節目轟動海內外藝壇！

張教授現任淡江大學文錙藝術中心主任兼書法研究室主任、中華書學會會長、國際書法聯盟總會理事長、臺灣數位 e 筆書畫藝術協會理事長。為書法界的泰斗藝術家！

我同時還強調了張教授對國家社會的多項重大績效，舉其中一例而言，就是在一九九一年我擔任國父紀念館館長期間，張教授曾經協助我建置「中山碑林」，此項壯舉可以說是功在社會！而張教授對書法進一步科技化，使得中華書法創立了更嶄新的境界！

參訪中，我與王淑娟理事長均表示：非常感謝吳津津館長親自陪同導覽。事實上，吳館長是一位極具社會愛心、工作勤奮努力、處事圓融積極的典範公職人員，其實早在教育部時期，她就已經名聲在外，好評如潮！而她就任館長以後，全力推動藝術教育、春風化雨、誨人不倦，做了很多重大意義的活動。

## （八）二○二○年九月一日出席書畫家現場揮毫活動

中華文創發展促進會理事長王正典於九月一日下午二時三十分在

大會議室舉行了一場藝文活動，邀請曾參與去年兩岸畫展的畫家們，現場進行揮毫，此一盛會在輕鬆愉快的氛圍下進行，名家們以高超的技巧、豐富的學養，將他們的才情發揮在畫紙上，最終完成一副極為精彩的山水作品。

活動係由王正典理事長致歡迎詞，然後邀請我發表講話，我致詞表示：很高興能夠來參與這項有意義的活動，由於王正典理事長與本會的關係極為密切，而且兼任本會的秘書長，所以本人對他所舉辦的活動，均予以最高的支持！

去年本人就出席了「第一屆海峽兩岸書畫名家聯展」，而且作為貴賓首先致詞，但是因為當天剛好是德明財經科大與廣西大學的合作協議，必須要我去做見證，所以致詞完當即就離開。這次有機會與各位名畫家又歡聚一堂，共襄盛舉，實在是一件最愉快的事情！

## （九）二〇二一年二月四日參與書法名家揮毫活動

書法大師連勝彥偕女公子連瑞芬、名書法家胡大智、謝慶興、周明瀚、曹茵茵等人，於二月四日下午來到本會出席現場揮毫活動，此項節目係中華文創發展促進會王正典理事長主辦，王理事長兼任本基金會秘書長，故此特別邀請我出席，但由於我當天同時正在國父紀念館博愛藝廊參加王秀杞大師伉儷雕塑花藝聯展開幕典禮並致詞，因此無法及時參與。

我在下午四時半展覽會後，立即趕回辦公室與連勝彥大師一行人會晤，大家相聚甚歡，連大師並贈送我一副對聯，象徵雙方情誼長長久久，此項活動在晚宴後圓滿結束！中華文教經濟合作促進會黃璽恩理事長、中華文經發展協會蔣世傑理事長、羅秋珠秘書長、三重先嗇宮國樂團王淑鈴團長等社團領袖，均出席本次活動共襄盛舉！

## （十）二〇二一年四月九日出席唯美天下國際巡展剪綵並參與論壇發言

　　我於四月九日下午出席在一〇一大樓三十二層所舉辦的「2021巫登益新品發表暨國際巡展發布會」，當天冠蓋雲集，約有百餘位各界貴賓參與，在主辦單位王新力主席說明巡展計畫後，進行了一項別開生面的開幕典禮，那就是以火炬同步剪綵同時進行的儀式！

　　臺北市前副市長李永萍、中國國民黨評議委員會主席張榮恭、新黨榮譽主席郁慕明、戴伯特上將、復興高中董事長李尹緒瑛等社會名流，均共襄盛舉。在隨後舉辦的「巫登益當代彩墨論壇」中，我曾讚揚巫登益名家用色大膽，而且投入西方的技法，從而創作出撼動人心的彩墨畫作，內涵頗為精彩！

## （十一）二〇二一年十一月十八日中華文化藝術總院邀請藝術家與學者座談

　　中華文化藝術總院於十一月十八日下午二時三十分邀請多位藝術家及學者參訪本院，並進行一項文化藝術院的角色功能與發展策略座談。

　　出席的專家學者包括：中華新聞記者協會書畫院院長喻文芳、新北市愛石協會理事長黃旭清、中華國際女書畫家協會副理事長謝玉花、林祖密將軍紀念協會理事長李克定、伊甸基金會國畫教師秦來春、工筆畫家賴佩珍、美國加州教育局 GETP 項目主管竇克孝教授，總院出席者有我本人及副總院長王正典、中華學術文教基金會執行長王海倫、董事兼國學書院副院長李威侃、董事兼研發會副主委高駿華等。

　　與會學者專家對於中華文化藝術總院的角色功能，一致表示肯定與讚揚，會中討論氛圍熱烈，許多藝術家對文化藝術院的發展趨勢提

出建言，並表示除全力支持之外，並期盼總院能為臺灣文化藝術界開創新局。

我在結論時強調：中華文化藝術總院的宗旨是「天下為公、無私無我、真善和美、世界大同」，歡迎各界俊彥加入共襄盛舉！為淨化社會人心、宣揚傳統文化藝術一起奮發努力！

## （十二）二○二一年十一月二十一日敦聘楊旭堂出任總院書法院院長

我於十一月二十一日上午十時應邀出席「一一○年度第41屆全國書法比賽頒獎典禮」，此項活動在臺北市立大學中正堂舉辦，市大校長邱英浩、臺北市前副市長鄧家基、文化部專門委員劉美芝、教育部國教署前署長吳清山、立法委員林奕華、郭錫瑠先生文教基金會執行長張麗華、國美社會福利基金會執行長顏金蘭、中華新聞記者會理事長袁天明及書法比賽得獎人和家屬、評審、書法團體等各界人士，約有六百餘人參與盛會。

我致詞時表示：中華書法是世界文化史的奇葩，也是藝術的瑰寶。即是可以表達思想的文字，也具有美感的形態，書法對身心有益，可訓練耐心與恆心，培養品格與情操，在中華文化傳承中占有舉足輕重的地位，學習書法是現代公民必備的條件，所以今天這項頒獎活動，具有重大的意義和價值。

我除向得獎的各界書法比賽者致賀外，並對主辦此項活動的楊旭堂理事長大加表揚，事實上，楊旭堂理事長不僅是一位名揚海內外的書法家，而且在推動書法教育方面，有重大的績效，他將書法載體文化從臺灣出發串連海峽對岸，再擴展到全球。

我強調，在今天這樣一個重要的場合，中華文化藝術總院決定當場頒發書法院院長的榮銜給予楊旭堂理事長，嘉勉他在宣揚中華文化藝術方面的重大貢獻。

## （十三）二〇二一年十二月三日邀請王太田出任中華文化藝術總院駐院藝術家

名藝術家濤音大師王太田於十二月三日上午十時三十分參訪中華文化藝術總院，受到我本人及王正典副總院長、中華學術文教基金會王海倫執行長、秘書室黃素珠主任等人熱烈的歡迎！

## （十四）二〇二二年四月十三日邀請名藝術大家蘇奕榮出任西畫院院長

我及執行長王海倫為實現振興臺灣藝文的理想，於四月十三日上午十時專程前往位於新店的千鶴藝術館參訪，西畫名家黃明櫻、留美牡丹畫后李燕晞等均在座，一行五人在蘇奕榮館長的親自導覽下，參觀了該館豐富的典藏。

我致詞表示：很高興有機會來到藝術館瀏覽了那麼多精彩的展品，其中蘇館長個人的創作美妙絕倫，非但可以堪稱是功力深厚的正統油畫，而且又極具獨特的創意與內涵。充分展現了高遠的意境與強大的魅力。蘇館長被畫壇人士稱為「臺灣的畢卡索」，他早年留學美國畢業於加州太平洋大學，期間在油畫世界學習研究超過二十年！又特別前往歐洲慕尼黑博物館進修與交流一段時日。

自二〇〇八年在臺南文化中心首次展出以來，已經在全球各大城市美術館巡迴展出數十次之多，獲得了多項榮譽，不僅深獲各界好評而且受到歐美藝術泰斗的肯定與重視！

事實上，蘇館長最值得尊敬的地方是他深具慈悲的愛心以及熱心公益的胸懷，所以在淨化社會人心方面的績效非常突出。在經過兩小時的腦力激盪之後，蘇館長同意出任西畫院院長，黃明櫻教授也同意擔任基金會美學教育委員會主任委員。

## （十五）二〇二二年八月二十七日出席名醫畫家陳持平詩詞書畫展

八月二十七日下午兩時我偕同執行長王海倫一同前往中正紀念堂一樓藝廊，出席名醫畫家陳持平詩詞書畫展。

當天出席貴賓雲集，氛圍熱烈，臺日美術協會理事長林吉裕，馬偕醫院婦產科權威名醫李義男，中華記者協會理事長袁天明，名藝術企業家范揚松，臺灣美學學會林佳佳理事長及多位各界名流等等相關人士均參與共襄盛舉。

我當即表示：馬偕醫院前副院長陳持平，不僅仁心仁術，得過醫療奉獻獎，而且還是一位多才多藝的書畫家，他相信要治療疾病，非常需要陶冶心靈以書法及繪畫來傳遞生命力，所以此次陳持平名醫書畫家特別展出「中國詩詞書畫展」，不僅表現出東方文化書法與西方文化油畫的充分結合之美，而且打破傳統，開創了另一項藝術的新領域！

我盛讚陳持平的「藝術療癒」創作理念，並期盼他能百尺竿頭更進一步，俾拓展中西合璧藝術的新境界。

## （十六）二〇二二年八月二十七日出席陳秋玉油畫展

我偕基金會執行長王海倫，於八月二十七日下午三時也出席了中正紀念堂二展廳展出的陳秋玉油畫展。

我們原於當天下午兩時參與名醫書畫家陳持平詩詞書畫展，應邀擔任致詞貴賓，剛好同一時間與康寧大學馬西平副校長喜相逢，馬副校長是陳秋玉油畫展首席貴賓，經他介紹我又為陳秋玉畫展作了簡短的致詞。

陳秋玉是集象畫會會長，中國文化大學藝術研究所，曾在日本、香港、義大利各國展出作品。她的創作風格包含了集錦、印象、心象

為主要創作元素，陳秋玉畫家運用各種畫派理論及技法，將每一個自己走過的地方、地標、文化及特定印象集結在一張畫布上來充分表現，每張畫都有一個說法，一個故事，這就是集象主義的發揮。

　　我致詞首先向陳秋玉畫家致賀，並期盼畫展圓滿順利成功，他強調集象主義的畫展相當具有特色，陳秋玉畫家已將其風格充分展現，值得肯定。

## 五　促進學術文化藝術

### （一）二〇一八年十二月三十日參訪國畫名家趙松筠莞湘軒畫室

　　我於十二月三十日上午十一時參訪國畫名家趙松筠莞湘軒畫室，並與中華兩岸交流協會劉宗明會長、曾雲龍執行長、郭吉森觀音畫家、張文齊理事長、陳純仁律師等藝文界知名人士座談，共商合作計畫。又在晚間與另一位國畫名家邵文虎伉儷會晤，商討推廣文創事宜！在座者另有趙畫家令弟及大陸收藏家小龍等人！

### （二）二〇一九年五月六日參訪杭州創意設計中心

　　兩岸國學書院文化參訪團一行十六人由我帶領六日下午抵達杭州，進行為期一週的浙江參訪行程，受到浙江民革熱情歡迎。在民革浙江省委員會聯絡處處長何劍鋒陪同下，第一站抵達杭州創意設計中心，與該中心副總經理陳雄等進行座談、會後參觀並考察園區。

　　杭州創意設計中心是大陸首個海峽兩岸文化創意產業合作試驗區，臺灣吳卿金雕、陶作坊等知名品牌均有入駐，該園區占地面積七十三畝，由建築面積約五萬餘平方米的舊工業廠房遺存改造建設，分

為五幢，有濃重的時代印跡和重工業特色。座談會上陳雄就園區的發展歷程、文化、團隊建設和發展規劃進行介紹。

我致詞說：「北京是政治中心，上海是經濟中心，杭州是文化中心，文化創意業產業在杭州發展非常快，創意設計中心規模之大出乎意料之外。文化創業產業早期在臺灣非常流行，臺商這方面的表現也是促使杭州文化產業發展的原動力之一。」陳雄對此觀點表示贊同。

陳光憲、王海倫、陳鐘素敏、邵文虎、蕭雅明、黃慶源、劉瓊玩、高駿華、藺斯邦、查重傳、張仲琪、李威侃、謝可珊、張啟明均出席活動。

## （三）二〇一九年五月七日與寧波揚帆美術館簽合作意向書

中華學術文教基金會與寧波市揚帆美術館七日晚間在杭州簽訂合作意向書，合作與交流範圍涵蓋兩岸藝術、文創、文化等領域專家與藝術家的交流互訪，並互相支援對方的展覽平臺，或代為協調適合展場，以支援藝術、文創作品的交流展出。合作項目由民革浙江省委員會聯絡處處長何劍鋒促成，兩岸國學書院參訪團十六人參與現場簽約儀式。

我當場指出，這次合作的寧波市揚帆美術館是當地民營美術館，占地面積五千多平方米。協議簽訂後，將落實更進一步的合作，並增進民眾對不同藝術形式的認識及瞭解，倡導美術鑑賞風氣，促進藝術、文化的發展。

合作簽訂期間，寧波市揚帆美術館館長魯海波邀請參訪團成員臺灣傳統基金會董事、水墨畫家黃慶源到寧波繪製天童寺東前湖，在個展時同時展出浙江寧波與臺灣兩地人文自然等創作作品。

陳光憲、王海倫、陳鐘素敏、邵文虎、蕭雅明、劉瓊玩、高駿華、藺斯邦、查重傳、張仲琪、李威侃、謝可珊、張啟明均出席簽約活動。

## （四）二〇一九年五月十日與瑞安市甲骨文學會交流

中華學術文教基金會與瑞安市甲骨文學會五月十日晚進行文化交流，我本人率團參觀瑞安古跡玉海樓、利濟醫學堂、忠義街、葉茂錢收藏館。臺灣藝術家邵文虎、黃慶源、高駿華，瑞安市甲骨文學會副會長董震宇分別在葉茂錢收藏館現場題字，互贈墨寶；民革浙江省工作人員、瑞安台辦副主任池仁霞、民革瑞安副主委蘇盛春等參與活動。玉海樓，坐落在浙江瑞安市區道院前街，是大陸江南的著名藏書樓之一。由清光緒十五年太僕寺卿孫衣言創建，現為大陸重點文物保護單位。

## （五）二〇一九年七月一日參訪大英博物館

我偕同邵文虎一行於七月一日至六日參訪英國倫敦，倫敦大都會區已成為全球觀光客的最愛，倫敦的文化觀光應該是全球的頂尖，倫敦街頭到處都是扶老攜幼的旅客，因為他擁有精緻的文化背景，燦爛的歷史，優良的傳統及制度，特別保護的文化遺產，所以才能成為全球第一觀光重鎮，我參訪之餘不禁感慨萬端，因為曾經擔任文化觀光課程的指導教授，也一再強調文化觀光的重要性以及一再提供臺北市發展的觀光策略，然而均未得到適當的回應，因此在文教設施上臺北市雖然在硬體設施投入了龐大的資源，但是缺乏整體的規劃以及精緻的文化內容，所以臺北市迄今為止仍無法顯露出任何文化觀光的特色。這是一件很令人遺憾的事情！

我更強調：我們應該學習英國倫敦，重視文化觀光，發展文化觀光，多一點文化創意，少一點意識型態鬥爭，才能使得城市競爭得到進步，讓臺北市可以成為亞太地區最具文化觀光特色的一流城市！

一九九二年我在國父紀念館館長任內曾經提出：在館前廣場新建

類似羅浮宮前三角形透空玻璃建築而改為橢圓形玻璃建築，使其成為國家展覽廳的計畫，不幸也因為任期屆滿而胎死腹中。

## （六）二〇一九年九月三日抗戰勝利紀念暨孫立人研究成立大會在臺北舉行

九月三日上午十時一項具有重大意義的集會，即抗戰勝利七十四週年紀念暨中華孫立人研究成立大會，在臺北市國軍英雄館舉行。

中國國民黨吳敦義主席應邀致詞，他對國軍的績效表示肯定與讚揚，他強調中國國民黨對國家的貢獻，大家支持國民黨重新執政，國家才有光明的前途，隨後前國防部部長伍世文上將致詞表示：抗日聖戰的勝利使我國成為世界四強之一，國軍保國衛民是國家建設的根本，孫立人將軍是抗戰將領中的典範，前國防部副部長王文燮則稱：抗戰勝利是國軍浴血奮戰而獲得的成果，國軍的勇猛善戰聞名全球，孫立人將軍是其中的代表！

季麟連上將則特別深入論述了緬甸仁安羌大捷，我軍擊敗日軍拯救了七千餘名英軍的輝煌勝利，實在應該歸功於孫立人將軍的卓越指揮，此一戰爭的勝利，開啟了歐美各國對華不平等條約廢除的契機。

我致詞時，我首先向全國的軍人表示最高的敬意，他以學者的眼光分析了孫立人將軍的特質如次：一、深厚的兵學素養；二、身先士卒的勇氣；三、訓練精兵的奇能；四、屢戰屢勝的將才；五、國際領導的重視。從這五個層面來看，孫立人將軍不愧是一代名將、常勝將軍、百戰軍魂！

當天出席的貴賓冠蓋雲集，盛況空前，計有孫天平理事長，他是孫立人將軍的公子、黃復興黨部主委金恩慶上將、陳鎮湘上將、苗永慶上將、王立申上將、戴伯特上將以及黃復興黨部書記長韋渝惠將軍，退伍軍人協會前後理事長高仲源及吳其梁將軍，還有八百壯士的

吳斯懷將軍。而專程從大陸來臺的有清華大學校史館館長范寶龍、孫
立人宗親會代表孫迪以及學者陸炳文、朱浤源等名人出席。

## （七）二○一九年九月十二日接見中華九九書畫會劉瓊玖理事長一行

中華九九書畫會劉理事長、余真賢副理事長、王秀蘭理事一行人
於九月十二日上午十時來到本會參訪，受到我及王正典秘書長、黃素
珠主任等本基金會同仁熱烈的歡迎。

我致詞說：劉理事長辦理本次二○一九年中華九九書畫會水墨創
作展成績優異，值得肯定與讚賞，本基金會與九九畫會合作多年，今
後將繼續支持此一重大展覽等語！

## （八）二○一九年十月十七日參訪中華九九書畫會二十週年慶展覽

二○一九年中華九九書畫會創立迄今欣逢二十週年之慶，特別於
十月十日國慶日起展出十二天的大型展覽，本基金會參與主辦，開幕
典禮在十月十三日上午十時舉行，當天因我正在國外訪問，未能親自
出席，特別請陳光憲副董事長代表參加！本基金會黃金文董事、程南
洲董事、陳偉之董事、查重傳董事、李威侃董事等均踴躍出席，共襄
盛舉。典禮隆重舉辦，進行順利，圓滿完成。

我於十六日晚返國後，席不暇暖，立即於十七日上午十時專程前
往中正紀念堂二展廳參觀此項弘揚中華文化的書畫大展，主要是因為
要親自向劉瓊玖理事長道賀，並且觀賞這些精彩的創作。我特別讚揚
九九書畫會指導教授涂璨琳名書畫家，強調在涂大師的創辦、指導及
關注之下，中華九九書畫會才有今天的成就與績效。

我在劉理事長、余副理事長及理監事陪同下，觀賞了這些難得的

創作，他讚不絕口，認為書畫家們日益精進，在技巧與功力上都到達了極高的水準，值得肯定！本基金會研究發展委員會副主委高駿華名書畫家及秘書室主任黃素珠等同仁，也參與了這項最有意義的活動！

## （九）二〇一九年十月十九日主持歡迎湖南文教參訪團晚宴

我偕同李威侃董事於十月十九日晚上六時，在凱達飯店四樓出席由中華文創發展促進會羅秋珠秘書長所主辦的歡迎晚宴，由我擔任主持人並致歡迎詞。

此次湖南文教參訪團陣容極為堅強，係由湖南省教育廳唐副廳長親自率領的湖南各著名大學的十餘位教務長，高董事長致詞時表示，湖南是中原大省，山川秀麗、物產豐富、英才輩出、人傑地靈！湖南與臺灣有許多相似之處，例如社會民風純樸、熱誠樂觀、藝文鼎盛、國學基礎優異等，而在自然景觀方面，湖南有張家界、桃花源；臺灣有阿里山、日月潭的名勝，可以說是各有千秋！

在我論及臺灣的教育時，認為臺灣已經達到先進國家的水準，尤其在高等教育方面，幾乎人人有大學可以讀。許多著名大學在世界大學排行榜上也名列前茅，至於基礎的國中小學教育，也達到相當的水準。湖南也有好幾所國際一流大學，高等教育的質量與家數絕不亞於臺灣。尤其在基礎國中小學教育更有優異的表現！

我最後建議：雙方應該深入交流，相互進行調研，互補有無，截長補短，共同為中華傳統教育文化的光明前途而攜手前進！

## （十）二〇二一年三月七日出席高棉歸僑協會新春聯誼會致詞

我於三月七日上午十一時，應高棉歸僑協會吳鴻發理事長的邀請，出席在典華會館所舉辦的新春聯誼會，除應邀致詞外並合唱愛國

歌曲。出席的各界貴賓雲集，包括僑聯總會鄭致毅理事長、國防部伍世文前部長、僑委會陳士魁前委員長、中國國民黨海外部郭昀光主任、僑委會廖靜芝參事、僑聯總會謝偉常務理事、舒立彥監事、多位各國歸僑協會理事長，以及高棉歸僑協會的理監事、會員等約百餘人，宴會進行中氣氛熱烈、情緒高昂，歡聚至下午二時半圓滿結束！

## （十一）二○二一年二月十四日拜晤本基金會首屆董事長李瞻教授

　　我及內子王海倫於大年初三（二月十四日）上午十時三十分專程前往木柵本基金會首屆董事長李瞻教授公館拜會，特別向這位新聞界大師及師母致敬並賀年！李教授也是王海倫女士的業師。我特別向李教授簡報近期基金會發展狀況，並面請教益，李前董事長當面肯定我的績效表示嘉獎，並再三談及三十年前本基金會籌備成立前，經國先生對本會的期許與勉勵，李教授表示他曾經向經國先生提出多項對國家社會的建言均獲得採納，他強調：經國先生是我國最勤政愛民的卓越領袖！經過一小時的歡談後會晤圓滿結束。

　　李教授今年已是九十六歲高齡，然而卻精神抖擻、中氣十足，令人敬佩！而特別值得稱道肯定的是他的人品忠厚誠懇、道德高尚而又樂於助人！夫人賢慧溫柔，家庭和樂圓滿足以成為當代知識分子的典範。

　　李教授一生從事新聞教育不遺餘力，對國家社會的發展有巨大的貢獻，他曾經撰述過數十種專書，名揚海內外，而且春風化雨誨人不倦，創建政大新聞博士班，培育過許多傑出的新聞才俊，更因為著作等身聲望崇隆，所以也獲得了美國傳記文學研究院國際傳播學術成就金牌獎、名列世界名人錄及英國劍橋 IBC 國際名人大辭典、西元兩千年又名列英國 IBC 二十世紀世界二千名傑出知識分子名人錄，成為臺灣新聞界的泰斗。

臺大前校長孫震對他的同鄉兼好友李教授有如下的形容：他說李瞻兄和宋朝名臣范仲淹一樣有「在廟堂之上則憂其民；處江湖之遠則憂其君」、「先天下之憂而憂，後天下之樂而樂」胸懷的當代人物！而新聞界大老馬星野先生也曾經稱讚他是一位可敬的拓荒者！

## （十二）二〇二一年十二月七日康寧大學董事代表參訪中華文化藝術總院

康寧大學董事王雅峯、蘇瑞東、毛金素一行四人於十二月七日下午來到位於八德路四段的「中華文化藝術總院」參訪，此項活動實係因緣湊巧，自然形成。

王雅峯董事出身世家，其令尊王榮昌是新竹著名的企業家，也是中華大學的創校董事長，這所大學在現任校長劉維琪博士的卓越經營之下，校務蓬勃發展、欣欣向榮！王榮昌董事長還曾經創辦了康寧大學的前身之一「立德管理學院」，王董事原為立德董事因與康寧大學合併之後，成為康寧學校財團法人董事，王董事不僅從事文教工作不遺餘力，而且對文化藝術宣揚獨具理念，非常令人敬佩！

蘇瑞東董事是一位傳奇性人物，他因為本身在九二一大地震後是最大的受災戶，而其所創建的雙冬花園一夕之間全毀，因此他有兩項宿願：其一是他所創建的清淨建設公司一貫堅持建築物的安全才是客戶的保障，這項理念獲得各界人士極高的評價！其二發願終生吃素，成立臺中市養生協會，經常舉辦各項公益活動造福人群，同時對文化藝術及生命教育的宣揚貢獻良多！非常值得肯定。

毛金素董事係公務人員考試及格，曾經在教育部等單位擔任公職後，又於中小學做過主任、校長，乃至於大學助理教授，春風化雨、誨人不倦，在文教界奉獻數十年，教學精神受到各界同聲讚揚！

此次四位康寧大學董事代表來到中華文化藝術總院參訪，並與總

院相關人士座談，提供許多寶貴意見，他們向我表示：中華文化藝術
總院的成立，的確具有極大宣揚傳統文化藝術的功能，從而成為藝文
界的振興核心機構，渠等均表示將給予總院全力的支持與贊助！

## （十三）二〇二二年六月十六日拜會康寧大學陳清溪校長

　　我於六月十六日下午二時專程前往位於內湖的康寧大學拜會陳清
溪校長，我曾任教育部僑民教育委員會主任委員，當時陳校長就在教
育部中部辦公室擔任科長，所以會晤雙方可以說是教育部的老同事，
故此相見甚歡。

　　我也曾經擔任康寧大學董事會董事多年，現在又擔任董事會監察
人，他以此身分向陳校長提出多項建言。而雙方也利用此一機會，論
及文化學術合作交流事項。會晤約一小時，已達成多項共識！

　　我最後表示：陳校長自從來到康寧大學之後陸續擔任副校長、校
長等重要職務，勤奮努力，績效優異，對康寧大學有重要的貢獻。值
得肯定與讚揚！

## （十四）二〇二二年十一月十九日出席聊城臺北兩岸名家
## 　　　　聯展

　　我於十一月十九日上午十時偕同基金會王海倫執行長、美學教育
委員會黃明櫻主委，一同出席在張榮發基金會六樓國際會議廳所舉辦
的「第八屆「墨香飄兩岸　縱筆頌水城」二〇二二海峽兩岸（聊城）
書畫名家共繪母親河書畫精品展」。

　　此項盛會係由臺灣港澳臺美術協會李沃源理事長主辦。會中嘉賓
雲集，將星閃爍，包括陳鎮湘上將、郭年昆中將、陳築藩中將、于茂
生中將、沈方枰中將等軍中儒將以及名藝術家王愷、連勝彥、沈禎、
唐健風等具代表性的名藝術家百餘位一同參與，共襄盛舉。可以說是

一場藝文氛圍熱烈，極具特色的文化饗宴。

在主持人致歡迎詞後，陳上將首先發言，我接續致詞重點如次：

一、此項展覽極具意義與價值，在疫情仍然嚴重的現階段，應該可以有療癒人心的重大作用。

二、李沃源理事長對兩岸文化交流有強烈的使命感，且獲得各界支持，尤其他最近當選中國美術協會理事長，深值讚賞。事實上，該協會在王愷理事長領導下，對藝文發展有極大的貢獻，值得肯定！

三、我本人出任中華文化藝術總院總院長以來，全心全力致力於推動藝文交流的活動。更由於我是一位國際關係及文化行政的學者，對於臺灣的未來也有一項主張！那就是我們應該有八個字的策略。那就是「親陸、師美、友日、南向」策略。

臺灣具有傳統中華文化的底蘊，加上所有的居民大部分來自大陸，當然會有兩岸一家親的情懷！而師美、友日是中山先生的主張，我們學習的是美國的人權、民主與科學，我們友日是指對具有中華文化圈理想的日韓友人，至於南向則是針對東南亞各國具有影響力，而信仰傳統文化的三千萬華人。

我最後強調：龍行天下、臺灣領航，臺灣藝文人士的表現非常精彩，在華人文化圈擁有舉足輕重的地位，而以傳統文化的立場來促進兩岸的融合，並且推動人類的和諧共榮，應該是我們生存發展的最佳途徑！

## （十五）二〇二三年一月六日出席江山如此多嬌藝術館開館及兩岸藝術名家作品展開幕儀式

我於一月六日上午十一時偕同基金會執行長王海倫、董事李威侃、總院國畫院長黃慶源、書法院長楊旭堂等五位同仁出席了在本會

大展覽廳所舉辦的兩岸藝術名家作品展暨藝術館開館開幕儀式，當天由中華文創發展協會理事長、也是中華文化藝術總院副總院長王正典致歡迎詞，貴賓則由我代表致詞，接著林章湖及連勝彥兩位大師藝術家發表感言。我首先對參展的兩岸藝術名家表示感謝之意，然後向即將就任藝術館館長的王正典理事長、副總院長表達了致賀，同時發表重要觀點如次：

一、時值二〇二三年開春之際，各方領導人都發表了和平、和解、和諧的主張，而兩岸一家親、和平穩定交流已逐漸形成共識，因此今年是具有和解氛圍的關鍵年度，海峽兩岸不僅同文同種，更具有相同文化背景！但是我一貫主張，強化雙方的合作交流應該以文化藝術作為最優先的項目，那也是振興民族文化的最重要的原動力，我們應該秉持兩岸一家親的共同基本理念來予以發揚光大。

二、期盼兩岸藝術家團結一致，共同努力為以中華文化藝術為主流的東方文明蓬勃發展作出貢獻，高總院長的致詞獲得了全體在場貴賓的一致好評！

　　當天出席及參展的藝術名家非常踴躍，名單如次：臺灣方面有王南雄江明賢、李振明、李沃源、何堯智、林章湖、林永發、林進忠、袁金塔、莊連東、莊伯顯、連勝彥、連瑞芬、張春發、黃慶源、黃才松、陳陽熙、陳朝寶、陳銘鏡、陳炳宏、顏聖哲、楊旭堂、歐陽鯤、滿林昌等二十五位藝術名家，大陸方面則有張海、劉罡、熊紅剛、梁明、陳吉、吳雪、葛茂柱、宰賢文、施江城、王曉輝、周石峰、王佛生、徐琳等十三位藝術名家，當天的盛會可以說是一場氛圍熱烈的文化藝術饗宴。

## 六 平等博愛天下為公

### （一）二〇一九年三月三十日出席華岡文教基金會董事會

我曾任華岡文教基金會常務董事，於三月三十日下午五時三十分出席該會本屆第一次董事會議，會中選出侯淵棠擔任本屆董事長，侯董事長為臺灣吉而好股份有限公司總裁，是海內外著名的文創事業專家，去年曾擔任臺北世界大學運動會官方授權商品總執行，貢獻良多，蜚聲國際。同時出席的還有中國文化大學校友總會總會長黃有良董事長等多位企業界知名人士。

### （二）二〇一九年四月七日出席馬來西亞拿督陳坤煌晚宴

馬來西亞拿督陳坤煌董事長曾任世界臺商聯合會總會長、馬來西亞臺商協會總會長、吉隆坡臺北學校董事長，他是臺商在馬來西亞最早被授予拿督榮銜的我國人士。地位崇隆、人脈廣大，尤其他有情有義、樂於助人，廣受僑界好評。

他於四月初返臺，特別於四月七日晚六時在天成大飯店宴會廳宴請我和內子王海倫及吉隆坡臺灣學校校長張義清餐敘，並邀請多位企業家座陪。

拿督陳坤煌表示：「當年吉隆坡臺灣學校建置永久校舍，高董事長時任教育部僑民教育委員會主任委員，曾主導並協助各個臺北學校建置永久校舍，高崇雲董事長為造福臺商子弟，並且邀請教育部會計長楊德川一同親訪所有東南亞臺北學校，進行深入瞭解，因此獲得教育部全力支持，編列預算、撥款給東南亞各個臺北學校建置校舍」等語。其中，吉隆坡臺北學校由拿督陳坤煌號召所有臺商均捐款興學，終於在教育部及臺商協會通力合作之下，建置了規模宏大的吉隆坡臺北學校校舍及校園。此一盛事均經中馬兩國媒體爭相報導。

## （三）二○二一年三月九日出席孫立人研究會新春團拜

「中華孫立人研究會」於三月九日上午十一時在第一飯店敘香園舉辦新春團拜，我應邀致詞說：孫立人研究會於二○一九年九月成立一年半以來，在孫天平理事長、王正典秘書長卓越領導，以及全體理監事及會員偕同努力之下，開創了會務發展的新局面，績效優異，表現非凡！不僅彰顯了孫立人將軍愛國的精神，更將二次世界大戰中華名將的孫立人風範宣揚到全世界。

我致詞表示：孫立人將軍不僅兵學修養高，而且是一位百戰軍魂的常勝將軍，更是一位練兵的奇才，尤其值得稱道的是，他在緬甸「仁安羌之戰」中救出八千餘名英國軍隊，國際形象非常良好，是全球認同的名將典範。吾人此時此地緬懷孫將軍，應該全力製作歷史書畫檔等,以精神文化方式深入研究軍人的武德,並宣揚名將的愛國情操！

## （四）二○二一年十月三十一日出任中華文化藝術總院總院長

中華學術文教基金會於十月三十一日上午在會議室舉行第十一屆第一次董事會，會中包含高崇雲、陳光憲、王正典、王高樑、江惜美、李威侃、孟昭光、查重傳、張文齊、張啟明、高鵬翔、高駿華、陳偉之、陳德禹、程南洲、黃金文、黃慶源等十七位董事全員出席，除討論工作計畫等例行事項及舉行一項「臺灣要更好宣揚傳統文化藝術淨化人心」座談會之外，同時鄭重宣布：成立「中華文化藝術總院」，聘任高崇雲教授為首屆總院長。

值得大書特筆的是文化藝術總院的成立。其理想目標就是「天下為公、無私無我、真善和美、世界大同」。總院院址在臺北市松山區八德路四段三一九號五樓，使用總坪數約五百坪，除大小會議室、辦公室外，更闢建展覽廳兩大間各約一百坪，作為宣揚文化藝術的基礎

措施，故此規模草具，未來光明的坦途將可期待。

　　總院的架構除設置院士會、院務委員會與總院長並行外，且設立國畫院、書法院、雕塑院、西畫院、技藝院、國學院、媒體院、民俗院、四藝院、文化院等十個分院，當天更加聘王正典董事擔任副總院長、黃慶源董事擔任國畫院院長，黃院長的院址於基隆市安樂區基金一路二〇八巷一五九號，是一座四層樓的建築，坪數約二百餘坪，即將展開業務的推動。

　　文化藝術總院每年將舉辦三大活動，其一，全球華人書畫名家大展。其二，傳統文化藝術大獎。其三，文化藝術研習營，現在均已完成完整的規劃。

　　中華文化藝術總院經多年籌辦之後，已獲得海內外全球華人藝術家的廣泛支持，今後將視狀況陸續成立各個分院，總院並將邀請各界藝術泰斗歐豪年、江明賢、王秀杞、連勝彥、陳逢顯……等大師擔任院士。相信在全球有識之士通力合作之下，必可共襄盛舉，更可以達到宣揚傳統文化淨化人心的初衷，所有計畫項目都會在基金會三十週年慶舉辦後陸續展開，敬盼各界先進給予支持及協助！

## （五）二〇二二年一月六日中華文化藝術總院與中華工商研究院締結策略聯盟

　　我偕同高鵬翔董事於一月六日下午二時，前往位於松江路的中華工商研究院拜會黃一修院長及魏執行秘書進行參訪活動，事實上，我因為與該院創辦人黃國藏博士為多年的老友，所以在二〇〇四年剛從教育部僑民教育委員會主任委員的職務上退休以後，除擔任淡江大學教授兼所長之外，並應黃創辦人的邀請兼任中華工商研究院院長，對於該院業務有相當深入的瞭解，並且曾在院務發展上提出很多企劃獲得相當良好的績效！

時迄今日，中華工商研究院在黃一修院長卓越的領導下，績效優異，業務蓬勃發展，已成為教育部所屬績優社團之一，而且名揚海內外。高崇雲此行與黃院長就雙方合作及共同發展議題進行了三個小時的會談，黃院長、魏執行秘書兩位在人才尋訪，人事布局與會計審核及業務法律方面提供了許多建言，深具參考價值。

## （六）二〇二二年二月十四日拜會藝教館館長李泊言

我偕同書法院楊旭堂院長，於本年二月十四日上午十時專程前往位於南海路的「臺灣藝術教育館」參訪，受到藝教館李泊言館長親自迎接的高度禮遇，事實上，李館長的謙沖為懷及服務風範令人感動！面對兩位藝文專家來訪，李館長首先簡報藝教館現狀，並對當前問題加以解析，最後提出以藝術教育為核心的施政理念，非常具有說服力，值得肯定！

我表示：中華文化藝術總院的成立，是以「天下為公、無私無我、真善和美、世界大同」為主要宗旨。並以燃燒自己、照亮他人的服務態度來為臺灣藝文界打造堅強的平臺，提升藝術家的現代價值，從而建置公理正義、淨化人心的社會。

此次具有重大意義的會晤中參與各方相談甚歡，歷時一個半小時方始圓滿結束，在腦力激盪之下更獲得了一項共識，那就是「臺灣藝術教育館」與「中華文化藝術總院」，今後在宣揚書法教育方面將加強研究，俾共創雙贏，而且攜手合作將傳統書法教育擴展到全球，使其更能大步邁向國際化的新里程碑！

## （七）二〇二二年三月二十六日讚揚黃明櫻推廣美學教育 的貢獻

我於三月二十六日上午前往國父紀念館日新藝廊出席黃明櫻教授

絹布油畫師生展並在開幕儀式致詞，當天出席者大多為業餘西畫家，其中不乏知名人士，包括葉培棟、校長藝術家簡信斌及兩位九十餘歲的高齡藝術家等人士，還有演藝界明星韓湘琴等社會名流共襄盛舉，氛圍相當熱烈。

我致詞表示：黃教授從事西畫藝術創作生涯長達五十五年，他的作品屢屢在國際展中獲得大獎，包括日本美術院的國際大賞，國際藝術未來展殊殊賞第一名，法國沙龍春季展優等獎等等多項榮譽。此次由黃教授帶領數十位藝術家共同展出精彩作品，值得肯定與讚揚！

論及絹布油畫，黃明櫻教授無疑是臺灣頂尖代表性的藝術家！但是令人重視的還是他在美術教育方面的重大貢獻！我將邀請黃教授與在座的藝術家一起加入中華文化藝術總院的西畫院，共同組成堅實的藝術平臺，將以美學道德的教育來淨化人心，從而創造公民大眾美好的社會！

## （八）二〇二二年九月一日出席永懷孫立人將軍紀念活動餐會

我偕基金會執行長王海倫，於九月一日上午十一時出席在臺北市鉅星匯所舉辦的「抗戰七十九週年暨永懷孫立人將軍」紀念活動餐會，與會貴賓有季麟連上將、中央軍事院校理事長彭進明上將等多位上將，及退伍軍人協會理事長吳其樑中將，安徽同鄉會榮譽會長王詣典中將等軍方領袖及百餘位各界人士共同參與。

此次聚會係由孫立人研究會孫天平理事長、王正典秘書長、胡世詮監事長等具名邀請，在孫天平理事長致歡迎詞後，吳其樑理事長致詞，我應邀致詞表示：首先要向全國的軍人表示最高的敬意。其次我強調了孫立人研究會的重要性與對社會的貢獻，而且當場緬懷了孫立人將軍的豐功偉蹟，隨後分析了孫將軍的特質，包含深厚的兵學素

養。身先士卒的勇氣，訓練精兵的奇能，屢戰屢勝的將才以及國際視聽的重視。

我在結語中表示：「一代名將，常勝將軍，百戰軍魂，值得讚揚，值得敬佩」等語，隨後季麟連上將發表「紀念孫立人將軍專題報告」，他精彩的講話內容，獲得全體與會人士熱烈的讚賞，季麟連不愧為國軍團隊中智勇兼具，文武雙全的上將軍。

我偕同基金會王海倫執行長，於十二月二十五日上午十時出席在典華會館所舉辦的臺北市雲南同鄉會會員大會，當天盛況空前，約有五百餘位各界人士參加，包括僑委會副委員長呂元榮、臺北市副市長林奕華、立法委員李德維、鄭麗文、童惠珍、僑協總會理事長林齊國、僑聯總會理事長鄭致毅、各省市同鄉會總會長劉建軍、國民黨組發會副主委夏大明等等政壇精英，僑團領袖、社會賢達等均參與盛會，共襄盛舉！

我致詞時表示：雲南同鄉會在歷屆理事長簡漢生、藺斯邦、黎順發及理監事們卓越的領導加上全體會員奮發努力下，不僅有優良的績效、蓬勃發展而且名聲遠播，已經成為海內外重要核心社團！應該獲得大家的讚揚！而現任的黎理事長為人勤奮樸實、做事認真負責，不僅在企業界有良好的成就，而且在主持社團方面更有令人驚艷的魄力。

我強調：黎順發是一位來臺升學優秀僑生的典範，也是臺灣青年應該學習的榜樣，值得肯定！我最後說：臺灣是全球華人心靈的故鄉，大家一定要多多珍惜！

## （九）二〇二二年十一月二十七日出席全國書法比賽頒獎典禮

我於十一月二十七日上午十時出席「一一一年度第四十二屆全國書法比賽頒獎典禮」。此項活動在臺北市立大學中正堂舉辦。臺北市

立大學許耿銘教務長、教育部國教署前署長吳清山、郭錫瑠先生文教基金會執行長張麗華、國美社會福利基金會副執行長顏金蘭、空中大學李永騰教授、禪太極藝術文化創辦人周龍修、山東臺商領袖張連興會長和書法學會、文化協會等藝文界人士、大專院校、國中小學書法比賽獲獎人等各界人士約六百人出席盛會，共襄盛舉。

　　我致詞表示：傳統書法是我國的瑰寶，此次頒獎活動在現階段疫情還沒有完全結束之際辦理，當然對於社會人心療癒方面具有相當重要的作用，是一項具有重大意義的文化饗宴。

　　我除向獲獎人致賀外，並且對於主辦此次頒獎活動的楊旭堂院長大加表揚，期盼他能將書法教育更予以發揚光大！去年一年高總院長即曾偕同楊院長出席了多次的書法展覽與書法活動，對書法教育不遺餘力的熱心投入，可以說已對臺灣藝文的發展作出相當巨大的貢獻！

## （十）二〇二二年十二月二日海外僑界領袖聯袂參訪中華學術文教基金會

　　旅居美國洛杉磯僑聯總會張學海常務理事、舊金山驕陽中英雙語學校楊昆山校長伉儷、僑聯總會舒立彥監事、朱國琴理事、緬甸曼德勒鍾順昌董事長伉儷、雲南同鄉會黎順發理事長伉儷等一行九人於十二月二日上午十時三十分連袂參訪本會。受到我及王海倫執行長、王正典副總院長、秘書室黃素珠主任等本會同仁熱烈的歡迎。

　　在參觀本會第一展覽廳及第二展覽廳所展出的西畫展之後，我邀請貴賓們在本會大會議室進行座談。除了說明基金會宗旨之外，並對中華文化藝術總院的發展現況詳細地加以介紹，他並且強調了「天下為公、慈悲為懷、清淨自在、世界大同」的理想，主張臺灣生存發展的策略是「親陸、師美、友日、南向」，所謂親陸就是兩岸一家親，所謂師美友日原是中山先生的主張，學習美國的人權民主及科技，團

結中華文化圈的日韓友人，以及南向結合東南亞三千萬宣揚傳統文化的華人。大家一起來共同推動禮運大同的理念。

這項主張獲得與會全體人士的支持！來訪的張常務理事、楊校長、鍾董事長、舒監事、朱理事、黎理事長等貴賓均即席致詞，內容都極為精彩！大家全力進行腦力激盪，發表意見，最後獲得許多共識！座談氣氛良好，可以說是相談甚歡。我並以中華學術文教基金會名義贈送所有貴賓墨寶乙幅，藉茲留念！

## （十一）二〇二三年二月十二日出席中國書法學會會員大會致詞

我偕同基金會王正典秘書長、王海倫執行長等同仁於二月十二日上午十點半出席在張榮發基金會國際會議廳由「中國書法學會」所舉辦的會員代表大會及「2022年周甲全國書法篆刻大賽」獲獎人員頒獎典禮，並且應邀致詞。

我致詞表示：很高興應陳銘鏡理事長、連勝彥大師的邀請出席盛會，中國書法學會不僅是臺灣文化史上最悠久的書法社團，而且是海內外國際間著名的學會，我強調：中國書法學會有好幾項特點，一、創辦人于右任院長在書法界地位崇隆，為兩岸所同尊，同時學會發起人均為兩岸的文化精英，可以說光環極為亮眼。二、學會具有六〇年的光輝燦爛優良績效，最多的名家大師參與，最龐大的組織以及最多的會員。三、學會理事長都是望重一時的書法界泰斗而且都能傳承中華傳統文化藝術，宣揚書道精神、淨化社會人心、對臺灣藝文有重大的貢獻。因此學會精彩的表現非常值得讚佩！

我最後說，中國書法學會在書法界的地位極高，而且有連勝彥大師及陳銘鏡理事長等卓越的領導，相信必能開創書法的新領域！本人深切盼望在座所有的藝術家，大家團結一致，共同把中華文化藝術中

的瑰寶，也就是書法使其發揚光大，讓中華書法能夠巡行全球，成為代表中華傳統文化的核心瑰寶，本人呼籲在座的所有藝術家，都應該責無旁貸地共同鐵肩扛道義，一起來完成振興中華的神聖使命！

當天出席的文化藝術領導人頗多，其中最具有代表性的貴賓是全球商業網公司總裁林暉講座教授，林總裁本身就是一位多才多藝的藝術家，不僅能寫一手好字而且擅長詩詞歌賦，還會畫畫及雕塑。然而，讓人驚艷的是，他在企業界也有非凡的優異表現，他所領導的企業集團在業界獲得相當的好評，同時在文創方面也開創了臺灣企業的新里程碑！他能夠在百忙之中出席中國書法學會會員大會共襄盛舉，必然有他高瞻遠慮的想法與見解！他的蒞臨為書會增光不少。

此外還有臺商總會的張連興總會長、策展專家盧逸儒以及呂仁清等數十位大師級的名書法家一起參與，可以說是一場最高的書法文化藝術饗宴，當天氛圍非常熱烈，藝文氣息濃厚，實在值得大書特筆！

## （十二）二〇二三年二月十七日拜會全球商業網公司林暉總裁

我偕同基金會王海倫執行長、總院書法院楊旭堂院長一行三人於二月十七日上午十時前往南京東路小巨蛋旁的全球商業網公司參訪，專程拜會總裁林暉講座教授，受到該公司高管熱烈的歡迎。

我們一行聽取相關業務簡報後，一致表示了讚揚與感佩之意！認為在林總裁卓越的領導及全體員工一致奮發有為之下，超樂全球影音集團的蓬勃發展與績效已成為臺灣文創企業的典範，更從而邁向國際化及全球化的新境界！最值得重視的是林總裁經營企業的高瞻遠矚及超越時空的嶄新觀念，我強調：一生中結識的大企業家不少，但具有能夠宣揚傳統文化藝術概念，而全力支持臺灣藝術家發展的企業家中，林總裁可以說是第一人！

　　我說：事實上林總裁本身就是一位多才多藝的藝術家，他不僅能寫一手好字，而且擅長詩詞歌賦，還能為音樂家撰寫歌詞，更讓人驚艷的是他在領導文創企業的成就與理念，以及風格與魄力均高人一等，是一位與眾不同具有愛心致力於推動社會公益的文創企業泰斗領導者。雙方在經過長達兩小時的會談後，中華文化藝術總院與全球商業網公司達成共識，將先進行策略聯盟後，再深入探討今後發展的方向及各項合作的細節。當天氛圍融洽、情緒熱烈，可以說是皆大歡喜的狀況！相信雙方的合作必可為臺灣傳統文化藝術的發展帶來新的氣象！

# 玖
# 宣揚臺灣心中華情

　　我在第貳章「人文匯聚臺灣優質」中已經把我心中的臺灣印象說明清楚，而現在我想在第玖章的內容中，闡述我對此一領域的概念與想法。

## 一　文化優先

　　傳統中華是一個國家，一個民族，乃至一個文化圈。在「車同軌、行同輪、書同文」的號令下，已形成一個完整的社會結構，促進了社會穩定，進而無形中培育成鞏固之中心，維護道德之維繫力量。論者雖極早既有「中國南北二支文化思想」之論，以及「齊魯」、「秦晉」與「荊楚」三支文化之說。然此種各地區文化思想之差異，無寧只是地理之隔絕與人文氣質之不同而形成之差別，不足以作為中華文化來源多元說之論理。

　　從歷史看，所謂的夏、商、周，雖屬不同之宗族，然在文化上，大體一脈相承，表現出學術文化思想之文字統一，及其一例。至於後來中原民族對「夷狄」之差異文化，不論通過「征伐」或「和番」時時有所取捨，然皆無損於主體文化根源之動搖。五胡之亂華，不但促進南北文化交流，驍勇勁悍，朝氣蓬勃之胡人，亦不再以「異類」自居，大踏步的融入中華民族之大洪爐之中，並為中國開創了隋唐之新動力；蒙古、滿州之入主中國，猶如一陣狂風，有如小雨般在準備席捲並吞沒中華文化，然不久即風平浪靜，逐漸成為民族的大支脈。總

之，傳統文化充分地表現了其「山川之大」與「沛然不可禦」之一元性。

西方文化則不然。西方文化源於古埃及文化，巴比倫敘利亞文化與愛琴文化影響而形成之希臘文化；羅馬精神融攝希臘文化而形成羅馬文化，希伯來之猶太教，基督教精神與阿拉伯精神，侵入羅馬世界而產生中古文化；再加上義大利之文藝復興與日爾曼精神之發揮，乃成為西方近代文化。

英國詩人吉林宰有言：「東是東，西是西，它們永遠不相會。」的確有其意義與價值，而中西文化之不同性亦極為明顯，未來如何相融並發揚光大，實為當代知識分子應予以思考之重大問題。

在人類幾千年有文字記載的歷史中，有眾多的國家、無數的民族及不同類型的文化，在不斷的興起中又不斷的消失。正如俗語所說：「眼見他起高樓，眼見他高樓塌。」但是只有中國，不但是一個國家，也是一個民族（雖是複合民族，但以漢民族為主），更是一個牢不可破的文化體，巍然獨存而永世不搖，當然其中必有其充分的理由。

法人格瑞納特 Granet 在所著《中國文化》一書中提到：「在這個（中華）文化裡，記錄了人類經驗的大部分，似乎有些奇怪，但卻是事實。多年來沒有別的文化能夠像中國文化成為人類這樣多方面空間的聯繫。自命為人文主義者的人不應無視中國文化的傳統，此一文化是如此的富於美和如此的具有永恆價值」。

傳統文化為什麼有這樣的永恆性呢？根據學者綜合研究的結果，發現是一種傳統農業生產方式，所結合而成的意識型態影響了我國文化。在西元前二千年時，我國社會就已經是定居的農村生活，這樣的社群型態，直到二十世紀，都沒有太大的變化（許多內陸鄉村地方至今仍是如此）。眾所皆知，農業生活是靜態的，足不出戶、安土重遷是他的特點。我們從下列許多代表民間文化的諺語裡，即可清楚的瞭

解到，下列幾句民俗諺語值得重視：

> 任他風浪起，穩坐釣魚臺，只有百年莊農，沒有百年官宦，疾風知勁草，國亂識忠臣，緊紡無好紗，緊嫁無好尪，呷緊弄破碗，細水長流，細吃常有，路遙知馬力，日久見人心，退一步天高地闊，讓三分心平氣和，衙門財主一蓬煙，種田財主萬萬年，前人種樹，後人納涼。

類似此種流行在傳統農業社會的諺語，的的確確蘊藏著傳統文化的永恆性。

　　主張「中庸」之道，是孔子學說的特色，也是中華文化的特色。對中庸解釋得最透澈的就是《中庸》一書：「不偏之謂中，不易之謂庸。中者，天下之正道：庸者，天下之定理。」又說：「動而世為天下道，行而世為天下法，言而世為天下則。遠之則有望，近之則不厭。譬如天地之無不持載，無不覆幬；譬如四時之錯行，如日月之代明。」

　　由以上的引述，中庸的「中」，不是機械的，不是一成不變的膠柱鼓瑟，而是因時因地、守經達變，試以孔子的「仁」來說，孔子的中心思想是「仁」，「仁」固然是「愛人無私」，但並不固執於某一定點或某一事務上。所以對父母要講「孝」；對兄弟要談「友」與「恭」；對君上要講「敬」與「忠」；對臣下要談「信」與「禮」；對晚輩要講「慈」與「愛」；對敵人要談「以直報怨」而不可「以德報怨」。

　　進一步說，中庸的「中」，不是數理上絕對的「中」以及除法中的「二一添作五」或「半徑是直徑的二分之一」，因為那只是一個「平均、折中」的觀念，在此可謂並無意義。當然做是如「虎頭蛇尾」或「半途而廢」，從而說是「適可而止，不為已甚」，則不能美其名曰「中庸」，至於遇事爭執，不敢挺身而出，只得模稜兩可，兩面

討好，又美其名為「執兩用中」，非但不能說是中庸，而只是孟子所說的「鄉愿」而已。

中庸的中是執中，是相對的中，就好比聰明而不厚道，則失之狡詐；然而一味厚道而不聰明，那就失之愚魯了，而「智慧」則是把握了中庸之道。其他諸如：勇敢是魯莽與怯弱的中道，禮節則是諂媚與傲慢的中道，又如騎腳踏車，一味地握著龍頭，「執一」不變，勢必傾倒無疑，它必須在行進中不斷的左右修正，才能達到「中道」不倒的地步。因此，這種「中庸」、「執中」是要有權變的，是一個「動態的平衡」，可以來回而止於至善。換言之，「原則不變，彈性運用」是中庸的最佳闡釋。

就民眾而言，「中庸」不只是一種政治哲學，也是一種生活方式，更是一種特有意識型態的文化。

眾所周知，華人文化博大精深，尤其在漢唐成為世界強國之後，儒、釋、道華人文化不斷向外擴展，影響已遍及整個東亞，包括海峽兩岸，還有日本、韓國、越南、新加坡、馬來西亞等國，均被學者納入為華人漢字文化圈範圍內，其所代表東方文化加上所融入的西方科技文明，使得上述各國家及地區在二十一世紀所扮演的角色更加明顯，許多學者主張以當前世局研判美國獨強時代已過，現階段全球已分立為歐、美、華、日韓、俄印等六大區域強權，其中代表東方文化者當屬中華、日韓、印度三者，而前二者又與華人有極大的淵源。

若論及兩岸文化的演進則又可自成一篇史實，臺灣於一九四五年後重返中華的懷抱，一九四九年有兩百萬左右的大陸菁英追隨國民政府播遷來臺，期間力行孔、孟學說及傳統文化教育直至二○○○年，在五十年左右的時間中圍繞著堯舜、禹湯、文武、周公、孔孟、中山進行民族思想教育，不僅締造了臺灣經濟奇蹟，更凸顯了華人勤奮的事實，臺灣以一小島崛起，並不是因為土地的資源，而是因為人才的

培育，臺灣受到高等教育青年的比例在世界名列前茅，到今天臺灣學生幾乎百分之一百可以進入大專院校就讀，獲得碩士及博士學位的比例，較之先進國家毫無遜色。所以臺灣被稱為寶島應該是寶在「人才」，寶在「文化教育推動的成功」，而臺灣在全球僑務僑教方面的努力，也獲得相當的績效，臺灣主導的華人海洋文化，引導著全球海外華人儼然成為海洋華人文化的主流。

反觀中國大陸自改革開放以來，已逐步具備世界大國的典範，姑且不論其經濟成長的快速，而謹就教育文化而言，也有令人驚艷的進步，過去臺灣奉為建設圭寶的中山實業計畫在大陸徹底實施，而隨著高等教育的蓬勃發展，傳統文化也受到了應有的重視，一股華人大陸文化正勢無可擋的邁向全球。尤其是有形的文化建設包括文物及古蹟的保存，圖書館、博物館及文化中心的建置，以及無形文化建設，如文藝、武藝及技能的表現非常具有創意，各項倫理、秩序與道統也有大幅的進展。

以上各種狀況說明了一項事實，那就是華人新文化世界的到來，全球華人應該如何群策群力、團結合作、共創雙贏的時機已然開啟。基於上述的觀察，可以整理成幾項基本理念：

## （一）和平共存協力推動傳統文化

一、華人文化圈中，各個國家及地域均能在本身範圍之內以和平的理念、和諧的態度開創自有的文化，然後建立各項對口平臺，進行融合工作，務期異中求同、互補有無，為華人文化做出具體的貢獻。臺灣小而美，公民素質高可以建置為海洋華人文化中心，所創造的新文化產業，可以作為自然及文化觀光旅遊景點，來帶動華人文化邁向多元發展的新境界。

二、為增進各個地域的相互瞭解，開放自由觀光及貿易，建置交

通的樞紐，成立區域性文化及經濟的合作組織，共同研究拓展儒、釋、道東方文化的途徑，以因應全球化、國際化的時代來臨，而孔孟思想及中山精神當可成為全球華人共同信念。在此一基礎上融合中國大陸華人文化及臺灣海洋華人文化，形成完整的華人共同文化圈。此項範圍還可進一步擴展到日、韓、新、馬等國家內認同東方文化的人民。

　　三、組織合作單位，共同研發傳統華人文化的特質，以求截長補短，去蕪存菁，並藉由文化創意產業及文化觀光旅遊產業相互交流，再重整雙方文化資源及資本予以擴展，謀求和諧人生作為中心思想的建立，完成富而好禮的社會，恢復傳統道德，提高人民素質，從而到達禮運大同的理想。也是人類以和平發展代替爭鬥戰爭的最佳途徑。

　　以臺灣的立場而論，當前最重要的是文化政策的確立及執行，以及如何強化文化藝術行政管理和拓展國際觀光旅遊，因重視文化政策及建置文化觀光部，是當前刻不容緩的工作，惟在全球世局及臺灣未來兩大背景因素的考量下提出幾點建議：

　　一、韓國文化創意產業值得參考，一九九八年韓國開始大力發展文化產業。韓國提出二十一世紀將以文化產業為首後，不僅改變了經濟的結構，且提升了文化因素的比重，將流行文化的強勢，轉變為一種軟性的力量，透過文化的輸出在全球發揮巨大的影響力。韓國的文化產業擁有政府的資源，企業的投資及民間的運作三方面合作良好，而文化觀光部及文化產業振興院扮演了重要的角色，最重要的是，韓國在吸引國際觀光客方面的努力使人肯定，韓國仁川國際機場今年再度蟬聯全球最佳國際機場。臺灣與韓國同樣是華人文化圈的一員，韓國能，為何臺灣不能？韓國的成功可作為借鏡。

　　二、臺灣必須塑造適合此間特質以及文化優先重視藝術的特色。美國著名教授莫爾凱（Mulcany）曾表示「政治結構的傳統對其社會文化及藝術的看法大有影響」。基本上歐洲國家最重視文化的法國在

一九五九年設置文化部後，就以政府主導的方式來促進文化的發展，但是美國則是自由個人主義代表，認為國家不應太過插手文化事務。

由此看來各國文化政策的方向與施政重點，是有極大差別的。探討臺灣文化政策的發展，將可以瞭解到在位者，通常多已注意到文化的重要性，也都提出了許多理想化的目標，然而在執行的過程中卻有力不從心之感。

前已研究，臺灣各政黨在文化政策上的主張幾乎相同，尤其是設立文化部，增加文化經費，尊重多元文化，文化事權集中，文化主導權下放，培育文化人才，興建場演場所，推行社區營造，促進文化觀光，獎助藝文發展，保護文化資產等等各方面，都沒有太大的差別，唯一不同的是，文化上以大中華為主體，還是以臺灣為主體的問題。

臺灣是海洋華人文化的代表，由於臺灣特殊的歷史背景及地理位置，更由於臺灣人口大多來自閩、粵兩省，當然不能自外於華人文化，但是以華人傳統文化主流為主的臺灣，同時也引進了多元文化的活水，因此建置海洋華人新文化乃是臺灣責無旁貸的責任，而政策的擬定必須發揮臺灣的特質，而以文化優先，重視藝術為基本原則。

三、臺灣應該擬定海洋華人文化政策。臺灣位於太平洋島鏈的中樞，向上承接中華大陸文化，向下滲入東南亞各國華人的文化，東南亞地域擁有三千萬華人，全球其他兩千萬華人也受到該地區影響，因此臺灣作為海外華人文化的代表與先驅，不失為最佳的選擇。所以以文化優先、文化政府作為臺灣邁向國際的途徑，以創意、知識、價值、標竿、人民素質及文化特色來作為文化競爭與合作的主軸來建立文化中心思想，一方面對外可以進行文化融合，一方面對內可以消除族群對立。

海外華人文化的特質是以政府調控為經，企業經營為緯的文化，從家庭倫理到社會秩序的改革，然後結合大陸華人文化邁向國際發展

全球，至於海洋華人文化的實行，則是以雙贏代替對峙，多元提升品質，建立和諧和平的對等關係，以慈悲為懷、搭起兩岸甚至國際交流的橋樑，從而搭建邁向全球合作的平臺。

## 二　中心理念

　　華人文化是由華人自己創造的，它獨立於世，自成一個體系，一個世界；與印度、西洋文化鼎足而三。

　　印度文化重神道而輕人道，它以宗教為中心；西洋文化中前段希臘文化比較重人道，但中世紀之後卻特重神道，因而有「黑暗世紀」的出現；直到文藝復興後方才回復到重人道的文化。

　　華人文化重人道、重人倫，可以說最「人文的」。此乃由於儒家思想在傳統文化中最具勢力，而儒家思想質而言之乃係人文思想。

　　華人的人生觀是入世的，實際的：「未知生、焉知死」，「敬鬼神而遠之」：國人禮拜的對象表面上是「神」、是「鬼」，實際上是「人」；故而說：「慎終追遠，民德歸厚矣！」人生的希望寄託在現世和子孫，而不寄託於虛無縹緲中的未來——天國或極樂世界。華人說：「祭如在，祭神如神在。」此即為不讓宗教的神秘主義阻滯了理智活動的意思。

　　西洋人常說華人是個沒有宗教信仰的民族？就客觀形勢條件而言，儒家不是宗教，它未具備宗教的「必要」條件，充其量只是「充分條件」而已；但就主觀的心理現象而言，它在東方文化中（不只是中華，還包括日、韓、琉、越）人的心目中，卻是個不折不扣的宗教。

　　果真儒家是「宗教」的話，則與西洋比較起來，應可以排列如次：聖經即論語、先知即堯舜、教主即孔子、聖誕即九月廿八日、教堂即孔廟、教宗即歷代孔聖侍奉官、受難事即絕糧於陳，畏於匡，毀

於叔孫，奔走於齊、魯、宋、衛之郊、魔鬼異端即楊、墨。

　　然而儒家唯一不具備的是：「進入天國」或「永生得救」或「西方極樂」等，因為儒家是入世的而非出世的文化。

　　政黨乃一部分之國民，依其志願，所組成之政治團體。其目的在於通過公職人員之提名選舉，獲取政府權力以實現其政治理想與主張，並促進國家民族利益。

　　自古以來向無「政黨」一辭，因而論者往往認為政黨乃標準舶來品，絕非中土之物。考之辭書：「黨」字始於鄉黨，周禮大司徒五族為黨，使之相救，「黨正」各掌其黨之政令教治。意為古代一種地方基層組織。五家為鄰，五鄰為里，萬二千五百家為鄉，五百家為黨。如是而已。

　　首先就政論政，以內容看：儒家乃是世界上最早一個「政黨」。從儒家的經典──論語，即可看出其中所記述的、垂訓的，無非是政治的、外交的、教育的、經濟的與軍事的原理、原則。

　　其次就形式看，儒家是個不折不扣的政黨：

　　一、黨員：士，黨員是構成政黨最基本的要素。儒家的黨員是「士」，他可不是徵召或募集而來的，他是以考試制度而吸收的。考試的內容，是孔孟言行（四書五經），經過了多層的考試，錄取了秀才、舉人與進士等不同階層的「黨員」，而其中的進士則是從政同志，舉人是黨工人員，而秀才則是「黨義」宣講員。

　　二、主義：大同主義，主義乃政黨之最高指導原則，亦為政綱、政策之所從出。

　　三、政綱：即政治綱領，乃是對政治現實所提出的原則：

　　（一）在明明德──近程政綱（獨善其身）。

　　（二）在親（新）民──中程政綱（推己及人）。

　　（三）在止於至善──遠程政綱（兼善天下）。

（四）政策：又稱行動路線，對政治現實所提出的具體辦法。儒家
　　　的政策為：格物、致知、誠意、正心、修身、齊家、治國、
　　　平天下。

（五）黨紀與黨德：黨紀與黨德乃一體之兩面。前者是外鑠的；後
　　　者是內發的。儒家的黨紀是義，而其黨德為仁。

（六）領袖：孔丘（總裁），孟軻（副總裁）。

（七）組織：組織便是力量。政黨如無組織，則黨員勢如散沙一
　　　盤，無法凝聚與鞏固，更不能贏得政爭的勝利。

　　儒家之所以「類似」政黨，蓋有前述六大要素；而儒家之所以未
能構成政黨，其所欠缺之要素厥為「組織」。儒家講究的是「周而不
比」、「群而不黨」；儒家固然也強調「學而優則仕」，鼓勵個別從政，
但從不參加政爭，角逐神器。儒家雖不參加政爭，但歷代當政者，必
須遵守他的道統與教條，不得違反，否則輕者有大臣諫諍；次者有伊
霍的廢立與湯武的征誅；最重者則是曾胡之討伐洪楊。

　　在這裡擬試以孔門弟子專長，來組成一內閣：顏淵（內政）；子
路（國防、軍事）；子貢（外交、財政）；冉求（經濟、法務）；子夏
（教育）……足以構成一個大有為的政府。

　　「家」在人類學上的界說，是由雙親及子女所構成的生育社群；
在社會學上，是由夫婦和子女，以及其他親屬所構成的最基本社會團
體。因而，家是一種親屬團體，凡沒有親屬關係，雖同住一屋，即便
作息相同，同桌進食，亦不能稱之為家。

　　家是一種永久組織，凡約定暫住一起之員工或親屬，或「露水夫
妻」，皆不能稱之為家；家必以共同生活為要件，分釁而居，同床異
夢，皆不得稱之為家。因此，在國人的心目中，家的功能應有下列
三端：

　　倫理的：家可以綿延種族，傳宗接代，負有承先啟後的使命，因
而保育兒童，照料老人為其基本職責。

　　民主的：家是個人精神的加油站，安全的避風港，它可以使人獲得安全、幸福、美滿的感覺，進一步可以培養人性，發展人格，完成人生。

　　科學的：家原是個最小的，最直接的經濟單位，有著生產與消費的雙重功能。自產業革命後，家雖然不再是直接生產單位，但仍然是個間接生產（經濟）單位；時至今日，學校教育與社會教育十分發達，但家仍然是人類最初及最小的教育單位，可以將知識和文化，傳遞至永遠。

　　錢穆先生有云：「我國文化，全部都從家族觀念築起。」因而在國人的口中，「家人」、「家室」、「家君」、「家臣」、「家世」、「家族」、「家風」、「家聲」、「家教」、甚而「家國」……吾不朗朗上口。國人把家的意識擴展並包含所有的人際關係，不論是「三綱」（君臣、夫婦、父子），「五倫」「五常」「五品」、「五教」（父子有親、君臣有義、夫婦有別、長幼有序、朋友有信），乃至「五尊」（天、地、君、親、師），無不以「作之君」、「作之親」、「作之師」三句話，一以貫之。

　　因此，在中華文化裡，君不只稱君，必稱「君父」，臣亦不只稱臣，必也稱「臣子」或「子臣」；縣太爺被稱為「父母官」，屬下百姓則稱「子民」；老師稱為「師父」，學生叫「學子」；對長官稱「公」而不呼名，自稱「晚」或「末」；選人才曰「舉孝廉」，國民稱「同胞」，軍人稱「同袍」，四海之內皆稱「兄弟」，無時無處不表現出以孝（即家）治天下的最高原則。不但強調「國之本在家」，而且舉忠臣「必於孝子之門」。

　　大學云：「格物、致知、誠意、正心、修身、齊家、治國、平天下……。」時至今日，社會有進步紛亂之象，故此，如何將「內聖」的工夫，擴展至「外王」的理想？又如何在「法、理、情」中將家族意識濃厚的「情」分降低，再多一點點守紀律的「法」與注重團隊精

神的「理」，則應為當務之急，為求「明天再好」，華人家族文化之發揚光大實刻不容緩，以上就是華人的中心理念重要內容。

　　由此延伸，全球華人必須要堅持固有文化發揮中心理念，中心理念是一個民族的根本，沒有中心理念就好像一艘船航行在大海之中沒有了方向，不知駛向何方有無所適從之感，尤其是現代的青年，常常被繁複瑣碎的生活所苦，被艱難枯燥的學習困擾，甚而有些青年還必須擔心生活經費的問題，於是大家都像無頭蒼蠅一樣，在茫無邊際的時空中到處亂飛，紛紛碰壁，當然它的折損率是無法估計的，因此中心理念的建立以及生涯規劃的提出，都是青年們必須重視的課題，坦誠而言，全球各大優秀民族都有它的中心理念來作為人生實踐的座右銘，美國如此，英國如此，日本及德國更是如此。

　　臺灣人在四十、五十、六十年代都充滿了蓬勃的朝氣，可以說是自信滿滿，每個人都有其理想與志向，每個人都期待著未來光明的發展，但是值得重視的是，在七十年代以後，由於經濟的富裕也使得部分的青年好像迷失了方向，檢討它的原因當然是因為科技的進步以及生活西化的結果，臺灣地區的華人徬徨於東西文化之間，逐漸喪失了它的中心理念，現在臺灣青年普遍缺少一套中心的理念，分析它的原因應該有下列幾點。

　　其一是，族群的紛爭導致國家認同上有了歧見；其二是過度民主的出現形成政治社會的亂象；其三是偏重理工而輕視人文，雖然政府和民間社團曾經數度強調了許多重要的相關理念，但是時至今日績效相當有限，其實解決之道非常簡單，只要對上述三點加以深入分析而提出適當的對策，自然就會產生扭轉乾坤的機會。

　　俗語有一句話說：「看今日頭角崢嶸恢弘氣度吞山河」、「願他年風雲際會旋轉乾坤摘鬥星」，臺灣的青年如果有這樣的氣魄，以雍容大度接受各方的正確觀點，善意化解許多過分的批評，那麼當然可以減少意見的爭執以及意識形態的對立。

更令人重視的是，臺灣有過度民主的跡象，民主固然是世界的潮流，但是它必須基於法治基礎之上，換句話說，所有從政的人都應該具備公平包容的基本心態，在發表任何主張及執行任何行動之時，必須公正評估對社會及群體的影響，因而有人說，集中垂直的民主反而比分散過度的民主優越。

臺灣的媒體中，有許多名嘴占有公開發表的機會，名嘴們雖然都有犀利的口才及豐富的資料，但是能獲得全民的擁護及支持者不是很多。換句話說，公信力不足使他們的績效大打折扣，我想原因無他，主要是名嘴們似乎也欠缺堅定的中心理念。

基於上述的想法，重新塑造中心理念應該是當前刻不容緩的工作，我認為中山先生所主張的三民主義在現階段民主社會中，仍有其重要的意義，也因為持有這種共識不少，使得中國大陸目前正全力的來推動中山精神及孔孟思想，中國大陸希望建置一個新的局面，由中山理念來作為發展的標竿是非常合理的事實。

許多年來，臺灣一直就是傳統文化的核心，再加上國民政府遷臺以後不斷去蕪存菁，並且增加了多元海洋優質文化，使得臺灣在文化創意上更為博大精深，相信如果以這種新文化作為中心理念，並培育所有的青年以此作為他們未來發展的藍圖以及向前邁進的標竿，應該是當代思想家、產官學領袖共同的責任。綜合而言，臺灣青年需要一套中心理念，這套中心理念應該源自於孔孟思想、中山精神以及海洋中華文化，人人抱持這個理念，就有希望邁向自由民主均富，到達富而好禮大同世界的理想社會。

## 三　幸福生活

有了中心理念，臺灣仍需要一套創意經濟來再度創造經濟奇蹟，

換言之，創意已是臺灣唯一能走的經濟坦途，過去企業界都在流行讀一本暢銷書，名字是《當和尚遇到鑽石》[1]，其主要內容如次：

格西（佛學博士）麥可・羅區是當今傳授西藏佛教的偉大導師之一，也是安鼎國際鑽石公司的創始人之一。該公司以五萬美元的資金起家，至今每年的銷售額超過一億美元；他以任職於安鼎的親身經驗為例，讓讀者能夠以新穎的角度，理解古老的佛教智慧。

安鼎國際鑽石公司的表現之所以如此出色，主要是因為作者任職副總裁期間所做的大部分決定和政策，都是應用本書所提供的商業策略，也就是在本書看到的佛教原則所作成的。

如果是原本就好樂佛學的行者，會讚嘆《金剛經》與經商之間竟然可以有如此完美的結合，空性的智慧不只是個人修養，更可以是經營管理的法寶；如果從來沒有聽過金剛經，也不瞭解什麼是空性，也沒有關係，單是瞭解鑽石行業如何運作，都可以大開眼界，趣味十足。

麥可・羅區一位從普林斯頓大學畢業的美國社會菁英，從一九七四至一九九五年麥可・羅區在印度待了二十一年之久，一九八一年他的上師建議他回到美國接受另一種人生考驗——經商，有趣的是這位洋和尚秉持著研修佛法的精神力量，以嚴謹、專注的特質成為一位鑽石商人，並且創造出如鑽石般耀眼的成果。

從一個小時七塊美金的小弟幹起，一路走過紐約的春、夏、秋、冬。將原本借貸五萬元的小公司，經營成年收入一億美元的大企業。對於他的俗世工作，他的上師告誡他不可張揚佛弟子的身分，光頭蓄起長髮，穿起西裝，不可浮誇或虛張聲勢，內在雖然是個修行人，外表和一般的美國人並沒有兩樣。

《金剛經》是一部充滿了智慧的古老經典，記載了兩千五百年前佛陀所做的開示，金剛代表萬物潛在的能力，「一個生意人若能清楚

---

1　羅區著，項慧齡譯：臺北：橡樹林文化出版，2014年。

覺知到這種潛能，就能瞭解事業或生命的成功關鍵。」作者巧妙地運用了《金剛經》所蘊含的古老智慧，成就了輝煌的事業與生活。

　　作者分享了他如何擷取古老的佛教義理，從一無所有到年盈餘數百萬美元的故事，主要遵循了三個原則：

原則一、要做生意，就得賺錢。

原則二、我們應該能夠享用金錢。

原則三、當你回顧事業時，確定你的努力對這個世界是有意義的。

　　除了高深的智慧，這本書最令人讚嘆的是作者談到的幾個方法，簡單而實用，立刻就可以搬來依樣畫葫蘆。

（一）讓數字說話

（二）蔣巴法

　　　　學習如何敏銳地觀察其他人的需要與喜好，發現妙用無窮。

（三）圓圈日

　　　　在規律的生活中，選一個固定的時間，暫時放下手中的工作，前往另一個地方，安安靜靜地思考。

（四）空性的奧秘

（五）無常的功課

　　事實上，現代的企業必須有思想的導引才能成功，更必須具有創意才能把業務發揮到極致，我相信臺灣的企業家都在尋找創意，也在尋求成功與完美，郭台銘就曾經說：魔鬼都藏在細節中，要成功、完美，首重注意細節。

　　這些年來，我發現成功的人和公司，總能做到滴水不漏。他們不靠革命性的創意，因為革命性的創意可遇不可求，他們有耐心和能力把例行公事做到完美，一流和二流之間的差別就在細節。

　　臺灣創意經濟一旦順利展開後，人民生活必然富足，但所產生的副作用必然很多，例如「一切向前看」、「只要我願意有什麼不可以」

等等，因此如何創造富而好禮的社會，以及如何追求幸福的生活都是大家必須思考的問題，從這個觀點來看，幸福的人生觀、生活禮儀和快樂的態度，都是培訓青年的重點。

提到禮儀兩個字，就想到人與禽獸的區別，事實上「人」，原本與「禽獸」一樣，也是生活在地球上的一種動物，所以可以這麼說，把自己當成「人」來生活的人，才需要禮儀。不憑「禮儀」行事，不把自己當成「人」，那就只是「動物」、「禽獸」，就不一定需要「禮儀」。

青年上學讀書，累積知識，為未來畢業後的就業做準備。在過往的「經驗」中，「學歷」優於一切，擁有較高的學歷就可以擁有較好的職業。然而，在七分就可以上大學的今日，「學歷」也不再是「就業」的保證書，在青輔會近年發表的「臺灣大專畢業生就業力調查報告」中，「良好的工作態度」居於大專畢業青年與企業雇主，對於就業力一致認同的八大關鍵能力的首位。社會上目前盛傳一個公式：

就業能力＝（知識＋技能）×態度

所謂「態度決定一切」，擁有良好的態度，可以為自己的能力加成，就是擁有了良好的就業力。

當學歷不再是就業的保證書，當態度比學歷更重要的時候，因此要進一步深思：怎麼樣的「態度」才可以算是「良好」？態度來自於個人為人處事的方式，換一個角度想，禮儀引導人們在不同的情境中表現出合宜的言談舉止，禮儀所關照的，就是人所表現的態度。

合於禮儀的舉止，就是社會上長久以來所普遍認同的「良好的態度」。可以這麼說，追求禮儀，就擁有良好的態度；有了良好的態度，就具備良好的就業力。學習禮儀能讓人俗有職場上的優勢，坦率而言，「學禮」比「學歷」重要。

　　由此可見禮儀的重要性，如果再加上對人生看法的正確就再好不過了，那也是必須學習的，事實上，人生也不要太圓滿，有個缺口讓福氣流向別人是很美的一件事，在一個講究包裝的社會裡，常禁不住羨慕別人光鮮華麗的外表，而對自己的欠缺耿耿於懷，但就多年觀察，可以發現沒有一個人的生命是完整無缺的，每個人多少少了一些東西。有人夫妻恩愛、月入數十萬，卻是有嚴重的不孕症；有人才貌雙全、能幹多財，情字路上卻是坎坷難行；有人家財萬貫，卻是子孫不孝；有人看似好命，卻是一輩子腦袋空空。

　　每個人的生命，都被上蒼劃上了一道缺口，不想要它，它卻如影隨形。許多人也曾痛恨人生中的缺失，但現在我卻能寬心接受，因為體認到生命中的缺口，彷若我們背上的一根刺，時時提醒大家謙卑，要懂得憐恤。若沒有苦難，大家會驕傲，沒有滄桑，人們不會以同理心去安慰不幸的人。

　　人生不要太圓滿，有個缺口讓福氣流向別人是很美的一件事，不需擁有全部的東西，若你樣樣俱全，那別人吃什麼呢？也體認到每個生命都有欠缺，也不會再與人作無謂的比較，反而更能珍惜自己所擁有的一切。

　　所以，不要去羨慕別人如何如何，好好數算上天的恩典，會發現所擁有的絕對比沒有的要多出許多，而缺失的那一部分，雖不可愛，卻也是生命的一部分，接受它且善待它，人生將會快樂豁達許多。

　　此外，懂得快樂更為重要，有人說，人生所追逐的最終目的只有二個字──「快樂」。

　　快樂的人懂得惜福，他們從不埋怨自己缺少什麼，而會去珍惜自己擁有什麼。心胸寬大的人，不會因為別人兩句不禮貌的話，就颳起永遠的狂風巨浪；也不會因為別人不禮貌的行為，就在心底刻下無法磨滅的傷痕，像清澈的潭水一樣，雲過了，不留痕跡，像堅韌的竹子一樣，風過了，不留痕跡。

不是某人使我煩惱，而是我拿某人的言行來煩惱自己。當用煩惱心來面對事物時，會覺得一切都是業障，世界也會變得醜陋可恨。與其說是別人帶來的痛苦，不如說是自己的修養不夠。什麼時候放下，什麼時候就沒有煩惱。來是偶然的，走是必然的。所以你必須，「隨緣不變，不變隨緣」。

當然有了禮儀與快樂的本質要重視說話的態度，古今中外有很多人因為別人的一句話而深受感動，甚至豁然開朗；由於「一句話」而改變一生的事例，更是多不勝數。

「一句話」很容易說，但重要的是要能讓對方受用，失落著的生命再造，不一定要靠能言善道的人來開導，有時僅僅是一句看起來普通的話，就能為對方帶來力量，生命是一種學習，任何人在學習的過程中不免遇到困難和迷惑，給人一句好話，讓人生命奮起飛揚，何樂而不為呢？

所以，人要常說：第一，給人歡喜的話；第二，給人鼓勵的話；第三，給人肯定的話；第四，給人讚歎的話。多說好話，少說壞話。不經意的一句輕浮話，有時會自毀前程，而一句關懷別人的話，卻能讓沮喪的人有生存下去的勇氣，因此，人要經常檢點自己的口舌，以免破壞了好因好緣。

達賴喇嘛說：「一張口開蓮花香，一雙手勤作善事，一顆心有情有意，一輩子歡喜自在。」

如果大家都能有此修養，那麼富而好禮社會的形成是必然的，但也有些條件，例如「人生如夢，歲月無情」，人活著其實是一種心情；窮也好，富也好，得也好，失也好，都是過眼煙雲。

記得在一本書裡，曾經看到這樣的一個故事，看後得到相當大的啟發。人在無法改變失敗和不幸的厄運時，要學會接受它、適應它，學會轉換自己低落的情緒。

　　其實，誰沒有煩惱？誰又可以抗拒各種情緒的困擾？這個時候，會把自己陷入短暫閉塞的空間，戴上耳機與天籟之音相吻；會打開音箱，與歌手一起癡醉；會沖一個熱水澡，卸去心靈的疲憊；也會準備一頓豐盛的晚餐，約上幾個朋友大吃一頓；也會來到空曠的田野發自肺腑的吶喊，把積壓的委屈趁機發洩出來，或者是寫點東西，把一些憤懣體現在字裡行間。

　　許多人這樣做了，心裡會輕鬆很多，再睡個好覺，等天亮時一切都會變得嶄新。在當今這個壓力越來越大的社會中，人很難保持一個良好的心態，適當轉換情緒，改變態度是必不可少的。

　　懂得處理好自己的情緒，才會擁有健康的心態，才有可能創造更美好的生活。無疑的，這是力求幸福生活的必要條件，快樂的心境與健康的身體是富而好禮社會的要素，大家碰到挫折要學習保持健康和愉快，那才是世界和平的泉源，下面幾句話值得深思。

　　正如伊斯蘭教的《可蘭經》所說：

　　　　如果你叫山走過來，山不過來，那你就走過去……

　　有一句說得好：「一個人的身體健康是1，而財富、感情、事業，家庭……，都是1後面的0，只有依附於這個1，零的存在才會有意義，如果沒了這個1，那麼一切都將不存在」。因此人生最重要的就是有一個健康的身體，健康的身體靠什麼來獲得？那就必須有一個快樂的心情，所以，我們要學會釋放壓力，緩解疲勞，改變你的生活態度。」所以「沒有過不去的事情，只有過不去的心情。」

　　臺灣還有很多世界級的優點，其中一項就是臺灣有無數個社團都在進行社會公益的活動，舉例而言，臺灣的國際扶輪社運營良好，堪稱全球典範，我曾經參加過「古亭扶輪社」，在該社我深深體會到臺

灣同胞的熱忱、善良與親切，大家相處愉快，互補有無，像是一個非常和睦的大家庭。此外我也參加過國際獅子會的「慧智獅子會」和扶輪社同樣顯示出臺灣人的衝勁、幹練，以及怎麼生活的能力，當然國際傑人會在社團活動方面，也有傲人的成就。

　　不僅如此，臺灣的中小企業蓬勃發展也是世界奇觀之一，他們更代表著臺灣的草根文化及傳統道德。所以我必須說「幸福生活的寶島就是臺灣。」

　　幸福生活的實證很多，例如我的親家吳仁榮伉儷就是臺灣小確幸的代表，他擔任過兆豐銀行機場分行的經理，他生活經驗豐富、重視休閒、家教紮實，把他秀外慧中的寶貝女兒吳佳靜嫁給了我的兒子高鵬翔，鵬翔家庭生活美滿而充實！又如我的另一位親家吳靜黎伉儷，他曾任台塑駐美休士頓廠長，他的兒子吳旭哲與我的女兒高欣完婚後放棄美國高薪千里迢迢來到臺灣工作，生了一兒一女，家庭生活幸福美滿！而內子王海倫在美國的兄弟姊妹大都出席了我女兒在休士頓舉辦的婚禮。事實上，他們都是留美華人幸福生活的典範，由於我的岳父王連貴及岳母周素琴都熱心公益樂於助人，所以福報甚深，內兄王海旭是眼科專家擔任過俄亥俄青年城大學董事長，他的子女都是醫生，可以說是醫師世家，內弟王海福曾經當過中餐及西餐館的老闆，子女表現不錯，女兒還當選過舊金山華埠小姐，大姐王秀清的家人分別在大學、政府機構、銀行或電子公司任職，績效良好，二姊王秀蓉則是一位成功的不動產經營專家。

　　我的好友陳光憲校長更是臺灣幸福生活的寫照，他不僅有一位賢內助，還有極具孝心的子女，更有一大群尊敬他的學生圍繞在四周。事實上，臺灣民眾的生活水平及品德修養能夠在全球名列前茅，實在也是許多政府官員及學者專家全心服務民眾的功勞。以我個人的經驗而言，我所認識的政府官員以教育部、僑委會、文建會及國防部為

主，我覺得各部會首長及同仁都有一心為民的胸懷及為大家服務的熱誠！說實在話，我沒有碰到過什麼很壞的公僕，我覺得儘管意識形態或顏色不同，但不分藍綠基本上是善良的。我畢業於中國文化大學是第一屆的傑出校友，我的學弟妹中有許多位奇才，例如曾任僑委會委員長的焦仁和，提到僑委會，我就會想起了好幾位表現優異的政務官，包括蔣孝嚴、吳英毅、洪冬桂、王能章、葛維新、孫國華、陳士魁等等先生。

另外曾任中國國民黨主席的洪秀柱更是一位女中豪傑，她敢作敢為、有主張、有見解，是一位值得肯定的政治人物。文化大學人才倍出，曾任部次長及立委者不計其數，這項事實足以證明創辦人張曉峰先生培育人才的貢獻！由於我職務的關係，和我共同主持會議、會晤過的大學校長超過一百位，包括臺大校長陳維昭、政大校長張京育、師大校長梁尚勇、臺北大學校長李建興、輔仁大學校長李寧遠等等人士。

他們的風範及人格都是我所尊敬的，他們對教育的重視及貢獻也是令人敬佩的。我想在國父紀念館館訊及教育部僑教通訊上的報導應該極為詳細！至於國防部的伍世文上將、陳廷寵上將、金恩慶上將、王文燮上將、陳築藩中將、王詣典中將、高仲原中將、李治安少將、葉慧珊教授、鄭大平上校、張育蘭上校等等和我是時相往來，義氣相投，共舉正義的大旗，也算是人生美事的一樁！

在臺灣讓我最有幸福感的是我有一些好朋友，他們不但在生活中為我增添了美好的氛圍，而且又協助我投資理財，使我的退休人生更充實，更有爆發的生命力來倡導社會公益。其中林文進先生是一位義薄雲天的企業家，他是房地產界的頂尖人才，人脈不僅廣大而且人緣極佳，他和林政誠醫師的奇妙緣分膾炙人口。他是我的麻豆老鄉，更曾經在黎明中學就讀，是我父親的學生，算是我的好學弟。林政誠不僅是一位仁心仁術的名醫，也是熱心公益的社會領袖，和我相當親近，

陳志章先生是我的扶輪社社友，他為人熱誠，和我是相互來往，有相當親密的友誼，他對家鄉國民小學的貢獻就是一項社會的典範運動！余昌哲先生是我的忘年之交，他也是一位投資界的名人。張宗元先生與我也常常交換意見，他對故鄉澎湖的關懷頗受肯定。還有湯為琳董事長，他誠懇實在，樂於助人，對我相當關照。

至於另外的幾位好友一是張秋旺董事長、張董是一位很有慈悲胸懷而事業有成的著名企業家，他熱心助人，人脈廣大，有情有義，號稱「三公」，相當受到業界的好評！黃欲彬代書是一位家庭幸福、事業圓滿的專業人士，對我協助頗多。在這裡，值得一提的是另一位好友蔡福財先生，他經營成衣事業相當成功，一度想擴展到開設銀行，可惜壯志未酬而中途往生！他對朋友非常有義氣，我記得他當時要投資在中國大陸西安附近開油井，特別想到了我，他說他將投資十口其中一口的份額給我，讓我感動的是他說了一句話：賺了歸你、賠的歸我！這樣與朋友仗義疏財的人恐怕世間少有，所以在他公祭的時候我親自為他釘棺，算是一場生死之交吧！此外，嚴文聰董事長和我相當投緣，他為人誠懇熱心，做事認真負責，是一位相當有名望的企業家，他的夫人也相當賢慧。嚴董和我算是通家之好，我的子女高鵬翔及高欣都受到他很好的關照。另一位鄭書鎮董事長與我也有相的淵源，他為人勤儉樸實，善於理財，是知名的企業家，他的兒子鄭Frank，厚實穩重，是一位好青年。此外，我的特別助理顏博文及秘書黃素珠都是極優秀的社會菁英，協助甚多。

## 四　重視國學

### （一）國學教育的重要

中國大陸法制晚報在二〇一五年報導了一則消息，那就是高考自

主招生流行考國學，包括北大、清華、復旦、武大、人大、浙大、上海交通、南京大學、中國科技大、吉林大學等十所名校自招簡章，「國學」也成為一大熱點。

中國大陸近期決定在全國幼稚園、中小學推廣國學經典教育；習近平總書記對教育發表重要講話說：「不論時代發生多大變化，不論生活格局發生多大變化，我們都要重視家庭建設，注重家庭、注重家教、注重家風，發揚光大中華民族傳統家庭美德，促進家庭和睦，促進親人相親相愛。」等語。

他在中小學傳統文化教育領域，首次提出了傳統文化教育的教學目的是「完美人格教育」，使學生們能在傳統文化薰陶下具備「良好行為規範，高雅審美情趣，質樸道德操守，深邃哲學思想」。

大陸教育部規定：學前教育階段：《弟子規》、《三字經》、《聲律啟蒙》、《論語》、《大學·中庸》、《道德經》等等，必須優先學習。對國學的重視令人震驚，事實上，我們臺灣在國學推動方面較中國大陸更早實施。我想先談一談外國學者專家對國學的評價。

英國大哲羅素（B. Russell）曾經明確提醒世人：「我曾經不只一次強調，中華文化在很多地方優於西方文化」，他並清楚的指出，中國若要富強，「首先應該注重的，就是提倡愛國主義」，這個愛國主義，主要就是愛中華文化，從國學中領悟人生智慧，從而激發對中華民族的熱愛情操！

另外美國大哲懷海德（A. N. Whitehead）也曾經明確指出：「當我們越瞭解中華文化（國學），就會越欽佩其博大精深，越欽佩中華民族。」

再如法國大哲伏爾泰（Voltaire）同樣曾經強調，「在這個地球上，人們最值得尊敬的時代，就是遵從孔子學說的時代。」

此外，德國大哲兼數學家萊布尼茲（Leibniz），更從《易經》領

悟出中華民族的優秀，讚嘆指出，中華民族更優於德意志民族，他說：「從前我們絕不相信在這世界上，還有比我們更進步的民族存在，現在東方中國竟讓我們覺醒了！」

五四運動以後，很多人誤以為孔子學說反民主、反科學、美國漢學大師顧立雅（Creel）卻明確地提醒世人：「孔子學說對於法國大革命的民主理想，起了相當大的影響，並透過法國思想，再間接影響了美國民主的發展。」

當很多人都誤以為中國沒有科學，甚至儒家妨礙科學時，美國劍橋大學名教授李約瑟（J. Needham）挺身而出，為中國科學說了公道話；他說：「人們總以為科學是西方的專利，與中國毫無關係，實在大錯特錯；我此生最大的用心，就是還給中國科技一個公道。」

當很多人流行學習西方管理哲學，並認為中國沒有管理學時，日本「經營之神」松下幸之助挺身而出，強調應向中國先哲們多學習：領導者應多學孔子的天命與創新，多學老子順應自然，多學管仲瞭解人性，多學蘇秦永保熱忱，多學佛陀必須有德，多學劉邦善用人才！

豐田汽車公司的創辦人奧田碩甚至明講，日本在二十一世紀需要偉大的領導人，而領導人要學習的第一課，就是學好孔子的《論語》！

所以，國父　孫中山先生很早就曾提醒國人，要「恢復民族信心」，要「恢復民族固有智能」，他並曾於一九二四年時，忠告日本政府，應做「東方王道文化之干城，勿做西方霸道文化之犬鷹」，這個東方王道文化，就是以中國國學為主，尤其是以儒家為主的仁道文化。

當然，中華國學內容並不只有儒家，還有道家、法家、兵家、縱橫家、佛學等，都各有其重要的現代啟發與偉大功能。

例如，近代美國公認最偉大的總統雷根，就曾在國情咨文中表明，他的治國之學，主要來自中國道家老子名言「治大國如烹小鮮」。

再如兵家，在美國西點軍校，〈孫子兵法〉列為必讀，多次戰爭能夠致勝，原因之一便是學習〈孫子兵法〉的哲學！

此外，縱橫家在當今複雜的國際形勢中，更有其大用！例如美國企圖「縱合」日本、菲國、越南等諸小國，圍堵中國大陸，正是蘇秦當年同樣思路！因此，如何善用張儀的「連橫」方法各個破解，更需多學習《戰國策》各種智謀，充分發揮其中的智慧與功能！

凡此種種，充分證明，只要大家都能充分「歸根復命」（老子名言），回歸中華文化慧根，充分活學活用，就能發揮其偉大功能，復興整個中華民族的生命！

## （二）臺灣人民的卓越

綜觀世界局勢的發展，可以瞭解到全球化及地球村已成為必然的趨勢，而促進各國和諧相處，從而達到共存共榮、世界和平的目標，乃是全體人類的共識。和諧與和平將是全球未來化的原則，因此海峽兩岸的發展如以此原則來進行，則可以達到雙贏的境界，但假如氣氛緊張，後果必然嚴重，惟和平的酵素究竟何在，值得省思與檢討。

儒、釋、道才是東方文化的精髓。尤其是全球華人圈均以此為主軸，強調「天下為公、選賢與能、富而好禮、慈悲為懷、清淨自在」是國學最重要的觀點，華人文化也可分為大陸文化及海洋文化兩類，當然最後的結果是兩類文化將融合為中華新文化。事實上，臺灣學者大多認為海洋中華文化其大部分來自中國大陸，惟其受到其他多元文化的影響，已逐步發展出更進一步冒險犯難、向外拓展的文化創意，並與傳統大陸文化有些許的差異。為使這兩項本質相同的文化融合，去蕪存菁，邁向嶄新而光明的途徑，雙方文化的相互交流與融合是必要的步驟。

　　綜合了世界許多國際友人的看法，臺灣人民是卓越的、擁有高水平的文化，臺灣應該是全球華人的宜居城市心靈故鄉，他們說「臺灣人親切和善，搭車文明有序，書店充滿文化氣息」。他們對臺北捷運以及臺灣高鐵都讚不絕口，「不但設備新、車廂乾淨、服務好，而且乘客都很守秩序，上下車排隊，無人喧嘩」。

　　二〇二一年全球最宜居地方排行榜出爐，臺灣成為世界之冠，全球最大旅外人士交流平臺 InterNations 對一萬四千旅外人士調查結果，臺灣是全球第一名。該調查以三個項目作為標準：一、易於落腳；二、財務金融；三、工作家庭。排行前十名如下：一、臺灣；二、馬爾他；三、厄瓜多；四、墨西哥；五、紐西蘭；六、哥斯大黎加；七、澳洲；八、奧地利；九、盧森堡；十、捷克。臺灣在自然景觀、物質與生活品質之平衡、飲食、社交對外人的友善等方面列為最優，而在醫療健保及整體環境方面，也名列前茅。宜家家居 IKEA 董事長說：「臺灣容易讓人有家的感覺。」

　　臺灣文化傳統相當久遠，文化形態豐富，文化層次多樣，人文歷史資源：如漢唐文化、荷蘭文化等地域文化資源：如泉州文化、漳州文化、客家文化、中原文化等。民俗風情資源：原住民文化、婚俗文化、都市文化等。具體而言，仍以華人文化為主。

　　臺灣華人文化本質，以結構而言來看，臺灣人口除極少數之原住民外，百分之九十八以上均來自中國大陸，包括閩南族群、客家族群及外省族群。他們各個族群都有其特殊的優點，足以形成優越的新文化。

　　臺灣海洋文化，臺灣是具有海洋文化特性的：就地理的觀點，臺灣的地理環境四面環海。西隔「臺灣海峽」和福建省相望，東瀕「太平洋」，南臨「巴士海峽」與菲律賓相對峙。

　　俗話常說：「大海納百川」、「大海不擇細流」、「大海有容乃成其

大」。故海洋具有：吸收、包容、接納、開放、寬闊、自由、謙虛、生命力等特色。

　　臺灣居民雖然一直生活在不穩定的環境中，但是民間力量的強大，對子女教育以及對國學的重視一直沒有間斷。

　　在臺灣民間教育中，道禾實驗學校就是實現國學的代表，他們的學校坐落在臺中山林之間，校訓是傳承中華道統的六藝，就是禮樂射御書數，家長必須擔任義工來配合教學，這些宣揚傳統文化的學院在臺灣非常受到歡迎，不過一般學生沒有這樣良好的環境，只好選擇一些較為重視固有文化的學校來讓子女就讀，我就是一個重視國學的實例。

　　我的整個家庭就是學習國學的典範，我本人是傳統文化的宣揚者與推動者，內子王海倫在師大擔任教職從事和我一樣的工作，所以我的兒子高鵬翔教授及女兒高欣教授，自幼開始就學習《弟子規》及《三字經》和文化教材。他們都畢業於再興國小、國中及高中，被稱為再興寶寶、乖乖好學生。後來都畢業於中國文化大學，我們一家都是華岡文化校友，他們在大學畢業後都去美國留學，獲得博士學位後又前往喬治‧華盛頓大學做了半年以上的博士後研究！高鵬翔現在是德明財經科技大學副教授兼行銷管理系系主任，高欣則是在輔仁大學服飾學院織品管理系擔任副教授兼執行長，他們都是國學教育下的青年典範。高鵬翔與氣質優雅溫柔婉約的吳佳靜女士結婚後連續生了兩個兒子高聖竣及高敬傑，家庭生活圓滿快樂。高欣也早在二〇〇〇年與服務於日本台北東芝公司擔任經理的吳旭哲成婚，現有一兒吳定陽一女吳佳諭，均在中正國小就讀，一家和樂融融。吳定陽成績品行均佳，還是中正國小籃球校隊的核心選手！

　　我時常想，如果要過幸福的生活，那麼從小就應該認真攻讀國學，那才是根本之道，而和我擁有相同思想的臺灣人應該相當普遍，

在蓬萊寶島生活的民眾能在傳統文化薰陶及國學教育的環境中成長茁壯，是一件極為幸運的事，和我一樣擁有相同理念的有識之士頗多，上面已經介紹過的好友林文進董事長就是一位典型的代表，他幼承家學，勤奮努力重視傳統文化，所以為人處世相當勵志，堪稱臺灣青年的典範。他有一項驚人的紀錄，就是一年中每天可以打四百場以上的高爾夫球，他每天早上四點半出發，上午九點半回到辦公室才開始做事。日日如此、年年如此，所以身體健康心情愉快，從而使周圍的人都沾了他的正能量，因此，我認為修習傳統國學就是一種奮發有為的原動力。此外我們中華學術文教基金會包括陳光憲副董事長、王正典秘書長以及其他董事相信都和我都有相同的理念，大家非常樂意成為社會的蠟燭來燃燒自己照亮別人！應該也算是宣揚中華傳統文化的美德，發揚儒家思想家庭的特色，我在這裡特別呼籲臺灣的家長們要重視兒童及青少年的國學教育！

## 五　融合共存

　　當臺灣形成富而好禮的社會，人人幸福快樂時，也不要忘了對岸的億萬同胞，話說天下大事分久必合，合久必分，綜觀全球發展的趨勢，都可以察覺到兩岸今後的融合是未來的必然，但是如何融合以及用什麼方式來融合等等，都將決定中華民族的未來，不可不慎。

　　中國大陸一九四九年以來的發展，儘管有許多的挫折以及令人傷心之處，不過六十年來的進步也是有目共睹的事實，中國大陸政壇的領導人包括毛澤東、周恩來、鄧小平、江澤民、胡錦濤、以及現任習近平主席等，都有相當的績效以及特殊的貢獻，事實上不論他們的功過如何，在中華民族發展史上，都已留下一頁頁的史實，站在民族大義的立場上，我對上述幾位有影響力的政壇人物予以正面的肯定，他

們和臺灣的領導人蔣介石、蔣經國、李登輝、陳水扁、馬英九、蔡英文之間固然有見解上的不同，也有出發點的差異，但是我相信他們為人民服務以及為歷史盡責的原則，應該是相同的。

　　由此看來兩岸未來的融合是相當樂觀的，因為大家都有為中華民族的發展共同努力的共識，雙方甚至都可以一笑泯恩仇，深入觀察現階段的大陸領導人，應該可以瞭解到他們共有的特質是沉穩、幹練、溫和、堅定，有苦民之苦、樂民之樂的胸懷。

　　記得大陸多年前發生四川大地震時，胡、溫兩位領導人的表現值得激賞，胡所提出的政策獲得全球華人高度的支持，而溫所表現的情義也予人印象深刻，總體看來，中國大陸上下充分發揮了「大事小以仁」的精萃，這項事實與臺灣領導人馬英九所執行的「小事大以智」的政策相映成輝，而臺灣連戰、吳伯雄、宋楚瑜、江丙坤等元老全力推動兩岸和解實在功不可沒，他們都為兩岸的融合建置了強而有力的平臺。

　　至於兩岸青年未來的合作方面，由於兩岸青年交流活動是非常重要的議題，尤其在兩岸分裂七十年後的今天來加以探討並且展望未來，應該是最有意義的一件事情，事實上兩岸青年交流活動在一九八五年就悄悄開始，大陸方面的中華全國臺灣同胞聯誼會邀請了三十位居住在海外的臺灣青年回到大陸參加夏令營，其中有一些來自臺灣，可以說為兩岸青年交流掀開了首頁。

　　一九八七年，臺北正式宣布，在臺灣有三等親的臺灣居民可前往中國大陸之後，兩岸的文化交流秩序迅速建立，從最初的人員往返，進而經貿交流，甚至再進一步進行學術、文化、宗教、科技乃至於青年活動的交流並且逐步頻繁展開。

　　經過多年的交流活動，在許多熱心社團、大專院校及基金會的推動下，兩岸青年交流活動到達了高峰階段，不僅多項不同科目的交流

分期展開，而且參加的人數也超過萬人，此種跡象，象徵著中華民族充滿光明的前景，然而由於各項背景因素，兩岸青年在思想及行為上的差異性，使得雙方交流也產生了一些問題，因此如何異中求同從而產生共識，同創幸福和諧的未來，成為當前必須討論的要點。

根據新華社二〇〇九年五月十五日的報導，臺灣青年夏令營早已從最初的每年幾十人，發展到現在就出現了千人的大團，從開營至今累計接待的臺灣青年已超過萬人。而中華青年聯合會主席王曉說，「以一九九〇年接待臺灣亞運觀光團為起點，中華全國青年聯合會開啟了兩岸青年交流活動。經過二十年的努力，兩岸青年交流從少量到大量，從單向到雙向，為兩岸關係的發展打開了一扇特殊的窗口。」

另外，根據華夏經緯網站的報導，二〇〇九年七月到八月，兩岸進行萬名青年大交流，此項「希望牽兩岸‧青春耀中華」的活動，包括到北京體驗中華傳統文化和現代化創意產業活動，組織赴長白山等地觀光考察活動，分別赴北京、內蒙、西安等地參訪活動，荊楚文化參訪活動、二十七個省市夏令營，以及北京、天津、內蒙古、遼寧、福建、江西、山東等七縣市兩岸青年聯歡會等等，規模堪稱龐大。

當然，臺灣的各個相關社團包括中國國民黨青年團、救國團以及臺灣青商總會、海峽兩岸文教經貿交流協會以及各大專院校等等，都曾經舉辦過許多大型的研討會及交流活動，邀請大陸青年來臺訪問，獲得了廣泛的好評。

二〇〇六年四月，中國國民黨主席連戰訪問大陸，與中共總書記胡錦濤會晤，在論壇中深入交換意見，論壇積極評價了多年來兩岸青年交流事業取得的成效，並就新形勢下匯聚兩岸青年力量，深化兩岸青年交流與合作，促進兩岸共同繁榮，並達成以下四點共識：

兩岸青年加強交流，共同肩負兩岸關係和平發展的重任；兩岸青年奮發創業，積極推動兩岸經貿互利雙贏；兩岸青年銳意創新，努力

促進兩岸科技發展進步；兩岸青年組織擴大合作，竭誠服務兩岸青年成長成才。

連、胡兩位領袖對兩岸青年期盼甚深，認為青年是推動兩岸關係和平發展，共促民族復興大業的樞紐，因此兩岸青年均同感責任重大，而如何達到上述之目標，從而振興中華，其首要條件就是省思兩岸青年如何異中求同，形成共創未來的共識。由此看來，深入瞭解兩岸青年的相同性和相異性，是當前重要的課題。

海峽兩岸青年具有相同的血緣、相同的文字、相同的語言，臺灣與大陸隔海相望，近在咫尺，不僅地理上非常親近，而且語言相同，人脈流傳，可以說是一家人，這種鄉土血緣的情感，不是任何語言可以形容的。

現階段兩岸青年在受教育的過程當中，背景幾乎相同，都有傳統文化孔孟思想的薰陶，又有中山精神的影響，在思考邏輯上兩岸青年不會有太大的差異。

當前海峽兩岸青年，在國際化的過程當中，都遭受歐美最新思潮的導入，在時尚以及流行上雙方青年的想法幾乎是相同的，大家都喜歡周杰倫、喜歡王菲，大家都看《赤壁》的電影，欣賞趙薇與林志玲的演技，大陸可以看到康熙來了的節目，臺灣也可以看到奧運會的直播。

馬英九二〇〇八至二〇一六年執政期間兩岸直航開通，臺灣與大陸朝發夕至，對兩岸青年而言，幾乎沒有任何隔閡，兩岸青年的同質性比重愈形增加。

兩岸青年的相異性如次：

## （一）生長環境的不同

大陸青年生長的環境很大，因此氣勢較大，也有大陸性的風格，

臺灣青年生長的環境較小，因而不夠大氣，又具有多元性，比較勇於開創，因此有海洋性的風格。

## （二）傳統文化的稍異

這一代大陸青年雖然沒有受到文化大革命的直接影響，但是在傳統文化的傳承方面稍有不足，與此相對的臺灣青年對於傳統文化的接受相當完整，形成小而美的中華文化特質。

大陸青年有旺盛的企圖心，以及努力學習的工作態度，有積極自信，競爭力強的特質，臺灣青年比較重視自我實現的部分，相信專業能力、溝通協調、開放創意，大陸青年希望改變現狀出人頭地，臺灣青年則成為彈性靈活的百變高手。

大陸青年多數能展現大方的雍容氣度，侃侃而談，臺灣青年則多數不願擔任團體太突出性的領導人物，相當內斂。

由上述相同點與相異點分析，大陸青年與臺灣青年各有其優劣點，互補性也很高，未來尋求雙贏的機會很大，海峽兩岸青年如何攜手合作去蕪存菁，才能開創兩岸和平的未來。

二○一六年臺灣政治環境有所改變，民進黨的蔡英文女士當選執政迄今，由於意識型態與國民黨有所差異，於是兩岸交流逐步減少，再加上二○二○年開始，全球新冠肺炎疫情嚴重，不止兩岸，全世界各國都進行封城行動，大家都不相往來，所以馬英九政府時期所推動的青年交流活動成了停滯不前的狀態，再加上國際情勢發生劇烈的變化，歐洲俄烏發生戰爭，美國發動西方國家一起支持烏克蘭制裁俄羅斯，從而又進行了印太聯盟，以美國、日本，加上澳大利亞、印度四國合作來遏止東方強權中國大陸的發展，美國總統不管是前任的川普，還是現任的拜登，都展現了反華強烈的情緒。臺灣執政的民進黨已選擇加入美國西方陣營，因此兩岸現階段處於非常緊張的狀態，冷

靜思考才是解決問題的關鍵。

　　作為一個傳統華人所組成的民國政府，原本是來自中國大陸國民政府的傳承，有其歷史的使命與任務，現在處在這樣一個複雜詭譎風雲變化的國際情勢之下，何去何從是非常值得深思的要題。

　　但是以傳統思想與文化而言，居住在臺灣的華人當然與大陸華人有著血濃於水的密切關係，不過臺灣畢竟與大陸有些不同，臺灣接受過荷蘭、明鄭、清朝及日本的多元統治，難免在某些想法方面與大陸有所差異。吾人在此情況之下，必須深思熟慮來更進一步探討臺灣青年的未來出路。首先，我們從東西方文化來比較一下：

　　坦誠而言，東西文化最大的不同乃是西方文化重現實，好功利，以科技財經為導向，促使社會繁榮進步，對人類的發展自有其巨大的貢獻，惟進一步深思，則可發現西方宗教文化的傳播已呈現停滯不前的狀態，而公民道德的價值觀，也有向下探底的現象，世界超強的美國已無復昔日之風光，而多元強權從而形成，也因為如此，東方文化也有了進一步拓展的空間。自古以來，華人即以儒、釋、道文化為主軸，強調「天下為公、富而好禮、慈悲為懷、清淨自在」的哲學，此項文化且已流傳數千年之久。

　　綜觀世局，當可瞭解到一項事實，那就是經濟的繁榮以及科技的進步，並不能完全彌補心靈的空虛，唯有灌輸公民中心思想，重整道德禮儀教育，才可以使得社會淨化，進步繁榮。引申而言，全球華人如果想在本世紀扮演重要的角色，則堅持傳統文化，弘揚中山精神，才是不二的法門。

　　文化是一切的根本，天下為公，大同世界是人類社會的理想藍圖，以此類推，昔日的兩岸領導人不論其意識形態或背景立場，他們所持有的共同理念應該都是「如何為民眾謀福利，力求社會繁榮均富」，因此實不應再去批判過去的缺失，而最重要的是必須尋求因應

未來發展的對策，相信這一點已經成為全球華人領導者的共識。

　　由於海峽兩岸青年是決定全球華人走向光明未來的重要支柱，因此如何使兩岸青年瞭解上述理念，並且予以發揚光大是最重要的捷徑，展望未來海峽兩岸青年應有下列幾項共識：

　　我強烈主張堅持儒、釋、道傳統文化、發揚孔孟思想，並予以傳承。宣揚中山精神及辛亥革命理念，共同追求民主、和平、幸福的大同世界。兩岸青年未來應該攜手合作、和諧共處、互補有無，才能共創新世紀的新中華。

　　由於中國大陸的建設不斷的成長茁壯，已經到達世界一流的水準，據最新資料顯示，大陸的外匯存底是世界第一，石油消耗是世界第一，貿易總額世界第一，而經濟產值是世界第二，大陸所有城市的地圖每三個月要改版一次，才能趕上建設的腳步，過去三十年整個大陸修建了一百萬公里的公路，而國父　孫中山先生實業計畫的東方大港已經完工，這所名為洋山港的港口已成為世界最大的貨運港，全球最長的東海大橋連接洋山港與上海，讓長江三角洲與世界接軌，此外，世紀工程是在海拔五千公尺冰原上，建設了一千餘公里的青藏鐵路令人驚嘆，當然二〇一二年奧運會拿了世界第一多的金牌，這項成功也提升了人才的教育，大學生超過兩千萬人以上，這一切都說明了中國大陸華人的成就。

　　於此相對的，也要強調臺灣華人跨世紀的發展，據世界旅遊雜誌報導，臺灣是小而美小而精緻的華人世界，不論在文明的程度、民主的體制、社會的秩序、交通的建設、居住的環境、知識的水準等等方面都有傲人的成績，一位大陸留美華人作家沈寧曾經說，臺灣是世界華人心靈的故鄉，此項言論已獲得廣大的迴響。

　　二十一世紀必然是全球華人的世紀，相信一個強大有力的中華文化圈即將出現，值此之際，海峽兩岸華人青年如何攜手合作，如何共

同創造未來，應該是一個刻不容緩的工作，在這裡我要呼籲兩岸所有的青年們，大家加強交流，異中求同取得共識，我們必須拋棄冷戰或熱戰的思維，以和平共存為基礎，大家團結一致，共同建設嶄新的全球華人文化圈，邁向理想的傳統文化大同社會。

總而言之，兩岸融合有利而無害，從管理學的角度看，兩岸合作1+1超過二，有更大的附加價值，雙方互相攜手共進，其勢必不可擋，在戰略上也是如虎添翼虎虎生風，虎行萬里食肉，在兩岸融合過程當中，大陸青年可能要減一分霸氣、多一分優雅，臺灣青年則應多一分霸氣、減一分優雅，不僅雙方對外態度互相配合，內涵特質也須融合才能統一步調布局天下。

臺灣至今傳統文化從未間斷，富而好禮社會階級形成復以文化創意優先研發，所以雖小而可成為先驅，如同臨港引水船可以協助海上大輪進出港灣，也有人說臺灣華人猶如美國猶太人，臺灣與中國大陸相輔相成精誠合作必可縱橫天下，基於此項理念如果兩岸領導人能夠大開大闔，進行互訪親自面會共商中華民族的未來，則不但可以獲得兩岸人民的支持，而且也為全球華人所歡迎。

以上是我基於全球華人必須共存共榮的理念而作出的核心思想藍圖，此項理想當然也有許多可以討論的地方。

臺灣有很多接受過日本教育以及感受到日本影響的人士，事實上，他們的觀點也有一些值得肯定之處。日本有日本的優點，韓國也有韓國的長處，事實上日韓與吾人都是亞洲的黃種人，也算是同文同種，大家應該和平共存，去異求同，一致為人類的幸福來共同努力才對，因此我主張為整個臺灣的生存發展計，西親大陸，東師美國，北聯日韓，南向發展的傳統東方「和解」文化，仍然應該是臺灣走向光明前程的不二法則，也是當前臺灣有識之士應該選擇的賢明舉措。

# 六　臺灣領航

　　傳統文化與藝術係由古、今、中、外多民族文化藝術交流匯聚而成，博大精深，源遠流長，不但具有獨樹一幟的文化藝術特色，亦於世界文化與藝術史上占有極重要的地位。文化與藝術歷經數千年跌宕起伏、千折百迴的發展，文物經典及藝術，遠自殷墟甲骨文、秦陵兵馬俑，到廣被四域的民情禮俗，形成雕塑、書法、繪畫等多元一體的系統，因此蔚為大觀。

　　傳統文化在人文思想上，啟於盤古開天及至黃帝、周公、孔、孟、老、莊，諸子百家及漢、滿、蒙、回、藏、苗、夷、狄等五十六個民族之先聖、先哲思想學說，海宇爭鳴，下迄孫中山先生倡導先聖周公之天下為公，世界大同的理想。都是震鑠古今，傳頌中外的典範。不僅東亞的日本、韓國、越南、新加坡……等地深受傳統文化與藝術影響，歐、美各國也視傳統文化與藝術為地球村共同的重要寶藏。

　　在二十世紀時，遠東整個地域歷經戰禍，國破民窮，民族自信心跼喪，傳統文化與藝術曾面臨存亡絕續的嚴峻挑戰。所幸及至二十一世紀期間，基於臺灣之成功經驗及失誤教訓為本，所發展出的反省檢討與勵精圖治的精神，以及大陸氣勢恢宏的改革開放政策及高瞻遠矚的發展戰略，兩岸和諧始能重獲復興民族文化與精神的基礎。因而，全球華人終能獲得去異求同，攜手同心共創盛世的機遇。

　　自古人類文明與藝術既具交流發展的特性，由此，論述傳統文化與藝術要義，必須放在世界文化藝術的脈絡中比較審視，方可明察其來龍去脈，進而體悟萬流不離其宗及萬流同源之根本真相。則自可促進人類各族同源一體之認知，而能建立和諧共生的境界。然而，值此二十一世紀初期，全球生態危機嚴重，世界貧富更加懸殊，價值體係依然混淆，全球化及區域化發展交相衝激，各地文化交流互動激烈之

際。文明衝突與族群對抗。不僅未曾稍歇，反有越加劇烈之勢。

　　其中，中國大陸之崛起已引起一部分國家和地區之疑慮，因而產生威脅論之觀點，如此思想趨勢，不僅對華人文化區域人民不利，更對世界和諧產生障礙。因此，面對世界變局，如何正確發揚傳統文化之精華及傳統藝術的精髓，並建立世界文化藝術與傳統文化藝術之間雙向交流認知的平臺與機制，實為促進人類和諧和作發展的當務之急。

　　吾人秉承古聖先賢的遺訓，要恢復固有道德智識與能力，必須同時學習及吸取世界多元文化藝術的精華，方可促進傳統文化藝術生生不息的生存與發展。本院著重以學術文化、社教推廣、書畫藝術、雕塑技藝，並結合西畫水彩，乃至於文化創意，即融合中西，亦結合古典與現代，更兼涵傳統與創新的生命力，即力求分向發展，也講究齊頭並進，更力求融合之後的羽化重生。

　　身為傳統文化藝術傳承的主流，吾人期待透過傳統性、前瞻性的規劃，維護中華文化並弘揚振興，進而促進國際藝術及學術的交流學習、提升中華文化藝術的貢獻。此即為設置「中華文化藝術總院」之緣起。

　　當前是全人類共同面臨金融海嘯、文明衝突及地球生態危機的關鍵時機，全世界人類關心人類文明和地球存亡者，莫不熱切期盼能夠發現解決困境之方案。

　　然而，在人類各主流文化藝術中，傳統的文化與藝術已歷經多次劫難而再三復興，可見其中應該蘊藏著足以為現代人類參考的可貴經驗。因此，倘若審慎探索中華民族多元文化與藝術，在數千年發展過程中所孕育產生的經驗與教訓，將可從其中萃取出符合二十一世紀人類，所需要的可貴智慧，作為解決這些重大衝突與危機，以及開創和諧、平等、美好新世紀時的方法。

　　中華文化藝術總院期望結合這一世代中，深具無私無我精神，並

願意服務全人類及地球生態的有志之士，共同協力探索文化藝術寶庫，找出這些關鍵性智慧。並主動運用電子媒體與科技方式，透過所有可行方案計畫渠道，及時提供給全球關心此類議題之人士、媒體、及各國政府、國際組織、民間機關、專家學者等，作為在解決各類問題及教育培訓時的參考。以上即為成立之目的。

總院由各領域國學、西畫、書法、國畫、雕塑、文創各領域的大師及學者專家共同創建而成，以弘揚傳統文化藝術，藉世界多元文化間之學術與藝術交流學習，來提升傳統文化藝術，並促進人類整體文化藝術和諧發展為宗旨。

總院當秉持同理心、邏輯思維及科學方法等三項認知，結合海內外具有相同理念者，合作探究華人多元文化藝術特質，並依據當代及未來人類，危機處理及未來美好發展所需，萃取最適用的文化藝術基因，協力推廣應用於各領域及各層次的宣導及教育之中，以資協助全人類文化及生態，脫困離難，共同邁向和諧健康之新世紀。以上就是總院成立的宗旨。

中華文化藝術總院設總院長一人，綜理院務，對外代表本院。設副總院長一至三人襄理院務。

並設置院士會、院務委員會、顧問會、院務諮詢委員會等。

總院下設國畫院、書法院、雕塑院、西畫院、技藝院、國學院、媒體院、民俗院、四藝院、文化院等。

目前規模卓具，已完成規劃與布局。

總院將團結國內外國學、藝術家、學者專家暨各界熱心文化藝術教育人士，整合各種國學、文化、藝術、經濟資源，致力文化及藝術研究傳承與創新工作，促進文化藝術發展，加強與海內外研究華人文化藝術之學術團體及學者、專家與愛好者之交流，並通過現代傳播手段推動有關民族文化及藝術之數位化、產業化、市場化乃至國際化。

　　擬規劃每年辦理多項年度工作重點，以下屬各院為研究發展及策劃執行之基礎，舉辦「全球華人書畫名家展」，以及「傳統文化藝術大獎」、「文化藝術研習營」。優先辦理之三項重大活動列舉如下。

## （一）全球華人書畫名家大展

一、設置目的：為闡揚中華文化藝術，達成文化藝術的交流會通與教育之目的，透過全球華人書畫名家的聯展，激盪共鳴以弘揚中華文化藝術。

二、展覽開幕式，亦邀請書畫名家當場揮毫及結合文創作品做相關成果展示。

三、參展作品邀請由本院總院長及各院長提名推薦或遴選。

## （二）傳統文化藝術大獎

一、設置目的：為鼓勵全球華人文化藝術界的傑出藝術家、專家或非營利團體、機關，致力於中華文化藝術教育工作有傑出表現，並能熱心公益回饋社會。

二、參選方式：由機關、非營利組織之負責人或本院創辦人、總院長及各院長推薦、自行參選者不予受理。

三、文化藝術大獎審查委員會聘請產官學專家及社會公正人士擔任評審委員。

四、文化藝術大獎，每年頒獎名額以十名為原則。另對文化藝術具有特別貢獻者，得由主辦單位推薦一名，經決選委員會原則上評選一名，頒發特別貢獻獎。

五、文化藝術大獎，每年舉辦一次，並公開頒獎表揚。

六、為推廣文化藝術分期邀請相關各界大師、專家及學者進行專題演講。

## （三）文化藝術研習營

一、宗旨：本院為增進兩岸國中、高中、學院、大學在校學生對中
　　華文化藝術的認識和瞭解，並在暑假作有意義而充實的活動，
　　特於每年暑假期間舉辦中華文化藝術研習營活動。

二、目的：藉由文化藝術參訪及名勝觀光，促進兩岸人民的情感
　　交融。

三、資格：凡兩岸各國中、高中、學院、大學在校學生含在校碩博
　　士研究生，均可報名參加。

　　基於上述的理想，中華學術文教基金會所創建的文化藝術總院，
正是當前臺灣達到公益社會的一股動力，一盞明燈，所有的董事們都
會全力以赴，共同完成邁向禮運大同的神聖任命，事實上，基金會董
事們即是臺灣社會的領頭羊，具有很大的影響力，現謹將基金會成員
列表如下：高崇雲、陳光憲、王正典、王高樑、江惜美、李威侃、孟
昭光、查重傳、張文齊、張啟明、高鵬翔、高駿華、陳偉之、陳德
禹、程南洲、黃金文、黃慶源等，我相信基金會所有董事都能以「天
下為公」為理想目標而努力。

| 職　稱 | 姓　名 | 經　　歷 | 現　　職 |
|---|---|---|---|
| 董事長 | 高崇雲 | 國父紀念館館長、臺灣師範大學教授兼主任、教育部僑民教育委員會主任委員、中國文化大學華岡教授、淡江大學教授兼所長 | 德明財經科技大學客座教授、中華工商研究院榮譽院長 |
| 副董事長 | 陳光憲 | 德明商專校長、臺北市議員、臺北市立師範學院訓導長、學務長、副校長 | 臺北市教育大學兼任教授 |

| 職稱 | 姓　名 | 經　歷 | 現　職 |
|---|---|---|---|
| 董事 | 王正典 | 中華文經發展協會理事長、中國兩岸經貿關係發展促進會理事長、中華旅遊發展協會理事長 | 中華文教經濟合作促進會理事長，大翰管理顧問股份有限公司董事長 |
| 董事 | 王高樑 | 德明財經科技大學行銷管理學系系主任、副教授，服務業經營管理研究所副教授，企業管理學系副教授，國防大學理工學院車輛工程學系系主任、副教授 | 德明財經科技大學行銷管理系教授 |
| 董事 | 江惜美 | 臺北市立師範學院語文教育系教授、輔導組主任、僑委會海外師資培訓教授、巡迴講學教授 | 銘傳大學華語教學系教授兼系主任 |
| 董事 | 李威侃 | 臺北健康護理大學、臺北教育大學、臺北市立大學、南榮科技大學、崇右技術學院講師 | 臺灣海洋大學、臺灣警察專科學校、銘傳大學、實踐大學、新生醫護管理專科學校兼任助理教授 |
| 董事 | 孟昭光 | 齊齊哈爾大學藝術學院客座教授，臺北市國際傑人會理事，立治網站電視臺藝術節目主持人。日本文化振興獎 | 中華藝風書畫會理事長、國際傑人會臺北市會理事 |
| 董事 | 查重傳 | 玄奘大學學務長，玄奘大學社會科學學院院長，玄奘大學社會福利學系（研究所）主任 | 玄奘大學社會工作學系專任副教授，中華人權協會副理事長，中美文化經濟協會副秘書長，財團法人青年之愛文教基金會董事 |

| 職稱 | 姓名 | 經歷 | 現職 |
|---|---|---|---|
| 董事 | 張文齊 | 仰德扶輪社社長，華岡文教基金會董事，收藏家協會理事 | 泰莉珊珠寶公司董事長 |
| 董事 | 張啟明 | 菁鏈科技股份有限公司董事長、和廣資產管理有限公司董事長、三次元空間設計有限公司董事長、臺灣倍益有限公司董事長 | 菁鏈科技股份有限公司董事長、和廣資產管理有限公司董事長、三次元空間設計有限公司董事長、臺灣倍益有限公司董事長 |
| 董事 | 高鵬翔 | 中華科技大學副教授兼系主任，中華科技大學學務長，德明財經科技大學推廣教育中心主任 | 德明財經科技大學行銷管理系副教授兼主任 |
| 董事 | 高駿華 | 板橋沙崙國小教師，中華文耀文教經貿交流協會理事，新北市現代藝術協會理事 | 新北市樹林美術協會理事長 |
| 董事 | 陳偉之 | 臺視公司新聞部記者，中部新聞中心主任，臺灣藝術大學廣電系副教授，玄奘大學傳播學院院長、新聞系主任，海外華人研究學會副理事長、理事長 | 玄奘大學傳播學院碩士班教授　廣播與電視新聞學系主任 |
| 董事 | 陳德禹 | 臺灣大學政治所教授兼代系主任、法學院訓導主任、教務主任、臺大社科院副院長 | 臺灣大學政治學系名譽教授（兼任） |
| 董事 | 程南洲 | 政治大學中文系教授、開南大學教務長，代理校長 | 政治大學中國文學系兼任教授 |
| 董事 | 黃金文 | 大專教授，考試院典試委員、臺灣新生報業公司董事長，金門科技大學講座教授、中國社會工作協會理事長 | 廣益社會福利慈善事業基金會董事、中外學術文教基金會董事、戴炎輝文教學術基金會董事 |

| 職稱 | 姓　名 | 經　　歷 | 現　　職 |
|---|---|---|---|
| 董事 | 黃慶源 | 政治大學書畫教師，臺灣大學華裔青年國粹教師，中和庄美展評審委員，國父紀念館中山國家畫廊策展咨詢委員，人間福報藝術天地執筆 | 社團法人長遠畫藝學會理事長，臺灣傳統基金會董事，墨君堂藝術有限公司董事長 |

　　眾所周知，「天下為公」是最能代表國父　孫中山先生的一句話，中山先生還有另外一句非常重要的話是「振興中華」，中山先生作為領導國民革命建立中華民國的創始人，他其實是中華文化王道精神的發言人。

　　一九二四年中山先生就曾經呼籲日本要做「東方王道的干城」，不要做「西方霸道的鷹犬」，這句話到現在仍然擲地有聲，發人猛省，他的思想來向孔孟理念。孔子曾經說過他的思想——忠恕的精神就是「思想」之道，其中「恕」道就是王道的精神，孟子也說過「以德服人云，中心悅而誠服也。」足見政治人物必須有「仁心恕道」，才能教化天下，中山先生秉持孔孟之道，才能成為創建民國，拯救中國人民於水火的世界偉人。

　　本人很榮幸能在九十年代奉命出任國父紀念館館長，一生服膺中山精神而奉行中山思想，我今年雖已八十高齡，然而依然覺得本身仍具強大的雄心壯志即便在歷史使命更深刻的現階段，我如何再盡國民一份子的力量來效法中山先生，是我此生最重要的任務。

　　我們何其有幸能夠生於關鍵時刻的年代，時值今日，臺灣與中國大陸仍各治一方，而且雙方互持己見，而且有越來越疏遠的情況，思及至此，我深感遺憾，於是在二〇一八年我接任中華學術文教基金會的當時，當即發表了一段「董事長的話」，以求自我勉勵，今後在國父　孫中山先生精神感召之下，我必將好好經營此一基金會，使其能

成為一盞照亮臺灣光明的燈光，作為一個精神指引的核心社團，我將繼續努力奮鬥來完成使命。

以下特以這段話作為本書的結語。

一九九一年起我擔任國父紀念館館長至一九九七年期間，曾多次率團前往世界各地尋找中山先生走過的痕跡，號稱「尋根之旅」，並且在各國首都展出相關文物，同時發表中山精神永不朽的演講，公開闡釋海內外華人應該重視中山先生當年開創亞洲第一個民主共和國的偉業，效法他天下為公的胸懷，群策群力共同開創二十一世紀華人的新境界。令人欣喜的是，每到一處都獲得巨大而熱烈的迴響。

時迄今日，繼臺灣經濟奇蹟之後，大陸也隨之大國崛起，而如星馬地區等其他海外華人也有了相當的表現，全球華人風起雲湧呈現出堅強茁壯、欣欣向榮的氣象，相信一個輝煌燦爛的中華文化圈即將出現。值此之際，全球華人何去何從，應該擔負何種角色等等，均值吾人深思。

坦誠而言，東西文化最大的不同乃是西方文化重現實、好功利，以科技財經為導向，促使社會繁榮進步，對人類的發展自有其巨大的貢獻，惟進一步深思，則可發現西方宗教文化的傳播已呈現停滯不前的狀態，而公民道德的價值觀也有向下探底的現象，世界超強的美國已無復昔日之風光，而多元強權從而形成，也因為如此，東方文化也有了進一步拓展的空間。自古以來，華人即以儒、釋、道文化為主軸，強調「天下為公、富而好禮、慈悲為懷、清淨自在」的哲學，此項文化且已流傳數千年之久。

綜觀世局，當可瞭解到一項事實，那就是經濟的繁榮以及科技的進步，並不能完全彌補心靈的空虛，唯有灌輸公民中心思想，重整道德禮儀教育，才可以使得社會淨化，進步發展。引申而言，臺灣如果

想在本世紀扮演重要的角色，則堅持儒、釋、道傳統文化，弘揚中山精神理念，才是不二的法門。基於此項觀點，當前臺灣應該在文化教育方面注入更多的心力，才是走出困境最佳的途徑。

許多大哲學家都認為，文化是一切的根本，天下為公，大同世界是人類社會的理想藍圖，以此類推，世界各國的領導人不論其意識形態或背景立場，他們所持有的共同理念應該都是「如何為民眾謀福利，力求社會繁榮均富」，因此吾人實不應再去批判過去的缺失，而最重要的是必須尋求因應未來發展的對策，相信這一點不僅是全球華人的共識，也是全體人類的共識。

在這裡吾人所提出的建議就是「人生是短暫的，文化藝術才能永恆」，如果能教育下一代，使他們能重視文化，欣賞藝術，使得每一個人都能有高尚的品德，那麼自然而然就會形成富而好禮的社會，而團結華人共建和諧社會之後，再聯合全球以平等待我之國家民族，攜手奮進，則當然可以共同邁向世界和平的康莊大道。

中華學術文教基金會自一九九一年成立迄今已屆三十年，在歷任董事會先進的努力奮鬥下，已經擁有最優良的績效與廣大深遠的影響力及知名度，本人此次有幸獲得第十屆全體董事同仁的支持愛護獲任董事長的職位，除深感榮寵之外，同時也有責任重大以及肩擔道義的使命感。

因此，本人在此明確宣示一項理念，那就是希望本基金會能成為大千社會的一盞明燈，以「燃燒自己、照亮世界」來自我勉勵，以服務犧牲的精神來推展文化藝術的公益社會，相信本基金會同仁必然也有相同的理念，本人期盼中華學術文化能持續發揚光大，而本基金會能成為引導國家邁向富強康泰的核心理念單位之一。

本人在國父紀念館館長六年任內，曾多次前往世界各國展示國父史蹟資料暨照片，出版許多國父期刊論文，接待全球元首領袖，建置

中山碑林，更闢建德明藝廊等五個畫廊，舉辦全國最大如畢卡索畫展等，充分體會孫中山先生立志作大事的座右銘。此外，在教育部僑民委員會主任委員八年任內，增加清寒僑生公費獎學金二二〇〇名，每名每年五萬元新臺幣，嘉惠無數學子，又主導協助六所海外臺北學校建置永久校舍，更風塵僕僕尋訪全球華校給予補助及鼓勵，對宣揚國父精神暨照顧僑校僑生的績效，應有目共睹，而且國史記載有案。相信也值得社會各界肯定。

　　走筆至此，我實有無限感慨，臺灣是一個風水寶地，一個蓬萊寶島，一個戰略要地，也是一個世局樞紐，生活在此地的人們歷盡篳路藍縷、歲月滄桑、朝代轉移以及異國統治。也使民眾們磨練出堅強挺立的風格、不屈不撓的毅力，加上順應潮流的思維、奮發有為的精神，使這個位於太平洋的蕞爾小島，有了無限的生機，無限的傳奇！

　　的確，人人都是傳奇，此地有一句話說：「人人頭上一片天，一根草一點露。」也就是說，每個人生命過程都有值得的回憶。基於這樣的想法，在這裡生活了七十餘年的我，更想利用生命的餘暉，好好描述一下七十年來臺灣的過往歲月，再加上個人的生活痕跡，來驗證這個聞名全球屢創佳績寶島的過去與未來！

　　以上就是本書撰寫的動機，個人從事文字寫作已不下六百萬言。其中編撰成專書十五種、專集十五種。已陸續發表文字媒體或已編輯在期刊者百餘篇以上！

　　本書的付梓將只是宣揚臺灣價值的一小步、以擔任領航的角色，自我期許而已，我深深盼望能達到拋磚引玉的效果！二〇二三年元旦，海峽兩岸領導人都發表了談話，習近平主席說「海峽兩岸一家親，兩岸同胞相向而行，攜手共進」蔡英文政府則說「和平穩定保臺、對話合作、人道關懷」等語，這樣的談話，說明了一項趨勢，那

就是和諧和平的氛圍已然到來，所以不管是「兩岸一家親」也好，還是「和平穩定關懷」也好，大家均已表達了善意。事實上，兩岸同文同種，具有相同的文化底蘊，實在應該相互體諒，互道有無，加強合作與交流，才能促進兩岸民眾的福祉，共創美好幸福的未來。我深切盼望，兩岸民眾發揮正向的能量，選擇正確的道路，共同宣揚中華傳統文化，才能達到禮運大同社會的理想，願天佑台灣，天佑中華！

中華學術文教基金會叢刊 1308001

# 龍行天下　臺灣領航

| | | |
|---|---|---|
| 作　　者 | 高崇雲 | |
| 責任編輯 | 張晏瑞　楊佳穎　陳宛妤 | |
| 特約校對 | 林秋芬 | |

| | |
|---|---|
| 發　行　人 | 林慶彰 |
| 總　經　理 | 梁錦興 |
| 總　編　輯 | 張晏瑞 |
| 編　輯　所 | 萬卷樓圖書股份有限公司 |
| | 臺北市羅斯福路二段 41 號 6 樓之 3 |
| | 電話 (02)23216565 |
| | 傳真 (02)23218698 |

| | |
|---|---|
| 發　　　行 | 萬卷樓圖書股份有限公司 |
| | 臺北市羅斯福路二段 41 號 6 樓之 3 |
| | 電話 (02)23216565 |
| | 傳真 (02)23218698 |
| | 電郵 SERVICE@WANJUAN.COM.TW |
| 香港經銷 | 香港聯合書刊物流有限公司 |
| | 電話 (852)21502100 |
| | 傳真 (852)23560735 |

**ISBN　978-986-478-796-8**

2023 年 9 月初版

定價：新臺幣 880 元

如何購買本書：

1. 劃撥購書，請透過以下郵政劃撥帳號：
   帳號：15624015
   戶名：萬卷樓圖書股份有限公司
2. 轉帳購書，請透過以下帳戶
   合作金庫銀行　古亭分行
   戶名：萬卷樓圖書股份有限公司
   帳號：0877717092596
3. 網路購書，請透過萬卷樓網站
   網址　WWW.WANJUAN.COM.TW

大量購書，請直接聯繫我們，將有專人為您
服務。客服：(02)23216565 分機 610

如有缺頁、破損或裝訂錯誤，請寄回更換

國家圖書館出版品預行編目資料

龍行天下 臺灣領航 / 高崇雲著. -- 初版. --
臺北市 ： 萬卷樓圖書股份有限公司,
2023.09
　面 ；　公分. -- (中華學術文教基金會叢
刊 ；1308001)
ISBN 978-986-478-796-8(精裝)
1.CST: 言論集
078　　　　　　　　　　　　111021563